Rublack, Gescheiterte Reformation

Spätmittelalter und Frühe Neuzeit

Tübinger Beiträge zur Geschichtsforschung

Herausgegeben
von Josef Engel und Ernst Walter Zeeden

Band 4
Hans-Christoph Rublack
Gescheiterte Reformation

Klett-Cotta

Gescheiterte Reformation

Frühreformatorische und protestantische
Bewegungen in süd- und
westdeutschen geistlichen Residenzen

Von Hans-Christoph Rublack

Klett-Cotta

CIP-Kurztitelaufnahme der Deutschen Bibliothek

Rublack, Hans-Christoph:
Gescheiterte Reformation: frühreformator. u. protestant. Bewegungen in süd- u. westdt. geistl. Residenzen [diese Arbeit ist im Sonderforschungsbereich 8, Tübingen, entstanden]. – 1. Aufl. – Stuttgart: Klett-Cotta, 1978. –
   (Spätmittelalter und frühe Neuzeit; Bd. 4)
   ISBN 3-12-911560-9

Erste Auflage 1978
Diese Arbeit ist im Sonderforschungsbereich 8 Tübingen entstanden und wurde
auf seine Veranlassung unter Verwendung der ihm von der Deutschen
Forschungsgemeinschaft zur Verfügung gestellten Mittel gedruckt.
Verlagsgemeinschaft
Ernst Klett – J. G. Cotta'sche Buchhandlung Nachf. GmbH., Stuttgart
© Ernst Klett, Stuttgart 1978. Printed in Germany
Satz: Ernst Klett, Stuttgart
Druck: H. Mühlberger, Augsburg

Inhaltsverzeichnis

Vorwort

Die vorliegende Untersuchung ist im Rahmen der Forschungen des Teilprojektes „Stadt in Spätmittelalter und Reformation" (Z 2) des Sonderforschungsbereiches 8 „Spätmittelalter und Reformation" der Universität Tübingen entstanden. Aufgabe der Forschungen des Teilprojektes Z 2 ist es, nicht-theologische Faktoren zu untersuchen, die den Prozeß der Reformation in Städten Süddeutschlands förderten oder die reformatorische Bewegung hinderten, sich durchzusetzen. Die an ausgewählten Städten vorgenommenen Untersuchungen laufen in drei parallelen Strängen ab; in einem Arbeitsvorhaben wird die spätmittelalterliche Kirchenpolitik der Magistrate untersucht, ein weiteres stellt die soziale Schichtung des Bürgertums der betreffenden Städte dar, schließlich werden Einführung der Reformation, beziehungsweise Verlauf von reformatorischen Bewegungen vergleichend untersucht. Ihren Abschluß finden die Forschungen in einer Analyse der Faktoren, der die zunächst monographisch dargestellten Forschungsergebnisse zugrundeliegen.

Der Deutschen Forschungsgemeinschaft ist für die Förderung der Untersuchungen herzlich zu danken, in diesen Dank sind die von der Deutschen Forschungsgemeinschaft bestellten Gutachter eingeschlossen. Für kritische und fördernde Anregung, das hohe Maß an Einsatz und Zusammenarbeit, schließlich für die Diskussion der Arbeitsergebnisse ist den Mitgliedern des Teams Z 2, Frau Dr. Bátori, Herrn Dr. Trüdinger, Herrn Dr. Weyrauch und Fräulein Hannelore Götz zu danken. Herr Trüdinger hat die Untersuchung der spätmittelalterlichen Kirchenpolitik in Würzburg Ende 1975 im Manuskript abgeschlossen. Sie erscheint 1977 in dieser Reihe. Fräulein Götz untersucht in ihrer Dissertation die Sozialschichtung des Bürgertums der Stadt Würzburg im 16. Jahrhundert. Bildete die Arbeit von Herrn Trüdinger eine unerläßliche Arbeitsgrundlage für die vorliegende Untersuchung, so sind von der Darstellung der sozialen Schichtung durch Fräulein Götz wichtige komplementäre Ergebnisse zu erwarten. Herrn Professor Dr. Ernst Walter Zeeden, Leiter des Projektbereichs, ist für die unserer Arbeit zuteilgewordene Unterstützung ebenso zu danken wie für seine aktive Teilnahme an den Diskussionen des Teilprojekts Z 2. Letzteres gilt auch mit großem Dank für die Herren Professoren Dr. Bernd Moeller, Göttingen, und Thomas Brady, Oregon.

Ein besonders herzlicher Dank richtet sich an die Leiter, Beamten und Angestellten der benutzten Archive. Herr Dr. H. Dunkhase, Stadtarchiv Würzburg, hat unsere Forschungen großzügig gefördert. Desgleichen danken wir den Leitern des Staatsarchives Würzburg, den Herren Professoren Dr. H. Hoffmann und Dr. W. Scherzer sowie Herrn Dr. A. Tausendpfund und Herrn Dr. H. Kallfelz. Für Beratung und Förderung ist ebenso Herrn Dr. Kemmeter, dem Leiter des Stadtarchivs Kitzingen, und den Herren Dr. K.-H. Mistele und Dr.

H.-J. Wunschel, Staatsarchiv Bamberg, zu danken, ebenso dem Leiter des Ordinariatsarchivs Bamberg, Herrn Dr. B. Neundorfer, sowie dem Leiter des Stadtarchivs Bamberg, Herrn K. Schnapp.

Die hier vorgelegte Arbeit ist eine Untersuchung, die Befunde präsentiert, beschreibt und auswertet. Sie beschränkt sich streng, auch in ihren narrativen Partien, auf die Erörterung und Lösung des Problems (Kap. 1). Eine erzählende Darstellung kann und will sie daher nicht bieten. Vielmehr arbeitet sie zwei Fälle auf und vergleicht weitere. Die Exkurse legen Material vor, das den Text der Untersuchung selbst gesprengt hätte und das einzelne Aussagen unterbaut, vertieft oder weiterführt. Nur die Exkurse 2 und 6 sind randständig und im Gefälle des Forschungsprozesses entstanden.

2

Teil I: Würzburg

Kapitel 1:
Einführung: Zur Problemlage

Eine Untersuchung der Einwirkungen der Reformation auf die bischöfliche Residenzstadt Würzburg ist nicht schon dadurch gerechtfertigt, daß sie dort Erscheinungen nachweist, die auf die Reformation zurückzuführen sind. Freilich ist es wissenswert, daß eine reformatorische Bewegung[1] existierte, mit welchen Mitteln und auf welchen Wegen sie eindrang und in welchen Erscheinungsformen sie sich zeigte. Aber das Ergebnis einer solchen Studie — ein kurzes Auftauchen, als im „Bauernkrieg" die festgefügte Herrschaft erschüttert wurde, vorher nur Ansätze, deren Breitenwirkung nicht erkennbar ist, schließlich mit der Niederlage des Aufstands des gemeinen Mannes zugleich das Ende, das Scheitern der reformatorischen Bewegung — würde an sich eine umfassende Monographie nicht lohnenswert erscheinen lassen. Es wundert daher kaum, daß

---

[1] Die Begriffe „evangelische" und „reformatorische Bewegung" sind noch nicht eindeutig definiert. Z. B. spricht *Hans J. Hillerbrand* 1971, 43, von „evangelical" preachers in der Frühphase der Reformation, deren Ziel sei, „not to repudiate the Church, or to break away from it, but to make changes within", dagegen (ebd. 41) von „change of loyalties" und „repudation of the Church and of centuries of Christian tradition". *Ernst Walter Zeeden* bestimmt die evangelische Bewegung von ihrer „inneren Mitte" her, dem „Evangelium", sie ziele wie Luther ab, „die Kirche nach den Richtlinien des Neuen Testaments umzugestalten" (*Zeeden* 1964, 15). Einen noch weiter gefaßten Begriff wendet an *Wilhelm Störmer* 1971, 115: er läßt die evangelische Bewegung bestimmt sein durch Publizität der Lehre und das Ziel der „Umwandelung kirchlicher Verhältnisse", nicht also durch eine „geschlossene Vorstellungswelt", sie gehe aus „verschiedenen Bewegungsimpulsen" hervor. Klärend unterscheidet *Scheible* 1974, 108—134, für die Flugschriften zwischen „evangelisch" und „lutherisch" für das reformatorische Lager, wobei „evangelisch" durch Schriftprinzip und allgemeines Priestertum bestimmt ist, „lutherisch" die Übereinstimmung mit Luthers eigentümlicher Theologie meint. Daneben gehörten zum reformatorischen Lager auch diejenigen, die für Luther Partei ergriffen, nicht aber bloß Kritik äußerten oder Reform verlangten. Nach dieser Differenzierung greift der Versuch des *Verf.* (1971, 321, A. 2), reformatorische Bewegung von der humanistisch-biblizistischen zu unterscheiden, nicht mehr. *Alastair Duke* 1975, 62—64, gibt für die Niederlande Hinweise zum Wandel der Bedeutung von ‚evangelisch' in den 20er Jahren des 16. Jahrhunderts: zunächst meinte es gegen spekulative Theologie und allegorische Exegese gerichtet die Bevorzugung schriftgemäßer Predigt. Bis 1525 mischten sich „dubious undertones" ein (ebd. 63), erst um 1530 „evangelical was widely regarded as the antithesis of ‚Catholic'" (ebd. 63). Auch dann noch bildete der Begriff „a broad umbrella beneath which many sha-

bislang — anders als für Bamberg[2] — unser Thema nicht monographisch behandelt worden ist[3].

Als Desiderat stellt sich die Untersuchung des Falles „Würzburg und die Reformation" dar aufgrund der Problemlage des Themas „Stadt und Reformation", das in den letzten Jahren in seiner Bedeutung für die Reformationsgeschichte voller gewürdigt wurde[4]. Die zusammenfassende Literatur dazu hat sich auf die Reichsstädte[5] konzentriert, so daß eine Aufarbeitung von landsässigen Städten in diesem Forschungskontext die Grundlage für einen differenzierteren Vergleich bildet[6]. Die Forschung hat bislang überdies auf die Durchführung der Reformation, auf deren Realisierung abgehoben, also nur die erfolgreichen Reformationen in den Städten beachtet.

Die nicht-theologischen, also politischen und sozio-ökonomischen Faktoren, die die Durchsetzung der Reformation in den Städten bedingten, konnten bisher weder zu einer Konstellation geordnet oder gar gewichtet werden. Sie sind als Teil eines Versuchs, die Stärke ihrer Einwirkung zu erheben, aber auch ex negativo zu überprüfen. Es ist zu fragen, welche der bei den erfolgreichen Städtereformationen auftretenden Voraussetzungen, Bedingungen und unterstützenden Begleitumstände in den Städten, in denen die Reformation „sich" nicht durch-

des of dissenting opinion could shelter" (ebd. 64). — Zu präzisieren wäre auch der Begriff ‚Bewegung'. Er impliziert ein hohes Maß an Dynamik, ein geringes Maß an Organisiertheit, unbestimmt bleibt, ob die Veränderungen durch Reform oder Umsturz erfolgen sollen. Unklar auch bei *R. Heberle:* Art. „Soziale Bewegungen", in: *Bernsdorf:* Wörterbuch der Soziologie. Frankfurt/Main 1972. (Fischer-Tb 16133). Bd. 3, 715—717. Eine Übertragung der dort vorgenommenen Bestimmungen aus dem 19./20. Jahrhundert müßte die andersartige Sozialverfassung der frühen Neuzeit berücksichtigen. Vgl. auch *Rössler* 1966, 2 f.

[2] *Erhard* 1898; ders. 1897, 1—23, 55—74; *Karl Schottenloher* 1907; jetzt zusammenfassend: *Zeissner* 1975, außerdem *Endres* 1971.

[3] Würzburg wurde im Zusammenhang der fränkischen Reformationsgeschichte mitbehandelt, vgl. *Scharold* 1824; *Schornbaum* 1880. Neuere Zusammenfassungen: *Specker* 1965; *Wendehorst* 1966, 57—64; *Endres* in *Spindler* 1971.

[4] *Verf.:* Forschungsbericht „Stadt und Reformation". Demnächst in *Bernd Moeller* (Hg.): Stadt und Kirche im 16. Jahrhundert (SVRG 190) (1978).

[5] Wenn man von den landesfürstlichen Städten Niederdeutschlands absieht, vgl. *Franz Lau* 1959 (wieder abgedruckt in *Hubatsch* (Hg.) 1967, 68—100). Auf *Lau* fußen *Hall* und *Dickens* (vgl. *Verf.:* Forschungsbericht „Stadt und Reformation"), eine analytische Lokalstudie mit generalisierendem Ansatz *Schilling* 1975, 193—238.

[6] Die Studie entstand innerhalb des Forschungsprogrammes des Sonderforschungsbereichs 8 „Spätmittelalter und Reformation" Projektbereich Zeeden, Teilprojekt „Stadt in Spätmittelalter und Reformation in Süddeutschland", das auf der Grundlage einer typologisch orientierten Auswahl von Städten die nicht-theologischen Faktoren bei der Durchführung der Reformation analysieren soll und in dem Verf. das Arbeitsvorhaben „Typische Verlaufsformen der Reformation in den Städten" untersucht. Dabei sind außer Reichsstädten auch landsäßige Städte Untersuchungsgegenstand.

setzte, fehlten. Die vorliegende Arbeit, die von einem Fall ausgeht, kann, wie sich versteht, darauf keine abschließende Antwort geben. Sie soll ein erster Anlauf sein, dem weitere Untersuchungen folgen müssen.

Zudem hat sich im Verlauf der Studien zu Würzburg herausgestellt, daß im Rahmen der Frage, ob „Reformation" und „Stadt" eine Affinität aufweisen, der Zeitraum der Untersuchung auf die zweite Hälfte des sechzehnten Jahrhunderts ausgedehnt werden mußte. Eine Studie von Ernst Schubert über „Protestantisches Bürgertum in Würzburg am Vorabend der Gegenreformation"[7] wies auf das Phänomen hin. Es zeigte sich, daß das Thema „Stadt und Reformation" keineswegs mit der Begegnung von Bürgertum und Reformation in den Anfangsjahren der Reformation erschöpft ist.

Ob man die 2. Hälfte des 16. Jahrhunderts der ‚Gegenreformation' oder dem ‚Zeitalter der Glaubenskämpfe' zuordnet und so den politisch-militanten Zug hervorhebt oder den Vorgang katholisch-kirchlicher Reform und für beide Konfessionen den Prozeß der Stabilisierung unter dem Vorzeichen der Stärkung des frühneuzeitlichen Staates betont, so ‚katholische Reform' und ‚Konfessionsbildung' für ebenso wesentlich hält — in jedem Fall erscheinen protestantische Bürger in Städten, die Zentren katholischer Reform und Gegenreformation waren, insbesondere also in den Bischofsstädten, für die geistliche und weltliche Herrschaftsträger identisch waren, als nicht charakteristisch. Sie gelten bestenfalls als widerständig gegen die Signaturen des Zeitalters[8]. Wenn wir über die kurzlebige und spurenhafte Würzburger reformatorische Bewegung der zwanziger Jahre des 16. Jahrhunderts hinausgehen, beschreiben wir das Aufeinandertreffen des lutherischen Bürgertums mit der altgläubigen Landeskirche in einer Epoche, in der die protestantische Bewegung ‚sich' nicht ‚siegreich durchsetzte', sondern infolge der überlegenen Energien des geistlichen Landesfürstentums schließlich scheiterte.

Es muß dabei heute nicht mehr hervorgehoben werden, daß die Historie sich der Selektion des Erfolgs nicht zu unterwerfen braucht. Das moralische Pathos, Unterdrücktes, Erfolgloses und Gescheitertes wieder ans Licht zu heben, um es der damnatio memoriae zu entheben, ist gewiß eines der Geschäfte, die der Gerechtigkeitssinn des Historikers immer wieder zu betreiben hat[9], will er nicht der Ansicht verfallen, daß geschichtsmächtig und -würdig allein Herrschaft, Eliten

---

[7] *Schubert* 1971.

[8] Zur Frage der Grundzüge des Zeitalters und der Terminologie zuletzt *Zeeden* 1973, 1—5, sowie *ders.* 1967, 17—21, 205—208, 215 f. — *Zeeden* 1965, 71: „Die Fortschritte des Protestantismus in der zweiten Hälfte des 16. Jahrhunderts scheinen die innerkirchlichen Zustände in den katholisch verbliebenen Ländern . . . weiter zersetzt zu haben."

[9] „Das Amt der Historie ist: die unsterbliche Seele des Menschen zu erkennen und sie in ihrer Erscheinung auf Erden darzustellen. Jede Beschönigung des Unrechten muß gehaßt und gemieden werden." *Leopold von Ranke:* Vorlesungseinleitungen. München, Wien 1975, 296. Hg. v. *Volker Dotterweich, W. P. Fuchs* (Aus Werk und Nachlaß, 4).

und Etabliertes seien. Diese Annahme, freilich ebenso das Pathos, das sie zu korrigieren vermag, gehört zu den Antrieben, die der Historiker zu reflektieren und so zu kontrollieren hat, um seine Motive und die Aussagen der Quellen auf die Sache auszurichten. Die vorliegende Arbeit soll der Differenzierung dienen, die der Annäherung an die komplexe Wirklichkeit entspricht. Es geht in ihr nicht — um überflüssigerweise ein Mißverständnis auszuräumen — wie bei vielen reformationsgeschichtlichen Arbeiten früherer Zeiten darum, überall den Erfolg reformatorischer Ideen nachzuweisen, die sich eigentlich hätten durchsetzen müssen, wenn nicht diese oder jene Personen und andere Widerstände gegen sie gewirkt hätten. Vielmehr soll die Realität der jeweiligen Zeit in möglichster Nähe, in Gemenge und Gewirr dargestellt werden. Ob sich dann Regelmäßigkeiten zeigen, ist eine weitere und erhebliche Frage.

Kapitel 2: Voraussetzungen

Was die Forschung an Voraussetzungen der Reformation in den Städten herausgestellt hat, kann hier unter vier Stichworten zusammengefaßt werden: 1. städtische Autonomiebewegungen, 2. die mit ihr eng verflochtene städtische Kirchenpolitik, 3. soziale Spannungen[1], 4. die humanistische Intelligenz und die von ihr nicht streng zu scheidende religiöse Reform.

Die städtische Autonomiebewegung hatte in Würzburg im Jahr 1400 die entscheidende Niederlage erlitten[2]. Der städtische Rat fungierte danach als städtisches Organ der Verwaltung[3]. Ein Bereich herkömmlicher Selbstverwaltungsrechte blieb nur dann als gewohnheitsrechtlich von Eingriffen landesherrlicher Gebots- und Satzungsgewalt frei, wenn der Fürstbischof — wie es später Julius Echter tat[4] — die Superiorität des Landesherrn nicht geltend machte[5]. Um 1500 war der Weg in die Untertänigkeit noch nicht zu Ende gegangen. Das Mittel, Haltung und Entschlüsse des Stadtrates zu beeinflussen, war das Recht des Landesherrn, alternierend mit dem Domkapitel, den (Unter-)Rat zu besetzen[6]. Zwar erfolgte die Einsetzung von Ratsherren anstelle von solchen, die starben oder ausschieden, aufgrund einer vom Rat erstellten Kandidatenliste. Dem Rat bot

[1] *Verf.:* Forschungsbericht Stadt und Reformation; *Endres* 1975, 151—170, bes. 153 f.
[2] Die Ergebnisse der Würzburger Stadtgeschichtsforschung zum Mittelalter sind resümiert und weitergeführt bis in den Anfang des 16. Jahrhunderts von *Trüdinger* 1977, 23 ff. *Schubert* 1967, 36 ff. beleuchtet die Entwicklung aus der Perspektive der Bildung von Landständen.
[3] *Trüdinger* 1977, 18, 30 f.
[4] Vgl. unten S. 60 ff., allgemein *Merzbacher* 1973, 67.
[5] *Trüdinger* 1977, 31 f., *Schubert* 1967, 111 f.
[6] *Trüdinger* 1977, 29 f., *Verf.* in: WDGBll 39, 1977.

diese Vorwahl die Möglichkeit, städtische Personalpolitik zu betreiben. Eine oppositionelle Haltung war dadurch aber nur bei langfristig angelegter Strategie zu sichern, da der Rat nicht periodisch neubesetzt wurde. Das Domkapitel, das mitregierte, zur Opposition gegen den Landesherrn zu versuchen, gelang fast nie[7]. Immerhin nahm es das Recht auf eine Vorschlagsliste zusammen mit seinem Recht zur alternierenden Besetzung in die Wahlkapitulationen auf[8]. Ein Mittel schließlich, seine Stellung zu stärken, sah der Rat im Landtag[9], wo seine Vertreter als die des Hauptortes des Territoriums besonderes Gewicht hatten. Das zeigt das Verhalten des Würzburger Rates im Bauernkrieg[10]. Es läßt aber auch erkennen, daß er sich grundsätzlich gegen den Landesherrn loyal verhalten wollte[11]. Nur unter starken Drohungen sagte der Würzburger Rat die Loyalität gegen den Landesherrn auf. Die Mitregierungsrechte des Domkapitels wollte er abbauen[12], das seinerseits auf seinen Rechten eifersüchtig und nach dem Grundsatz ‚principiis obsta' bestand[13]. Insbesondere über den Oberrat kontrollierte das Domkapitel die städtische Wirtschaft[14].

Eine erfolgreiche ‚Kirchenpolitik' konnte bei diesen verfassungsrechtlichen Gegebenheiten nicht durchdringen. In der von Geistlichen, geistlichen Konventen und deren Grundbesitz durchsetzten Stadt[15] ließ der geistliche Landesherr eine Amortisationsgesetzgebung nicht aufkommen, wie auch die Exemtion des Klerus von Steuer und Gericht voll erhalten blieb. Lediglich am Ende des 15. Jahrhunderts bestimmten fiskalische Erwägungen den Landesherrn zu einer Bestandsgarantie zugunsten der Stadt. Auch Klosterpflegschaften gab es nicht[16]. So ist es eher erstaunlich, wieviel der Rat erreichte, so wenig das gemessen an anderen Städten auch bedeutete.

Im ganzen erweist sich die Bilanz des Vordringens des Rats und des Bürgertums auf kirchliches Gebiet nicht als völlig negativ: innerhalb des „bekannt bunten"[17] Bildes spätmittelalterlichen Kirchen- und Frömmigkeitswesens entwickelten sich Schwerpunkte städtischer Frömmigkeit und Einflusses[18], die nicht nur zeigen, daß die Dominanz des Klerus die Laien nicht in Passivität sinken ließ, sondern daß auch — wenn auch nur im Ansatz — die sonst feststellbare Tendenz zur „Verstädtigung", d. h. zur Einpassung der Kirche in die Stadtstruktur

---

[7] *Trüdinger* 1977, 76 und unten S. 62; *Schubert* 1967, 81.
[8] *Trüdinger* 1977, 29 f.; *Verf.* in: WDGBll, 1976.
[9] *Schubert* 1967, 102, 153. *Jäger* 1973, 16, 32.
[10] *Verf.* in: ARG 67, 1976, 76—100.
[11] *Verf.* in: ARG 67, 1976, 76—100.
[12] Ebd.
[13] Vgl. unten S. 53.
[14] *Trüdinger* 1977, 25, 31.
[15] *Trüdinger* 1977, 40 ff., und 145 ff.
[16] *Trüdinger* 1977, 146; nur Beginenklausen wurden vom Rat kontrolliert.
[17] *Trüdinger* 1977, 147.
[18] *Trüdinger* 1977, 68, 98 ff.

und die städtische Mentalität, greifbar ist. Kooperation[19] und Kontrolle kirchlichen Lebens im Sinne einer „Observanz" finden sich im Rat und dem Ratsbürgertum, das sich auch durch Stiftungen auszeichnete[20]. In den unteren Schichten läßt sich ein Antiklerikalismus[21] feststellen, der wohl vorwiegend von den Einkommensminderungen, die die wirtschaftliche Tätigkeit des Klerus mit sich brachte, bestimmt war. Dieser ist weder durchgehend nachweisbar, noch in Umfang und Reichweite definierbar. Dagegen stehen positive Äußerungen der Frömmigkeit auch dieser Schichten[22].

Die Spannungen, die sich in der städtischen Revolte während des „Bauernkrieges" entluden[23], sind zum Teil durch wirtschaftliche Konkurrenz erklärbar. Wie diese sind die Erscheinungsformen des Aufstandes ein ‚spätmittelalterliches' Phänomen[24]. Daß auch soziale Distanz des gemeinen Mannes zum Rat bestand, belegen ebenfalls die Aprilereignisse von 1525: der Rat, so der Vorwurf, kollaboriere mit dem Klerus. Eine Tendenz zur Ausbildung einer Oligarchie ist auch für Würzburg, wie für andere Städte, zu vermuten[25], zumal dem Abschluß der Ratsherrengruppe durch die Verfassung selbst Vorschub geleistet wurde. Daß diese Gruppe der Ratsherrenfamilien soziale Aufstiegschancen in der geistlichen Karriere zu ihren Gunsten verteilte[26] und daß sie, wo es für Bürgerliche möglich war, Pfründen zu besetzen, Zugang suchte[27], hob sie vom mittleren Bürgertum ab. Die Schranke der Exklusivität zum Domkapitel konnte die Ratsgruppe freilich nicht überwinden[28], und die Wendung gegen dieses ließe sich durch die doppelte Freistellung der Domherren durch geistliches und adlig-ständisches Vorrecht erklären. In dieser sozialen Distanz lag ein Spannungspotential. Es konnte punktuell aufgehoben werden, wie die Teilnahme des Ratsbürgertums an gesell-

---

[19] *Trüdinger* 1977, 76 f., wie auch in den Hausgenossenschaften. Hausgenossen hießen die weltlichen Amtsträger des Domkapitels, vgl. *Amrhein* 1914, 126—202. 1528 strengte der Dompropst ein Verfahren gegen vier Würzburger Bürger an, die Inhaber von Kellerlehen (zum Kelleramt *Amrhein* 1914, 144) waren, da sie während des Bauernkriegs gegen den Dompropst gehandelt hätten. Es waren Peter Weyer, Hans Eck, Jörg Markart, Jörg Dieff (Würzburg Staatsarchiv Lehenssachen 7389). Hans Eck, Jörg Dieff, Kürschner, waren 1525 im Grünbaum gefangengesetzt (*Cronthal* 90) und auf den Marienberg geführt worden und laut Urfehde am 22. 6. 1525 wie die im Grünbaum Verbliebenen, unter ihnen der Ratsherr Peter Weyer (ebd. und 120), entlassen.

[20] *Trüdinger* 1977, 123 ff., bes. 126.

[21] *Trüdinger* 1977, 143 f.

[22] *Trüdinger* 1977, 126, 137 ff.

[23] *Verf.* in: ARG 67, 1976, 76—100, und in: Bernd *Moeller* (Hg.) Bauernkriegsstudien 1975, 60 f.

[24] *Trüdinger* 1977, 24, A. 5 (1265), 75 (1354, 1400).

[25] *Trüdinger* 1977, 34 f.

[26] *Trüdinger* 1977, 102.

[27] *Trüdinger* 1977, 77 f.

[28] *Trüdinger* 1977, 76 f. Dagegen stiegen zahlreiche Würzburger in Pfründen des Neumünsterstifts auf: *Wendehorst* 1970, 38 ff.

schaftlichen Veranstaltungen der höheren Stände belegt[29]. Die in anderen Städten klarer und, wie es scheint, konsequenter auftretende Linie der Emanzipation der Stadt von der Kirche, deren Kehrseite die Verbürgerlichung des Klerus war, entwickelte sich in Würzburg also nur in Ansätzen, prägte sich eher defensiv aus, war aber doch in ihrer Intention deutlich.

Die Verbindung von Humanismus und Reform verkörpern in Würzburg zwei Personen: Trithemius und Johann Reyß[30]. Während ersterer wohl — im Gegensatz zur späthumanistischen Gruppe am Hof des Fürstbischofs — in Würzburg eine einsame Gestalt blieb[31], tritt in Johann Reyß ein Mann auf, der nicht einfach in Lager einzuordnen ist: Würzburger Bürgersohn, aber, wo nötig, gegen den Rat auftretend[32], auf die Domprädikatur wegen seiner Gelehrsamkeit berufen, aber doch volkswirksam[33], in der geistlichen Laufbahn aufgestiegen, zugleich sozial engagiert[34]. Seine humanistischen Bekanntschaften[35] lassen nicht erkennen, wieweit er über seine humanistische Schulung[36] hinaus ein deutliches Reformprogramm vertrat und propagierte. Wie enge Grenzen seiner Wirksamkeit im Sinne sozialer Reform gesetzt werden konnten, erwies sich, als er mit den Interessen des Landesherrn und des Domkapitels kollidierte[37]. Doch blieb der Würzburger Hof und das Domkapitel für den Humanismus aufgeschlossen: nach dem Tode des Johann Reyß sollte Karlstadt für die Kanzel des Doms gewonnen werden[38].

[29] *Trüdinger* 1977, 33 ff., 35.
[30] *Freudenberger* 1954 passim. Zu Trithemius *Arnold* 1971 (1), (2), 1973 (1), (2).
[31] *Arnold* 1971 (2), 164; Trithemius erwähnt 1507 den Dekan des Stifts Neumünster, Engelhard Funk, als einzigen, der sich mit der griechischen Sprache beschäftige. Funk starb 1513. *Arnold* 1971 (1), 222, weist nähere Verbindung zum fast 80jährigen Burkhard von Horneck nach. Vgl. *ders.* 1971 (2), 165.
[32] *Freudenberger* 1954, 70 ff.; *Trüdinger* 1977, 71 ff.
[33] *Freudenberger* 1954, 44 nimmt Einflüsse von Johann von Paltz an: 47, 53, 57; *Trüdinger* 1977, 71.
[34] *Freudenberger* 1954, 78 ff.
[35] *Freudenberger* 1954, 47 ff.
[36] *Freudenberger* 1954, 70.
[37] *Freudenberger* 1954, 72 ff., 125.
[38] *Freudenberger* 1954, 117; weiteres vgl. S. 10 ff. — Fürstbischof Lorenz von Bibra selbst verkörpert die Verbindung von humanistischem Interesse und Reform des Klerus: *Specker* 1965, 35 f.

Kapitel 3: Reformatorische Predigt im Würzburger Dom

Die reformatorische Bewegung hat auch in Würzburg zunächst durch Prädikanten Fuß gefaßt. Ihren erheblichsten, doch gerade auch von altgläubigen Gegenmaßnahmen gefährdetsten Ansatzpunkt bildete die Domprädikatur[1]. Von Sommer 1520[2] bis zur Fastenzeit 1525, nur 1522 etwa für ein halbes Jahr unterbrochen, ist von dieser Kanzel, deren hohe Resonanz nachweisbar ist, reformatorisch gepredigt worden.

Paulus Speratus (1484—1551)[3] stieg aus einfacher Familie[4] über deutsche, auch europäische Universitäten[5] zum Magister artium[6] und Doktor des kanonischen Rechts[7] auf. Zwischen 1506 und 1508[8] zum Priester geweiht, ist er danach als kaiserlicher und päpstlicher Notar[9] in Salzburg nachzuweisen[10], wo er auch predigte[11]. Er scheint 1517 ein eheliches Verhältnis mit Anna Fuchs[12] eingegangen zu sein, ein Konkubinat, das zwar seinen Wechsel an die Universität Basel

---

[1] Zur Geschichte der Domprädikatur *Trüdinger* 1977, 69 ff.; *Freudenberger* 1954 passim, und ebd. 117 ff. zur Besetzung nach Reyß Tod.

[2] Ende Juli: *Tschackert* in: RE³ 18, 1906, 626; *Freudenberger* 1954, 122.

[3] Eine durchgehende, wissenschaftlich belegte Biographie fehlt. Die Vita des Speratus erforschten *Tschackert:* Urkundenbuch (= UKB), und ders. 1891; *Cosack* 1861; *Zeller* 1907; 1909; 1914; und *Bossert* 1921, deren Ergebnisse zuletzt abwägend zusammenfaßte *König* 1958/59, 1962, 1963 (1) und 1963 (2) und 1963 (3). Zur Persönlichkeit: *Tschackert* in: RE³ 18, 1906, 630 f.

[4] Speratus stammte aus einem Weiler bei Ellwangen (*Zeller* 1914, 115; *König* 1958/59, 80; 1962, 8; 1963 (2), 23. *Bossert* 1921, 193 f. nahm uneheliche Geburt an. Das Geburtsdatum (13.12.1484) ist nur im Wolfenbütteler Ms. der Vita mitgeteilt: *Zeller* 1907, 337.

[5] Freiburg 1503: daran läßt sich nur festhalten, wenn man in „Speratus" die latinisierte Form von Hoffer (= Hofherr) (*König* 1963 (1), 19; *Zeller* 1907, 345; *Zeller* 1909, 181 f.) erkennt, obwohl er auch später in Sprett, Sprätt als deutsche Form des Namens erscheint, was *Bossert* 1921, 195—197, als Rückübersetzung bezeichnete, wozu freilich kein zwingender Grund gegeben erscheint. Eine Vita nennt als Studienort Paris (Ms. Wolfenbüttel: *Zeller* 1907, 337, 345; *Zeller* 1914, 110) und italienische Universitäten („magnam Italiae partem peragravit" *Zeller* 1907, 346; vgl. auch *Cyriacus Spangenberg* in: Adels-Spiegel, Ander Teil 1594, 94v). Durch den Namen Paulus Speratus eindeutig belegt ist nur die Immatrikulation in Basel 1518: *Zeller* 1914, 113; *König* 1962, 10, 12.

[6] *Zeller* 1907, 346.

[7] Dr. theol. nur in der Vita des Königsberger Ms.: *Zeller* 1907, 337, 346; Zeller 1914, 111; 113; *Tschackert* UKB, Nr. 325; *König* 1962, 10. Nach der Iglauer Tradition trat Speratus ferner als Chorherr des Neumünsterstiftes in Würzburg auf: *Zeller* 1907, 357, Anhang 2.

[8] *Bossert* 1921, 346; *König* 1962, 11.

[9] *Zeller* 1907, 346; *Zeller* 1914, 98.

[10] 1511—1517: *Zeller* 1914, 99.

[11] *Zeller* 1909, 180; *Zeller* 1914, 99.

[12] *Zeller* 1914, 103—105, 107; *König* 1962, 11 f.

erklären würde, dagegen die unbefristete Anstellung in Dinkelsbühl 1520[13] schwer verständlich macht. Von der Prädikatur an der Sankt-Georgs-Kirche[14] konnte er sich lösen[15], um nach Würzburg zu gehen. Was ihn bewog, die befristete Anstellung[16] als Domprädikant in Würzburg anzunehmen, für die ihm jährlich 200 fl zugesichert wurden[17] und die ihm eine ehrenvollere Position, den Aufstieg in ein Kanonikat am Neumünsterstift und einen bedeutenderen Wirkungskreis boten, ist nicht bekannt. Das Domkapitel betrieb die Berufung, oder doch eine Gruppe von Domherren[18]. Auch Bischof Konrad von Thüngen förderte sie[19]. Daß die Bürgerschaft wie in einem früheren Fall mitwirkte[20], ist nicht ersichtlich. Das Domkapitel erwartete und erhielt einen nach Ausbildung und erworbenen Titeln gelehrten Prediger, der nach Ausweis seiner Wiener Predigt in der Heiligen Schrift bewandert, überdies nach einer späteren Mitteilung auch in den Kirchenvätern belesen war[21].

Die Art der Predigt des Speratus beanstandete das Domkapitel bereits im Sommer 1521[22]. Ermahnungen und Bemühungen, seine Stellung dauerhafter zu sichern, um ihn zu halten[23], wechselten. Er selbst faßte später die fortwährenden Anwürfe gegen seine Predigten als Anfang einer Verfolgung evangelischer Verkündigung auf[24]. Dies mag ein Grund gewesen sein, warum es ihn im November 1521 nicht länger in Würzburg hielt. Ein weiterer war sein anstößiger Lebenswandel, worin mit einiger Wahrscheinlichkeit sein Konkubinat zu vermuten ist[25].

---

[13] *Zeller* 1914, 116.
[14] *Bürckstümmer* 1914, 1., 15; *Seubert* 1970, 10; zu Speratus ebd. 15.
[15] Speratus predigte in Würzburg am 15. 4. 1520 zur Probe: *Kolde* 1900, 68, Nr. 4. Um die vorzeitige Entlassung von der Dinkelsbühler Prädikatur bemühte er sich selbst: *Kolde* 1900, 70, Nr. 7.
[16] Speratus schlug 5—8 Jahre vor: Würzburg Staatsarchiv Domkapitelsprotokolle (= Dkp) 5, f. 249r, *Kolde* 1900, Nr. 5 (S. 69); das Domkapitel schließlich 5: *Kolde* 1900, 69, Nr. 5, Nr. 6.
[17] *Kolde* 1900, 69 (Nr. 5), (Nr. 6); 200 fl war keine „geringe Dotierung" (*König* 1962, 12). Das Fixum von 80 fl war schon 1490/91 festgelegt, ergänzt durch Einkünfte aus Totengedächtnisstiftungen (*Freudenberger* 1954, 14 f.).
[18] *Kolde* 1900, 68 und 70 f.: Peter von Aufsess, Karl von der Thann, Johann von Guttenberg (er schlug auch Poliander 1522 als Nachfolger vor: *Kolde* 1900, 73, Nr. 15).
[19] *Kolde* 1900, 68, Nr. 5; 70, Nr. 6, nicht Lorenz von Bibra (*Tschackert* in: RE³ 18, 1906, 626).
[20] *Trüdinger* 1977, 70.
[21] Vgl. die Königsberger Vita bei *Tschackert* UKB, Nr. 2419, S. 278: „scholasticos doctores et patres sub papatu diligenter legerat".
[22] *Kolde* 1900, 54; ders. ebd. 71, (Nr. 8 b) (18. 7. 1521).
[23] *Kolde* 1900, 71, (Nr. 10 und 11).
[24] *König* 1962, 30: „wie . . . in mir das wort ist verfolget worden, . . .".
[25] *Kolde* 1900, 56 f.; *Tschackert* in: RE³ 18, 1906, 626. Nach *Kolde* waren die finanziellen Schwierigkeiten primär, sekundär Predigt und Ehe.

Der Zeitpunkt seines Verschwindens[26] hängt möglicherweise mit rückständigen Schuldzinsen zusammen.

Noch 1525 sahen Würzburger Bürger den Grund zur Aufgabe des Dompredigeramts in seiner evangelischen Predigt[27]. Dies läßt den Schluß zu, daß Speratus in einem Maß reformatorisch predigte, daß dies erkennbar wurde[28] und daß seine Predigt Resonanz fand. Was er predigte, ist aus den spärlichen Zeugnissen über seine Würzburger Wirksamkeit nicht zu erschließen. Da er kurz nach seinem Abzug aus Würzburg in Wien predigte und wir dafür einen Text besitzen, sind Rückschlüsse möglich. Die Wiener Predigt, am 12. 1. 1522 im Stephansdom gehalten[29], ließ Speratus zwar erst 1524[30] drucken[31]. Diesem Text lag nicht mehr die originale Predigtvorlage zugrunde, sondern ein von Speratus selbst aus der Erinnerung rekonstruierter Text. Der erste Entwurf war ihm 1523 bei seiner Gefangennahme abgenommen worden. Da Speratus jedoch die zweite Fassung in der Absicht niederschrieb, um die Predigt für eine etwaige Verteidigung zur Verfügung zu haben, dürfte der Textsinn erhalten, wenn nicht der grundsätzliche Teil noch entfaltet sein. Die Predigt ist nicht auf eine spezifische polemische Situation, etwa die Wiens im Januar 1522, zugespitzt. Sie konzentriert sich zwar im zweiten Teil auf die Mönchsgelübde. Doch der erste Teil, der vom Taufgelübde handelt, entfaltet grundlegende theologische Gedanken, besonders zur Heilslehre (Werkgerechtigkeit, Heiligung). Wenn dies dem Tenor der Würzburger Predigten entspricht, dann hat Speratus dort reformatorisch gepredigt, nicht nur in seinen positiven Aussagen, sondern auch in den Argumenten, die sich gegen das Bestehende richten: das ‚solus Christus' ist soteriologisch verstanden, das ‚sola scriptura' gegen die Menschengesetze gewandt, das ‚sola fides' und die

---

[26] *Kolde* 1900, 58: 21. 11. 1521; so auch *Zeller* 1907, 336; richtig *König* 1962, 13: 20. 11., nach *Kolde* 1900, 73, Nr. 14: „des andern tags nach elizabet." Ein Schuldprozeß wurde erst im folgenden Jahr gegen seinen Bürgen Hans Eck anhängig (ebd.). Hans Eck war Fernhändler (Würzburg Staatsarchiv Lehnsachen 7389, f. 24r).

[27] Vgl. *Verf.* in: ARG 67, 1976, 98. Vgl. das Schriftzitat in *König* 1962, 29: „schuttelt den staub ab von meinen fuessen": Matt. 10,14: „und wo euch jemand nicht einnehmen wird, noch eure Rede hören, so geht heraus von demselben Hause oder der Stadt und schüttelt den Staub von euren Füßen".

[28] Daß Speratus erst in Würzburg „evangelisch" wurde (so *W. Lueken:* Art. Speratus in: RGG³ 6, 1962, Sp. 241), ist nicht belegbar.

[29] *Zeller* 1907, 336; *Tschackert* UKB, Nr. 253; die Verhandlungen der Wiener Theologischen Fakultät sind gedruckt bei *Rudolf Kink:* Geschichte der kaiserlichen Universität zu Wien 1/2. Wien 1854, 128 f. Die durch sie verurteilten Lehrsätze in WA 15, 125—140 (= *Tschackert* UKB, 210, dazu *Zeller* 1914, 117): „Hie werden verzeychet die irrigen artiekel voller ergernis und die da stincken nach ketzerey, so neulich am Sontag, dem XII. tag des jenners, auff dis XXII. jare ynn S.Steffans kirchen zu Wienn, von eynem doctor, Paulus Speratus genant, auff dem predigstul sind gepredigt worden" (WA 15, 131).

[30] *Tschackert* UKB, Nr. 253.

[31] Wiederabgedruckt *König* 1962, 28 ff.

Ablehnung der Werkgerechtigkeit vorhanden, wenn sie auch nicht im Zentrum stehen, ganz deutlich jedoch die Lehre vom allgemeinen Priestertum. Die Zentrallinie der Argumentation ist positiv: die paulinische Opferung des „Eigennutzes" (Selbstwillens) des „Fleisches", nach dem Vorbild Christi[32], ist im Taufgelübde zugesagt und hebt als umfassendes Gelübde[33] Spezialgelübde in diesem auf: jene sind nicht als solche verwerflich, aber nur dann begründet, wenn sie sich der Richtschnur des Gotteswillens unterwerfen. Kirchlichen Geboten, die nicht von der Heiligen Schrift bestätigt werden, auch den evangelischen Räten, bleibt das Taufgelübde übergeordnet[34].

Über die Lehren hinaus ist die Art, in der Speratus predigte, zu erkennen: bei grundlegenden Ausführungen ruhig und konzis argumentierend, wendet er sich an den Hörer, auch mit seelsorgerlichen Gedanken. Doch scheut er nicht vor radikalen Aussagen zurück[35], polemisiert insbesondere gegen Prälaten und Mönche[36]. Gegenstand wie Art der Kirchenkritik sind nicht eigenartig, sondern im humanistischen und reformatorischen Lager üblich. Das macht es schwer, die Wirkung des Speratus zu erheben. Die Einträge im Würzburger Domkapitelsprotokoll ergeben jedoch ein eindeutiges Bild: nicht den Inhalt der Predigt monierte das Kapitel etwa als Ketzerei, sondern die Form, in der Speratus predigte[37]. Da es nicht etwa die Gestik beanstandete[38], sind mit Wahrscheinlichkeit Äußerungen gemeint, die Erscheinungen der Kirche der Kritik unterzogen. Sie konzentrierten sich darauf, die weltliche Macht[39], den Reichtum der Kleriker und ihr Versorgungsdenken zu verurteilen[40]. Speratus radikalisierte die Kritik, die auch in Würzburg gegen einzelne kirchliche Mißstände laut geworden war[41]. Ebenso wie sein Vorgänger, der loyale Dr. Johann Reyß, provozierte er nicht, anders als dieser scheute er Auseinandersetzungen nicht[42].

[32] *König* 1962, 34.
[33] Ebd., 38: „Ist nu das nicht ein hohes, tieffes, weyttes und breyttes gelüb? . . . Warumb verkniepffen und verwickeln wir uns denn mit andern geliebden?"
[34] *Tschackert* in: RE[3] 18, 1906, 626 stellt Übereinstimmung mit dem „Geist" von Luthers „De votis monasticis" fest.
[35] *König* 1962, 49 f.
[36] Ebd., 42: „mastseu".
[37] *Kolde* 1900, 71, (Nr. 8 b) (= Würzburg Staatsarchiv Dkp 5, f. 276r).
[38] Er predige „unbescheiden" (= maßlos, übertreibend [*Josua Maaler:* Die Teütsch spraach ND 1971, 458]); *Kolde* 1900, 71, Nr. 11: „das er gepredigt, des er wol vertragen gewesen, und zu widerwillen und auffrur dyene" (Dkp 5, f. 282r); *Kolde* 1900 ebd., (Nr. 11): er solle „nichts unnutz oder das neyd oder auffrur gebere, sagen oder predigen".
[39] *König* 1962, 31, 33.
[40] Ebd. 29, 31.
[41] Vgl. den Fall des Dompfarrers Dr. Dietrich Morung bei *Freudenberger* 1954, 91 ff., der gegen den Kreuzzugsablaß Innozenz VIII. Stellung nahm, sowie den antimonastischen Zug, den *Trüdinger* 1977, 144 beobachtete. — Das Domkapitel wies ihn auf das andere Verhalten der Vorgänger hin (*Kolde* 1900, 72, [Nr. 11]).
[42] *König* 1962, 29.

Die Wiener Predigt des Speratus zeigt sein Denken so tiefgehend vom Schriftprinzip durchdrungen, daß es ausgeschlossen erscheint, daß diese Theologie sich über Nacht entfaltet haben sollte. Das wird bestätigt durch die Aussage des Speratus selbst, der schon in Würzburg die Verfolgung des Wortes ansetzte[43]. Speratus, der 1523 die „protestantische Marseillaise" dichtete[44], betonte die Einheit der Gemeinde und forderte die Wahl des Predigers durch sie[45]. Er sah das Wort Gottes als richtenden Maßstab, hob antimonastische Kritik heraus. Dies entspricht den Schwerpunkten der Würzburger Artikelserien im Bauernkrieg[46]. Daß Speratus schon während seines Wirkens in Würzburg auf die Laien Wirkung hatte, bezeugen die Domkapitelsprotokolle[47], was einzelne Laien übernahmen, ist kaum erkennbar. Zwischen der Predigt des Speratus und den Würzburger Forderungen von 1525 ist schon deshalb eine Beziehung nicht stringent nachzuweisen, da auch andere Geistliche in gleichem Sinne gepredigt haben mochten.

Nachdem die Domprädikatur interimistisch versehen worden war[48], forderte das Domkapitel Johannes Gramann[49] Anfang 1522[50] zur Probepredigt auf. Laut

---

[43] Vgl. oben A. 24.

[44] So *A. Hausrath:* nach *Wilhelm Nelle:* Schlüssel zum Evangelischen Gesangbuch für Rheinland und Westfalen, 3. Auflage, Gütersloh 1924, 155. „Es ist das Heil uns kommen her" entstand 1523 (?), gedruckt 1524, *Tschackert* UKB, Nr. 2419, S. 277: „Nam post Lutherum vix alius quisquam tali dono concinnandi cantilenas sacras lingua teutonica hac nostra aetate praeditus fuit".

[45] WA 12, 166—168. Die Vorrede der deutschen Übersetzung des Speratus von Luthers „De instituendis ministris ecclesiae" ist den Christen in Salzburg und Würzburg gewidmet.

[46] Vgl. *Verf.* in: ARG 67, 1976, 87 f.

[47] *Kolde* 1900, 71, (Nr. 8 b).

[48] *Kolde* ebd., 60 und 72, (Nr. 12): durch den Prediger von Ochsenfurt, Paulus Hagen, für die Adventszeit, und ebd., 60 und 73, (Nr. 16): ein Karmelitermönch. Der Protokolleintrag vom 10. 5. 1522 „der Carmelit, so bisher geprediget", läßt sich sowohl als Abfindung nach beendeter als auch als Entgelt für bisherige und fortzusetzende Predigt verstehen.

[49] Johannes Graumann, Gramann = Poliander (zur Vita *Tschackert* UKB I, 123 ff.), geboren 26. 12. 1486 (*C. Krollmann:* Neues von Johannes Poliander. In: Mitteilungen des Vereins für Geschichte von Ost- und Westpreußen 1, [1926/27], 21), immatrikuliert Leipzig 1503, bacc. art. 1506, mag. art. 1515 (*Kolde* 1900, 61), immatrikuliert Wittenberg November 1519 (ebd.), nach „halbjährigem Aufenthalt" (ebd.) Rückkehr in sein Amt als Rektor der Thomas-Schule in Leipzig, das er während des Wittenberger Aufenthaltes nicht aufgegeben hatte (so *W. Lueken* in: RGG³ 2, 1958, Sp. 1823). Nach dem Würzburger Aufenthalt predigte Gramann von März bis Anfang April 1525 (Ende Mai 1525 nach *Krollmann* [wie oben], 22) in Nürnberg auf der Pfründe des Kuntz Horn in Sankt Lorenz (*Tschackert* UKB, Nr. 475; *Karl Schornbaum:* Zum Aufenthalte Johannes Polianders und Johannes Schwanhausens in Nürnberg. In: Beiträge für bayerische Kirchengeschichte 6, 1900, 216—228; LThK² 8, 1963, Sp. 589 [*P. Meinhold*]. Zu berichtigen *Friedrich Spitta:* Zur Lebensgeschichte des Johannes Poliander. In: Zeitschrift für Kirchengeschichte 29, 1908, 389—393), wo er heiratete (*Krollmann* a. a. O. 22 — die Nachricht der Charitas Pirckhei-

Protokolleintrag könnte Gramann sowohl die Tatsache empfohlen haben, daß er in Leipzig tätig und im Stift Würzburg geboren[51] war, als auch die freilich unrichtige Angabe, er sei Doktor der Theologie[52]. Vielleicht wußte man in Würzburg, daß Poliander bei der Leipziger Disputation Ecks Protokollant gewesen war[53]. Zu bezweifeln ist, daß sein Aufenthalt in Wittenberg und der Widerstand der theologischen Fakultät Leipzig gegen seine und Mosellans Promotion zum baccalaureus biblicus[54] bekannt war. Vielmehr ist anzunehmen, daß dies weder bei der Probepredigt noch bei der Berufung eine Rolle spielte. Schon 1520 war ein nach Wittenberg zum Studium beurlaubter Domherr an eine andere Universität übergewechselt[55]. Wenig später stellte sich das Domkapitel schon sehr dezidiert gegen einen Bewerber auf eine Domherrenpfründe, der mit Luther sympathisierte[56]. Das Domkapitel erkannte Gramann nicht als Anhänger Luthers, der er

mer, er sei beweibt, bestätigt sich dadurch, vgl. unten A. 65). Er war einer der Präsidenten der Nürnberger Disputation: *Seebass* 1974/75, 493. Im Sommer 1525 ist Poliander in der Grafschaft Mansfeld nachweisbar (zu berichtigen LThK a. a. O.), vgl. unten A. 72 (*Tschackert* UKB Nr. 163; *Cosack* 1861, 365 f.), im Herbst 1525 im Herzogtum Preußen (*Tschackert* UKB I, 127), erst dort trat er mit seinem Vorgänger auf der Würzburger Dompredikatur, Speratus, seit 1524 Schloßprediger in Königsberg (*Tschackert* 1894, 19), in Verbindung (*Tschackert* UKB 1192, 1206, 1207) sowie mit dem dort tätigen ehemaligen Würzburger Kanoniker Friedrich Fischer (*Tschackert* UKB 967, seit Ende 1525 juristischer Rat, später Kanzler: *Tschackert* Herzog Albrecht, 21). Poliander starb am 29. 4. 1541 (*Tschackert* UKB Nr. 141; UKB I, 274). Sein Lied „Nun lob mein Seel den Herren" (*Tschackert* UKB 1277) zuerst in Kugelmanns Choralbuch 1540, möglicherweise schon 1530 gedichtet (ebd.), vgl. dazu *Friedrich Spitta:* Zur Lebensgeschichte des Johannes Poliander. In: Zeitschrift für Kirchengeschichte 29, 1908, 393—395 sowie ebd. zur Verfasserschaft Polianders von „Fröhlich will ich singen".
[50] Dkp 5, f. 288v: 4.2. statt wie *Kolde* 1900, 73, (Nr. 15): 3.2.
[51] *Förstemann:* Album academiae Vitebergensis 1, S. 87: *Naustadt* Herbipo. dioc.; Neustadt/Aisch: RGG³ 2, 1958, Sp. 1823, vgl. *Kolde* 1900, 60, A. 2 (S. 61): Neustadt/Main. Wie diese liegt auch Neustadt/Saale in der Diözese Würzburg (*Max Spindler* [Hg.]: Bayerischer Geschichtsatlas. München 1969, Karte 26/27).
[52] Poliander war bacc. bibl. Leipzig 1520: *Kolde* 1900, 62; *Otto Clemen:* Ein Brief Johann Polianders an Mosellan. In: Neue Jahrbücher für das klassische Altertum, Geschichte und deutsche Literatur und für Pädagogik 6, 1900, II. Abt.: Neue Jahrbücher für Pädagogik, 395.
[53] *Kolde* 1900, 61.
[54] *Kolde* 1900, 61 f., Promotion am 20. 8. 1520: *Tschackert* UKB I, 124.
[55] Würzburg Staatsarchiv Dkp 5, f. 264v: Herr Wilhelm Schott teilte dem Bischof von Würzburg mit, „das er wie andere von Wittenberg abgezogen", er wechselte nach Erfurt über, „aus ursachen das der babst contra Lutherum et adherentes fulmirt" (15. 12. 1520) (= *Amrhein* 1923, 11); noch am 27. 9. 1520 erteilte das Domkapitel licentia ad studium in Wittenberg für den Domherrn Moritz von Hutten (Würzburg Staatsarchiv Dkp 5, f. 258v) *Amrhein* 1923, 11; *Bigelmair* 1951, 50.
[56] 4. 7. 1523: Würzburg Staatsarchiv Dkp 5, f. 323r; *Amrhein* 1923, 13: Burckardt von

war[57], und Gramann selbst vermied eine Konfrontation, offenbar ohne daß er seinen Überzeugungen untreu zu werden brauchte. Der Amtseid[58] brachte ihn nicht in Konflikt, da er auf Gott und die Evangelisten zu leisten war.

Die Auseinandersetzung mit den Mönchen, derentwegen Gramann 1524 vor das Kapitel zitiert wurde[59], läßt sich inhaltlich nicht bestimmen[60]. Seine Predigt über die Würzburger Lokalheiligen[61] zeigt, daß er die Gemeinde vom äußerlichen Nachahmen und Verehren zur verinnerlichten Anschauung der Heiligen als Exempel wahren, bekennenden Glaubens lenken wollte[62]. Daß damit mehr als

Miltz wurde erst nach genauer Befragung als Domherr zugelassen. Er konnte sich vom Verdacht, ein Anhänger der lutherischen Lehre zu sein, „die auffrurig In der Cristenlichen kirchen auch von bebstlicher heiligkeit und kais. mt. verdampt", nicht reinigen, indem er darauf hinwies, er wolle „den Euangelio anhangen und christo". Obwohl er hinzusetzte, „wolle sich des gemeinen gebrauchs auch halten", ließ das Domkapitel ihn erst zu, nachdem er versichert hatte, er wolle seinen Priestereid halten, was den geforderten Gehorsam gegenüber dem päpstlichen und kanonischen Recht einschloß. Von Miltz vertrat die beiden Jakob Fuchs (siehe unten S. 26 ff., dazu *Merzbacher* 1974, 102). Von Miltz hatte in Wittenberg studiert, imm. 1511 (*von Wegele* 1882, I, 52).

[57] *Kolde* 1900, 61; vgl. Polianders Auseinandersetzung mit Mosellan de libero arbitrio: *Clemen* 1900 (wie oben A. 52). Diese Epistel Polianders ist nur auf 1522 datiert. Luthers Bemerkung an C. Borner vom 28. 5. 1522 (*Clemen* 1900, 396) könnte sich auf diese Kontroverse beziehen. Poliander beruft sich freilich nicht explizit auf Luther als Autorität, sondern auf Augustin (ebd. 396). Lutherisch ist die Verwerfung der humana ratio (ebd. 396), die Betonung des Glaubens und der promissio Christi (ebd. 396 und 400), des verborgenen Gottes (ebd. 397), des solus Christus (ebd. 399: extra Christum ergo nemo per se innocens est, vgl. Polianders Randglosse bei *Tschackert* UKB, Nr. 164), der Hl. Schrift und des sola gratia (*Clemen* 1900, 400), ferner die Entgegensetzung von lex und evangelium (wie in der Eislebener Predigt: *Cosack* 1861, 365). — Die Brieffragmente, die *Clemen* in Zeitschrift für Kirchengeschichte 49 (NF 12), 1930, 175—178 edierte, sind undatiert und können deshalb nicht zur Interpretation herangezogen werden. Das erste Fragment (an Caspar Borner) könnte in die Würzburger Zeit Polianders fallen, doch bleibt die Definition der Situation durch Poliander (Kampf gegen die teuflischen Ränke um Luthers Lehre) noch zu allgemein.

[58] *Kolde* 1900, 55, A. 1 (56).

[59] *Kolde* 1900, 63 (11. 6. 1524), ebd. 74, (Nr. 18); Würzburg Staatsarchiv Dkp 5, f. 344v: Poliander verweist darauf, daß er selbst Polemik ungern betreibe, das Domkapitel spielt die Rolle des Vermittlers, auch mit den Mönchen solle gesprochen werden, es ist also wiederum die Art und Weise, nicht der Inhalt der Predigt, die beanstandet wurde. Ich lese statt *Kolde* 1900, 63: „öckeln" = urteilen.

[60] Anders *Erdmann* in: RE[3] 15, 1904, 526.

[61] Nur in den Zitaten bei *Cosack* 1861 überliefert: *Cosack* 1861, 60; *Kolde* 1900, 64.

[62] *Kolde* 1900, 64: Nur mit Anschauen und Nacheifern des Glaubens der Heiligen dürften wir uns zufriedengeben, man solle sie wahrhaft ehren in Nacheiferung ihres Glaubens, der Liebe und Geduld. Die gleiche Haltung zeigt eine Randbemerkung Polianders zur Schrift Emsers gegen Karlstadt 1522 über die Bilderfrage (*Tschackert* UKB Nr. 53): Die Ausstellung von Bildern verführe das Volk, keineswegs fordert Poliander, alle Bilder abzutun. In

16

eine polemisch eingefärbte Diskussion über Heiligenverehrung gemeint war, ergibt sich aus der folgenden Aussage, daß das Evangelium nicht nur Brot, sondern auch Schwert sei. Auch Destruktion, nicht lediglich Aufbau war in der von Gramann vertretenen Änderung impliziert[63]. Schließlich konnte in Würzburg nicht verborgen sein, was in Rothenburg 1524 bekannt war[64]: daß nämlich Poliander neben dem Weihbischof Pettendorfer die neue Lehre vertrete[65].

Da Gramann erst 1525[66] wegen wachsenden Widerstands von Seiten der Domherren[67] um Entlassung nachsuchte, liegt es nahe, daß es doch auch solche Domherren gab, die einem strikt gegenreformatorischen Kurs nicht ohne weiteres zustimmten, wenn auch weder deren Zahl noch ihre Motive zutage treten[68]. Wie im Fall des Speratus vermied man einen offenen Bruch, etwa durch Vertreibung[69]. Poliander ließ sich in Nürnberg sogleich im Dienst reformatorischer

der Predigt zum Allerheiligenfest betont Poliander, wir seien Genossen der Heiligen (*Cosack* 1861, 60).

[63] *Kolde* 1900, 64. Wenn die Datierung auf 1524 zutrifft, weist die Äußerung, Poliander leite bei der Ermahnung der Brüder nicht leidenschaftliche Erregung gegen die Gegner, er rede so, wie er verpflichtet sei, ebenfalls auf die polemische Situation hin.

[64] *Kolde* 1900, 63, nach Zweifel in *F. L. Baumann:* Quellen zur Geschichte des Bauernkriegs aus Rothenburg 1878, 9 ff. Teuschlein wandte sich, als er vor das Offizialatsgericht in Würzburg zitiert wurde, an Pettendorfer und den Domprediger, die „bed auch uff die newen lutherischen materien predigten". Diese rieten ihm, das Wort Gottes zu predigen und sich um kirchliche Sanktionen nicht zu kümmern. Im Sommer 1524 suchte Poliander Kontakt zu Adam Weiß in Crailsheim: *Bossert* 1888, 79 f.

[65] Zu Pettendorfer vgl. unten S. 19 f.

[66] *Kolde* 1900, 74, (Nr. 19) (4. 2. 1525).

[67] Ebd.: „sehe furs beste an, das er iczt selbst abziehe und urlaub neme, hab bisher etlicher hern ungunst gespuert, mocht etwa bas einreissen." — Poliander trat im Februar 1525 über Georg Koberer an den Kitzinger Rat heran, ob er, wenn er sich verheirate, auf die Kitzinger Pfarrstelle rechnen könne (Kitzingen Stadtarchiv Registrirbuch 1523—1525, p. 385—388).

[68] Nach Würzburg Staatsarchiv Dkp 5, f. 322v (27. 6. 1523) (= *Amrhein* 1923, 13) verweigerte das Domkapitel dem Mandat des Bischofs gegen die Konkubinarier die Zustimmung, da es „zu vill hart befunden" wurde. *Bigelmair* 1951, 46 datiert nach *Fries* bei *Ludewig,* Würzburger Chronik, das Mandat auf 1523; ebd. 56: es gab 2 Mandate: 1521 und 1523. Vgl. unten S. 23, A. 5.

[69] Polianders Entlassungsgesuch wurde per omnia vota gnädig bewilligt. Er blieb noch bis Ende der Fastenzeit in Würzburg, seine Anstellung in Nürnberg war noch nicht gesichert. Erst am 25. 2. 1525 forderte ihn der Rat von Nürnberg an (*Schornbaum* 1900, 221, Nr. 8). Poliander predigte also bis etwa Beginn der Fastenzeit in Würzburg (*Kolde* 1900, 74, [Nr. 19]) und erhielt zur Schuldentilgung 30 fl (ebd. [Nr. 21]: 26. 2. 1525). Die unzulänglichen Einkünfte der Prädikatur spielten wie bei Speratus eine Rolle: die außer dem Fixum von 80 fl überlassenen Einkünfte blieben aus. Bischof Konrad konnte später behaupten, er habe Poliander gebeten zu bleiben (*Kolde* 1900, 66). Dazu *Verf.* in: ARG 67, 1976; Poliander befriedigte seine Gläubiger, den Domherrn Dietrich von Thüngen und das Kartäuser-

Verkündigung verwenden[70]. So hat er doch wahrscheinlich in Würzburg unzweideutiger reformatorisch gepredigt, als es sich den wenigen Quellen entnehmen läßt[71]. Schließlich hat sich Poliander, freilich in schon wieder veränderter Situation nach Niederschlagung des Bauernkriegs, so unbedingt auf die Seite Luthers geschlagen[72], daß nicht zu bezweifeln ist, daß auch von 1522[73] bis Anfang 1525 im Würzburger Dom reformatorisch gepredigt wurde. Danach versah ein Vertreter humanistischer Reform die Würzburger Domprädikatur[74].

kloster in Würzburg, erst von Nürnberg aus (*Schornbaum* 1900, 218, 226). Das Nürnberger Ratsprotokoll (10./11. 2. 1525) setzt bereits Verhandlungen voraus (*Schornbaum* 1900, 221, [Nr. 6]; *Pfeiffer* 1968, RV 335, 338).

[70] Er wurde eingesetzt, um den Clarissen reformatorisch zu predigen (*Pfeiffer* 1968, RV 401: 18. 3. 1525; *Schornbaum* 1900, 221, [Nr. 9, 10]); *Kolde* 1900, 66: am 20. 3. 1525 predigte Poliander zum ersten Mal bei den Clarissen.

[71] In Nürnberg hat sich Poliander geweigert, Messe zu lesen (*Schornbaum* 1900, 221, [Nr. 7]; *Pfeiffer* 1968, RV 338).

[72] Vgl. seine Apologie der Haltung Luthers im „Bauernkrieg": *Tschackert* UKB, Nr. 391 „Ein urtayl Johann Polianders, über das hart büchlein doctor Martinus Luthers wider die auffrurn der pauren . . .", wiederabgedruckt bei *Laube-Seiffert* 1975, 430—436, auch in *F. G. E. Rostius* 1808, 36—49.

[73] Das Datum des Antritts der Würzburger Domprädikatur läßt sich nicht exakt bestimmen. Poliander war Anfang 1522 zur Probepredigt aufgefordert worden (vgl. oben A. 50), aber er legte erst am 6. 10. 1523 den Amtseid ab (*Kolde* 1900, 73, [Nr. 17]). Doch geht aus dem Eintrag hervor, daß er bereits ein Jahresgehalt erhalten hatte (*Kolde* 1900, 73, [Nr. 17]). Borner teilte am 3. 7. 1522 Julius Pflug mit, daß Poliander sich die Rückkehr in sein Leipziger Amt gesichert hatte, so daß er möglicherweise in Würzburg ein Probejahr vereinbart hatte (*Pollet* 1969, 106, 108).

[74] Polianders Nachfolger Johannes Haner (um 1480—1544 [?] *Matthias Simon:* Art. „Haner, Johann". In: RGG³ 3, 1959, Sp. 66; *Kolde:* Art. „Haner, Johann". In: RE³ 7, 1899, 400—402). Haner kam aus Nürnberg (*Kolde* 1900, 65), Poliander wechselte mit ihm die Pfründe (*Pfeiffer* 1968, RV 338). Auf der Domprädikatur wurde er für ein Jahr angestellt (Würzburg Staatsarchiv Dkp 5, f. 357v, 14. 2. 1525; *Kolde* 1900, 67), blieb aber nur bis Herbst 1525. Auch er predigte „evangelisch" (Kolde 1900, 68 und ders. in: RE³ 7, 1899, 400: „Gerade hier in Würzburg wurde er bis zu einem gewissen Grade für die Reformation gewonnen."). Bischof Konrad wies im April 1525 darauf hin, daß Haner evangelisch predige, unterlegte jedoch ein ähnliches Verständnis dieses Begriffs, wie das Domkapitel (vgl. oben A. 56), das bei dieser Gelegenheit replizierte, es sei auch evangelisch, und zugleich Gehorsam gegen kirchliches und Reichsrecht forderte. Haner zog im November 1525 nach Nürnberg, schließlich 1541 als Domprediger nach Bamberg (*Kolde* in: RE³ 7, 1899, 402), er starb vor Februar 1545 (ebd.). Vgl. *Müller-Seebass* I, 1975, 123 f.

Kapitel 4: Reformatorisch gesinnte Kleriker in Würzburg

Speratus und Poliander blieben in Würzburg nicht isoliert. Unter der akademisch gebildeten höheren Geistlichkeit zeigen sich weitere Ansätze einer evangelischen Gruppe, die aus dem Humanismus herauswuchs und zu überzeugten Anhängern Luthers wurde. Nicht mit voller Sicherheit läßt sich die Haltung des Weihbischofs Johann Pettendorfer festlegen[1]. An seinem endlichen Übertritt ins Lager der Reformation läßt sich zwar nicht mehr zweifeln[2], wenn sich in den 30er Jahren auch seine Spur verliert und seine Wirkung vor 1525 in Würzburg nicht sicher zu bestimmen ist. Pettendorfer war schon von Lorenz von Bibra zum Weihbischof berufen worden[3], vorher wirkte er als Professor, zeitweise Rektor[4] der Universität Ingolstadt[5]. Erst für 1525 läßt sich belegen, daß er evangelisch predige. Sein öffentliches Eintreten für den neuen Glauben könnte mit der „Öffnung" zusammenhängen, die der Bauernkrieg für kurze Zeit ermöglichte[6]. Mit dessen Ende verschwand Pettendorfer aus Würzburg, heiratete dann 1527 in Nürnberg[7]. Nur durch ein Zeugenprotokoll erfahren wir, daß der Weihbischof, offenbar im Stift Haug, wo er die Predigerpfründe versah[8], für die Priesterehe eintrat, sie nicht nur verteidigte, sondern auch die Priester zur Eheschließung ermunterte[9], die Eucharistie als „signum . . . gleichwie ein gemäleter hailge

[1] Nach *Kolde* 1897 hat *Kerler* 1900 ein Verhörsprotokoll von Zeugen zu Pettendorfers Predigt 1525 veröffentlicht. Ausführlicher dann *Amrhein* 1923 und danach *Schornbaum* 1925, 61 f. Gegen *Amrhein Bigelmair* 1951 und *Kist* 1951. Nach *Kist:* Pettendorfer stammte aus Regensburg, geboren um 1470, immatrikuliert Ingolstadt 16. 7. 1490 als minderbemittelt, ca. 1500 bacc. theol., 1507 an der Pfarrei Unserer lieben Frau Ingolstadt, zugleich theologische Professur an der Universität, 1509 Rektor, in den Sommerferien 1509 nach Italien, dort Dr. theol. h. c. Ferrara, immatrikuliert Heidelberg 1. 4. 1510, 1512 Weihbischof in Würzburg.
[2] Dazu *Bigelmair* 1951, 54, und vor allem *Kerler* 1900, 89—91, sowie *Karl Schornbaum* 1949, 91, (Nr. 3042): Johann Suffraganeus Herbipolensis Anna famula Spenglers 6. Augusti 1527 Neuen Spital.
[3] Pettendorfer war in Regensburg begütert (*Theobald* 1936, 165 f.), sein Vetter (*Kerler* 1900, 91) war der Maler Jörg Fürnschild.
[4] *Kalkoff* 1921, 41, dessen Vermutung, Pettendorfer sei heimlich hingerichtet worden (ebd. 41, A. 1), keinen Anhaltspunkt in den Quellen findet und von *Kalkoff* selbst als widerlegt bezeichnet worden ist: ZKiG 40 (NF 3), 1922, 151.
[5] Er wird als Dr. theol. bezeichnet: *J. Greving* 1908, 189, zitiert nach *Kalkoff* 1921, 41, A. 1. Zur Reaktion der Universität auf seine Gesinnungsänderung *Amrhein* 1923, 1, A. 2.
[6] Das Protokoll des Zeugenverhörs (*Kerler* 1900) nimmt nur Äußerungen Pettendorfers aus dieser Zeit auf und nennt weitere Zeugen, meist aus dem Stift Haug, doch vgl. oben S. 17, A. 64.
[7] *Schornbaum* Ehebuch 1949, Nr. 3042: 6. 8. 1527.
[8] *Kalkoff* 1921, 40; *Freudenberger* 1954, 123.
[9] *Kerler* 1900, 91 bei der Heirat eines Priesters, die im Neuen Spital in Würzburg stattfand.

an einer wandt, auch nichs dann ein testament"[10] bezeichnete und während der Belagerung des Marienbergs zur Zerstörung des Schlosses aufrief[11].

In den unten zu schildernden Fall Apel—Fischer verwickelt war der Neumünsterer Chorherr Dr. Nikolaus Kind[12], er ist 1525 als Pfarrer von Eisfeld (nördlich Coburg) und lutherisch nachweisbar.

Noch vor Beginn des Würzburger Aufstandes im April 1525 verließ der Prior des Kartäuserkonvents, Georg Koberer, Würzburg, um in Nürnberg zu wirken. Bei ihm läßt sich sowohl Verbindung zur evangelischen Gruppe als auch Predigttätigkeit in Würzburg nachweisen[13].

[10] Ebd. 90.

[11] Ebd. 91.

[12] Auch Kind, geboren 1490, 1523 in Bologna immatrikuliert als Canonicus des Neumünsterstifts (*Knod,* Bologna Nr. 1724; *Amrhein* 1923, 34, A. 2) hatte in Wittenberg studiert: Sommer 1504 (*Knod* [wie oben]), 1505 bacc. art., 1509 mag. art. (*Kolde* 1900, 51; *Muther* 1866, 244; *Kalkoff* 1921, 27). Kind war vom Domkapitel beauftragt, nach dem Tod des Dompredigers Johann Reyß mit Karlstadt zu verhandeln, eine Bekanntschaft aufgrund gemeinsamer Heimat bestand nicht, da Kind aus Hildburghausen stammte (*Freudenberger* 1954, 117; *Kolde* 1900, 51). Kind war Magister (*Kolde* 1900, 51) und Dr. theol. (*Muther* 1866, 244: Wittenberg; *Berbig* 1906, 339). *Kalkoff* nennt ihn Magister (*Kalkoff* 1921, 27) wie auch das Domkapitelsprotokoll (*Amrhein* 1923, 5; *Kolde* 1900, 51). *Weiss* 1964, 244, Nr. 135 bezeichnet ihn als scholasticus des Neumünsterstifts, so auch *Reininger* 1885, 179 f.; *Jordan* 1917, 57; 1520 war er Stellvertreter des Generalvikars. Aus einem fürstbischöflichen Bericht (*Amrhein* 1923, 34) ergibt sich eine Haltung Kinds zur Priesterehe, die nicht fest auf dem Boden des kanonischen Rechts steht, sondern neutral ist. Kind wurde nach dem Bauernkrieg verdächtigt, die Kleinodien des Stifts im Bauernkrieg an sich genommen zu haben mit den Neumünsterherren Georg Fuchs, Anton Aschbacher, Johann Maust (*Scharold* in: AHUA 5, 3, 40f. [ohne Datum]). Zur Übernahme der Pfarrei Eisfeld *Weiss* 1964, 244. Kind visitierte 1528/29 im Ortsland (inkl. Coburg) und wurde Superattendent von Eisfeld *Berbig* 1906, 339, 351 und *Höss* in: *Hans Patze, Walter Schlesinger* (Hgg.): Geschichte Thüringens 3. Köln, Graz: 1967, 50. Gestorben 1549 (*Weiss* 1964, 244; *Berbig* 1906, 352). *Bauer* 1966, 18.

[13] Seine Verbindung zu Crotus wird von Friedrich Fischer hervorgehoben (*Tschackert* UKB II, Nr. 242); ebd. 75: „ein seer gelarter man und beredt dergleichen, darum das er das evangelion nuhe eyn gute tzeyt zu Wurtzberg dapfer predigt, von dem orden gefordert und an andere örter, vielleicht auß anregung des bischofs doselbst verschickt werd . . ." (17. 7. 1524). — Tatsächlich ist Koberer erst März 1525 nach Nürnberg berufen worden (*Pfeiffer* 1968, 51 [RV 358] 25. 2. 1525; *Müller-Seebass* I, 1975, 442), am 16. 3. wiederum nachweisbar in Würzburg (*Pfeiffer* 1968, 57 [RV 394]), aber noch zur Rückkehr in den Würzburger Kartäuserkonvent gewillt, doch vom Rat Nürnberg dringend gebeten, in Nürnberg zu bleiben (*Pfeiffer* 1968, 59 [RV 402], 18. 3. 1525). Anfang April wurde er zur Predigt im Clarissenkonvent eingesetzt (ebd. 378 [Br 170, 171]) und ist danach wohl im Nürnberger Kartäuserkonvent geblieben. Die Teilnehmerliste der Disputation weist ihn als „prior Carthusien" aus, was er schon in Würzburg war (*Müller-Seebass* I, 1975, 442). Für 1525 vgl. außer *Pfeiffer* 1968, 432 auch die Würzburger Schreiben bei *Cronthal* 56 ff. sowie

Weitere Kleriker, die die alte Kirche verließen, waren Peter Bopfinger[14], von dem anzunehmen ist, daß er vor 1525 in Würzburg residierte, und der Hauger Chorherr Wolfgang Nützel[15], der am 28. 5. 1525 heiratete und im Frühjahr 1525 in seine Heimatstadt Nürnberg ging. Auch von Bopfinger ist bekannt, daß er ehelichte. Gesinnung und Grund zur Aufgabe seiner Pfründe sind für Nützel nicht nachweisbar.

Koberers Antwort vom 15. 5. 1525 an den Rat von Würzburg ebd. 61 f. Koberer, 1529 neben Osiander, Schleupner, Linck in die Kommission für Kirchenordnung eingesetzt, regte 1531 mit anderen Katechismuspredigten an (*Sehling* XI/1, 116, 119), arbeitete am Entwurf der Nürnberger KO 1533 mit (*H. Westermayer* 1894, 68 ff.). Lazarus Spengler sagt, er sei „ein seer erfarener gelerter man In der schrifft, der auch ein treffenlich Juditium hat" (ebd. 71); 1533 wurde er in den Ausschuß, der die Durchführung der KO beaufsichtigte, verordnet (ebd. 116). Seine Bibliothek in der Ratsbibliothek Sommerhausen/Main vgl. unten Exkurs 3, dort ist auch das Todesdatum 1534 überliefert.

[14] *Schottenloher* 1940, 168. Bopfinger war Pfarrer von Menthausen bei Mellrichstadt (vgl. *Merzbacher* 1974, 96, A. 81), aber seit 1520 Syndicus des Domstifts (*Schottenloher* 1940, 168) und seit 1522 Subcustos des Domstifts. Da seine Pfarrei 1526 an Johannes Lutz geliehen wird, fällt sein vermutbarer Übertritt zur Reformation jedenfalls in die Nähe des Jahres 1525.

[15] Wolfgang Nützel, der am 3. 3. 1525 Einlaß zur Konvokation erhält (*Pfeiffer* 1968, 53 [RV 365]), bezeugte noch am 27. 3. 1525 in Würzburg zusammen mit dem Neumünsterer Chorherrn Ambrosius Brews die Resignation Johannes Haners von seiner Vikarie zu Sankt Anna Nürnberg zugunsten Polianders (*Pfeiffer* 1968, 352 [Br 134]). Würzburg Staatsarchiv Misc. 3236: überliefert eine Supplikation des ehemaligen Chorherrn zu Haug, Wolf Nützel. Danach verließ Nützel vor der Wiedereinnahme der Stadt durch den Schwäbischen Bund Würzburg, er hatte „pfrundbrott" ausgeteilt, verweigerte aber denen, die den Marienberg verteidigen halfen, Zuwendungen, da sie dem Stift gegenüber treulos geworden seien. Datum der Heirat ebd., er habe 8 kleine Kinder. Vgl. auch die Geleitzusage am 4. 7. 1543 in: Würzburg Staatsarchiv Standbuch 964, f. 122v. Der von *Schornbaum* 1880, 15 als evangelisch reklamierte Dompropst Markgraf Friedrich von Brandenburg war laut eindeutigem Zeugnis seines Bruders Albrecht dem „Evangelium ganz und gar feindlich gesinnt" (*Tschackert* UKB II, Nr. 655, 13. 9. 1529). Über seinen Tod in Frankreich *Merzbacher* 1974, 99, A. 100.

Kapitel 5:
Das Vorgehen des Fürstbischofs gegen zölibatsbrüchige Kleriker

Der aufsehenerregendste Fall, der das Eindringen reformatorischer Ansätze in Würzburg bezeugt, ist der der Stiftsherren des Neumünsterstiftes Johann Apel und Friedrich Fischer[1]. Er kennzeichnet Stand und zugleich Grenzen der reformatorischen Bewegung in Würzburg.

Johann Apel[2] hatte in Wittenberg studiert[3]. Fürstbischof Konrad von Thün-

---

[1] Das Vorgehen Fürstbischof Konrads erregte nicht nur im Bistum Eichstätt Aufsehen (vgl. unten A. 42) und rief infolge der Supplikationen der Familie (vgl. unten A. 34) Schreiben des Reichsregiments hervor und wurde von Planitz (vgl. unten A. 42) an Kurfürst Friedrich von Sachsen berichtet, sondern es fand auch in den humanistischen Freundeskreisen der Chorherren Beachtung (vgl. unten A. 42) und hatte publizistische Wirkungen (vgl. unten A. 13 und 28) und Nachwirkungen (Luthers Begleitschreiben zu Apels „Defensio" unten A. 13). Fürstbischof Konrad befaßte die römische Kurie (unten A. 39) mit dem Fall, da er ihn als allein das kirchliche Recht betreffend auffaßte und Eingriffe aufgrund des Reichsrechts (Reichstagsabschied 1523 vgl. unten A. 36) ablehnte. — Die wichtigsten Akten bei *Amrhein* 1923, 13—31 (lateinische Fassungen) und bei *Melchior Goldast*, Politische Reichs Händel, Das ist Allerhand gemeine Acten/Regimentssachen etc. Auß der Bibliotheck deß Edlen/Ehrenvesten und Hochgelehrten Herrn Melchior Goldast... Frankfurt/M. 1614, f. 783—785 (= Sendschreiben des Jakob Fuchs vgl. unten A. 28 und „Handlung des Bischoffs" etc. vgl. unten A. 34). Die Schreiben der Kurie bei *Scharold* 1824, Bd. 1, S. XXXVIII, Beilage XVI. Chronik: Fries, Bischofschronik in Ludewig 1713, 868 ff. Lit. außer den älteren Darstellungen (*Ehrhardt* 1763, *Scharold* 1824, *Muther* 1866, 247 ff., *W. Schornbaum* 1880): erwähnt bei *Wendehorst* 1966 und *Merzbacher* 1974, sowie *Bigelmair* 1951.

[2] Johann Apel (ca. 1484—1536), Dr. jur. (*Muther* 1866, 320 ff.; *ders.* in: ADB 1, 1875, 501; *Hermann Lange* in: NDB 1, 1953, 322; *Stintzing* 1884, 287—296; *Pollet* 1969, 123 f.; *Tschackert* UKB I und II). — Apel, geboren in Nürnberg 1484/86 (*Muther* 1866, 230: 1486 nach *G. A. Will:* Nürnbergisches Gelehrten-Lexikon 1, 31), immatrikuliert Wittenberg 1502 (*Förstemann:* Album academiae Vitebergensis 1,2), studierte (obwohl kein Matrikelnachweis vorliegt) in Erfurt und Leipzig (*Muther* 1866, 234; 1516 nachweisbar: *Pollet* 1969, 48, A. 9), bezeichnete Mosellan als seinen Lehrer (*Muther* 1866, 234; *Tschackert* UKB II, Nr. 11), er kannte Spalatin (*Muther* 1866, 233; WAB 3, Nr. 784, 292) und Mutian (*Gillert* 1890, Nr. 503, 163: „Abelus, Spalatini alumnus".), mit Spalatin sogar eng befreundet (*Höss* 1956, 5, A. 22 und 13), ebenso bekannt und befreundet mit Eobanus Hessus (*Muther* 1866, 469) und Pflug (*Pollet* 1969, Nr. 21, S. 123 f.) sowie bekannt mit Christoph Scheurl (*von Soden, J. K. F. Knaake* (ND) 1962, 159 f.) und Johannes Lang, Justus Jonas, Johannes Drach (*Muther* 1866, 234, 469; *Tschackert* UKB II, Nr. 29). Nach einem Studium in Italien (*von Soden-Knaake* (ND) 1962, 159 f.; *Pollet* 1969, 123) Kanoniker des Stiftes Neumünster in Würzburg (ohne Datum) und (wahrscheinlich geistlicher) Rat Fürstbischof Konrads von Thüngen. Mit Speratus war Apel schon von der Würzburger Zeit her be-

gen berief ihn zum Rat[4]. Das Mandat des Bischofs gegen die Konkubinarier[5] veranlaßte Apel offenbar zu einer ‚Flucht nach vorn': erst jetzt drangen Gerüchte an die Öffentlichkeit und zum Bischof, daß er in einem Eheverhältnis lebe. Apel selbst erklärte sein Konkubinat zur Ehe[6]. Fürstbischof Konrad persönlich versuchte zunächst, ihn in einer Unterredung zu bewegen, die kirchlichen Normen einzuhalten, da die Aufforderung, seine Frau, eine Nonne aus dem Kloster Sankt Marx in Würzburg[7], wieder dem Konvent zurückzustellen, nichts gefruchtet hatte. Bereits in dieser Unterredung zog Fürstbischof Konrad klare Linien: als Apel versuchte, sein Eheverhältnis zu rechtfertigen[8], wies der Bischof darauf hin, er sei verpflichtet, die Einhaltung des kanonischen Rechts durchzu-

freundet (*Cosack* 1861, 421). Nach seiner im folgenden geschilderten Verhaftung und Freilassung sowie Landesverweisung empfahl ihn Lazarus Spengler an Kurfürst Friedrich von Sachsen (WAB 3, Nr. 744, S. 292, A. 5). Apel erhielt 1524 die Lectura in Digest. vet. an der Universität Wittenberg (*Muther* 1866, 259; *Tschackert* UKB I, 163; WAB 2, S. 292, A. 9), wohl später (1528? *Stintzing* 1884, 288) die Lectura in decreto et decretalibus, die er vorher interimistisch wahrgenommen hatte. Auch Luther empfahl ihn am 11. 5. 1524 (WAB 3, Nr. 744). Sein Gehalt wurde 1525 auf 80 fl erhöht (*Muther* 1866, 362; *Friedensburg* 1926, 133). 1529 Beisitzer am Hofgericht Wittenberg (ADB). Im November 1529 wandte sich Herzog Albrecht von Preußen an Luther wegen eines Nachfolgers für den verstorbenen Friedrich Fischer (WAB 5, Nr. 1490), im April 1530 hat Poliander — wohl schriftlich — mit dem von Luther vorgeschlagenen Apel verhandelt (*Muther* 1866, 273; *Tschackert* UKB II, Nr. 717). Ab 1530 (ca. 10. 7. WAB 5, 676, A. 1) Kanzler und Geheimer Rat, als solcher mit dem Justizreferat betraut, im Herzogtum Preußen (*Tschackert* UKB I, 163). Von 1534 bis zu seinem Tod am 17. 4. 1536 (oder 27. 4.) (*Burger* 1972, 63, 1561) (8. 3.—7. 6. 1526) Ratskonsulent der Stadt Nürnberg (*Tschackert* UKB I, 164; II, Nr. 935: verzeichnet die Briefe an Herzog Albrecht). Einzelnes aus der Nürnberger Zeit bei *Muther* 1866, 280 ff. Tod bei *Tschackert* UKB I, 164, *Stintzing* und ADB 27. 4., *Muther* 1866, 296 f.: 27. 4. Zu seiner Bedeutung als Rechtssystematiker: *Stintzing* I, 1884; *Wieacker* 1967[2], 67, und *Merzbacher* 1958, 364 ff. Apels gedruckte Schriften in Index Aureliensis I, 2, S. 9—10.
[3] *Förstemann*, Album acad. Vitebergensis 1, 2.
[4] Datum unbekannt, aber 1519 in Würzburg nachweisbar (*Muther* 1866, 469 und 243).
[5] Würzburg Staatsarchiv Dkp. 5, f. 322v: 27. 6. 1523: danach war der Entwurf beraten und vom Domkapitel, als zu hart, nicht zur Publikation freigegeben. Fürstbischof Konrad konnte sich freilich 1. auf das kanonische Recht und 2. sein Mandat von 1521 berufen: vgl. unten S. 35.
[6] Ob Apel selbst seine Erklärung, die Nonne sei seine Frau, verbreitete (Fries bei *Ludewig* 1713, 870) oder dies nur für Fischer zutraf (*Goldast* 788), ist nicht mit Sicherheit festzustellen.
[7] So Fürstbischof Konrad bei *Goldast* 788. Die adlige Abstammung dieser Nonne aus St. Marx ist nicht zu bestätigen, da ein Name nicht überliefert ist.
[8] *Goldast* 785: Fbf. Konrad hatte Apel aufgefordert, die Nonne wieder in den Konvent zu überstellen. Dem habe Apel nicht Folge geleistet, überdies sich angemaßt, die Nonne „ewer Eheweib zu seyn verthedigen" (ebd.).

setzen[9]. Er stehe als Bischof gegenüber dem Papst in Pflicht und werde den Fall als Ungehorsam betrachten und bestrafen. Er ging nicht gegen reformatorische Gesinnung vor, sondern wollte die Einhaltung kirchlicher Gesetze erzwingen[10]. Apel selbst berief sich jedoch auf sein Gewissen[11] und auf das Seelenheil, ohne bereits eine Begründung zu geben, die er als schriftliche Antwort in Aussicht stellte[12]. Apels Rechtfertigungsschrift[13] lag schon am folgenden Tage vor. Sie argumentiert insofern geschickt, als sie direkt gegen die Begründung des bischöflichen Vorgehens angeht: Apel wandte sich an Konrad von Thüngen als einen christlichen Fürsten, der zugleich Bischof sei. Er sprach das Gewissen des Fürsten an, und unterstellte damit eine eigenständige, vom Papst unabhängige Entscheidungsfreiheit des Fürstbischofs. Apel erkannte die Zuständigkeit des Fürstbischofs als Richter an, die des Papstes und des Kaisers nur, wenn sich diese dem Gebot Christi unterordneten. Der konkrete Fall des Zölibatsbruchs wird lediglich im Verlauf dieses Argumentationsstrangs angesprochen: die Ehe sei legitim, da auf Konsens gründend[14], die Tradition in den Satzungen der Väter könne ebensowenig wie päpstliches Recht gegen das Evangelium und die Natur geltend gemacht werden[15]. Das göttliche Verbot der Hurerei werde vom Papst, dem römischen Bischof[16], nicht eingeschärft. Wenn überhaupt das Gebot Gottes durch

---

[9] Er sei als Bischof dem Papst zu Gehorsam verpflichtet: „Nun tragt jr gut wissen/mit w(a)z Pflichten ich B.(äpstlicher) H.(eiligkeit) zugethan" (ebd.). Über die Weihegrade der beiden Stiftsherren läßt sich keine Klarheit gewinnen: Planitz berichtet, sie seien Diakon und Subdiakon (*Wülcker-Virck* Nr. 200, S. 478), der Bischof nennt sie Priester, die Dkp 5, f. 323v nennen höhere Weihen, vgl. *Merzbacher* 1974, 103, das Reichstagsprotokoll Ribisens (RTA JR IV, 119) nennt Fischer Diakon.
[10] Neben der aus der Oboedienzverpflichtung folgenden Pflicht, die Einhaltung des kanonischen Rechts durch Sanktionen zu erzwingen, wird Apel auch moralisch diskriminiert: „mich verwundert auch / wie jr euch das Fleisch und ein wenig zeitlichs Lust uberwinden last" (*Goldast* 785).
[11] „Gott weiß / w(a)z Lust oder Freuwd ich hierinn gesucht / allein zu rechtung meines Gewissens" (ebd.).
[12] Ebd.
[13] *Goldast* a. a. O. (Druck: *Tschackert* UKB II, Nr. 297: 1524 Defensio Johannis Apelli ad Episcopum Herbipolensem pro suo coniugio . . ., Königsberg 1524, dazu WA 12, 68—72 Luthers Begleitbrief. Drucke in Index Aureliensis 1966, II, 1, 9 [Wittenberg: 1523, Königsberg: 1525]) weist darauf hin, daß das Original lateinisch gewesen sei. Zu datieren, da die Verhaftung am 1. 6. 1523 (siehe unten A. 21) erfolgte, Mitte Mai („biß in die 16. Tag" (*Goldast* 787).
[14] Ebd. 786: „Hab ich sie aber zu der Ehe genommen heimlich in beywesen Christus allein . . .", Apel deutet den Konsens unter der Zeugenschaft Christi also nur an.
[15] „so mir aber viel gesagt werden von dem Uffsatz und Gebott der alten Vätter / sag ich / Warumb ändern sie nit das / das so ubel gerahten ist / das auch niemand helt/" ebd. 786. Tradition wird zur Menschensatzung (ebd. 787).
[16] Ebd. 786: „Ist aber der Römisch Bischoff kein Christ", warum straft er nicht Hurerei, wozu er schon als Christ verpflichtet werde.

menschliche Anweisungen auszulegen sei, dann in der Art Christi, der seelsorgerlich Notsituationen berücksichtigt habe[17].

Apels Argumentation stellte sich in der Sache auf einen klar reformatorischen Grundsatz: Gottes Gebot im Evangelium bricht menschliche Gesetze, auch die der kirchlichen Tradition, die aufgrund des Evangeliums zu ändern ist[18]. Wie Luther die natürliche Ordnung der Ehe behauptete, so wies auch Apel auf die Widernatürlichkeit des Zölibats und des Keuschheitsgelübdes hin[19]. Überdies — freilich etwas unvermittelt — betrachtete er seinen Fall nicht als individuellen, sondern als einen der christlichen Gemeinde[20], und erklärte sich bereit, für seine christlichen Brüder zu leiden.

Die Apologie seines gelehrten Rates beeindruckte Konrad von Thüngen wenig: am 1. Juni 1523 ließ er ihn und Dr. Friedrich Fischer[21] im Amtsgebäude des

---

[17] Ebd. 786: Christus habe viele Beispiele gegeben, wie man „Gottes Gebot lencken mag", so bei der Sabbatheiligung.

[18] Wie oben A. 15.

[19] *Goldast* 787, Luther (WA 12, 71) bezeichnet die Schrift als „pia, libera et erudita Apologia" (Martin Luther: Vom ehelichen Leben (WA 10, 2, 276): Apel weist für seine Ehefrau auf die im Grundsätzlichen gleiche Begründung hin, ferner auf die Nazarener und die Vestalinnen, die nur bis zu einer bestimmten Altersgrenze Keuschheit geloben mußten, vgl. dazu Lexikon der Antike: Religion, Mythologie 1970, 2, 300 f.

[20] „... gehet mir die Sach der Gemein mehr zu Hertzen/ dann mein eigene/ beger auch zu leiden für meine Christenliche Brüder" (*Goldast* 786).

[21] *Amrhein* 1923, 17: „proxima secunda feria post Trinitatis"; *Fries* bei *Ludewig* 1713, 870. — Friedrich Fischer (*Muther* 1866, 245; *ders.* in ADB 7, 1878, 63—65; *Merzbacher* 1974, 102, A. 123; kurz auch *Bigelmair* 1951, 53), aus Heidingsfeld (*Fries* bei *Ludewig* 1713, 870), Dr. jur. (*Tschackert* UKB II, Nr. 1001), 1497 bei *Merzbacher* 1974, 102, als canonicus Herbipolensis in Wittenberg immatrikuliert (*Muther* 1866, 481; *Von Wegele* 1882 [ND 1969], 52), 1514 in Würzburg als Chorherr von Neumünster nachzuweisen (Würzburg Stadtarchiv RP 8, f. 135r), März bis Juni 1517 mit Ulrich von Hutten in Bologna zusammenlebend (*Knod* 1899, 128, Nr. 900). Er besorgte diesem eine Kopie von Vallas Schrift gegen die konstantinische Schenkung, die Hutten dann veröffentlichte (*Muther* 1866, 245; ADB). Cochläus stellte den Kontakt zu Willibald Pirckheimer her (ADB; *Tschackert* UKB II, Nr. 14), der Fischer den „Luciani Dialogus" sandte (1518 ADB, *Böcking* 5, 1861, 168—175). *Böcking* machte die Autorschaft Fischers für die gegen die Türkensteuer 1518 gerichtete „Exhortatio viri cuiusdam doctissimi ad principes ne decimae praestationem consentiant" (*Böcking* 1858, 49), da der Autor sich als Würzburger Kanoniker bezeichnete, wahrscheinlich (*Muther* 1866, 245: seit Ende 1517 (wieder) in Würzburg). Nach der Verweisung aus dem Hochstift am 31. 12. 1523 im Herzogtum Preußen als Rat angenommen (*Tschackert* UKB II, Nr. 157), davon Nachricht am 2. 1. 1524 bei Georg von Sachsen (ebd. Nr. 166), und als solcher auf dem laufenden Reichstag verwandt (RTA JR IV, 119, 661). Zu seiner evangelischen Gesinnung vgl. die zwei Schreiben an Hochmeister Albrecht bei *Tschackert* UKB II, Nr. 240 (15. 7. 1524 Nürnberg) und Nr. 242 (17. 7. [1524] Nürnberg). Ob Fischer die aufgrund der vorhandenen Instruktion vorgesehene diplomatische Reise nach Schottland wirklich antrat, ist ungewiß (*Tschackert* UKB II, Nr. 299). Fischer

fürstlichen Rates durch den Fiskal[22] verhaften und überführte beide in aller Öffentlichkeit auf den Marienberg „in den grundt eines tiefen Thurens"[23]. Der Domherr Jakob Fuchs jr. warnte die Frau Fischers, die wiederum die Frau Apels unterrichtete[24], so daß beide die Stadt verlassen konnten. Das führte zu einer Klage des Bischofs gegen den jüngeren Fuchs[25], wie auch gegen den Domherren Jakob Fuchs den Älteren, der es unternahm, für die beiden Neumünsterer Stiftsherren einzutreten[26]. Weitere Unterstützung wurde dieser Gruppe, die sich aus dem Humanistenkreis[27] rekrutierte und die reformatorisch gesinnt war, nicht zuteil: beide Fuchs mußten angesichts der energischen Haltung des Fürstbischofs ebenfalls Würzburg verlassen: Sympathiekundgebungen waren offenbar nicht zu erwarten. Am 10. Juni richteten die Domherren Rechtfertigungsschreiben an den Fürstbischof[28]. Während der jüngere Fuchs sich mit einer formalen Verant-

empfahl und warb Crotus Rubeanus für Preußen an (*Tschackert* UKB II, Nr. 242) sowie den Kartäuser Georg Koberer (ebd.), bei diesem jedoch ohne Erfolg. Fischer starb 1529 am englischen Schweiß (ADB; WAB 5, Nr. 1490, S. 173, A. 1), seine Witwe reiste 1535 über Nürnberg nach Frankfurt/Main zu ihrem Bruder, der Geistlicher war (*Tschackert* UKB II, Nr. 962, S. 967).

[22] Caspar Pfister (*Fries* bei *Ludewig* 1713, 870). Die verhaftenden Stadtknechte betraten die Kanzlei nicht (ebd.).

[23] „... über den Juden = platz durch die Graven = eckartsgassen" (*Fries* bei *Ludewig* 1713, 870). Turm: *Goldast* 787.

[24] *Fries* bei *Ludewig* 1713, 870.

[25] Die Sitzung des Domkapitels lag vor dem 6. 6., als beide Fuchs laut Dkp (*Amrhein* 1923, 14) schon weggeritten waren. Fuchs d. Ä. bezieht sich ausdrücklich auf die Kapitelssitzung: *Amrhein* 1923, 15. Bischof Konrad stellte in einem Schreiben an den Bischof von Eichstätt (Würzburg Staatsarchiv Misc. 1647, f. 5v, 24. 8. 1523) den Sachverhalt so dar: „das wir Ine als der Lutherischen lere anhangend zu red gesatzt".

[26] Fuchs der Ältere vgl. *Kist* 1965, Nr. 1878. Jakob Fuchs von Wallburg studierte in Erfurt, Köln und Bologna (*Knod* Nr. 1037), seit 1501 Domherr in Bamberg, seit 1503 (*Knod* a. a. O.) in Würzburg, seinem Freund Crotus Rubeanus übersandte er Informationen zur causa Lutheri (WAB 1, Nr. 213). Er galt als „Reuchlinista, vir doctus et elegans", und als Intimus Huttens. Ende 1528 resignierte er seine Pfründen, außer den Kanonikaten, die Pfarreien Herbolzheim und Hollfeld. Die Würzburger Domherrenpfründe resignierte er am 12. 8. 1529 an Friedrich von Redwitz (Würzburg Staatsarchiv Ms 57, f. 2r) und ließ sich in Arnschwang bei Cham nieder, er heiratete ein Fräulein von Zeitlein. Gestorben 1539 (*Merzbacher* 1974, 91, A. 40, so auch WAB 1, 1930, S. 544, A. 5; anders *Schornbaum* 1880, 12, A. 3: 1529.

[27] *Amrhein* nennt Kontakte in Bologna zu Hutten und Crotus Rubeanus, im „Sendschreiben" erscheint er als in Schriftbeweisführung bewanderter Theologe.

[28] Lateinische Fassung: *Amrhein* 1923, 15—17, deutsch: *Goldast* 783 f. „Ein schöner Sendbrieff an Bischoff von Würtzburg/ darinn auß Heiliger Geschrifft Priester Ehe beschirmbt und gegründt wirdt/ von Herrn Jacob Fuchs dem älteren Thumbherrn außgangen. 1523". *Panzer* Annalen 2, S. 179, Nr. 1870—1873; *Weller* 2430; *Kuczynski* 69; British Museum Short-title Catalogue ... German ... Countries, 1962, 325 weist 4 Ausgaben nach: Straßburg (2), Augsburg, Bamberg (Erlinger), alle 1523.

wortung begnügte, aus der freilich deutlich hervorging, daß auch er das Wort Gottes über seinen Amtseid stellte[29], gab der ältere Fuchs eine grundsätzliche Stellungnahme ab, in der er die Priesterehe aus der Heiligen Schrift begründete[30]. Er faßte die Schriftstellen gegen das Zölibat knapp zu Beweisen zusammen: nur durch besondere Gnade sei Ehelosigkeit möglich, sonst aber wider die Natur, da die Ehe von Christus erlaubt, von dem Apostel Paulus angeraten sei[31]. Dagegen sei Hurerei von Gott verboten, und notwendig folge sie aus der auferlegten Ehelosigkeit[32]. Fuchs riet dem Fürstbischof, Apel und Fischer freizulassen und sich in Zukunft von der Heiligen Schrift, nicht von „sacrae scripturae ignarorum et suspectorum" beraten zu lassen, sondern daß er „eruditorum deum timentium hominum uteretur consilio et informatione"[33].

Inzwischen war die Familie Apels[34] aktiv geworden. Sie supplizierte beim Reichsregiment auf Freilassung[35]. Das Reichsregiment schloß sich mit einem Begleitschreiben der Supplikation an: Bischof Konrad halte die beiden Stiftsherren widerrechtlich gefangen, denn das aufgrund des Reichsabschieds erlassene Reichsmandat vom 6. 3. 1523 sehe für den Fall zölibatsbrüchiger Kleriker nur die festgelegten kanonischen Strafen — also Entsetzung von Pfründen —, nicht

---

[29] *Amrhein* 1923, 17 f., hier: 18: „Scio enim, quod contra deum dominum meum suumque sanctum divinum verbum nemini obstrictus sum . . .".

[30] Fuchs d. Ä. begründete seine Darlegung ausschließlich mit NT-Belegen, die sich zwar auch in Luthers frühen Schriften zur Ehe und Zölibatsfrage finden (Matth. 19,12: WA 10, 2, 277; 1. Kor. 7, (9): WA 10, 2, 292; 1. Tim. 3, (2) und Titus 1, (6): WA 10, 2, 151 f., WA 6, 440; 1. Tim. 4, (3): WA 6, 441; WA 10, 2, 152; Matth. 19, (6): WA 6, 443). Er fügte sie jedoch, ohne sie direkt aus Luthers Schriften oder einer Lutherschrift zu entnehmen, zu einer eigenständigen Beweisführung zusammen. Die Beweisführung weicht auch ab von der Argumentation von Andreas Osiander: „Ain schóne sermon, gepredigt zů Nůremberg . . ." (*Müller-Seebass* 1975, 77 ff.).

[31] Apels und Fischers „matrimonialem contractum tanquam a Deo permissum et per suos apostolos persuasum et commendatum . . .".

[32] *Amrhein* 1923, 15: „Et enim horum alterum irrefragabiliter fieri oportet, vel, ut cum illegitimis mulieribus vel contra naturam peccent".

[33] *Amrhein* 1923, 17.

[34] Die bei *Goldast* 785 ff. abgedruckte Aktensammlung: „Handlung deß Bischoffs von Würtzburg unnd beyder gefangen Geistlichen Doctorn Freundschaft/ehelich verheyratung betreffendt" (vgl. *Tschackert* UKB II, Nr. 143, nach *Muther* 1866, 457 übernommen aus *Ludouicus Rabus:* Historien der Heyligen Außerwölten Gottes Zeugen etc. 7. Theil: 1557. 4, f. 1 ff.) ist datiert vom 12. 9. 1523. Die Widmung unterzeichnete der Tuchmacher Clauß Apel, Bürger zu Nürnberg (*Goldast* 785). Vgl. die lateinischen Fassungen bei *Amrhein* 1923, 19 ff. Die Nachricht von *Schornbaum* 1880, 12, A. 4, daß eine Schwester Johann Apels mit Dominikus Schleupner verheiratet war, steht in Widerspruch zur bei *Pfeiffer* 1968, 146, A. 1 vermerkten Überlieferung, nach der Dominikus Schleupner am 20. 2. 1525 Dorothea Schmidtner heiratete. Eine Clarissin namens Fischer bei *Pfeiffer* 1968, Br. 246 b.

[35] *Goldast* 788.

Inhaftierung vor[36]. Als der Würzburger Bischof die Kerkerhaft in Hausarrest umwandelte[37], wurden nunmehr beide Familien vorstellig, wiederum vergeblich, obwohl das Reichsregiment dem Bischof Strafmilderung nahelegte[38]. Fürstbischof Konrad antwortete erst wieder, als ihm das Reichsregiment eine Frist zur Freilassung der Gefangenen setzte. Er erweiterte die Anklage auf Häresie und berief sich auf den Bann gegen Luther und das Wormser Edikt[39]. Nur nach einer Vermittlungsaktion unterhalb der höchsten offiziellen Ebene[40] schien Fürstbischof Konrad zum Einlenken bereit: er ließ den Gefangenen den Text einer Urfehde vorlegen. Da sich Apel und Fischer jedoch aus Gewissensgründen weigerten, diesen Text zu unterschreiben[41], sah sich das Reichsregiment trotz einer

[36] Ebd. 788, datiert 15. 6. 1523 bei *Goldast:* chronologisch richtig *Amrhein* 1923, 20: 10. 6. „... daß es dem Abschied auff unsern Reichstage/ den du selbst mit hast helffen berathschlagen/ und beschliessen in dem fall/ und mit solcher scherpff/ und straff gegen obgenanten und andern zuhandeln entgegen wer". Übereinstimmend Planitz bei *Wülcker-Virck* 1899, 478, (Nr. 200). Fürstbischof Konrad hatte sich jedoch schon auf dem Reichstag 1522/23 gegen eine vermittelnde Linie in der Luthersache gewandt: *Wülcker-Virck* 1899, 332 f., Nr. 141.

[37] *Amrhein* 1923, 20 f., *Goldast* 788 f. Fürstbischof Konrad von Würzburg an das Reichsregiment, Würzburg 14. 6. 1523. Hierin wird bei gleichbleibendem Vergehen — Zölibatsbruch — Friedrich Fischer einbezogen, der seine Frau „in vita sui mariti" aufgenommen, also Ehebruch begangen habe. Das Schreiben des Bischofs Johannes von Terracina an Fürstbischof Konrad vom 7. 8. 1523 (Druck: *Scharold* 1824, S. XXXVIII, Beilage XVI) hat nur „vidua", so auch die bischöfliche Beschwerde auf dem Reichstag 1524 (vgl. unten A. 45). Zum Hausarrest in einem Gemach der Marienburg, „in qua proximus praedecessor noster primo habitavit": *Amrhein* 1923, 21.

[38] Die 2. Supplikation (vor dem 20. 6.) teilt auch die Hausdurchsuchung mit (*Amrhein* 1923, 23): „ita ut vestra Dilectio et gratia eundem modum non transgrediatur (d. h. das Strafmaß des Mandats [H. C. R.]), sed se ipsis siquidem factum suum cum Christo omnipotente et Evangelio etc. defendunt plus propitiam quam severam ostendat".

[39] Schreiben des Reichsregiments vom 4. 7. 1523 (*Amrhein* 1923, 25 f.; *Goldast* 791 f., [5. 7.], die Antworten des Bischofs ebd. 23 f., 26 f., *Goldast* 792 f.). Am 27. 8. 1523 erging ein päpstliches Breve an Fürstbischof Konrad, das ihn in seiner Rechtsauffassung unterstützte (*Scharold* 1824, S. XXXVIII, Beilage XVI, A) und das ihn zur Wachsamkeit in seinem Hirtenamt, zur Unterdrückung der lutherischen Häresie, aufforderte. Dazu die Bulle Hadrians VI. an die deutschen Kirchenfürsten, ebd. XVI B.

[40] Diese nur bei *Goldast* 793 f.

[41] Der Text ist nicht überliefert, daher auch nicht die für die Stiftsherren unannehmbare Formulierung, vgl. *Goldast* 794: „nemlich schrifftlich Urphed sie (!) thun ire Pfründe und Behausung zu verlassen/ und sich auß dem Stifft Wirtzburg zu fügen etc. Darauff haben sie geantwort/ Ja/ sie seyen Christen/ denen dann das Wort Gottes zu vertheidigen gebühre/ Auch habe sie Christus gelehrt/ auch geboten/ alle ding auff Erden zu verlassen/ allein jhm nachzufolgen/ derhalben wöllen sie bewilligen in alles/ das sie begeren/ zeitliches belanget/ Aber das Wort Gottes zu widerrufen/ uber dem wöllen sie Leib unnd Leben lassen". Das Verhalten spricht für die Ernsthaftigkeit der Überzeugung der beiden Geistlichen.

vierten Supplikation der Familien nicht imstande, gegen den Bischof vorzugehen[42]. Erst Ende August 1523 erfolgte die Freilassung gegen Urfehde, danach
der Prozeß, der mit Pfründentsetzung und Bann endete[43]. Die beiden Stiftsherren wurden des Landes verwiesen[44]. Ein Nachspiel hatte die Affäre auf dem
Reichstag 1524, als der Fürstbischof von Würzburg gegen das Eingreifen des
Reichsregiments zugunsten der Lutheraner klagte[45].

Dies alles spielte sich ab, während der lutherisch gesinnte Poliander im
Würzburger Dom evangelisch predigte. Dies konnte Fürstbischof Konrad offenbar tolerieren, aktiv wurde er — und das beharrlich —, wenn der Predigt Taten
folgten. Klar stellte er sich auf den Boden des kirchlichen Rechts und des
Reichsrechts, sofern letzteres das erstere unterstützte.

Kapitel 6:
Fürstbischof Konrad von Thüngen und die Reformation

6. 1. Die Religionspolitik Fürstbischof Konrads von Thüngen im Reich

Im „Bauernkrieg" trat die reformatorische Bewegung in Würzburg über die bislang tolerierten Kanäle evangelischer Predigt. Sie wurde populär, ohne gemein-
debildende Kraft entfalten zu können. Die städtische Revolte förderte jedoch
auch andere, sehr verschiedenartige Motive zutage. So mischten sich antiklerikale, antiobrigkeitliche und sozialrevolutionäre Ziele. In diesem Kontext kamen
die Vorstellungen von einer reformatorischen neuen Ordnung der Kirche zur

---

[42] *Wülcker-Virck* 1899, Nr. 209, 22. 7. 1523, S. 494: „. . . und kan das regiment nichts
mehr darinnen thun". Planitz hatte regelmäßig dem Kurfürsten berichtet und Aktenab-
schriften gesandt, ebenso zur Flucht des Jakob Fuchs (a. a. O. Nr. 200, S. 479), vgl. ebd.
Nr. 206, S. 489. Am 7. 7. 1523 berichtete Pflug an Hessus von der Fama, daß Apel gefangen sei: *Pollet* 1969, 123, Nr. 21. Auch der Bischof von Eichstätt kannte das Mandat des
Reichsregiments vom 3. 7. 1523 (Würzburg Staatsarchiv Misc. 1647, f. 4r, 13.8. Bischof
von Eichstätt an Fürstbischof von Würzburg). Fürstbischof Konrad antwortete am
24. 8. 1523 ebd. f. 5v (Konzept): „. . . wir haben Ine (scil. das Reichsregiment) mit antwort begeget, der sie bishere gesettigt gewest/ und sind noch der zuuersicht sie werden
uns dapey bleyben lassen . . .". — Die 4. Supplikation: *Goldast* 794 f.
[43] *Goldast* 795 und Fries bei *Ludewig* 872 f. Generalvikar war der Domdekan Johann von
Guttenberg, zu ihm vgl. *Merzbacher* 1974, 87—121, zum Fall Fischer — Apel ebd. S. 103.
[44] Das Urteil erging am 27. 9. 1523: Fries bei *Ludewig* 872 f.; *W. Schornbaum* 1880, 14, zur
weiteren vita der beiden vgl. oben A. 2 und A. 21. Die Verweisung erfolgte aus Stift und
Territorium, vgl. die Beschwerdeschrift 1524 (unten A. 45), 145.
[45] RTA JR IV, 538, 661 und 157. Eine weitere Klage Fürstbischof Konrads bei *Merzbacher*
1974, 104.

Sprache[1]. Nach 1525 ließ Fürstbischof Konrad der reformatorischen Bewegung nicht mehr in gesetzten Grenzen Lauf, sondern hinderte ihr Wiedererstarken. Zu erklären ist, warum er vor 1525 evangelische Predigt duldete, obwohl er doch überzeugt war, daß sie die kirchliche und obrigkeitliche Ordnung bedrohte[2].

Konrad von Thüngen[3] wurde schon 9 Tage nach dem Tod seines Vorgängers, Lorenz von Bibra, am 6. 2. 1519[4] vom Domkapitel gewählt. Fürstbischof Lorenz hatte versucht, Konrad von Thüngen zum Nachfolger zu designieren, indem er das Domkapitel bat, ihn zum Koadjutor zu bestellen[5]. Doch trat in Jakob Fuchs[6] ein Gegenkandidat auf. Er fand keine Mehrheit: das Kapitel wählte dann Konrad von Thüngen einstimmig[7]. Sicher gab es Domherren, die dem Humanismus zuneigten, und solche, deren Gesinnung strenger kirchlich war. Daß beide Gruppen einem Kandidaten zustimmten, weist darauf hin, daß die Trennungslinie zwischen den beiden Gruppen zumindest nicht unüberbrückbar war, daß sich wohl nicht Überzeugungen humanistischer oder gar evangelischer Reform einerseits und Beharren auf altkirchlichen Grundsätzen andererseits unvermittelbar gegenüberstanden[8]. Ebensogut könnten den einen oder den anderen Kandidaten persönliche oder Familienambitionen bestimmt und auch politische Richtungen eine Rolle gespielt haben. Der Bischof war zugleich Landesherr und in die Entscheidung für eine Person mußten Überlegungen zur Territorial- und Reichspolitik einfließen. Daß Konrad von Thüngen selbst für ein Mitglied der

---

[1] Verf. in *ARG* 67, 1976, 97—99.

[2] Verf.: in ZwüLaG 1976, die Instruktion von 1525.

[3] Nach *von Thüngen* 1926, 3 f., und ADB 16, 1882, 632—634 *(Wegele)*, geb. 1466, 1480 Domizellar im Domstift Würzburg, 1504 Kantor, 1508 Scholastiker, 15. 2. 1519 Wahl, 2. 10. 1519 Weihe zum Bischof von Würzburg, gest. 16. 6. 1540 (*von Thüngen* 1926, 51). Eine Untersuchung seiner Bündnis- und Reichspolitik fehlt. Vgl. lediglich *Bundschuh* 1965 und zur Reichskreispolitik: *Hartung* 1910 passim. Zu den Anfängen jetzt *Tausendpfund* 1975.

[4] Würzburg Staatsarchiv Dkp 5, f. 224r. Nach Fries bei *Ludewig*, 868 und *Abert* 1904, 80, sowie *Gropp* I 1741, 252, fand die Bischofsweihe am 2. 10. 1519 statt. *Wendehorst* 1966, 63, A. 44 verwechselt hier Konrad III. von Thüngen mit Konrad IV. von Bibra.

[5] *Wendehorst* 1966, 58.

[6] Vgl. oben S. 26 ff.

[7] Fries in *Ludewig* 868: „Und waren die Herren der sachen zum ersten zwiespaltig, etliche wolten Herr Conraden von Thüngen zum Bischoff haben, die andern Herr Jacob Fuchsen, den ältern. Der hatte auch einen grossen anhang, unterstund sich, durch die uf seiner seiten waren, andere mehr vota auf sich zu bringen, bewarb sich hin und wieder bey denen, so ihm zum theil verwandt. Da aber solches alles nicht fürtragen wolt und umsonst gewesen, fielen sie von ihrem fürnehmen, und . . . erwelten einmüthiglich (Konrad von Thüngen zum Bischof)."

[8] *Schornbaum* 1880, 10 f., stellt die Humanistengruppe zusammen. Dafür, daß sie geschlossen für Jakob Fuchs d. Ä. stimmte, gibt es kein Indiz. Ansatz einer differenzierteren Betrachtung bei *Wendehorst* 1966, 58.

30

angeblichen Humanistengruppe stimmte[9], ist ein weiteres Indiz dafür, daß die Entscheidungsgründe komplizierter waren. Sie sind aus Mangel an Quellen nicht mehr aufdeckbar. Mit der Wahl Konrads von Thüngen fiel keineswegs schon eine Entscheidung zugunsten des Verbleibens von Bistum und Territorium bei der alten Kirche oder wurde eine antihumanistische Richtung eingeleitet[10]. Auch die Haltung des Fürstbischofs gegenüber evangelischer Predigt bis 1525 läßt es nicht zu, schon der Wahl entscheidende Bedeutung zuzumessen.

Freilich stellte sich Fürstbischof Konrad fest auf den Boden des geltenden kirchlichen Rechts, wie der Fall Apel-Fischer beweist. Er bezog auch frühzeitig religionspolitisch gegen Luther und die Luther begünstigende Gravaminapolitik Stellung, die sich ja gerade gegen die Bischöfe wandte.

So reiste der Würzburger Bischof im Januar 1523 vorzeitig vom Reichstag ab aus Protest gegen eine Religionspolitik, die die Luthersache im Sinne der Gravaminapolitik nutzte[11]. Ob er zu den Bischöfen gehörte, die aus der Antwort der Reichsstände an den Papst das Wort Evangelium, das hier offenbar für sie schon als Parteibegriff galt — wie es faktisch die Durchsetzung der evangelischen Predigt, also der Lutherlehre begünstigte — verbannt wissen wollten, ist nicht sicher[12]. Jedenfalls sollten die Gravamina gegen die geistliche Hierarchie daraus entfernt werden. Es ist überdies möglich, daß Fürstbischof Konrad sich der Revision des Wormser Edikts widersetzte. So grundsätzlich erscheint seine Haltung bestimmt, als er sich gegen das Reichsregiment im Verlauf der Apel-Fischer-Sache auf die Bulle Exsurge[13] und das Wormser Edikt berief, also gegen dessen Auslegung durch das Reichsregimentsmandat vom 6. 3. 1523[14]. Fürstbischof Konrad gehört nach allem, was bekannt ist, zu denen, die im Reich einen schärferen antilutherischen Kurs befürworteten[15]. Im April 1524 wird von einem Gespräch des päpstlichen Legaten Campeggio[16] mit den Bischöfen von Würzburg, Bamberg und Gurk berichtet, in dem der Legat diese vor den Folgen der Lehre Luthers für die Geistlichen warnte und in dessen Verlauf der Bischof von Gurk

[9] *Merzbacher* 1974, 88.
[10] Fürstbischof Konrad stellte Sebastian von Rotenhan als Hofmeister an, vgl. unten S. 43.
[11] *Wülcker-Virck* 1899, 332 f., Nr. 141, Planitz an Kfst. Friedrich von Sachsen, 19. 1. 1523, die geistlichen Fürsten" . . . wue sie befinden werden, das sie nicht iren willen erhalten mogen, werden sie aufbrechen, ungeendet aller dinge hinweg zihen, als bereitan der bischof von Wyrczbergk und der bischof von Straspurgk vorhaben auf morgen sich zu erheben." — Ebd. 333, Beiblatt 2: „Der bischof von Wyrczburgk ist weg, . . . Sie wollen schlechter ding nicht, das man sie in der antwort, ßo dem babst sall gegeben werden, mit ichte anrur." Zum Reichstag 1522/23 *Borth* 1970, 135—141.
[12] *Wülcker-Virck* 1899, 333.
[13] Vgl. oben S. 27.
[14] RTA JR III, 447—452 (Nr. 84); *Förstemann* 1842, 145.
[15] Auch 1525 hielt er unbeirrt an der vollen Geltung des Wormser Edikts fest (Würzburg Staatsarchiv, Standbuch 894, f. 194r (2. 2. 1525) vgl. Verf. in: ZwüLaG 1975 (1978), 125—141.
[16] RTA JR IV, 770, zu datieren 16. 4. 1524.

äußerte, man sollte lieber die lutherische Sekte ausrotten als die Türken bekämpfen[17]. Als sich Fürstbischof Konrad wie die anderen fränkischen Bischöfe 1524 dem Versuch gegenüber sah, die Stände des fränkischen Reichskreises durch Grafen, Herren und Städte zu erweitern[18] und vor allem die Kirchenreform auf Kreisebene voranzutreiben, verbot er den Geistlichen, an diesen Versuchen teilzunehmen. Die Ansbacher Tagung vom September 1524 bezeichnete er als ‚Disputation‘, als unzulässig also. Denn er war der Ansicht, daß die anstehenden Fragen bereits von den Konzilien entschieden worden seien[19]. Bei dieser so eindeutig loyalen Haltung gegenüber dem kirchlichen geltenden Recht bedarf es einer Erklärung, warum sich Fürstbischof Konrad nicht dem Regensburger Konvent — nicht einmal nachträglich anschloß[20]. Würzburg war nicht grundsätzlich gegen kirchliche Reformen, sofern sie mit anderen Bistümern vereinbart waren. 1526 nahm Würzburg am Landauer Konvent teil, der jedoch konkrete Reformschritte in der Würzburger Diözese nicht zur Folge gehabt haben dürfte[21]. So wie die Beschlüsse des Landauer Konvents an den Reichsorganen vorbeioperieren sollten, indem sie hofften, der Papst werde direkt die Diözesangewalten stärken[22], so setzte sich Würzburg 1528 und 1529 in den Instruktionen zu den Reichstagen mit Entschiedenheit für ein General- und gegen ein Nationalkonzil ein. In diesen Instruktionen[23] läßt sich die reichspolitische Linie Fürstbischof Konrads deutlich greifen. Verfolgt man sie zu den Ansätzen in der ersten Hälfte der 20er Jahre zurück, erklärt sie das Verhalten des Würzburger Fürstbischofs zumindest teilweise. Auszugehen ist von der für Würzburg konstitutiven Einheit von Territorialherrschaft und bischöflichem Amt. Erstere wird nach dem Bauernkrieg wirksam in der Befürchtung, eine neue Türkensteuer werde wie-

[17] *Förstemann* 1842, 184, Nr. 64: Philipp von Feilitzsch an Kfst. Friedrich von Sachsen, 11. 4. 1524.
[18] *Hartung* 1910, 169 ff., bes. 172 f.: ob die Bischöfe von dem Vertrag vom 26. 8. 1524 (ebd. 172, A. 2) wußten, ist nicht sicher; Akten Nr. 8 (S. 245 f.). Fürstbischof Konrad an Markgraf Kasimir (Konzept).
[19] Würzburg Staatsarchiv Gebrechen Amt II B. /P. 5/176, f. 12v: 24. 9. 1524 der letzte Reichstagsabschied (RT 1524) lasse zu, dem Wormser Edikt zu gehorchen. Überdies habe der Kaiser die anberaumte Nationalversammlung kassiert.
[20] ARC I, 322, mit A. 23.
[21] ARC I, 394—405. Gesandter des Fbf.s von Würzburg war Dr. Johann Brief ebd. 405. Zur Durchführung ebd. 396: über die Beratung eines Entwurfs eines Reformstatuts hinaus ist nichts bekannt.
[22] Ebd. 401—405, Abschied 16. 11. 1526. Die Durchführung der Vereinbarung wurde jedem Bischof anheimgestellt. Über die Pfarreform — konkret Verleihung der Pfarreien — sollten Würzburg und Straßburg mit Unterstützung von Mainz, Köln und Trier beim Papst verhandeln, damit die Dispensgewalt bei Ehehindernissen (Gevatterschaft, Verwandtschaft vierten Grades) und vom Fastengebot und die ausschließliche Einsetzung des Seelsorgeklerus in Pfarreien durch die Bischöfe an diese delegiert werde.
[23] RTA JR VII, 587 f. (Beilage Nr. 12) und ebd., 513; 1096—1099.

derum einen Aufruhr im Land hervorrufen[24]. Die Landesherrschaft zu sichern, blieb primäres Ziel[25]. Doch unterstrich der Fürstbischof, daß als Voraussetzung zum Türkenzug ebenso Einigkeit des Glaubens[26], also die Lösung der Religionsfrage, notwendig sei. Und dies wird — 1528/29 wie 1523/24 — nicht als reine Reichsangelegenheit gesehen: Einheit ist die der Universalkirche oder besser mit der Universalkirche. Das Fehlen des Attributs ‚frei‘ bei der Konzilsforderung weist darauf hin, daß Würzburg ein vom Papst berufenes und geleitetes Konzil meinte. Die Stärkung der kirchlichen Hierarchie bleibt das zweite Ziel. In der territorialstaatlichen Praxis stützten sich in Würzburg Schwert und Krummstab gegenseitig[27]. Die Antwort, die Konrad von Thüngen dem Nuntius Vergerio am 15. 8. 1535 auf dessen Konzilsansage nach Mantua geben ließ[28], bestätigt dies: das Konzil werde „ad totius ecclesiastici status dignitatem, quam totius Christianae rei publicae salutem pertinere", denn die Kontroversen und Häresien verdürben nicht nur die Seelen der Gläubigen, sondern auch „quicquid est vere religionis, quicquid non solum ecclesiastice sed etiam civilis discipline, quidquid bonarum legum quidquid bonorum morum honestatis" und brüderliche Liebe und Einigkeit. Die Anerkennung der päpstlichen Leitung der Kirche kam schon in der ihr zugesprochenen Kompetenz, den Konzilsort zu bestimmen, zum Ausdruck. Doch riet Konrad von Thüngen, dies nicht entgegen den Reichstagsbeschlüssen festzulegen[29]. Nur ein Universalkonzil kann Einheit und Frieden in der Reform der Kirche wahren. Fürstbischof Konrad lehnte in seiner späteren Zeit wie 1524, ohne daß wir ein Zeugnis für seine Motivation für diesen früheren Zeitpunkt hätten, Partikularbündnisse der katholischen Fürsten ab. Ebenso wie in den 20er Jahren hielt er sich von den in den Religionsgesprächen 1540 liegenden möglichen Entwicklungen zu nationalen Lösungen fern[30]. Zu den letzteren

[24] Vgl. die 1535 wiederkehrenden Stichworte „dissentiones" zwischen den Ständen und „rebelliones" der Untertanen gegen die Obrigkeiten (*Brück* 1964, 292). Die Untertanen würden durch eine Anlage in Geld am meisten belastet, zusätzlich zu den Folgelasten des Bauernkriegs. Neue Lasten reizten sie zu Aufruhr (RTA JR VII, 1097 f.). Zu den dauernden Befürchtungen vor Aufruhr nach dem Bauernkrieg Sea 1975.
[25] ARC III, 5, A. 4: Seine Vorgänger und er, Fbf. Konrad, hätten sich mit benachbarten Fürsten verbündet, „damit si und ich, auch mein stifft. . . bey recht, friden, gleichem und der billickait sovil muglich bleiben und gehanthabt werden mogten . . .". *Specker* 1965, 36; *Bundschuh* 1965, 21.
[26] Sieg gegen die Türken könne nur Gott geben, daher müsse man sich mit Gott versöhnen (RTA JR VII, 988), was heißt, daß die Einheit im Glauben wiederhergestellt werden muß: ein Gott, ein Glaube (ebd.), und zwar in Einheit mit anderen christlichen Königreichen, d. h. universal (ebd.), ebenso 513.
[27] Vgl. die Stadtordnung 1528: Verf. in: WDGBll 39, 1977, 127.
[28] *Brück* 1964, 292; *Friedensburg* 1892, 488, Nr. 194.
[29] *Brück* 1964, 292.
[30] ARC III, 116—119, ebd. 100 und 175. Nach Würzburg Staatsarchiv Mainzer Urkunden Geistl. Schrank 18/6, f. 86v, war auch Ambrosius Geyer nach Hagenau gesandt.

stellte er vorab fest, daß er „antiquae christianae ecclesiae religioni, statutis ac ordinationibus" stets gehorsam bleiben wolle[31]. Gegenüber Sonderbünden machte er ausweichend geltend, Würzburg sei schon in so vielen Bündnissen, daß man nicht in weitere wolle[32]. In exponierter Lage zwischen den protestantischen Territorien Brandenburg-Ansbach, Württemberg (ab 1534) und Kursachsen[33] war das Würzburger Territorium in durch Partikularbündnissen versteiften Situationen nur noch bedrohter als ohnedies.

Zudem blieb es durchsetzt von Gebieten protestantischer Ritterschaft. Eine einseitige religions- und bündnispolitische Festlegung erschien nicht ratsam, auch das territoriale Interesse verwies den Würzburger Fürstbischof auf Reich und Kurie.

6. 2. Das Verhalten des Landesherrn innerhalb des Territoriums gegenüber reformatorischen Regungen

Gleich beständig in den Grundsätzen, doch flexibler im Verhalten zeigt sich Fürstbischof Konrad als Landesherr. In seinem Territorium ließ er der evangelischen Predigt vor 1525 einen Spielraum, den er ihr nach dem Bauernkrieg nicht mehr zugestehen wollte. Sowenig er die Predigt der neuen Lehre vor 1525 effektiv eindämmte, so vollzog er doch als loyaler Kirchenfürst die Bulle Exsurge, deren Einführungsmandat[1] schärfere Sanktionen der Vorlagen milderte: gegen Irr-

---

[31] ARC III, 54, vgl. auch ebd. Nr. 63, S. 100 und 116, Nr. 70 (Instruktion zum Tag Hagenau 1540).

[32] ARC III, 5, A. 4 (1538) lehnte es Fürstbischof Konrad ab, den Speyerer Tag im Zusammenhang mit Verhandlungen über den Beitritt Würzburgs zum Nürnberger Bund zu beschicken. ARC III, Nr. 70, S. 116—119; *Bundschuh* 1965, 21: zum „Rheinischen Bund". Ebenso entzog er sich der freilich aus religionspolitischen Gründen vorsichtigen Anregung des Mainzer Metropolitans von 1538, die Bischöfe der Mainzer Erzdiözese zur Beratung über das Konzil und wegen einer Reform des Klerus zusammenzurufen, weil „sich die Leuffte ein zeitlang here, unnd noch dermaßen beschwerlich zugetragen unnd ereigt, haben wir Inn unnserem Ainfalt umb verschuldung zugeschickt unnd verhenngt, derhalbenn unsers achtens zuvorderst vonn nötten die wege furtzunemen, dardurch sein gottlicher Zornn abgelegt unnd versunet, auch sein gnade unnd Barmhertzigkeit wieder erlanngt werden mochte . . .", daher enthalte er sich, zu raten, ob die Versammlung zu berufen sei (Würzburg Staatsarchiv Mainzer Urkunden Geistl. Schrank 18/6, f. 69r (Konrad III. von Würzburg an Erzbischof Albrecht von Mainz 29. 9. 1538).

[33] Weiteres *Specker* 1965, 41.

[1] *Kalkoff* 1921, 32 f., 43 f. (Text des Einführungserlasses, Worms, 31. 1. 1521), *Wendehorst* 1966, 60; *Schottenloher* 1940, 163 f.; zeitgenössischer Druck: Bulla Contra Errores Martini Lutter et Sequacium. Cum Mandato Reuerendissimi Domini Episcopi herbipol. (o. O., o. J. Würzburg?, Johann Lobmeyer?) UB Tübingen Gf 1111, Nr. 8, 4° (angebunden); *Pegg*

lehren als solche ging der Würzburger Bischof erst nach 1525 vor. Vorher nur dann — wie im Falle Apel und Fischer —, wenn sie entgegen dem kanonischen Recht realisiert wurden[2]. Das mit dem Einführungsmandat gleichzeitige Reformmandat, das den Klerus zur Selbstreform ermahnte[3], nahm auf die lutherische Lehre explizit keinen Bezug. Es sprach lediglich von errores ac peccata und macht deutlich, wo Fürstbischof Konrad den Ansatz zur Kirchenreform sah: in der Hebung des sittlichen Standards der Geistlichkeit[4]. Gegen grobe Abweichungen davon stellte er Strafen in Aussicht, dagegen sind die Amtspflichten und die Pflicht zur Seelsorge nur erwähnt[5]. Die Durchsetzung des Mandats unterblieb[6]. Doch auch von Widerstand gegen die Publikation der Bulle Exsurge ist nichts bekannt.

Bis Ende 1523 scheint der offenbare Widerstand nicht gewachsen, wohl aber der Wille des Landesherrn, die Mitglieder des Landtags auf die alte Kirche zu verpflichten. Der Landtag, der im Dezember 1523 zusammentrat, wurde überraschend mit der in der Proposition enthaltenen Forderung Fürstbischof Konrads konfrontiert, darüber zu beraten, wie denen zu begegnen sei, die unter dem Schein des Evangeliums nach eigenem Gutdünken, also abweichend von der kirchlichen Lehre, predigten[7]. Die Proposition zeigt zum ersten Mal deutlicher die Vorstellung, die dann wieder in den 30er Jahren begegnet: die reformatorische Predigt zerstöre die Ordnung und Einheit der Kirche, sie wende das Volk vom Gehorsam und vom Dienst an Gott ab, dies führe zur Zerstörung der Ordnung, zu Aufruhr und „Zwitracht des gemeynen nutzs", rufe Gottes Zorn und

3573; *Schottenloher*: Die Druckauflagen der päpstlichen Lutherbulle „Exsurge Domine". In: Zeitschrift für Bücherfreunde NF IX, 2, 1917, 197—208 (freundlicher Nachweis von Teilprojekt Z 1 im SFB 8).
[2] Vgl. oben S. 22 ff.; doch nennt der Einführungserlaß die „seductivam doctrinam cuiusdam fratris Martini Luther ..." (*Kalkoff* 1921, 43).
[3] *Kalkoff* 1921, 36 f. (mit Nachweis der früheren Drucke: v. a. *Gropp* 1741, 268—270; Teilübersetzung bei *Braun* 1889, 90 f.); *Specker* 1965, 37; *Wendehorst* 1966, 60. *Störmer* 1971, 126 sieht in dem „Edikt" schon den Beginn der Abwehrmaßnahmen gegen die evangelische Bewegung. Doch erließ Rudolf von Scherenberg 1490 eine analoge Verordnung (*Zeissner* 1952, 81).
[4] *Specker* 1965, 37. Das Mandat vom 27.6.1523 ist im Text nicht überliefert (vgl. oben S. 23), vgl. *Fries* bei *Ludewig* 873. Es war vermutlich speziell gegen Konkubinarier gerichtet, setzte 12 Tage Frist, um Konkubinen zu entlassen und war offenbar kurzfristig wirksam.
[5] In der narratio: (die Kleriker) „non intelligentes, quid sit populo sancto praeesse, aut quale sit divina Sacramenta tractare, ... Evangelium quod praedicare circa populum ipsi negligunt". In der Disposition wird nur auf die Sittlichkeit abgehoben.
[6] *Fries* bei *Ludewig* 870: „aber nicht gehandhabt"; ebenso bei der Bulle Exsurge: *Schottenloher* 1940, 163 f.: „sed nemo curavit".
[7] Würzburg Staatsarchiv Stdbch 818, f. 152r—153r; Misc. 1369, f. 5v—6r.

Strafe hervor[8]. Die reformatorische Bewegung war als Predigtbewegung erkannt; das Kennwort Evangelium wurde ihr ebensowenig wie 1525 zuerkannt[9]. Die Einheit der Kirche gilt als hoher Wert, Laien haben gehorsam zu sein, Basis der weltlichen Ordnung ist die Unwandelbarkeit des Gehorsams gegenüber der Kirche.

Wie ernsthaft der Fürstbischof 1523 sein Ziel verfolgte, sich der unbedingten Loyalität seiner Stände im Territorium zu versichern, geht daraus hervor, daß er sich nicht mit der Zusicherung begnügte, sie wollten sich als fromme Christen verhalten wie ihre Eltern[10] und ihre Inkompetenz in religiösen Fragen erklärten. Auch das Hinter-sich-bringen wollte Konrad von Thüngen zunächst nicht anerkennen. Anscheinend hat er doch diese Rückversicherung zugestehen müssen. Denn es sind drei Schreiben überliefert: Heidingsfeld[11] beteuerte, daß dort gegen das Fastengebot, gegen die Feiertagsordnung und die heiligen Sakramente nicht verstoßen werde. Ebern und Seßlach schlagen eine Visitation vor[12], Gerolzhofen[13] bittet den Bischof, er möge sie beim Wort Gottes und dem Evangelium bleiben lassen. Nur die letztere Antwort unterliegt dem Verdacht, daß sie auf Zulassung der freien Evangeliumspredigt, wenn auch nur in den akzeptierten Stichworten angedeutet, abzielt. Es fehlt jedoch für Gerolzhofen gerade die Möglichkeit einer Bestätigung dieser Tendenz durch Artikel aus dem Bauernkrieg[14]. Einen längeren Passus über die Kirchenreform haben die Gravamina der Ritterschaft nach dem Bauernkrieg[15]: die Pfarrer seien ungebildet, da die Pfründen von anderen genutzt würden, daher hätten entsprungene Mönche und Buben (= Schurken) die Leute zum Aufruhr bewogen. Der Fürstbischof möge sich mit Rat

[8] Würzburg Staatsarchiv Misc. 1369; Standbuch 313, f. 152r—153r.
[9] Verf. in ARG 67, 1967, 97 ff. Der Ritterschaftstag im Dezember 1523 verwies auf den laufenden Reichstag (Würzburg Staatsarchiv Standbuch 949, f. 205v), machte aber geltend, es dürfe nicht der Eindruck entstehen, „als solt das wort Gottes unnd heilig Ewangelium unterstanden untergedruckt" zu werden (Würzburg Staatsarchiv Standbuch 818, f. 164r—v).
[10] Würzburg Staatsarchiv Misc. 1369, f. 17r, 21r.
[11] Ebd., f. 32r.
[12] Ebd., f. 37v.
[13] Ebd., f. 39r. Zu den Landtagen 1523 ff. Schubert 1967, 107 ff.
[14] Vgl. Fries (ed. Schäffler-Henner) 1883, 2, 107—120.
[15] Würzburg Staatsarchiv Stdbch 950, f. 2r—3r: also eine Reform unter Kontrolle der Kirche, keine Säkularisierung, wie zur gleichen Zeit in Ansbach vorgeschlagen. Eine Reform schlugen die Adligen für die Klöster vor, deren „gar keins unzerstoret sei im Stift", „auch von dem selben Closterlichen leben dieser Zeit vast gestritten und zu Irrung stehent". Jeweils 2 Konvente sollten zusammengelegt und nur Adlige aufgenommen werden, den Töchtern die Heirat gestattet und Profeß erst nach dem 30. Lebensjahr abgelegt werden (Würzburg Staatsarchiv Stdbch 950, f. 10r—v). Die Antwort des Fürstbischofs ging überhaupt nicht auf die Frage kirchlicher Reformen ein (ebd. 17 ff.), vgl. aber die Proposition Würzburg Staatsarchiv G 13399.

des Domkapitels und des Adels mit Personen versehen, die christlicher und göttlicher evangelischer Wahrheit verständig seien.

Die damit angesprochene Versorgung der Diözese mit ausgebildeten Geistlichen war jedoch ein Problem, dessen Lösung weder Konrad von Thüngen noch seinen unmittelbaren Nachfolgern im 16. Jahrhundert gelingen konnte[16]. Nur punktuelle Verbesserungen waren möglich, so die Besetzung der wichtigen Domprädikatur in Würzburg mit streng altgläubigen und gelehrten Geistlichen[17]. Notwendig schien zunächst, auch wenn ohne durchgreifenden Erfolg, daß kirchliches Recht und kirchliche Lehre gegenüber dissidenten Klerikern durchgesetzt wurde. In diesem Punkt blieb der Bauernkrieg nicht ohne Folgen. Die Konformität der Predigt mit der altgläubigen Lehre wurde nunmehr erzwungen. Dieses veränderte Verhalten des Fürstbischofs ließ sich in der Öffentlichkeit beobachten: der Kitzinger Schulmeister Johannes Beringer notierte in seiner Chronik das Faktum der Gefangennahme lutherischer Prediger für 1526. Er nennt 9 öffentliche Widerrufe[18]. Der erhaltene Text eines Widerrufs von 1527[19] erweist, daß nun die Lehren von Geistlichen Gegenstand der Prozesse waren. Im Fall des Wendelin Kretzer, eines Stiftsherren und Predigers der Kollegiatkirche in Mosbach[20], wurde außer Verkauf und Lektüre von Schriften Luthers inkriminiert, daß er zugunsten der Aufhebung des Zölibats und der Fastengebote predigte und Irrlehren über die Messe, insbesondere die Transsubstantiation, über die Sakramente, speziell die Beichte und die Heiligenverehrung, verbreitete. Berufungsgründe sind stets die Entscheidungen der Kirche, im Fall der Lutherschriften die päpstlichen Bullen und das Wormser Edikt[21]. Am 20. 6. 1526 widerrief der Würzburger Karmeliter Christoph Scheideck[22] 14 Irrlehren, summarisch, daß er der lutherischen Ketzerei angehangen habe, wogegen er nun bei der heiligen allgemeinen Kirche bleiben wolle, speziell, daß er den Opfercharakter der Messe bestritten, das Altarsakrament sub utraque gelehrt, die Konsubstantiation und Zweizahl der Sakramente sowie gegen Menschensatzungen gepredigt habe, schließlich vom freien Willen und der Anrufung der Heiligen und dem Fegefeuer Irrlehren verbreitet habe. Scheideck versprach, bei Ordnung, Lehre und Schriften der heiligen christlichen Kirche zu bleiben.

[16] Vgl. Exkurs 7. Erst Julius Echter wies nach *Buchinger* 1843, 172, über hundert lutherische Prediger aus (ohne Beleg). — Die Schwierigkeiten kirchlicher Reform zeigt exemplarisch *Freudenberger* 1964, die Reform der Domvikariate ging übrigens auf eine Beschwerde der Bürger 1509 zurück (ebd. 198).

[17] *Birkner* 1930; *Freudenberger* 1975.

[18] Nürnberg Staatsarchiv Ansbacher Akten 868, f. 36f. (Beringer Chronik). Als Unterscheidungslehren nennt Beringer: Werkgerechtigkeit, freier Wille, Fegfeuer.

[19] *Schottenloher* 1940, 170—172.

[20] Diözese Würzburg.

[21] „contra . . . Cesareae majestatis edictum", *Schottenloher* 1940, 170.

[22] Würzburg Stadtarchiv: Fries-Chronik, ehemals Würzburg Staatsarchiv Historischer Verein Ms. 3 N., S. 171—177 (Kopie von späterer Hand).

Die Zahl der Suspendierungen von Geistlichen oder der Prozesse, die zum Widerruf führten, läßt sich nicht mehr erkennen. Die Einheit von geistlicher Gewalt und Landesherrschaft nutzte Fürstbischof Konrad auch in seinen Landesordnungen. So enthielt die Kirchweihordnung von 1526[23] das Gebot, die Kirchweih mit Messehalten, Predigen, Singen und Lesen, „wye daß von der hailigen Christennlichen kirchen geordennt", zu begehen, jedoch Gastmähler, Zechgelage, Tänze und Spiele und andere aufwendige Gebräuche zu unterlassen. 1528 verbot der Würzburger Oberrat[24] den Wirten, in der Fastenzeit Fleisch, Eier, Milch, Käse zu servieren. Die Städteordnung von 1528 enthielt eine allgemeine Treueverpflichtung gegenüber der Kirche: sie ging so weit, von den Bürgern zu fordern, die Behörden von Taten und Worten gegen die Kirche zu informieren[25]. Besonders wachsam war Fürstbischof Konrad gegenüber den Täufern[26]. In

[23] Würzburg Staatsarchiv Hist. Ver. Ms. 8: Aufbott Buch Conradt von Thüngen und Bibra, f. 39r, 25. 5. 1526. — Ein Mandat Fürstbischof Konrad von Thüngens vom 20. 9. 1526 (Würzburg Staatsarchiv ldf 27, p. 238f.) schärfte die Beachtung der Pflichten der Untertanen gegenüber den Pfarrherrn und ihren Rechten ein, verbot insbesondere das Auslaufen und mahnte, sich wie bisher an die kirchliche Ordnung zu halten. Es wurde am 5. 8. 1528 erneuert (ebd., p. 364f.).

[24] Würzburg Staatsarchiv Stdbch 962, f. 159r, 12. 3. 1528, erneuert für Würzburger Metzger 1542 (Würzburg Staatsarchiv Stdbch 964, f. 82r), für Stift und Territorium 1548, 1549, 1550, 1556 (Würzburg Staatsarchiv ldf 28, p. 496, 496 f., 538, 682); 1560 (ldf 29, p. 148 für Würzburg); vgl. *Specker* 1965, 49f. (1560, 1566).

[25] Verf. in WDGBll. 39, 1977, 127.

[26] Der enge Zusammenhang zwischen Herrschaftssicherung (Abwehr von Aufruhr) (dazu *Wohlfeil* 1976, 17) und Bekämpfung der Häresie wird durch das fürstbischöfliche Mandat vom 9. 1. 1528 gegen Bettler, unbekannte Landstreicher, Kessler, Hausierer, Zigeuner und Jakobsbrüder deutlich, in dem ein gleiches Mandat vom Vorjahr erneuert wurde und zugleich die Täufer unter die zu verhaftenden Personengruppen subsumiert wurden. Der Wortlaut läßt auch Verfolgung anderer Irrlehren zu (Würzburg Staatsarchiv Ms. 8, f. 60v—61v): „Jetzt werden wir doch ytzunnd durch glaublich anzaigung unnd urkundth berichtet, wie sich Etliche ausgedrettene Bubenn unnd anndere Lanndstreycher, Inn maynung Newe uffrur unnd Entborunng bey dem gemaynen Man zuerwecken, züsamen verbunden unnd vollgents Ir vorhaben zuuben unnd zuvollennden hin unnd wider außgethayelt, auch zu bedeckung Ires geschwindenn fürnemens an vill orten die Ihennigen, so sie in Ir bunthnus zupringen vorgehabt (wie dann verganngen Jars an etlichen Enden unsers stiffts und sinther in mer dann ainem furstenthumb und obrigkyt offenntlich befunden) von Newem zuthauffen unnd in andere erschrockenliche unnd hieuor unnorhorte Irrige unnd verpotene Lere unnd ketzereyen zufurenn understannden. Dieweyll wir aber unns schuldig erkennen, auch fur unns selbst genaygt sind, mit allem vleiss und sovill unns muglich zuuerhuttenn, das solche Newe thauff unnd annder uncristennliche Irsall unnd ketzereyenn in unnserm furstenthumb unnd Stiffte nit ein wurtzell unnd also der unnsern schaden unnd nachthayll, So sonst unnzweyuellich darus volgen wurdt zuuerkomen", erneuert Fbf. Konrad seinen Befehl, diesen nachzuforschen „unnd wa Ir ainen oder mer geuerlichenn verdechtlichenn personen unnd sunderlich auch yemants, der von den

ihnen sah er eine so starke Bedrohung des Landfriedens, daß er damit seine Abwesenheit auf dem Reichstag 1529 begründete[27].

Wie die Geistlichen und ihre Predigt waren auch Bücher und ihr Vertrieb relativ wirksam zu kontrollieren. Druckerlaubnis und -privilegierung beschränkten den Kreis der Hersteller, durch Inspektion der Verkaufsstände und -läger konnte der Vertrieb kontrolliert werden.

In der Stadt Würzburg war das Druckgewerbe stets an Publikationen kirchlicher und amtlicher Schriften gebunden[28]. Nach einem kurzen Aufschwung am Ende des 15. Jahrhunderts[29] kamen Würzburger Drucker über ein Minimum an Ausstattung nicht hinaus: Martin Schubart konnte liturgische Werke nicht mehr herstellen[30]. Johann Lobmeyer, der Schubart nachfolgte[31], scheint im wesentlichen nur amtliche Erlasse gedruckt zu haben[32]. Lobmeyer, dessen Witwe weiter-

widerthauffenn oder anndern verpottenn uncristlichen irsalen unnd ketzereyen Redet, disputiret, predigt oder in anndere wegè leret", zu verhaften und anzuzeigen. Vgl. *Schornbaum* 1934, Nr. 118.
Nach den Aufzeichnungen von Lorenz Fries (Würzburg Staatsarchiv Ms. 56, f. 23r—v) drang die Täuferbewegung 1527 ein, für 1528 notiert Fries Enthauptungen (bei Männern), Verbrennung und Ertränken (bei Frauen) von Taufgesinnten aus Iphofen, wo Georg Nespitzer wirkte (*Wappler* 1913, 36, 280, 282 f.; *Bauer* 1966, 102 f.; *Schornbaum* 1934, Nr. 108; ders. 1951, S. 166, Nr. 19; *Wiswedel* 1930, 48—51), Sulzfeld und Northeim (ein Augustinermönch, vgl. *Ludewig* 908 f.; *Schornbaum* 1934, S. 114, Nr. 114—116, 130). Nespitzer wirkte auch in Volkach um 1528 (Würzburg Staatsarchiv Stdbch 959, f. 295, dort auch weitere Urfehden von Täufern: ebd. 29r, 30r, 47r, 76r—v, 108v, 109r—v, 110r, 115r, 118r, 126r). Ein Verfahren gegen drei Täufer von Mechenrieth 1527 in Würzburg Staatsarchiv Stdbch 962, f. 111v (Teildruck: *Wappler* 1913, 249, Nr. 8). 1535 zeigte der Schultheiß dem Rat an, daß sich in Würzburg Täufer aufgehalten hätten, sie hätten bei Ratsherren Wein getrunken. Er gebot, Täufer festzunehmen (Würzburg Stadtarchiv RP 10, f. 208v, 9. 6. 1535). — Das Reichsmandat gegen die Täufer (14. 1. 1528, = *Bossert* QGWT I, 1⁺—3⁺) wurde mit einem Mandat vom 5. 2. 1528 für das Hochstift publiziert (Würzburg Staatsarchiv ldf 27, p. 345). Am 13. 7. 1529 erließ Fürstbischof Konrad ein Mandat, das „die kaiserliche Konstitution" publizierte (Würzburg Staatsarchiv ldf 27, p. 369, = *Bossert* QGWT I, 3⁺—5⁺). Zum Täufertum in Franken zuletzt *Seebass* 1974 und die in *Clasen* 1972 enthaltenen Informationen. Ein Vergleich der Karten 1 (S. 19), 2 (S. 23) und 3 (S. 25) macht den Erfolg der Unterdrückung des Täufertums im Dukat Würzburg deutlich.
[27] Würzburg Staatsarchiv Reichssachen 898, f. 43.
[28] *Schottenloher* 1910, 21 f., 51, 72 f.
[29] Ebd., 24. Georg Reiser: *Benzing* 1963, 480, Nr. 1; *Grimm* 1967, Sp. 1177.
[30] *Schottenloher* 1910, 51; *Benzing* 1963, 480, Nr. 2.
[31] *Grimm* 1967, Sp. 1179 f.; Würzburg Staatsarchiv ldf 27, p. 57 f.: Vidimus des Druckprivilegs vom 31. 1. 1510; *Welzenbach* 1857, 188 hält ihn für den Drucker Bartholomäus von Usingens. *Meyer* 1892, 7: er trat 1518 in Hofdienst.
[32] *Schottenloher* 1910, 51.

hin Bücher vertrieb, hatte bis 1524 eine Druckerlaubnis[33]. Aus der Lobmeyer-presse lassen sich drei Reformationsdrucke nachweisen[34]: 1524 Luthers ‚Unter-scheyd des rechten und falschen Gottesdienstes‘ und Hans Sachs’ ‚Ein Gesprech eins Ewangelischen christen mit einem Lutherischen‘ und 1525 Luthers Bauern-kriegsschrift ‚Wider die Rewbischen ... Rotten der Bauern‘. Lobmeyers Nach-folger, Balthasar Müller, von dem ebenfalls zwei Lutherdrucke bekannt sind[35], wurde nur noch als fürstlicher Diener und auf Widerruf angestellt und sollte außer amtlichen Schriften wieder liturgische Werke herstellen[36]. Diese Form der Bindung der Drucker scheint relativ wirksam gewesen zu sein, denn Balthasar Müller erscheint nicht als straffällig, er ist vermutlich der noch 1539 als in der Pfaffengasse wohnhaft genannte Drucker Balthasar[37].

Ein hohes Maß an Kontrolle erreichte man in Würzburg auch bei Kauf und Verkauf von Büchern. Ein allgemeines Mandat erschien 1524[38], es schließt luthe-rische, „verdampt“ Schmähschriften, aber auch unpolemische Schriften Luthers ein. Bis 1528 scheint Würzburg auch des Imports reformatorischer Schriften durch Buchführer Herr geworden zu sein. Die Läger von Matthis Müller und Matthis Schwartz waren durchsucht worden[39] und dabei waren lutherische Bü-cher gefunden worden.

Die fürstbischöfliche Zensur reagierte prompt und selbst auf sehr versteckte Formen der Agitation: 1526 ließ sie den von Hans Virdung ‚aus Hassfurt‘ herge-stellten und mit antiklerikalen Versen versehenen Almanach auf das Jahr 1527 verbieten[40]. 1527 kam sie einer Verkäuferin von Spielkarten aus Nürnberg auf die Spur, die auf dem Kiliansmarkt Karten verkaufte, die „uff dem hertz daus

---

[33] Würzburg Staatsarchiv Stdbch 962 (Oberratsprotokoll), f. 117v (3. 8. 1524): Verbot des Büchervertriebs für das ganze Stift. Es könnte sich auch um eine andere weibliche Ver-wandte gehandelt haben. *Grimm* 1967, Sp. ·1179: Margarethe L. und ihr Sohn Michel stan-den mit Adam Petri und Andreas Kratander in Basel in Geschäftsverkehr, auch mit Straß-burg und Hagenau. — *Schottenloher* 1910, 51.

[34] *Benzing* 1966, Nr. 2001; *Ders.* 1968, Nr. 758; 1525: *Benzing* 1966, Nr. 2146.

[35] *Benzing* 1966, Nr. 2379, 2857; *Schottenloher* 1910, 51, sowie *Meyer* 1892 8 Drucke für 1526, 9 für 1527; *Benzing* 1963, 481.

[36] Würzburg Staatsarchiv ldf 25, p. 604 f.: Revers vom 19. 9. 1527; *Welzinger* 1857, 188 f. Balthasar Müller druckte auch Bartholomäus von Usingen: *Panzer,* Annales VII, (ND Hil-desheim: 1963), 119.

[37] Würzburg Staatsarchiv Stdbch 963, f. 283r; *Grimm* 1967, Sp. 1180 weist ihn noch 1541 nach; *Meyer* 1892, 9 (ohne Beleg).

[38] *Merzbacher* 1952/53, 40; wiederholt 1535, 1538; vgl. auch *Amrhein* 1923, 168 f.

[39] Würzburg Staatsarchiv Stdbch 962, f. 117, 3. 8. 1527.

[40] Würzburg Staatsarchiv Stdbch 962, f. 63; bisher konnte kein Exemplar dieses Alma-nachs nachgewiesen werden, vgl. *Brod* 1952. Hans Virdung von Hassfurt, kein Drucker, sondern Autor astrologischer Schriften (*Weller* 2725, 2726, 2757, 2758, 3675), nachweis-bar 1492—1521: *Frommberger-Weber* 1973, 125 f., A. 407. Vgl. auch *Johann Friedrich:* Astrologie und Reformation. München: 1864, 96: als Mathematiker (Johann Haßfurter).

Adam und Eva mit eyner uberschrifft das wort Gottes pleibt Inn ewigkheit Isa (Jesaja) 40 gemalet" hatten[41].

Da sich auf dem gleichen Markt auch ein Wiener Buchführer im Auftrag der Nürnberger Hans Vogel und seines Sohnes Kaspar Vogel mit dem Vertrieb lutherischer und anderer verworfener Bücher betätigte[42], nahm man Anlaß, alle Würzburger Buchführer[43] eidlich zur Unterwerfung unter die Vorzensur zu verpflichten[44]. Nürnberg war 1526 und 1527 der Hauptausgangspunkt der Infiltration des Stifts mit reformatorischer Publizistik[45].

Gegen das ständige Eindringen reformatorischer Lehren erwiesen sich diese Maßnahmen bei der Gemengelage der Herrschaften in Main-Franken als nicht dauerhaft wirksam[46]. Überall dort, wo ständische Obrigkeiten im Bistum die neue Lehre stützten, konnte sich das Luthertum durchsetzen[47].

---

[41] Jesaja 40, 8. Würzburg Staatsarchiv Stdbch 962, f. 109v—110r, 9. 7. 1527, also einen Tag nach Kiliani.

[42] Ebd. f. 110r.

[43] Bernhard Weygell (vgl. *Panzer*, Annales VII, ND 1963, 119 f., und *Grimm* 1967, Sp. 1179), Jörg Müller (*Grimm* 1967, Sp. 1178: 1527 Kobergers Faktor), Müller war schon im Bauernkrieg straffällig geworden (Würzburg Staatsarchiv Stdbch 959, f. 2v), trotzdem 1541 Viertelmeister im Bastheimer Viertel (Würzburg Stadtarchiv RP 11, f. 18v), er starb 1549 (ebd. f. 61v), Matthis Müller, Matthis Schwartz, Willibald Moger und die Lobmayerin.

[44] Würzburg Staatsarchiv Stbch 962, f. 110v.

[45] 1526: Würzburg Staatsarchiv Stdbch 959, f. 12r (Würzburg), ebd. f. 27v 1527 (Neustadt/ Saale), vgl. auch (ohne Herkunftsort) den Vermerk in den Dkp *Amrhein* 1923, 80; *Grimm* 1967, Sp. 1179. Der Vermerk betrifft das Einschleppen von lutherischen Büchern und Einblattdrucken durch Fuhrleute in Flecken, die Schultheißen werden beauftragt, nachzuforschen. Erst 1540 findet sich wieder eine Ausweisung eines Tagelöhners zu Mainbernheim, der Flugschriften verkaufte (Würzburg Staatsarchiv Stdbch 964, f. 21v, 22v, 22. 8. 1540). In diesem Zusammenhang ist ein Hinweis aus späterer Zeit anzufügen, der von der Selbstkontrolle des Buchhändlergewerbes zeugt: 1571 beklagt der Würzburger Buchführer Hans Retsch, daß sein Konkurrent Georg Guttmann aus Dinkelsbühl zwischen den Messen Bücher vertreibe. Er fordert, dies Auswärtigen zu verbieten. Die geistlichen Räte berichten, daß Guttmann der Vertrieb, jedoch nur auf Messen, erlaubt sei, er könne auch hier ein Lager unterhalten, „doch das er nichts dan katholische bucher hiehere pracht". Überdies wurde festgesetzt, er solle keinem Domherren und anderen „Lutherische oder verpotne bucher alhie zulesen geben und verkhauffen". Daraufhin übergab Guttmann eine Liste seiner Kunden und Bücher (Würzburg Staatsarchiv ldf 27, p. 129—131; *von Wegele* 1882, II, 68—70).

[46] *Amrhein* 1923, 94: Frickenhausen 1537, ebd. 139: Ochsenfurt 1526; ebd. 86 f. Eibelstadt 1540. Ein charakteristisches Beispiel bei *Schottenloher* 1940, 169: der spätestens am 28. 11. 1527 entsetzte Vikar von Dettelbach, Martin Korner, erhielt 1528 die Verwesung der Pfarrei Buchbrunn, die Kitzingen unterstand.

[47] *Wendehorst* 1966, 59 f.

41

Kapitel 7:
Reformatorische Ansätze in der Stadt Würzburg vor 1525

Ansätze einer reformatorischen Bewegung treten in Würzburg bis 1525 klar zutage. Sie finden sich im höheren Klerus, bekannt sind der Weihbischof Pettendorfer und der Stellvertreter des Generalvikars Kind[1], und bei gelehrten Räten humanistischer Provenienz[2], die im fürstbischöflichen Rat beschäftigt waren. Auf zwei Kanzeln wurde lutherisch gepredigt, in der Würzburger Hauptkirche von den Inhabern der Domprädikatur, und im Kartäuserkonvent[3]. Anders als in Bamberg wurde die lutherische Predigt in Würzburg nicht verfolgt, wenn auch die Domprädikanten wegen der Widerstände gegen sie nach relativ kurzer Zeit aus Würzburg verschwanden. Lutheraner finden sich im Neumünsterstift, das Bürgerliche zuließ, während das Domkapitel das Eindringen reformatorisch Gesinnter dezidiert abwehrte. Hier überwog der Anspruch des Adels auf Versorgung mit Kapitelspfründen das reformatorische Motiv[4]. Wieweit außer den Kartäusern andere Konvente in Würzburg reformatorische Neigung zeigten, läßt sich nicht feststellen[5]. Auch Humanisten in einflußreichen Positionen, wie Seba-

---

[1] Vgl. oben S. 19 ff. Freundschaftliche Kontakte zwischen Apel, Fischer und den Domherren Fuchs, die für sie eintraten, sind naheliegend. Zwischen Pettendorfer, Kind und anderen sind sie nicht nachzuweisen: Beide blieben auch länger, so daß die reformatorisch gesinnten Humanisten nicht als Gruppe operiert zu haben scheinen. Zu den Kontakten zwischen Koberer und Poliander vgl. oben S. 17 zwischen Apel/Fischer und Speratus S. =.

[2] Apel und Fischer oben S. 22 f. Zum Humanistenkreis in Würzburg: *Andreas Kraus* in: Handbuch der bayerischen Geschichte III, 1. München: 1971, 575—580.

[3] Vgl. oben S. 22 ff.

[4] Wie im Fall des Burckardt von Miltz, der deutliche Konzessionen machte, als das Kapitel insistierte: *Amrhein* 1923, 13. Andererseits tolerierte das Domkapitel auch bei abweichender Lehre den „Besitzstand" wie bei Jakob Fuchs d. Ä., der nach seinem Eintreten für die Priesterehe im Jahre 1523 erst 1525 vom Würzburger Domkapitel absent gehalten wurde, seine Pfründe erst 1528 seinem Bruder Andreas resignierte. *Amrhein* 1923, 31. Vgl. auch *Freudenberger* 1964, bes. 223; und *H. H. Hofmann* 1965, 120.

[5] Nachrichten liegen nur vor für das außerhalb Würzburg gelegene Zisterzienserinnenkloster Himmelspforten: *J. B. Stamminger* 1889, 138 f.

Die Abnahme des Personalbestands allein belegt noch nicht ein reformatorisch geprägtes Motiv. Wir tragen die Nachrichten über Würzburger Konvente zusammen: Das außerhalb Würzburgs gelegene Zisterzienserinnenkloster Himmelspforten entvölkerte sich, ebenso das Praemonstratenserinnenkloster Unterzell (*Stamminger* 1889, 138 f.). In Würzburg starb der Clarissenkonvent St. Agnes aus. Er hatte 1554 nur noch 3, 1560 nur noch 1 Insassin (*Denzinger* 1855, 53 f.). Auch der Karmeliterinnenkonvent (‚Reuerinnen') beherbergte 1541 nur noch 3 Nonnen. Die letzte Priorin floh aus dem Konvent (*Baier* 1902, 75 f.). Dagegen blieb der Karmeliterkonvent offenbar intakt, 1566 predigte dort Petrus Canisius (*Baier* 1902, 26). Das Beginenhaus in der Hörleinsgasse starb bis auf 1 Begine

stian von Rotenhan[6], blieben nach anfänglich vermittelnder Haltung letztlich altgläubig.

Die städtische Revolte im April 1525, in der bisher latente Unruhe an die
Oberfläche trat, förderte auch die Existenz reformatorischer Impulse in der Bürgerschaft Würzburgs zutage[7]. Die Art, wie diese Impulse erschienen, weist darauf hin, daß sie nur schwach entwickelt waren, daß sie eher religiös als sozialre-
volutionär gewirkt haben, zudem vom Rat nicht aufgenommen wurden. Weder
der stark ausgebildete Antiklerikalismus hatte als Motiv der Aufnahme der reformatorischen Ideen gewirkt, wie der Fall Jörg Ramingers[8] beweist, noch schuf die
reformatorische Predigt eine nachweisbare Gruppierung in der Bürgerschaft, die
die Ideen zu Forderungen oder gar Taten weiterführte.

völlig aus, Fürstbischof Melchior Zobel übergab das Haus 1544 der Stadt (*Rost* 1846,
115 f.). Die Kartause Engelgarten hatte 1531 noch einen Personalbestand von 11 Konventualen (*Ullrich* 1898, 93), verlor im Lauf des 16. Jahrhunderts seine Mitglieder bis auf 1
(ebd. 49). Außer dem Prior Georg Koberer (vgl. oben S. XX und Exkurs 3) trat der auf
ihn folgende Johannes Hurri zum Protestantismus über, allerdings nicht in seiner kurzen
Würzburger Zeit (*Ullrich* 10). Auch Servatius Romplet, Prior 1526—1530, wurde abgesetzt und verließ den Orden. Sein Nachfolger 1531—1537 kam in Klosterhaft nach Buxheim (*Stöhlker* 2, 1975, 305: danach wurde Martinus Offenbuchen 1538 wegen „schwerer
Vergehen" abgelöst). Das Franziskanerkloster hatte 1559 einen Bestand von 3 Patres:
Bauer in: *Sehi* 1972, 88, vgl. ebd. 212, 218.

[6] Zu Rotenhan *Engel* 1951, 28 f.; *Brod* 1959; *Bauch* 1904, 135; *I. Maierhöfer* 1967. Roten-
hans Haltung während seiner Mainzer Zeit läßt sich eher verstehen als Vertretung der Ca-
pitoschen Verschleppungstaktik denn als lutherfreundlich. Die Beurteilung von Planitz
(*Wülcker-Virck* 1899, 245, Nr. 111, Planitz an Kurfürst Friedrich von Sachsen,
14. 11. 1522), der die Mitglieder des Reichstagsausschusses in der Luthersache als „alle
pöß und sehr pöß Lutherisch" einordnet „ausgeschlossen er Sebastian von Rotenhayn",
läßt zwar sowohl eine lutherfreundliche als auch eine temporisierende Haltung zu, erstere
würde den Übertritt in Würzburger Dienste jedoch unverständlich erscheinen lassen. Ulrich von Hutten bezeichnete Rotenhan als lau (*Maierhöfer* 1967, 122). — Außer Sebastian
von Rotenhan wären zu nennen Lorenz Fries (*Engel* 1951 passim), der in Leipzig und
Wien, 1518 auch in Wittenberg — wenigstens für einige Monate — studiert hatte,
1520—1550 Sekretär und Geheimschreiber der Würzburger Fürstbischöfe war, ferner Daniel Stiebar von Buttenheim zu Rabeneck (*Engel* 1951, 30), der in Erfurt studierte, mit
Camerarius befreundet war, 1523 in Löwen und Wittenberg studierte und der 1530 Domherr in Würzburg wurde, schließlich Martin von Uissigheim (*Engel* 1951, 31), der 1509 in
Wittenberg studiert hatte, 1522 Domherr in Würzburg wurde, dann 1540 Domscholaster.

[7] Verf. in ARG 67, 1976, 98 f.

[8] Jörg Raminger, wahrscheinlich ein Kaufmann, stand in einer Auseinandersetzung mit
dem Fürstbischof, deren Materie nicht auszumachen ist. Strittig war die Zuständigkeit des
fürstbischöflichen Gerichts (Zent, Stadtgericht?), demgegenüber Raminger sich aufgrund
eines Privilegs auf das Reichskammergericht berief. Raminger hielt nach 1521 auf dem
Jahrmarkt in Würzburg aus persönlicher Betroffenheit — er war vom Fürstbischof verhaftet worden — eine Rede: „die von Wurzburg sein döricht leut, das sie sich die pfaffen also

Auf der Ebene des städtischen Rates zeigen sich allenfalls schwache Reflexe: der Ansatz zu einer Ausweitung der Selbstverwaltungsrechte[9] liegt zu eindeutig auf der traditionellen Linie städtischer Politik, um anders als durch eine Situation bedingt angesehen zu werden, die durch die reformatorische Lehre mitgeschaffen wurde, nämlich der Infragestellung der religiösen Legitimation der

zwingen lassen, und so jederman sein stim hett, must es anders zugeen" (RTA JR IV, 540 und 663, Darstellung des Fürstbischofs Konrad III.). Vgl. auch *Förstemann* 1842, 147 (dort Wolf Ranninger). Noch in die Zeit Fürstbischofs Lorenz von Bibra fällt ein Fall, der die nachher protestantische Familie Reumann betrifft. Lienhart Reumann war 1517 verhaftet worden durch den fürstbischöflichen Hofschultheissen (Würzburg Stadtarchiv RP 8, f. 244r), sein Bruder Jakob, Viertelmeister, bittet den Rat, beim Fürstbischof gegen den Hofschultheissen zu supplizieren über „das unnd anders was er gegen den armen hie furneme". Offenbar unterblieb das oder war vergeblich, denn Lienhart und Jakob Reumann supplizierten (1518) an Kaiser Maximilian um 200 fl Schadenersatz, da Lienhart mit seiner Familie ausgewiesen worden sei (Würzburg Staatsarchiv Würzburg Stadt 828). Anlaß war offenbar eine Auseinandersetzung um Liegenschaften. Lienhart Reumann war vom Hofschultheissen mit seiner schwangeren Frau arrestiert worden (ebd.). 1522 verwendete sich Franz von Sickingen für Reumann, nachdem ein Mandat des Reichsregiments vom 13. 12. 1521 (Würzburg Staatsarchiv Misc. 1877, Ausfertigung) offenbar ohne Wirkung geblieben war (Fürschrift Sickingens Würzburg Staatsarchiv Würzburg Stadt 828, dort auch die Kinder Lienhart Reumanns: Philipp, Mattes, Jacob, Anthoni, Moritz, Karl). Auch Kaiser Maximilian hatte den Würzburger Fürstbischof wegen seiner Haltung gerügt: „damit Sy von deinen underthon dermassen nit vergweltigt und wider die pillichait von hewslich Ern, weib und kindt gedrungen werden" (Würzburg Staatsarchiv Misc. 1877). Der Verlauf der Affaire läßt sich nicht mehr voll rekonstruieren.
[9] Der Rat erhob 1523 (Würzburg Stadtarchiv RP 9, f. 144v—145r) erneut Vorstellungen wegen der Exemtion geistlicher und bischöflicher Diener (Wachgeld, Weinberge) (vgl. dazu *Trüdinger* 1977), und beschloß, „welche Geistlicher hewser Innenhetten In gemeinen mitleyden herkommen, das sich ain yeder mit den virteylmeystern umb solch gemein recht vertragen sollenn. Item das die personen, so Inn virtheyle frey sitzenn wollenn, thon wie andere arme burger Steuer zugeben, welcher freyer person m(einem) g(nädigen) h(errn) ein Zettell uberantwortt. Item der weingarten halben, so die geystlichen an sich kaufft von den burgern, sich In der stewr wie ander burgere besetzenn zu lassenn unnd zuuertragen". Ebenfalls 1523 lehnte der Rat nach Beratung in den Vierteln die Erlegung der Türkensteuer in Geld ab. Die Viertelmeister hatten nach Gutdünken ‚redliche' Bürger zur Beratung herangezogen (Würzburg Stadtarchiv RP 9, f. 153r). — Anfang 1525 erregte es Unmut, daß der Rat die Auflage, die infolge der Hilfe für den Schwäbischen Bund zu entrichten war (vgl. Verf. in ZwüLaG 1975 (1978), 125—141), in Höhe von 200 fl (Würzburg Stadtarchiv RP 9, f. 188r), ohne Umschweife zahlte: „durch die des Rats unnd Virteylmeyster ey(n)mutiglich beschlossen, diese hilff meine(m) gn(ädigen) hern nicht abzuschlagen, sonnder gehorsam zu sein" (Quittung des Kammermeisters in Würzburg Stadtarchiv RP 9, zwischen f. 187 und 188r). Dagegen ersuchte das Domkapitel den Fürstbischof, die Anlage zu senken. Es hatte Vertreter der domkapitlischen Orte angehört und war zur Einsicht gekommen, daß die kritische Situation („das die Zeit itzt geswind") und die drohenden Unruhen es nicht geraten erscheinen ließen, „itzt die armen so hoch zubeladen" (Würzburg Staats-

Herrschaft des altgläubigen Klerus. Ebenso wie die Evangeliumsforderung traten weitergehende Ansprüche auf Autonomierechte erst im Bauernkrieg hervor[10].

Vor allem ließ die Verbindung der weltlichen und der geistlichen Funktion im Amt des Fürstbischofs es nicht zu, die eine gegen die andere auszuspielen. So richtete sich der Antiklerikalismus gegen die privilegierte Geistlichkeit[11], nicht aber gegen den Fürstbischof. Dies wird in den Ganheimer Artikeln im April 1525 ganz deutlich[12], die dem Bischof evangelische Predigt ansinnen.

Trotz ihres geringen Entwicklungsgrades läßt sich auch in Würzburg die Affinität traditioneller städtischer Interessen zu reformatorischen Erscheinungen feststellen: 1524 nahm der Rat Beratungen zur Errichtung einer Kastenordnung auf[13]. Der Entwurf dieser Würzburger Kastenordnung ist erhalten. Es ist die auf Würzburger Verhältnisse angepaßte Kitzinger Bettelordnung von 1523. Der Text des Entwurfs stimmt so weitgehend mit der Kitzinger Vorlage[14] überein, daß hier nur die Punkte hervorgehoben werden sollen, in denen der Würzburger Entwurf von der Vorlage und von der Bettelordnung Würzburgs vom Ende des 15. Jahrhunderts[15] abweicht. Als wichtigste Übernahme aus der Kitzinger Ord-

---

archiv Dkp 5, f. 360v, 28. 3. 1525). Der Rat versuchte allerdings bei dieser Gelegenheit, ein Recht auf Bestrafung bei mutwilliger Beschädigung der Landwehr einzuhandeln (Würzburg Stadtarchiv RP 9, f. 188r). — 1523 beschloß der Rat, keinen Kandidaten zur Nachfolge eines Ratsherren zu nominieren, der in bischöflichen Diensten stand (Würzburg Stadtarchiv RP 9, f. 141v, 21. 7. 1523).

[10] Vgl. Verf. in ARG 67, 1976, 89.

[11] Vgl. Verf. ARG 67, 1976, 87 f.

[12] Ebd.

[13] Würzburg Stadtarchiv RP 9, f. 153v, 15. 2. 1524 (Dienstag nach Invokavit): Georg Ganzhorn hat mit einigen wegen der Errichtung eines gemeinen Kastens in Würzburg verhandelt. Mit Mehrheit beschloß der Rat zustimmend, wenn die Verwaltung des Kastens beim Rat und den Viertelmeistern bleibe. Ein Entwurf sei vor der nächsten Beratung zu erstellen. Um diesen Entwurf handelt es sich mit Wahrscheinlichkeit in dem undatierten Konzept Würzburg Stadtarchiv Ratsakten 1907 „Copie Einer ordnung wie Eß mit den hauß armen leuthen und betlern Soll gehalten werden". Es ist als Reinkonzept ausgewiesen, da an einigen Stellen Leerstellen eingesetzt sind („Unnd hyrauff werdenn verordennt N unnd N" (als Pfleger), man soll die jetzt Bettelnden zwischen „N tag" noch dulden). Die Zuordnung zum Datum im Ratsprotokoll ergibt sich aus dem terminus post quem des Erlasses der Kitzinger Ordnung (Sehling XI/1, S. 76: Bartholomäi 1523) und dem Bauernkrieg, nach dem eine solche Ordnung nicht mehr möglich gewesen wäre, die nächste Ordnung wurde 1533 erlassen, vgl. unten Exkurs 1.

[14] Sehling XI/1, 72—76, nur die Präambel ist aus dem Druck der Nürnberger Almosenordnung mutatis mutandis übernommen: Winckelmann in: ARG 10, 1912/13, 258 f. Bezeugt ist die Versendung der Kitzinger Kastenordnung nach Schweinfurt: Würzburg Staatsarchiv Reichsstadt Schweinfurt 195, f. 2v.

[15] Würzburg Stadtarchiv Ratsbuch 258, (Oberratsstatutenbuch) f. 130r—134 = Hoffmann 1955, Nr. 380, 204—207 „Ordnung und satzung der bettler, wie und were bettlen solle".

nung erscheint die veränderte Motivation zum Almosengeben: nicht mehr wie noch 1490 wird das Almosenspenden als verdienstliches Werk bezeichnet[16], sondern als Ausfluß der Nächstenliebe nach Ausweis der Heiligen Schrift[17]. Wie die Kitzinger Ordnung verbot der Würzburger Entwurf das öffentliche Betteln ganz. Das Problem der Armut sollte durch Armenkästen bewältigt werden, die zur Bildung eines Kapitalstocks beitragen sollten, der laufend zu ergänzen, aber auch durch Stiftungen zu vermehren war[18]. Schließlich — neben vielen, fast wörtlich übernommenen Bestimmungen — erscheint der Grundsatz der Bevorzugung der Bürger und Einwohner der eigenen Stadt unter Abweisung der Fremden und die vorgesehene Verwendung von Überschüssen zu Investitionsdarlehen oder wirtschaftlichen Starthilfen, sowie die Getreidevorratshaltung.

Abweichend von der Kitzinger Vorlage definiert der Würzburger Entwurf Anlaß und Zweck des Gesetzes: Würzburg hatte offenbar einen stärkeren Zustrom von Bettlern von auswärts zu bewältigen, es wies daher die fremden Bettler rigoros ab, nur geringe Ausnahmen wurden zugelassen[19]. Als Gesetzeszweck nennt der Entwurf die mißbräuchliche Verwendung des Almosens und die mißbräuchliche Inanspruchnahme durch Arbeitsfähige[20]. Andere Abweichungen von der Vorlage sind technischer Natur: so die Aufstellung von 5 Kästen, da es 5 Pfarrkirchen in Würzburg gab, wobei am Parochialprinzip festgehalten wurde. Oder: die Einordnung in den anderen Verfassungskontext. Der Würzburger Entwurf setzt die Bewilligung des Fürstbischofs, der auch die Pfleger einsetzt, voraus; die Aufsicht über die Armenkästen wird im Dom dem Fürstbischof, dem Domkapitel und den Bürgermeistern, in den Pfarrkirchen den Pfarrern, den Ältesten des Rats und den Viertelmeistern übertragen.

[16] Ordnung 1490 (Almosen) „so geben ein sonderlich Loblich verdienlich unnd Thugenthafftig werck und guttait ist" (Würzburg Stadtarchiv Ratsbuch 258, f. 130r).

[17] Würzburg Stadtarchiv Ratsakten 1907: „dweyl dann Auch die heylig geschryfft außweyst das aus Christennlicher unnd Bruderlicher Lieb / Niemandt seinem negstenn soll betheln lassen / sondre Einer dem Anndern mittheylen / unnd behulfflich sein . . .", vgl. *Sehling* XI/1, 72, sowie auch den wörtlich übernommenen Schlußabschnitt *Sehling* a. a. O. 76.

[18] Während die Kitzinger Ordnung dabei an Bruderschaften und Jahrzeitstiftungen denkt, hat Würzburg außer den Testamenten: „unnd mit der zeyt mocht man Annder gestyfft / Allmuß zu solcher castenn Auch wennden . . .".

[19] „Aus verursachung der menige verlorenns Mussig geennds volcks / die vonn vil Lannden hie her gein wurtzpurg komen". Diese Klage erscheint häufiger im 16. Jh. vgl. Exkurs 1. — Die fremden Bettler seien in das Seelhaus (dazu *Trüdinger* 1977, 114) einzuweisen, nur eine Nacht zu beherbergen und am nächsten Morgen aus der Stadt zu führen, bei Zuwiderhandlung auszuweisen, im Wiederholungsfall mit Ruten auszuschlagen. Ausnahmen für die kranken Fremden wie in der Kitzinger Ordnung.

[20] Vgl. oben A. 19. „Auch manch starckh vermogennd mennsch sich sampt seinen kindern uff solchenn Bethell begebenn unnd sich Alle Erbeyt unnd guts enntschlahen . . .". Diese Gruppe der Arbeitsscheuen wird schon kurz 1490 angesprochen, ausführlicher dann 1533. Vgl. Exkurs 1.

46

Zu den Anpassungen der Kitzinger Vorlage in Würzburg gehört auch, daß die in der Kitzinger Ordnung vorgesehene Einbringung von Jahrzeitstiftungen und Bruderschaftsvermögen in Würzburg entfiel. Der entsprechende Passus ist in dem Würzburger Entwurf ersetzt durch ·ein unbestimmtes „Annder gestyfft Allmusß", doch zeigt die aus der Kitzinger Ordnung übernommene Priorität der Almosenstiftung die gleiche Tendenz zum Abbau der rein auf das individuelle Seelenheil bezogenen Stiftungen. Schließlich ist das vorgesehene Verzeichnis der Almosenempfänger in Würzburg detaillierter[21], und die Sanktionen gegen Almosenempfänger, die fluchen, sind schärfer gefaßt[22]. Letztere Bestimmung verschärft eine gleichgerichtete von 1490[23], im übrigen weicht der Entwurf von der spätmittelalterlichen Bettelordnung in Geist und einzelnen Bestimmungen beträchtlich ab: zwar stellt die frühere Ordnung in Würzburg ebenfalls auf Konzessionierung der Bettler und deren Kenntlichmachung durch Zeichen ab, doch nur, um diese zu kontrollieren und beschränken, nicht um den öffentlichen Bettel ganz aufzuheben. Beide Ordnungen verlangen den Nachweis der Bedürftigkeit, die ältere überdies noch ein Minimum an religiöser und kirchlicher Qualifikation[24]. Ist die frühere Ordnung kirchlich geprägt, so zeigt der Würzburger Entwurf von 1524 deutlich städtisch-genossenschaftliche Elemente. Es ist darum nicht ohne weiteres möglich, die Tatsache der Übernahme der Kitzinger Ordnung allein schon als Indiz für reformatorische Neigungen des Würzburger Rates oder eines Teiles der Bürgerschaft zu werten. Sie erweist lediglich, daß die Affinität zwischen städtischem Denken und reformatorisch geprägter Sozialordnung eine Übernahme möglich machte. Und überdies: die entworfene Ordnung ist nicht durchgesetzt worden. Warum, entzieht sich unserer Kenntnis: formale Gründe, wie etwa der vorgesehene Erlaß durch den Rat, könnten ebenso eine Rolle gespielt haben wie der Widerstand gegen den evangelischen Geist des Entwurfes, der doch deutlich zutage trat. Immerhin bleibt festzuhalten, daß im Rat in Würzburg ein Text für diskussionswürdig gehalten wurde, der deutlich vom

[21] Zum Nachweis der Bedürftigkeit war schon 1490 verlangt worden, Angaben zu machen über Wesen, Stand und Vermöglichkeit des Leibes, ob verheiratet oder ledig, Kinderzahl (Würzburg Stadtarchiv Ratsbuch 258, f. 131r.), in dem Entwurf werden die Angaben, die die Bedürftigkeit feststellbar machen sollen, präzisiert, und — wie in Kitzingen — eine Sonderliste der besonders Bedürftigen vorgesehen.
[22] „So auch die den das Allmusen gereicht unnd gegebenn wurdt Gothes unnd der heyligen schwur unnd lesterung thetenn / unnd warlich furbracht wurdt / Es werenn Man fraw oder kindt / den solt das Allmußen furter nit mer mitgeteylt / aus der stat gewysenn / unnd dartzu vonn unnser Genedigenn herrschafft hertiglich am leyb gestrafft werdenn /".
[23] Würzburg Stadtarchiv Ratsbuch 258, f. 133v: Bettler sollen nicht fluchen, schelten, böse unnütze Worte treiben.
[24] Die Almosenempfänger müssen eine jährliche Beichte und Sakramentsempfang nachweisen, sie müssen das Vaterunser, Avemaria, Credo und die Zehn Gebote sprechen können: ebd. f. 131r (1490).

altkirchlichen Denken abwich und klar reformatorische Ideen enthielt. Der Würzburger Entwurf einer Kastenordnung läßt eine Entwicklung, in der städtisches Autonomiestreben, genossenschaftlicher Geist und reformatorisches Denken einem Ziel zustrebten, als möglich erscheinen. Für die Kräftekonstellation in der fürstbischöflichen Residenz ist es charakteristisch, daß dieser Entwurf ebenso scheiterte wie — aus anderen Gründen — der Versuch, durch eine Revolution dem neuen Glauben in der Stadt die Bahn zu ebnen.

Für die Frage, warum sich Ansätze einer reformatorischen Bewegung in Würzburg nicht entfaltet haben, lassen sich Elemente, jedoch keine schlüssige Antwort aufzeigen. Die feststellbaren Impulse waren sicher zu schwach. Sie drangen über einzelne personale Träger der reformatorischen Gesinnung nicht hinaus. Es gelang nicht, eine Gruppe zu bilden, die Einfluß auf Entscheidungen nehmen konnte. Daß die humanistischen gelehrten Räte und Geistlichen[25] eine so geringe Ausstrahlungskraft aufwiesen, ist möglicherweise darin begründet, daß sie zu geringe soziale Kontakte zu weiteren Kreisen des Bürgertums hatten. Als Apel und Fischer verhaftet und öffentlich von der Kanzlei durch die Stadt auf den Marienberg geführt wurden, regte sich in der Stadt kein Widerstand. Ebensowenig entwickelte die reformatorische Predigt allein genügend Durchschlagskraft, um Veränderungen zu bewirken. Erst in der vom Bauernkrieg geschaffenen Situation traten Vorstellungen zutage, die auf eine radikale Veränderung der kirchlichen Verfassung hinzielten. Die Tatsache, daß der reformatorisch predigende Kartäuserprior Georg Koberer auch dann noch Gewaltanwendung verurteilte, weist auf einen weiteren Grund hin: Die reformatorische Predigt selbst stellte nicht auf Taten und auf Konfrontation ab, sondern auf Unterweisung der Hörer. Dafür ist Poliander ein weiteres Beispiel: er wie Speratus zogen sich eher zurück, als daß sie sich angesichts der festen Haltung des Domkapitels in einen Konflikt mit diesem einließen. Schließlich war die ohnehin schwache Position des städtischen Rates gegenüber dem Fürstbischof und dem Domkapitel nicht ausnutzbar, um evangelische Regungen zu unterstützen: der Rat wollte den Entwurf der Almosenordnung nur beraten, wenn die Selbstverwaltungsrechte erhalten blieben. Denn gleichzeitig sorgte der städtische Rat für die Erhaltung der herkömmlichen Rechte der alten Kirche: als der Dompfarrer, Hans Roggenbach, den Kirchner unterrichtete, er könne ihn nicht mehr unterhalten, wurde der Rat beim Bischof vorstellig, um den ordnungsgemäßen Gottesdienst zu gewährleisten[26]. Zu vermuten ist im Fall des Vorgehens des Dompfarrers, wie auch im übrigen hinter den Klagen der Domprädikanten, sie würden nur mangelhaft besoldet, ein Rückgang der Leistungen der Bürger an die kirchlichen Institutio-

[25] Vgl. generell für den Würzburger Humanismus *Kraus* 1971, 578.
[26] Würzburg Stadtarchiv RP 9, f. 158r und 159v (18. 2. 1524), Würzburg Staatsarchiv Dkp 5, f. 341r. 1520 strengte der Rat eine Klage gegen den Pfarrer zu Haug an, da er sich weigerte, im Bürgerspital die Engelmesse und die Frühmesse halten zu lassen (Würzburg Stadtarchiv RP 9, f. 82r).

nen. Wie in anderen Städten in der Phase der Frühreformation nahmen die Bürger ihr Engagement zugunsten der Kirche zurück. Wie wenig der Rat jedoch auf Veränderungen aus war, zeigte sich 1523, als die Franziskaner die wöchentliche Messe in der Marienkapelle einstellen wollten. Der Rat suchte, ohne die Möglichkeit, diese Messe entfallen zu lassen, zu erörtern, Ersatz bei den Karmeliten[27]. Die schwache Resonanz der reformatorischen Ideen in der Frühphase der Reformation in Würzburg weist darauf hin, daß trotz einiger Elemente, die ihre Aufnahme in der Regel förderten, wie Antiklerikalismus und reformatorische Predigt, die Affinität zwischen Stadt und Reformation sich dort nicht auswirkte. Verfassungspolitische und im weitesten Sinne soziale Momente ließen rasche Entfaltung nicht zu: der Landesherr und Bischof setzte ihr Grenzen, kanalisierte sie, der geringe Entwicklungsgrad der städtischen Autonomie stellte einen zu ungenügenden Resonanzboden dar. Der konzentrierten geistlich-weltlichen Herrschaft paßten sich die führenden Vertreter der reformatorischen Lehre an: Sie unterwiesen, stellten nicht darauf ab, Veränderungen durchzusetzen. Erst die zeitweilige Aufhebung der herrschenden Ordnung förderte die reformatorischen Impulse an die Oberfläche. Als der alte Verfassungskontext nach dem Bauernkrieg wiederhergestellt wurde, fielen die nun deutlicher zutage getretenen Angriffspunkte der rigoroseren gegenreformatorischen Aktion des Fürstbischofs zum Opfer.

[27] Würzburg Stadtarchiv RP 9, f. 126v.

Kapitel 8:
Stadt und Protestantismus unter Julius Echter von Mespelbrunn

Der Wille, die landesherrliche Gewalt zu bewahren und zu stärken, und das Ziel, die Grundlagen der geistlichen Gewalt, das kirchliche Recht, den alten Glauben und die Loyalität zur römischen Kurie, zu befestigen, verbanden sich nach '1525 noch enger als zuvor und bildeten die Basis für eine Restauration, in der reformatorische Regungen keine Überlebenschancen zu haben schienen. Schritt für Schritt wurden zwar die unmittelbar nach dem Niederschlagen des ‚Bauernkriegs' getroffenen weltlichen Maßnahmen gemildert[1]. Der Gegenreformation stellte Konrad von Thüngen Reformmaßnahmen nicht zur Seite.

[1] Zur nach der Aufsage am 8. 5. 1525 notwendigen Erbhuldigung berief Fürstbischof Konrad von Thüngen die Bürgerschaft auf den 9. 8. 1525 (*Cronthal* 1887, 93; Würzburg Stadtarchiv Ratsakten 136). Dabei wurde den Bürgern auferlegt, den kirchlichen Gesetzen gehorsam zu sein, „wie die bisher löblich gehalten und hinfür durch ein gemein concilium geordnet und gesetzt" würden (*Cronthal* 94), Aufrührer anzuzeigen (ebd. 95), Entwaffnung (ebd.), Auslieferung und Verzichtserklärung der städtischen Freiheiten (ebd.), Schleifung nach Anordnung des Landesherrn (ebd. 96), Reparationsverpflichtung und bedingungslose Verpflichtung, Steuern zu zahlen und Wehrdienst zu leisten (ebd.). Zusätzlich behielten sich Bischof und Kapitel vor, die Ratsherren und den Stadtschreiber einzusetzen, alle Gesellschaften, Trinkstuben, Zünfte aufzuheben u. a. m., schließlich: „Item kein brief, schrift noch buchlein, so wieder gemein ordnung der heiligen christlichen kirchen ist, nicht anzunehmen, nicht lesen. Item man soll, wie vor alter herkommen und gewonheit gewest, zu kirchen, mess, predigt und andern gottesdiensten gehen." (ebd. 97 f.). Die Reparationsanlage betrug pro Einwohner (Haussasse) 7,5 fl (Würzburg Staatsarchiv ldf 27, p. 195). — Ende 1525, am 18. 11., setzte der Landesherr den Unterrat ein und ernannte die Ratsherren und Viertelmeister (Würzburg Stadtarchiv RP 10, f. 24r—v, Würzburg Staatsarchiv Histor. 316), zugleich erließ er die neue Stadtordnung (vgl. dazu Verf. in WDGBll 39, 1977, 123 ff.). Die Viertelhäuser sequestrierte der Fürstbischof (*Cronthal* 93, Verleihungen Würzburg Staatsarchiv ldf 25, p. 250, 319 f., 320, 330), ebenso zog er die Verwaltung des Bürgerspitals an sich (*Cronthal* 93), das erst 1540 restituiert wurde (Würzburg Stadtarchiv RP 10, f. 275). Vor der Rehabilitation (Rats- und Gerichtsfähigkeit) liefen die Verhandlungen um weitere Reparationssummen, bei denen sich der Rat dem Fürstbischof beugen mußte (Würzburg Stadtarchiv RP 10, f. 32v—33r). Dabei sollte die Reparationssumme ein Drittel des geschätzten Wertes der Würzburger Liegenschaften betragen, die geschätzt wurde auf 100 000 fl (ebd. f. 33r). Die Rehabilitation erfolgte für Stadt und Land am 14. 1. 1527, ausdrücklich nach dem RT Speyer (*Cronthal* 1887, 112, Würzburg Stadtarchiv Ratsakten 136; Würzburg Staatsarchiv Ms 8, f. 95r—96v; ebd. ldf 27, p. 285). 1528 händigte der Bischof der Stadt den nach dem Bauernkrieg erzwungenen Revers wieder aus (Würzburg Staatsarchiv ldf 28, p. 860 f., 11. 9. 1528), er wurde abgelöst durch eine Verpflichtung, der Kirche und dem Landesherrn gehorsam zu sein, Steuern zu

Die Zeit zwischen Konrad von Thüngen (gest. 1540) und dem Gegenreformator Julius Echter von Mespelbrunn bietet nicht nur ein dunkles Bild von Verfall, Wirren und Krieg[2]. Reformen wurden eingeleitet[3], zum Erfolg führten sie noch nicht. Überpointiert urteilte Gropper 1574, das Würzburger Bistum sei eine Ruine[4]. Das wurde zumindest dem Bemühen Friedrich von Wirsbergs[5] nicht gerecht. Im Hinblick auf das, was nach den Maßstäben und Zielvorstellungen des Tridentinums noch zu tun war[6], blieb das bisher Erreichte fragmentarisch und ungesichert. Ebenso wie schon Wirsberg legte das Domkapitel Julius Echter auf tridentinische Reformen fest[7]. Nicht nur darin bestand der ruinöse Zustand des Bistums, daß weite Teile der Diözese der geistlichen Leitung und Jurisdiktion des Bischofs entzogen waren[8]. Auch innerhalb des fürstbischöflichen Terri-

zahlen und Wehrdienst zu leisten, nach Befehl des Fürstbischofs (ebd.) In das Jus patronatus setzte Bischof Konrad von Thüngen den Rat 1529 wieder ein (Würzburg Stadtarchiv RP 10, f. 179r), doch mit seiner Vorkenntnis, de facto erfolgten Besetzungen per preces episcopales (Würzburg Stadtarchiv RP 11, f. 51r). Schließlich hob der Bischof 1533 das Verbot der Schützengesellschaft auf (Würzburg Staatsarchiv Stdbch 963, f. 74r), nachdem er schon 1528 die Entwaffnung rückgängig gemacht hatte (ebd. Stdbch 962, f. 171). Erinnert sei daran, daß der Oberrat bis 1540 suspendiert war (vgl. Verf. in WDGBll 39, 1977, 124 f.).

[2] Wir verweisen auf die neueren, die ältere Literatur zusammenfassenden Arbeiten von *Bigelmair* 1951, *Specker* 1965 und *Wendehorst* 1966. Insbesondere Friedrich von Wirsberg (1558—1573) erfährt eine positive Beurteilung, die zwischen gutem Wollen (*Specker* 1965) und grundlegendem Wirken (*Wendehorst* 1966) schwankt. *Schubert* 1968 begreift den Unterschied zwischen Wirsberg und Echter als den zwischen zwei Typen von Gegenreformation: einem patriarchalischen und einem territorialstaatlichen. Doch ist darauf hinzuweisen, daß bereits Friedrich von Wirsberg die weltlichen Amtleute als Instrument der Reform der Kirche einsetzte (*Specker* 1965, 50) und Widerstand gegen die Rückführung zur alten Kirche als Ungehorsam deutete (ebd. 52).

[3] Der Unterschied zu seinen Vorgängern, Konrad von Thüngen und Melchior Zobel, liegt darin, daß Wirsberg, wie nach ihm Echter, die Bedeutung der institutionalisierten Ausbildung des Klerus erkannte und es nicht bei Mandaten bewenden ließ, die höchstens an den Klerus appellierten, sich den sittlichen Standards, die das kirchliche Recht forderte, anzugleichen (für Thüngen vgl. oben S. 35, Melchior Zobel *Specker* 1965, 42 und *Leier* 1903, 407), doch weist *Specker* 1965, 43 wenigstens Ansätze zu Reformwillen nach.

[4] *Schwarz* 1898, 91, Nr. 92.

[5] Den die römische Instruktion für Gropper als „optimum senem in medio haereticorum fortiter pro religione pugnantem" bezeichnete (*Schwarz* 1898, 45). Zu Wirsberg *Wendehorst* in NDB 5, 1961, 598—599. Der Reisebericht des Fulvio Ruggieri nannte ihn „(huomo) molto cattolico e sopra tutto humano . . . che si sforza di tenere i popoli ne la fede cattolica . . .". *Wandruszka* 1953, 156 f.).

[6] *Schwarz* 1898, 45.

[7] Wiewohl nicht expressis verbis, jedoch schon in Übernahme der Artikel der Wahlkapitulation von 1558, dazu *Specker* 1965, 44.

[8] *Specker* 1965, 41.

toriums hatten sich Ritter und Städter dem Protestantismus zugewandt, so auch in der Residenz.

1571 bereits beanstandete Fürstbischof Friedrich von Wirsberg, daß auf der Kandidatenliste des Unterrats zur Ernennung eines Ratsherrn durch den Bischof, bzw. das Domkapitel nur Lutherische stünden[9]. 1573 hatte das Domkapitel zwei Ratsherren zu ernennen: beim ersten Termin wählte es, ohne daß die Konfession ausdrücklich zur Sprache kam, einen der prominentesten Protestanten, Georg Reumann[10], um zu verhindern, daß er wegzöge. Auch beim zweiten Termin lag eine Liste von Lutheranern vor[11], von denen zwei, Philipp Merklein und Balthasar Rueffer, gewählt wurden. Danach rang sich das Domkapitel doch zu dem Votum durch, „ein nachfragens zu haben, Ob ausserhalb diser Person besser Catholische zubekommen sein möchten". Kaum besser kann der Stand der Dinge in Würzburg zu Beginn der Regierung Julius Echters beleuchtet werden: trotz des Willens, protestantische Bürger nicht zu befördern, setzt man sie wegen ihrer fachlichen Qualität katholischen Kandidaten vor, trotz der anderen Konfession. Noch wird die anderskonfessionelle Gruppe überhaupt als solche angesprochen: sie war nicht so gut katholisch.

Am 1. 12. 1573 wählte das Domkapitel Julius Echter zum Fürstbischof, ohne daß sich an den eben skizzierten Verhältnissen zunächst etwas änderte. 1575 kam Konrad Müller in den Unterrat, da dort gerade jetzt seine Qualifikation benötigt wurde[12]. Müller wurde 1582 gegen seinen Willen zum Bürgermeister gewählt[13]. Man wird angesichts der eindeutigen Feststellungen der Domherren, daß

---

[9] Würzburg Stadtarchiv RP 13, f. 46r (13. 9. 1571). Die Wahlkapitulation Julius Echters von 1573 enthielt dann die Verpflichtung, nur katholische Bürger zu Ratsherren zu ernennen (*Buchinger* 1843, 359).

[10] Würzburg Staatsarchiv Dkp 29, f. 75r (5. 3. 1573): anstelle des verstorbenen Jakob Karbeck schlug der Rat vor: Georg Reumann, Philipp Merklein, Melchior Haag, Georg Renckner, Magister Johann Ramsbeck, Balthasar Rueffer. Das Domkapitel wählte Reumann, „dieweil in bericht fürgefallen, das er etwan an ein ander orth trachten möcht" (ebd.).

[11] Würzburg Staatsarchiv Dkp 29, f. 148v (18. 7. 1573). Die Liste: Philipp Merklein, Peter Heller, Balthasar Rueffer, Georg Morung, Adam Gottschalk. Ebd. die folgend zitierte Stelle.

[12] Würzburg Staatsarchiv Dkp 31, f. 160r (30. 6. 1575) anstelle von Endres Schmid Konrad Müller: „wiewol ein meinung, das man Catholische darzu befürdern solt, weil man aber deren nit haben könt, müst man andere, so darzu qualificirt geprauchen, sonderlich dieweil wie wissentlich der under Rhat vil zuthun, fürnemblich Yetziger Zeit mit einkauffung gethraidts, So ist derhalben Cunradt Müller zu einem Rhatsfreundt capitulariter elegiert unnd erwehlet worden". — Außer der Aufsicht über Ämter der Stadt und den Verwaltungen der Pflegen und Stiftungen, die Abrechnungen erforderten, waren 9 Ratsherren Schöffen am Stadtgericht (dazu ausführlich *Merzbacher* 1973, 79 f.).

[13] Würzburg Stadtarchiv RP 14, f. 19v (15. 11. 1582): zum ersten (älteren) Bürgermeister für 1583 wurde Konrad Müller mit 16 Stimmen, zum zweiten (jüngeren) Hans Fenchel

keine genügend sachverständigen katholischen Kandidaten zu finden seien, dem Unterrat nicht ohne weiteres unterstellen können, er habe eine bewußte Politik der Unterwanderung des Rats durch Protestanten betrieben. Eine altgläubige oder auch bischöfliche ‚Fraktion' gab es jedoch auch nicht. Das Domkapitel witterte vielmehr eine andere Tendenz, die nicht unmittelbar mit der Aufstellung protestantischer Kandidaten zusammenhing: bei der Beratung der städtischen Gravamina 1575 vermerkt es, daß hinter einzelnen Maßnahmen — einem geringfügigem Anlaß wie der Sperrung des Wassers für eine Badestube, die der Klerus gern benutzte — eine Politik der kleinen Schritte der Erweiterung städtischer Rechte gegen den Klerus zu sehen sei: „Obiter ist auch fürgeloffen, das gleich wol sie die Burgermeister unnd Rhat sich allerhandt Newerungen unnderstünden und heut ein glid, dan morgen wider ainß, biß sie ein gantze handt bekemmen, an sich zügen . . .“[14]. Es verwies den konkreten Anstand an den Oberrat, in dem das Domkapitel sein Instrument der Herrschaft über die Stadt sah[15].

1580 gelang es dem Domkapitel, zwei katholische Kandidaten aufzustellen, wovon der eine, der Spitalmeister zu St. Dietrich, sich ausbedang, keine städtischen Ämter annehmen zu müssen[16]. Drei Jahre später ließ Fürstbischof Julius Echter einen neuen Kurs erkennen: er überging die Kandidatenliste des Unterrats und setzte einen katholischen Ratsherrn ein[17]. Der Unterrat wurde sofort vorstellig: außer Bedenken in bezug auf dessen makellose Geburt und seinen Stand als Bürger, die wohl auszuräumen seien, wies Konrad Müller auf das Recht des Unterrats hin, eine bindende Vorschlagsliste zu erstellen. Er hoffe, der

mit 11 Stimmen gewählt: „Gott geb gluck undt segen. Conrad Muller entschuldigt sich, were mit gemeiner Statt sach nicht herkumen, noch derselbigen erfahren, bat seiner zuuerschonen, hat nicht mogen stattfinden". Vgl. *Schubert* 1971, 71.

[14] Würzburg Staatsarchiv Dkp 31, f. 208v. Zu den Gravamina der Stadt bei Regierungsantritt Julius Echters vgl. Verf. in: WDGBll 39, 1977. Das Domkapitel beriet sie erst am 6. 8. 1575 (ebd. f. 206v—209r), zur bei dieser Gelegenheit gegebenen Stellungnahme zur Frage des Friedhofsbaus vgl. unten A. 66.

[15] Würzburg Staatsarchiv Dkp 29, f. 162r (4. 8. 1573): der Oberrat sei „ye und allwegen fur d(a)z höchst kleinoth gehalten" worden. *Pölnitz* 1934, 79, 256 ff. Zum Oberrat vgl. Verf in: WDGBll 39, 1977, 123 ff.

[16] Würzburg Staatsarchiv Dkp 36, f. 173v (12. 4. 1580): anstelle von Pauls von Worms wurden 2 Kandidaten vorgeschlagen: Bernhard Eberhart, der Spitalmeister des domkapitlischen Dietrichspitals und Sebastian Löschert, „die beide katholisch unnd gut were, das man Eytel katholische habenn konnte" (ebd., f. 175v, 14. 4.). Gewählt wurde der Spitalmeister von St. Dietrich (ebd. f. 179v), er teilt mit, „das er gleichwol sunsten genug zuthun unnd nicht allweg wol auff wern, auch gering verstendig und die fursorg truge, mann Inen mit mehern gemeiner Stadt ambtern beladen wurde, do ein Ehrwurdig Thumbcapittul es aber ie gnedig habenn unnd vor Ihnen Interceediren wölten, das sein mit andern ambtern verschont wurde, Erkennt er sich underthenig zugehorsamen schuldig" (ebd. f. 175v—176r).

[17] Vgl. unten A. 18 und *Schubert* 1971, 77.

Fürst wolle die Reputation des Domkapitels und der Stadt fördern und erhalten und nicht ansehen, ob einer „der Römischen kirchen oder der Augspurgischen Confeßion zugethan" sei[18]. Der Anspruch auf Gleichbehandlung der Konfessionen bei der Ämterbesetzung war deutlich gestellt. Hinter ihm stand die — in diesem Fall nicht ausgesprochene[19] — Anschauung, daß die Anhänger der Augsburgischen Konfession reichsrechtlich gesichert seien, also eine Berufung auf den Augsburger Religionsfrieden. Der Bischof wich vom gültigen Recht ab, um — in diesem Punkt — die Gegenreformation voranzutreiben. Trotzdem stimmte der Rat nachträglich dem Kandidaten des Fürsten zu[20].

Nicht nur der Fürstbischof, auch die Würzburger Protestanten waren aktiv. Noch im gleichen Jahr, im November 1583, brach zwischen Bischof und städtischem Rat die Auseinandersetzung um den neuen Friedhof aus. Die Vorgeschichte dieses relativ gut dokumentierten, heftigsten Konflikts gibt Hinweise auf die zeitliche Erstreckung der protestantischen Bewegung in Würzburg in der 2. Hälfte des 16. Jahrhunderts.

Der Anstoß, einen neuen Begräbnisplatz für Bürger anzulegen, kam vom Domkapitel: 1521 wies der Rat dessen Vorschlag, einen Friedhof vor dem Stephanstor neu anzulegen, da die Kapazität des alten zwischen Dom und Neumünster erschöpft sei, zurück. Er bat, die Bürger weiterhin auf dem Begräbnisplatz der Vorfahren begraben zu dürfen[21]. Wie der Totengräber feststellte, sei dort Platz genug. Erst ein neuer Vorstoß 1540 veranlaßte den Unterrat zu Vorschlägen[22]. Schließlich wurden zwei neue Friedhöfe angelegt, darunter der später als ,lutherischer' bekannte vor dem Pleichacher Tor[23]. Er ist schon vor 1558 als

---

[18] Würzburg Stadtarchiv RP 14, f. 25v—26r (22. 2. 1583). Der Fürstbischof hatte anstelle Balthasar Wedels Klaus Brandwehr ernannt. Am 21. 2. war der Stadtschreiber vorstellig geworden: „Ein Erbar Rath truge seiner Ehelichen geburt, deßgleichen ob und zu welcher Zeit er burger worden" Bedenken. Diese konnten am 22. 2. nicht ausgeräumt werden, obwohl Brandwehr angab, er sei 1555 Bürger geworden und einen Geburtsbrief vorwies. Dennoch ließ der Rat nachforschen, ob er leibeigen sei. Er sei zuerst 1559 im Steuerbuch verzeichnet. Konrad Müller: „wiewoll zuwunschen were, d(a)z unser gn. herr bey altem herkomen blibe und aus denen Persohnen, so furgeschlagen werden, damit ein E(hrsamer) R(at) Ihrer Fl. Gn., Eines Ehrwirdigen domcapittels und gemainer Statt Reputation zu befordern und zu erhalten verhoff, leut in den Rat verordnet undt nicht ansehe, ob einer der Römischen kirchen oder der Augspurgischen Confeßion zugethan, doch weil Ihr fl. Gn. ain der Ordnung schritten, muste man es zu disem mal als Unterthanen zustunde geschehen laßen".

[19] Vgl. dagegen unten in A. 60 für 1574 und das Zitat *Schubert* 1968, 287.

[20] Der Rat wich hier zum ersten Mal einen Schritt zurück, ging also nicht auf Konfliktkurs. Der Anspruch auf Gleichberechtigung formuliert siehe *Schubert* 1971, 77.

[21] *Bechthold* 1940, 84.

[22] Ebd., 85; *Memminger* 1923, 208.

[23] *Bechthold* 1940, 82—97. Der lutherische Friedhof lag vor dem Pleichertor am Main: *Seberich* 1955, 189—235, hier: 234. Abbildung des Tors in ders. 1962, 55 (Abb. 7) (Merian 1648).

Begräbnisstätte der Protestanten verwendet worden. In den Gravamina des Rats bei Regierungsantritt Friedrich von Wirsbergs steht als erster Punkt und obenan dieses, daß einige Personen — ob man bereits die Augsburger Konfessionsverwandten generell als Dissidenten diskriminierte oder ob es sich um Einzelfälle handelte, geht aus dem Text nicht eindeutig hervor — ohne die üblichen Zeremonien und an ungebräuchlichen Orten begraben würden[24]. Dies wurde als Beeinträchtigung der sozialen Geltung und Verletzung der Pietät empfunden[25]. Gefordert wurde ein christliches Begräbnis am Ort, wo auch die Eltern begraben lagen. Wie brisant dieses Thema war, erwies sich in dem hinhaltenden Widerstand des Domkapitels gegen den Bescheid, den der neue Fürstbischof geben wollte: das ganze Jahr 1559 über beriet es seine Stellungnahme[26], nicht zuletzt, da der Dompropst und Dompfarrer, Reichart von der Kere[27], gegen einen Kapitelsbeschluß beim Bischof vorstellig geworden war. Er wollte einen Schreiber des Domkapitels, der sub utraque kommuniziert hatte, nicht mit kirchlichem Zeremoniell bestatten lassen. Von der Kere bot sogar seinen Rücktritt als Dompfarrer an. Schließlich, als der Bischof sich auf sein Recht als Oberhirte berief[28], das eine vollkirchliche Beerdigungszeremonie für Dissidenten nicht zuließ, er andererseits jedoch eine endgültige Stellungnahme hinausschob[29], kam ein Kom-

---

[24] Würzburg Stadtarchiv RP 11, f. 169v; = Würzburg Staatsarchiv, ldf 30, p. 87f.

[25] Ebd.: „dardurch dann nit alain den Todten Corpern, Sunder auch derselben hindterlaßennen kindern, Erben und freundschaften ain makel und Iniiuri angestrichen wurde, Weil dann die begrebnus der todten Corpere im Alten und Neuen Testamenten umb der zukunftigen urstend willen ie und allewegen schon und herlich gehalten worden, und dann wir alle sampt durch die heilige Tauf ainer Christenlichen kirchen einuerleibt, Bitten wir gantz unterthenig E. F. G. wollen hinfuro ainen ieden zu geburlicher tagzeit an die ort und ende, dahin er in seinem leben sich zubegraben begert hat, und etwan seine Eltern und vorfarn auch begraben ligen nach Christenlicher Ordnung zur Erden zu bestatten genediglich erlauben und zulassen".

[26] Würzburg Staatsarchiv Dkp 15, f. 196r—v (3. 12. 1558), = *Amrhein* 1923, 170; f. 226v—227r (19. 1. 1559); f. 228r (24. 1. 1559); f. 291v ff. (17. 3. 1559) = *Amrhein* 1923, 170; f. 301r (22. 3. 1559), = *Amrhein* 1923, 170; f. 321r—322v (20. 4. 1559), = *Amrhein* 1923, 172 f.; Dkp 16, f. 49r (2. 9. 1559), = *Amrhein* 1923, 173; für Oktober 1559 *Amrhein* 1923, 174, Dkp 16, f. 130v—131r (31. 10. 1559); Dkp 16, f. 141v (14. 11. 1559).

[27] *Reininger* 1885, 194—200.

[28] Würzburg Staatsarchiv Dkp 15, f. 321v (= *Amrhein* 1923, 172 f.): „dhieweil aber Ir F. Gn. eins Cap. decision in disen puncten aus (! = als) dem geistlichen Ordinario nachzufolgenn nit geburn wolle, sonder wurde Irn F. g. In vil wege verweißlich sein, zu den so liessen sich die burger An einer ungeweichten kirchoff begnugen, solten die Burger alhie mit den beden geweichten kirchoven destomehr zufrieden sein, unnd derhalben were Ir F. g. gnedigs begern, die Cap. herren, so Itzmals alhie, woltenn nochmals disen Articul besser bedenken unnd Ir F. g. decisionn, welche zum allerleidtlichen gestelt werden solt, zufallen unnd sich mit Irer F. G. vergleichen . . .", vgl. auch *Amrhein* 1923, 173 (2. 9. 1559).

[29] Am 3. 12. 1558 beschloß das Domkapitel, Informationen einzuholen, wie es mit dem Be-

promiß zustande. Die Begründungen des Domkapitels machen deutlich, daß es Abweichungen in der Frage der Eucharistie nicht für entscheidend hielt[30], wenn nur die anderen Sakramente und Zeremonien der Kirche geachtet würden. Die Domherren wiesen über den formulierten Kompromiß hinaus die Pfarrer an, gemäßigt zu verfahren, wie sie es auch vom Bischof erwarteten. Die Sorge vor Unruhe in der Bürgerschaft hatte ihre Entscheidung bestimmt[31].

Wie begründet diese Sorge war, läßt sich nicht nachprüfen. Zusammen mit der Tatsache, daß der Unterrat die Anstände der Protestanten in die Gravamina aufnahm, einem Vermerk von 1557, daß sich in der Stadt Konventikel zusammentaten[32], und der väterlichen Ermahnung des Fürstbischofs, die Ratsherren möchten bei der Lehre ihrer Eltern bleiben und nicht zur neuen Lehre abfallen[33], ergibt sich zumindest die Wahrscheinlichkeit, daß die protestantische Bewegung um 1560 stark genug war, um bereits Ansätze einer Organisation ausbilden zu können, und daß sie Fürsprecher im Rat hatte. Andererseits kann sie weder als aggressiv konfessionalistisch gelten, noch hatte sie ein auf Unterscheidungen angelegtes Konfessionsbewußtsein entwickelt. Denn die Stellungnahme des Domkapitels setzt voraus, daß die Protestanten nicht mit der Kirche brechen würden, sofern sie nur in ihrer abweichenden Haltung zum Laienkelch geduldet und ansonsten nicht diskriminiert wurden. Dort wo soziale und kirchliche Gebräuche sich verbanden, — so beim Begräbnis —, erschwerte diese Verbindung, Punkte der Abweichung zwischen den Konfessionen zu markieren. Auf dieser Linie, die wesentliche Integrationspunkte sozialer Art aufrechterhielt, hatte sich der modus vivendi herausgebildet. Er war getragen vom Bewußtsein der bürgerlichen sozialen Gemeinschaft, die auch das Domkapitel zu respektieren gedachte.

Daß Bestattungen von Protestanten stattfanden, läßt vermuten, dies seien reformatorisch Gesinnte aus den 20er Jahren gewesen, die ihre Gesinnung verborgen hatten, freilich eine zu geringe Basis, um Kontinuität der reformatorischen mit der protestantischen Bewegung der 2. Hälfte des 16. Jahrhunderts zu be-

gräbnis in anderen Bistümern gehalten wurde (Dkp 15, f. 196r—v). Auch der Bischof hatte bei Mainz, Trier, Augsburg und Salzburg Rat eingeholt (*Amrhein* 1923, 173).

[30] *Amrhein* 1923, 174.

[31] Würzburg Staatsarchiv Dkp 15, f. 291 ff. (17. 3. 1559): das Domkapitel bat den Fürstbischof, in dieser Angelegenheit Geduld zu haben, „bis zu ausgang der neuen Thurckenschatzung, domit man sie auch bey billichkait behalte". *Amrhein* 1923, 170 hat: bis zu Ausgang des Reichstags.

[32] *Amrhein* 1923, 169. Eines der „suspecta conventicula" tagte in der Curia Kaulenberg, in der seit 1536 brandenburg-ansbachische Beamte wohnten. Ob dies noch 1557 der Fall war, ist nicht festzustellen (*Memminger* 1923, 76).

[33] Würzburg Stadtarchiv RP 11, f. 211r, 12. 5. 1559: der Oberschultheiß übergab im Auftrag des Bischofs dem Rat den Katechismus des Dompredigers von Augsburg, Dr. Johann Fabri, mit dem Ersuchen, daß der Rat ihn verlese und sich nicht von der katholischen zur neuen Religion verführen lassen solle.

haupten[34]. Es könnte sich ebenso um Bürger gehandelt haben, die durch reformatorische Publizistik gewonnen wurden. Für 1557 läßt sich der Vertrieb protestantischen Schrifttums in Würzburg nachweisen[35]. Auch die Bibliothek Georg Reumanns[36] weist Bestände aus den 20er Jahren auf. Ganz abgesehen von der Möglichkeit der Zuwanderung aus umliegenden Orten ist schließlich darauf hinzuweisen, daß Fürstbischof Melchior Zobel protestantische Humanisten an seinem Hof hielt[37].

Dagegen ist die protestantische Bewegung in der Stadt Würzburg für die 60er Jahre bezeugt, wenn auch weitere Verbreitung nicht zu erheben ist[38]. So ließ das Domkapitel 1564 den Pfarrer von St. Peter vorfordern, da er deutsche Lieder hatte singen lassen, was der städtische Rat noch 1584 wünschte[39]. Der

[34] Auf hohes Alter der Anhänger der neuen Lehre weisen die Belege bei *Schubert* 1968, 288 hin. Vgl. auch Würzburg Staatsarchiv Geistliche Sachen 3086, f. 64v für Münnerstadt. Dort finden sich 1530 und 1548 Zeugnisse von einzelnen Protestanten, erst 1552 bildeten sie eine Gemeinde (*Dinklage* 1935, 126).

[35] *Amrhein* 1923, 169.

[36] Vgl. unten Exkurs 5.

[37] Michael Beuther (geb. 18. 10. 1522), imm. Wittenberg 1539, 1542 mag. art., wurde 1548 Rat Melchior Zobels und von diesem bei den Passauer (1552) und Augsburger (1555) Verhandlungen verwendet. Gleich zu Anfang der Regierungszeit Friedrich von Wirsbergs schied er aus bischöflich-würzburger Dienst aus, er ging 1559 nach Heidelberg (*Jung* 1957 passim, *Wegele* 1882, 77 f.). Der Schweinfurter Johannes Sinapius (geb. ca. 1505, imm. Wittenberg 1524, Heidelberg 1526) wurde, vom Hof der Renata aus Ferrara kommend, 1548 Leibarzt Zobels. Er starb 1561 in Würzburg (*Holstein* 1901 passim, *Wegele* 1882, 75 ff.). Beide waren protestantisch. Von Konrad Dinner ist das nicht gesichert (*Schubert* 1968, 284; dagegen bezweifelt dies *Hommel* 1976, 420 f.). Der Hofprediger Zobels, Johannes Sylvanus, floh bald nach dem Regierungsantritt Friedrichs von Wirsberg nach Tübingen und wurde lutherisch (*Freudenberger* 1975, 661). — Über den Würzburger Späthumanismus, der sich bis Anfang der 80er Jahre des 16. Jahrhunderts hielt, unterrichten zusammenfassend *Schubert* 1968, 282 ff., und *Kraus* in *Spindler* 1971, 578—580. Das breite konfessionelle Spektrum dieser Gruppe zeigen an neben Beuther und Sinapius Gelehrte wie Erasmus Neustetter (*Schubert* 1968, 283 f., 287, ältere Literatur *Wegele* 1882, 79) und der frühere Daniel Stiebar von Buttenheim zu Rabeneck (*Engel* 1951, 30 mit älterer Literatur), aber auch Lorenz Albrecht, der 1557 in Wittenberg bei Melanchthon hörte, persönliche Verbindung zu Brenz und Valentin Vannius pflegte, sich 1563 in einem Traktat zu Luther bekannte, ab Winter 1566/67 in Würzburg sich zum alten Glauben zurückentwickelte, Anfang 1570 in Ingolstadt weiterstudierte und 1583 Dispens erhielt, in den Priesterstand überzutreten (*Engel* 1951, 20—23).

[38] Der 1562 Würzburg besuchende Fulvio Ruggieri (*Wandruszka* 1953, 158) berichtete: „non sono in questa città molti heretici" und fügte hinzu: „Il vescovo è padrone assoluto di questa città".

[39] *Amrhein* 1923, 175 f. Ebenso beanstandete das Domkapitel 1568, daß der Domprediger lange predige und nach der Predigt deutsche Psalmen gesungen würden (Würzburg Staatsarchiv Dkp 24, f. 185r (4. 8. 1568). Die Kirchenordnung Echters 1589 schrieb dage-

Pfarrer hatte aber auch antiklerikal gepredigt. Das trug ihm den Vorwurf ein, von der Ordnung der Kirche abgewichen zu sein[40]. Auslaufen wurde beklagt[41] sowie mangelnde Ehrerbietung gegenüber dem Altarsakrament[42]. In den 70er Jahren beanstandete der Bischof, daß die Ratsherren an kirchlichen Handlungen nicht teilnähmen[43].

Die Forderungen der Würzburger Protestanten zielten, soweit sich das sagen läßt, nicht auf Expansion oder Errichtung und Ausbau einer eigenen Gemeindeorganisation ab[44]. Sie wollten vielmehr Maßnahmen, die in ihren Augen diskriminierend waren, abwehren. Darin fanden sie über die Stadt Würzburg hinaus Unterstützung bei der Ritterschaft. Es gelang ihnen auch, die Forderungen auf dem Landtag anzubringen.

Die Ritterschaft konzentrierte sich 1564 auf zwei Punkte: 1. daß die Anhänger der Augsburgischen Konfession zu Ämtern nicht zugelassen würden, 2. daß diese nicht auf christlichen Friedhöfen begraben und ihnen die üblichen Zeremonien verweigert würden. Diese soziale Diskriminierung werde nicht vom Reichsabschied (1555) gedeckt. Auch der Kaiser und andere Fürsten verführen nicht ebenso[45]. Der Bischof verwies in seiner Antwort auf sein Recht als Landesherr, die Religionsausübung festzulegen.

Er werde bei der allgemeinen apostolischen Kirche bleiben, auch deshalb, weil sich bei der neuen Religion weitere Spaltungen auftäten, die bewiesen, daß sie nicht zu Sicherheit im Glauben führe, sondern zu Streit und Zweifel am Heil[46]. Die Praxis der Ämterbesetzung wolle er ebensowenig ändern wie die der

gen den Schulen vor, für den Gottesdienst deutsche Lieder einzuüben (*Braun* 1917, 88; *Specker* 1965, 86). 1584: Würzburg Stadtarchiv RP 13, f. 209r (14. 11.).

[40] Wie oben A. 38.

[41] *Amrhein* 1923, 100 (17. 4. 1563). Wie auch schon in der Antwort Friedrichs von Wirsberg auf die städtischen Gravamina 1559: Würzburg Staatsarchiv ldf 30, f. 102 ff.

[42] Wie oben A. 38. Dies ebenso wie die immer wiederholten Einschärfungen des Fastengebots (*Specker* 1965, 49 f.) sind freilich keine Belege für wachsende protestantische Gesinnung, sondern eher für Nachlässigkeit altgläubig-kirchlicher Frömmigkeitspraxis.

[43] Würzburg Stadtarchiv RP 13, f. 10r (30. 1. 1570).

[44] Die von *Schubert* 1968, 292, genannten Conventicula sind nicht einwandfrei religiösen = protestantischen Versammlungen gleichzusetzen, da es sich in diesem Zusammenhang auch um Zusammenkünfte von Ratsherren extra ordinem handeln könnte (Würzburg Stadtarchiv RP 14, f. 242v (19. 3. 1587), dagegen sind die bei *Schubert* 1968, 293, genannten Bruderschaften zu Gerolzhofen zweifelsfrei religiöse Gemeinschaften.

[45] Würzburg Staatsarchiv Stdbch 952, unfoliierter Teil.

[46] Würzburg Staatsarchiv Stdbch 953, unfoliiert, Fürstbischof Friedrich wies darauf hin, „wie beschwerliche unnd gefehrliche mißverständt sich inn der neuen Religion ereugten, das die gewißen, wo man den sachen recht nachgedechte, um solcher unbestendigkeitt unnd ungewißheit sehr irrig unnd schier gar verzweifellt gemacht wurden. Hieltenn iro fl. gn. gewißlich für das heilsamst unnd best, wie dann im grundt der warheit nach lengs auszufuhren, Bei der allgemeinen heiligen Christlichen apostolischen Kirche ... zubleiben".

Bestattung der Protestanten. Fürstbischof Friedrich von Wirsberg ließ jedoch die geltende Praxis erläutern. Anhänger des neuen Glaubens würden nur dann in ein Ratsherren- oder anderes Amt eingesetzt, wenn ein Kandidat der alten Religion nicht zur Verfügung stehe[47]. In Würzburg und Karlstadt würden Anhänger der neuen Religion auf besonderen Kirchhöfen bestattet. Dazu sei man aufgrund der Konzilien und der Heiligen Schrift befugt. Gegen das kirchliche Recht verstoße es aber, wenn man die katholischen Zeremonien (das Vortragen des Kreuzes, Begleitung der Leichenzüge durch Priester) bei Begräbnissen von Protestanten zuließe, wenn diese zumal die Zeremonien während ihres Lebens nicht geachtet hätten[48]. Im übrigen lasse er als Bischof schon mehr zu, als er aufgrund seines Amtes verantworten könne[49].

Der Landtag im März 1566 formulierte den Anspruch auf Gleichberechtigung der Konfessionen noch klarer[50]. Der Fürstbischof beharrte bei seiner Auslegung des Augsburger Religionsfriedens. Doch sagte er zu, bei den Begräbnissen Konzessionen zu machen[51]. So wenig aggressiv die Protestanten in der Stadt

[47] Ebd.

[48] Ebd.: „das man aber inen zu solcher begrebnus hie unnd zu Carolstatt vil sollt geleutet unnd andere Ceremonien mitt vortragung des creutzes, beleitung der priester sollt zugelassen habenn, Ist gleichsfals widere denn gebrauch der kirchen, der zu haben sie sichs im lebenn nitt geacht."

[49] Ebd.: er fügte hinzu „unnd noch lenger gernn zusehen woltenn, was Immere muglich". In der Instruktion zum Tag der Ritterschaft zu Hassfurt vom 18. 10. 1563 wies Fürstbischof Friedrich darauf hin, daß niemand rechtlich verfolgt worden sei, wie es der Reichsabschied zulasse (Würzburg Staatsarchiv Stdbch 952, f. 83r—v). Auch die Antwort des Bischofs auf dem Ritterschaftstag im März 1565 wies auf die praktizierte Duldung hin, der Hinweis wurde begleitet von der väterlichen Ermahnung, „das die vonn der Ritterschafft sich der neuen Lehre nit so hefftig annehmen, sondern sich eines besseren bedechten und so leichtlich nit abfueren liessen" (Würzburg Staatsarchiv Stdbch 953 unfoliiert).

[50] Würzburg Staatsarchiv G 12509 = Geistlich Sachen 3067 (dort mit geringen Abweichungen). Die Landschaft behauptete 1566, gemäß der Declaratio Ferdinandea, daß die Augsburgische Konfession auch auf territorialer Ebene der katholischen gleichzuachten sei, „vermüg des heiligenn reichs constitutionen und abschieden" (G 12509, f. 7v). Dies wurde bezogen auf Abendmahl und Begräbnis. Die Protestanten, als Anhänger einer im Reich zugelassenen Religion, „Bey neben den Catholischen abgestorbenen als Christglaubige leut nach irem absterben zur erdenn soltenn und mochtenn mit geburender proces wie in der gantzenn Christenheit gebreuchlig Bestattet werden" (Würzburg Staatsarchiv Reichssachen 982).

[51] Würzburg Staatsarchiv G 12509, f. 22r—v = Geistlich Sachen 3067, f. 2r (fürstbischöfliche Antwort vom 22. 3. 1566) und Reichssachen 982: der Bischof erbot sich überdies, wiewohl er keinen Revers wegen der Begräbnisse der Protestanten ausstellen wolle, sich doch so zu verhalten, „darann gemeine Landschafft zu friden unndt genugig sein, und irer f. gn. unnd Eins Er. (ehrwürdigen) T. (Domkapitels) gnedige wilfärung spurenn sollenn" (Reichssachen 982). Auf diese unförmliche Zusage verließen sich die Vertreter der

Würzburg auftraten, sie fanden über den städtischen Rat Unterstützung in der Landschaft sowie in der Ritterschaft. Städtische und ritterschaftliche Impulse, die Ausgburger Konfession landständisch abzusichern, verbanden sich, bewirkten jedoch nichts Dauerhaftes, da im Würzburger Territorium die Institution der Landstände, Adel, Geistlichkeit und Bürger und Bauern umgreifend, nie über Ansätze hinausgekommen war[52]. Als zeitweiligen Rückhalt des Würzburger Protestantismus wird man die landständischen Elemente (Ritterschaft, Landschaft) nicht unterschätzen dürfen. So erreichten führende städtische Protestanten zuerst in der landschaftlichen Obereinnahme herausgehobene Positionen, ehe sie in den städtischen Rat eintraten. Erst als Julius Echter die Abstützung der Protestanten beseitigte, indem er 1583 die Obereinnahme auflöste[53], begann der verschärfte und erweiterte Konflikt gegen die städtische Selbstverwaltung und die Dissidenten in der Stadt. Denn anders als Friedrich von Wirsberg war Julius Echter nicht mehr willens, die Duldung in der Praxis fortzusetzen.

Er sah sich weitergehenden Forderungen der Ritterschaft gegenüber. 1581 verlangte sie nicht nur, daß lutherische Religionsverwandte auf geweihtem Boden begraben würden, sondern auch Freistellung der Landpfarrer vom Zölibat, Aufhebung des geistlichen Rates, Landesverweisung für Jesuiten. In der Würzburger Marienkapelle sollte ein lutherischer Prädikant angestellt, wegen lutherischer Konfession entsetzte fürstbischöfliche Beamte wieder eingestellt werden[54]. Die harte Reaktion des Landesherrn ließ die Ritterschaft zurückweichen[55]. Obwohl den Würzburger Protestanten klar sein mußte, daß damit auch ihre Position geschwächt war, zeigten sie ein bemerkenswertes Selbstbewußtsein. Als der Fürstbischof 1583 einen Kandidaten als Ratsherrn einsetzte, der nicht auf der Vorschlagsliste des Unterrats stand[56], und als er den Konflikt um die Verwaltung der Armenstiftungen steigerte[57], kündigte er im Juni an, daß er gegen das Auslaufen der Protestanten auf die Dörfer vorgehen werde[58]. Der erste Bürgermeister, Konrad Müller, entgegnete darauf, daß sich jeder so verhalten werde, wie er es vor Gott und dem Fürstbischof zu verantworten hoffe[59]. Im Sommer des

---

Landschaft (ebd.). Der Einfluß der Protestanten war durch die Besetzung der Obereinnahme durch prominente Protestanten abgesichert: vgl. *Schubert* 1971, 73 f.

[52] *Schubert* 1967, passim.

[53] *Schubert* 1967, 160 ff., bes. 163, *ders.* 1968, 294; *Pölnitz* 1934, 240f., weitere Gründe *Schubert* 1969, 179.

[54] Würzburg Staatsarchiv Stdbch 956, f. 290; *Buchinger* 1843, 277; *Pölnitz* 1934, 225 ff.; *Specker* 1965, 61. Die Beschwerden bringt die Ritterschaft auch für die Landschaft vor (Würzburg Staatsarchiv Stdbch 956, f. 51r).

[55] *Pölnitz* 1934, 227 ff., *Specker* 1965, 65 f. Zur Frage der Gründe für die Wende nach 1582 vgl. *Schubert* 1968, 293 f., und *Buchinger* 1843, 290.

[56] Vgl. oben S. 53.

[57] Vgl. unten Exkurs 1 (Armenordnungen).

[58] Würzburg Stadtarchiv RP 14, f. 38r.

[59] Ebd.: „Was besuchung anderer Pfarn betreffe, werde sich ein ieder zuuerhalten wißen,

gleichen Jahres begann die Arbeit an den Gebäuden auf dem lutherischen Friedhof[60]. Der Konflikt, dessen Verlauf Ernst Schubert eingehend darstellte und dessen sozialen Hintergrund er deutlich machte[61], läßt erkennen, daß die Würzburger Protestanten den außerhalb der Stadt vor dem Pleichacher Tor gelegenen separaten Friedhof nun akzeptiert hatten. In der ungewöhnlichen Lage sahen sie eine soziale Diskriminierung, die sie dadurch kompensieren wollten, daß sie den Friedhof würdig ausstatteten, so daß, nach einer Aufzeichnung der Jesuitenchronik[62], dieser Friedhof für die angesehenen Bürger attraktiv würde. Bürgermeister Konrad Müller gab sich auch bei der Meldung, daß Julius Echter am 2. 11. 1583 die Arbeiten am Friedhof hatte einstellen lassen, zunächst gelassen. Er wies darauf hin, daß auf diesem Friedhof auch Geschwister und Verwandte von Katholiken und Diener des Domkapitels begraben seien[63]. Der Rat meinte ferner, er könne gegenüber dem Fürstbischof glaubhaft darstellen, daß die Neubauten auf dem Friedhof nicht als Affront gegen den Landesherrn gedacht seien[64]. Aber eben daß der Bau ohne sein Wissen und seine Genehmigung begonnen worden war, beanstandete Julius Echter[65]. Darin stimmte auch das Domkapitel mit dem Fürstbischof überein[66]. Der Unterrat mußte erkennen, daß seine Hoffnungen der gütlichen Beilegung des Konflikts auf der Linie Friedrichs von Wirsberg, d. h. Aufrechterhaltung des Prinzips, jedoch Konzession in der Praxis, vergeblich wa-

Alß es vor Gott undt unsern genedigen fursten undt herrn zuuerantwortten sein will". Diese Formulierung beabsichtigte, analog zum Reichsabschied 1526, einen Spielraum bei der Religionsausübung zu schaffen, bei Versicherung des Gehorsams in politicis. Echter folgte dem nicht vgl. *Schubert* 1968, 279.

[60] *Schubert* 1971, 70. — Die städtischen Gravamina 1574 enthielten als ersten Punkt wiederum Forderungen, das Begräbniszeremoniell betreffend, aber auch die Bitte, an den Orten Begräbnisstätten für Protestanten zuzulassen, die diese selbst wählten, „wie die Catholische abgestorbene, die sye doch alle Christen seindt verhoffen und keiner verbotten noch anderen Religion anhengig noch verwanth sind, den eben der, so im heiligen Reich Teutscher Nation bißanhero zugelassen" (Würzburg Stadtarchiv Ratsakten 1084, Konzept, unfoliiert).

[61] *Schubert* 1971 passim.

[62] *Schubert* 1971, 76. Noch 1574 supplizierten die städtischen Gravamina darum, daß auch der Friedhof am Dom, Kirchen und Klöster für Protestanten zugelassen würden, wo die Vorfahren ruhten (Würzburg Stadtarchiv Ratsakten 1084).

[63] Würzburg Stadtarchiv RP 14, f. 55r.

[64] Ebd. und RP 14, f. 60r (20. 12. 1583).

[65] Würzburg Stadtarchiv RP 14, f. 60r—v.

[66] Würzburg Staatsarchiv Dkp 39, f. 457v (16. 12. 1583 Neuen Stils): im Domkapitel wurde der Bau bezeichnet als „ein freuenliche thatt, die noch ein mehrerß werde hintersich halten, derowegen denselben In zeytten zuuerkommen, damit es nicht zugehe, wie in andern Stetten, deren Exempel man leyder zuuil nur habe. Dann mann der Leuth noch mechtig. Seye Irer Fr. gn. unndt einem Ehrwurdigen DombCap. hochuerkleinerlich undt spöttlich, ein solches in dero hoffläger unndt Capituls Residentz zugestatten".

ren. Dies war nicht die Linie Julius Echters. Er forderte, die Gebäude wieder abzureißen[67]. Deutlich war, daß er nicht nur den status quo ante wiederherstellen
wollte, sondern daß er Lebensäußerungen des Protestantismus, die eine Entwicklung auf eine freie Religionsausübung nehmen konnten, als Illoyalität betrachtete. Praktisch ging Julius Echter so vor, daß er versuchte, die Rädelsführer
vom Rat zu isolieren[68]. Diese Taktik versuchte der Rat durch eine Solidarisie-
rung der Ratsherren zu unterlaufen. Der Rat hatte den Bau offenbar nicht genehmigt[69]. Es gelang Konrad Müller jedoch, den Rat hinter sich zu bekommen[70].
Nur ein Ratsherr, Martin Gattenhofer, distanzierte sich. Da drohte Konrad
Müller, der Rat werde sich auch von ihm distanzieren[71]. Vergeblich hoffte der
Rat auf eine Unterstützung durch das Domkapitel[72]. Das Domkapitel sah nämlich, genauso wie 1575[73], auch den Friedhofsbau als eine der Eigenmächtigkei-
ten, die letztlich auf eine Minderung der Macht der Stadtherren hinausliefen[74].

1584 erweiterte Julius Echter den Konflikt: er wies dem Rat Vernachlässi-
gung seiner Pflichten nach, er habe den Pfarrer im Dom bei der Engelmesse
nicht begleitet. Wer das nicht wie herkömmlich tun wolle, solle dies nur erklären, dann werde sich der Fürstbischof entsprechend verhalten[75]. Er beanstandete
schließlich Klauseln in Eheverträgen bei Mischehen, nach denen ein Ehepartner
nicht zur Konversion überredet werden durfte[76]. Der Stadtschreiber, der solche

[67] *Schubert* 1971, 78. Daß bei der Wahl des Zeitpunktes territorial-politische Gesichtspunk-
te eine Rolle spielten, belegt *Schubert* 1971, 77 f.
[68] Würzburg Staatsarchiv Dkp 39, f. 457v: das Domkapitel beschloß per maiora vota die
Rädelsführer Konrad Müller, Philipp Merklein und den Stadtschreiber mit Ernst zu strafen und ihnen aufzuerlegen, den Bau wieder abzureißen.
[69] Würzburg Stadtarchiv RP 14, f. 55r: so die Darstellung Konrad Müllers „Es hetten ettliche gutherzige sich unterfangen, den kirchoff zu Pleichach von dem Ihrigen verbeßern
undt bawen zulaßen."
[70] Ebd.: „woll er (Konrad Müller) sich versehen, ein gantzer Erbar Rath werde unbe-
schwert sein, deßwegen bey unserm gn. herrn zuintercedirn".
[71] Ebd.: „damit sind alle herrn wolzufriden gewest und die verlesene supplication abgehen
zulaßen bewilligt. Außerhalb Martin Gattenhoff, der gesagt, wolle nichts damit zuschicken
oder zuschaffen haben. Darauf Ime der burgermeister geantwort, so wolle man mit Ime
Auch nichts zuschaffen haben, das mög er wißen". Martin Gattenhofer war am 28. 1. 1574
vom Domkapitel in den Rat ernannt worden (Würzburg Staatsarchiv Dkp 30, f. 40v). Er
starb am 27. 6. 1587 (Würzburg Staatsarchiv Dkp 43, f. 160r).
[72] Würzburg Stadtarchiv RP 14, f. 56v (18. 11. 1583): Der Rat wollte Erasmus Neustetter
und den Dompropst Neithart von Thüngen unterrichten und bitten, beim Fürstbischof
Fürsprache einzulegen, damit die Bauten nicht abgerissen werden müßten. Der Stadtschreiber fügte hinzu: „Gott geb gluck undt wehr den teuffel, der trennung und uneinigkeit zustifften begert".
[73] Vgl. oben S. 53.
[74] Vgl. oben A. 66.
[75] Würzburg Stadtarchiv RP 14, f. 61v (4. 12. 1584).
[76] Ed., f. 62 r; vgl. *Schubert* 1968, 287f.

Verträge gegen geltendes Recht ausfertige, führe auch der katholischen Kirche verächtliche Reden, selbst in Anwesenheit von Domherren[77].

Diesem frontalen Angriff gab der Rat nach. Er widersetzte sich der Abbruchsverfügung des Landesherren nicht, entschuldigte sich wegen der Engelmesse, gab vor, die inkriminierte Klausel in den Eheverträgen sei üblich. Die Polemik des Stadtschreibers sei möglicherweise beim Trunk passiert, doch jederzeit gemäßigt gewesen[78].

Im August 1584 verwarnte Julius Echter die Ratsherren noch einmal, da der Bau nicht völlig abgetragen war. Außer dem Beinhaus[79] war ein Stück der Mauer stehengeblieben. Der Fürstbischof führte dem Rat seine Niederlage deutlich vor Augen: er wollte persönlich den Vollzug des Abbruchs kontrollieren[80]. Es war ihm zudem gelungen, den Rat zu spalten. Zwar tadelte der Rat die dem Bischof loyalen Ratsherren, konnte aber nicht gegen sie vorgehen[81].

Julius Echter setzte seine Mittel als Landesherr ein, um die selbstbewußte Demonstration der Würzburger Protestanten zunichtezumachen. Ein weiterer Vorfall aus dem gleichen Jahr 1584 bestätigt das. Die geistlichen Räte beanstandeten, daß bei Begräbnissen von Protestanten die Glocken der Marienkapelle geläutet würden[82]. Der Bischof forderte daraufhin, den Pfleger der Marienkapelle, Balthasar Kühlwein, abzusetzen. Als der Rat die Ersetzung des Pflegers auf einen Zeitpunkt verschieben wollte, an dem sowieso ein neuer Pfleger verordnet werde[83], bestand Bischof Julius auf sofortiger Neuwahl. De facto kam es jedoch erst nach dem kurz darauf erfolgten Tod Balthasar Kühlweins zur Neuwahl des Kapellenpflegers durch den Rat[84]. So klar der Fürstbischof in diesen beiden Fäl-

[77] Würzburg Stadtarchiv RP 14, f. 62r.
[78] Ebd., f. 63r.
[79] *Schubert* 1971, 79 ff.
[80] Würzburg Stadtarchiv RP 14, f. 81r (11. 8. 1584).
[81] Würzburg Stadtarchiv RP 14, f. 83r (23. 8. 1584): „das aber ettliche Rathspersohnen ungehorsamlich aussenbleiben undt nicht zu rath kumen, hernach daruon plaudern, d(a)z sie nichts von sachen wißen, Sey nicht zuloben, stehe für sich".
[82] Würzburg Stadtarchiv RP 14, f. 71v (18. 5. 1584): der Rat beschloß, bei Bischof und Domkapitel vorstellig zu werden, „dan man in der kirchen erfahr, wer in der ganzen statt gestorben". Vgl. ebd. f. 72b.
[83] Würzburg Stadtarchiv RP 14, f. 73r (20. 6. 1584). Entgegen der Bitte des Rates, es bei der alten Übung zu belassen, die Pfleger der Marienkapelle vor Bürgermeister und Rat in Anwesenheit des Oberschultheissen schwören zu lassen, bestand der Bischof darauf, die Kapellenpfleger auf sich zu vereidigen. Balthasar Kühlwein starb am 10. oder 12. März 1584 (Würzburg Stadtarchiv Ratsakten 216).
[84] Würzburg Stadtarchiv RP 14, f. 77r: am 27. 7. 1584 wählte der Rat Dr. Johann Lachmann als Nachfolger Kühlweins als Kapellenpfleger. Lachmann war erst am 13. 7. 1584 in den Rat ernannt worden, ohne daß auf die vom Rat eingereichte Vorschlagsliste Rücksicht genommen worden war (RP 14, f. 74v). Er war katholisch (RP 14, f. 135v). Er wurde wie üblich in Anwesenheit des Oberschultheißen vereidigt (RP 14, f. 85v [22. 9. 1584]), worauf der Bischof am 14. 11. 1584 zurückkam.

len seine Mittel als Landesherr einsetzte, um nonkonformistische Äußerungen der Protestanten zu unterbinden, es wäre voreilig, auf die Gewichtung der Motivationen seines Handelns allgemein zurückzuschließen[85]. Der Bischof benutzte zwar seine Eingriffsmöglichkeiten als Landesherr, zugleich stärkte er damit seine landesherrliche Gewalt. Für die Protestanten andererseits ergab sich die Einsicht, daß die Position, die sie im städtischen Rat gewonnen hatten, nicht nutzbar war, um auch nur unpolitische Lebensäußerungen zu verteidigen. Die städtische Selbstverwaltung lag für Eingriffe der Obrigkeit zu offen, um als Basis der religiösen Selbstbehauptung zu dienen. Der Versuch, das Domkapitel gegen den Landesherrn zu gewinnen, charakterisiert zwar dessen Einschätzung im Unterrat, brachte jedoch weder ein ad-hoc Ergebnis, noch gar eine dauerhafte Koalition.

Ende 1584 steigerte sich der Konflikt zwischen Rat und Fürstbischof noch einmal zu ungewöhnlicher Schärfe. Anlaß dazu gaben rein weltliche Forderungen. Der Bischof verlangte am 14. 11. 1584, daß ihm die Steueranlageprotokolle zur Türkensteuer eingereicht würden[86]. Ausdrücklich berief er sich auf sein Recht als Landesfürst. Es wäre seltsam, wenn die Bürger und Untertanen, die doch heute hier und bald an einem anderen Ort wohnten, von der Veranlagung Kenntnis hätten, er aber als Landesfürst nichts davon wissen sollte. Der Rat wollte Vertraulichkeit gewahrt wissen und sandte dem Fürstbischof die Protokolle von 1557. Julius Echter reagierte hart: er forderte alle Protokolle, die Ratsherren seien grobe Gesellen und hätten einen Bauernstolz, sie ließen die Abgesandten des Fürstbischofs ein bis anderthalb Stunden warten: „Er were unser herr, liß Ime nicht an das hefft greiffen, Er woll einmal ainenn oder zweien, do fur Ime kumen, weisen, waß fur unterschied zwischen unterthanen und obrigkeit sey"[87]. Die folgende Szene spricht für sich: als Bürgermeister und Stadtschreiber am Neujahrstag 1585 wie üblich dem Fürstbischof ein Neues Jahr wünschten,

---

[85] Dazu *Baumgart* 1973, 37 f., und für die Reichs- und Ligapolitik des späten Julius Echter ebd. 62. Wie *Schubert* (1969, 160) und Baumgart — bestimmend ist das territorialstaatliche Interesse — sieht auch *Merzbacher* 1973, 65, die Dominanz der landesfürstlichen Herrschaftskonzeption, freilich vom „Geist beharrender Frömmigkeit, Sittenstrenge und traditioneller katholischer Einstellung ... durchweht" (ebd. 121). Zur Abwägung der Prioritäten ergibt sich aus unserem Material kein Ansatz, da sich die Zielsetzungen (katholische Reform/Gegenreformation und Ausbau der Landeshoheit) gegenseitig stützten. Doch unterschied der Fürstbischof zwischen seinem geistlichen und dem weltlichen Instrumentarium. Gegen das Läuten der Glocken ging er durch den Geistlichen Rat vor, verlangte, nachdem der Kapellenpfleger vor dem Oberschultheissen vereidigt worden war, daß Eid und Jahresrechnung vor ihm als Bischof abgelegt werden sollten. Den Oberschultheissen gehe das gar nichts an: „were ein ursach aller unordnung, d(a)z sich die weltlich geistlicher undt die geistlichen weltlicher sachen unterstehen wollten" (Würzburg Stadtarchiv RP 14, f. 90r).
[86] Würzburg Stadtarchiv RP 14, f. 88v—90v (14. 11. 1584).
[87] *Ebd.*, f. 92v (27. 11. 1584).

baten sie, die Vorfälle des Vorjahres, durch die der Fürstbischof zu Zorn und Ungnade bewogen worden sei, nicht für Trotz oder Ungehorsam zu halten, sondern sie „alein gemainer menschlichen blodigkeit" zuzuschreiben. Es seien Mißverständnisse, die man sich jederzeit gegenseitig zugute halten müsse. Demgegenüber betonte Julius Echter, daß er schuldigen Gehorsam erwarte. Er hoffe, daß man verstehen lerne, wenn der Weise sage „ira regis sicut rugitus leonis"[88].

In der Tat sind ähnlich scharfe Konflikte wie 1584 aus den Jahren 1585 und 1586 nicht mehr bekannt. Dem Rat gelang es, entgegen den Zentralisierungsabsichten des Bischofs die Verabschiedung der Almosenordnung hinauszuschieben[89]. Der Fürstbischof setzte seine längerfristig angelegte Strategie fort. Am 7. März 1585 berichtete der Dompropst dem Domkapitel, der Bischof habe ihn ersucht, in Zukunft nur noch katholische Bürger in den Unterrat zu setzen, der Fürstbischof selbst wolle das auch tun[90]. Dazu hatte sich das Domkapitel schon Ende Februar 1585 von den Pfarrern ein Verzeichnis der katholischen Bürger einreichen lassen[91]. Welchen Schwierigkeiten die Rekatholisierung gegenüberstand, zeigt ein Vermerk im Domkapitelsprotokoll von 1583: einige Ratsherren hatten verlauten lassen, seit einiger Zeit würden Personen in den Rat gesetzt, die weder schreiben noch lesen können, und denen man daher nicht Ämter, in denen Rechnungen zu führen seien, übertragen könne. Alle Last dieser Ämter liege auf wenigen. Die Ratsherren baten, man möge ein Einsehen haben[92]. Im Mai 1585 lehnte der Unterrat zwei vom Bischof nominierte Ratsherren ab, den einen, einen fürstlichen Rat, weil er städtische Ämter nicht übernehmen wollte[93], den anderen, weil er, obwohl verheiratet, mit einer Nonne zu Sankt Afra ein Kind gezeugt hatte[94]. Der Fürstbischof wollte nicht nur die konfessionelle Zusammensetzung des Rates ändern. Er strebte auch eine politische Kontrolle an: er nomi-

[88] Würzburg Stadtarchiv RP 14, f. 94v. Echter zitierte hier Prov. 19, 2 und 20, 2 (freundlicher Nachweis von Dr. H. Scheible, Heidelberg): „Sicut fremitus leonis ita et regis ira" und „Sicut rugitus leonis, ita et terror regis" (Vulgata, ed. Alberto Colunga, Laurento Turrado. Madrid: 1965⁴). Das Zitat kennzeichnet die hohe Selbsteinschätzung der landesherrlichen Würde, insbesondere wenn die Fortsetzung von Prov. 20, 2 mitgedacht wurde: „Qui provocat eum peccat in animam suam". Der Stadtschreiber vermerkte: „Wers nicht glaubt, versuchs auch undt behuete mich Gott ferner darvor. Amen." Von anderer Hand dazugesetzt: „und mich desgleichen." — Ein weiteres Beispiel dieser bewußten ‚ira-regis'-Haltung bei *Schubert* 1969, 189.

[89] Vgl. unten Exkurs 1.

[90] Würzburg Staatsarchiv Dkp 41, f. 83r: das Domkapitel beschloß das gleiche mit dem Vorbehalt „souil Immer muglich".

[91] Würzburg Staatsarchiv Dkp 41, f. 63v (23. 2. 1585).

[92] Würzburg Staatsarchiv Dkp 39, f. 406v f. (3. 10. 1583).

[93] Würzburg Stadtarchiv RP 14, f. 103r: es handelte sich um den fürstbischöflichen Rat Dr. Martin Helbig. Würzburg Staatsarchiv Dkp 41, f. 59v dort Moritz H., dessen Vater dem Domkapitel gedient hatte (ebd., f. 156r).

[94] Würzburg Stadtarchiv RP 14, f. 104v.

nierte im September 1585 seinen Sekretär, Konrad Weimer, zum Ratsherrn[95]. Maßnahmen, die landesherrliche Gewalt zu stärken und die Kirchlichkeit zu fördern, liefen nebeneinander her und stützten sich gegenseitig. Am 12. März 1585 monierte der Fürstbischof, daß der Aufforderung, in der Kreuzwoche den Bettag und die Wallfahrten zu besuchen, nur wenige Ratsherren gefolgt seien. Er befahl, nicht nur die Ratsherren und ihre Familien sollten den christlichen katholischen Ordnungen gemäß solche Bettage und Wallfahrten fleißig und andächtig besuchen, sondern der Rat solle das auch von Haus zu Haus den Bürgern gebieten. In jedem Fall sollte aus jedem zweiten Bürgerhaus eine Person teilnehmen[96]. So lösten Maßnahmen, die offen nonkonformistisches Verhalten bekämpften, solche ab, die äußere Konformität erzwangen. Im Oktober 1585 sollte der Spitalmeister des Bürgerspitals entlassen werden, mit der bloßen Begründung, weil er „unsers genedigen herrn Religion nicht ist"[97]. Auf Bitten des Rates ließ der Bischof den Spitalmeister bis auf weiteres im Amt, forderte aber, er solle sich so verhalten, daß er keinen Anstoß errege. Der Sekretär, der die Mitteilung des Bischofs überbrachte, fügte jedoch hinzu, er halte es für richtig, daß der Rat sich mit Dienern versehe, die sich der Religion des Landesfürsten konform hielten[98]. Unnachsichtig dagegen ging der Landesherr gegen den Stadtschreiber vor. Da dieser trotz wiederholter Warnungen konfessionell agitiere, besonders in Gerolzhofen, befehle er endgültig, ihn zu entlassen. Sollte der Rat nicht in der Lage sein, einen Nachfolger zu stellen, wolle der Fürstbischof selbst einen einsetzen. Obwohl der Bürgermeister, Philipp Merklein, auch er ein Protestant, für den Stadtschreiber eintrat — er schlug vor, dem Fürstbischof mitzuteilen, der Rat sei mit dem Stadtschreiber zufrieden — wollte der Rat nur einen Aufschub von einem Vierteljahr erwirken. Der Stadtschreiber resignierte dann selbst, wegen seiner Person wollte er den Rat nicht in einen neuen Konflikt laufen lassen[99]. Ebenso kategorisch verfuhr der Bischof am 24. 1. 1586 mit dem Spitalmeister. In diesem Fall wurde selbst eine Frist von 4—5 Tagen, die zur Rechnungslegung nötig war, abgeschlagen[100]. Es ging also zunächst um Positionen, eine Entwicklung, die sich auch im Bürgermeisteramt bemerkbar machte: zu Bürgermeistern für 1586 wählte der Rat am 26. 11. 1585 einen Protestanten, Balthasar Rueffer, und den Vertrauensmann des Bischofs, Dr. Johann Lachmann[101].

Erst 1587, am 19. März, kam es dann zu der denkwürdigen Szene. Der Bischof, bei dieser Gelegenheit ganz als Hirte auftretend, berief den gesamten Un-

---

[95] Würzburg Stadtarchiv RP 14, f. 115v (24. 9. 1585), RB 15, f. 8r (24. 9. 84).
[96] Würzburg Stadtarchiv Ratsakten 1243, Nr. 4: Julius Echter an den Schultheiß, Bürgermeister und Rat Würzburg (Ausfertigung).
[97] Würzburg Stadtarchiv RP 14, f. 117r (4. 10. 1585).
[98] Ebd.
[99] Würzburg Stadtarchiv RP 14, f. 119v (18. 11. 1585).
[100] Würzburg Stadtarchiv RP 14, f. 128v (24. 1. 1586), ebd. f. 129r.
[101] Würzburg Stadtarchiv RP 14, f. 120r (26. 11. 1585).

terrat zwischen 8 und 9 Uhr vormittags in die Kanzlei. Er mahnte die Ratsherren, die noch nicht katholisch waren, in der Osterzeit das Sakrament nach katholischem Ritus zu empfangen und sich auf diese Weise der katholischen Kirche einzuverleiben und sich „wie einem fromme Christ gepurt gehorsa(m)blich" zu verhalten. Nonkonformisten werde er als Ungehorsame behandeln, Zweifelnde dagegen wolle er durch den Weihbischof, durch die Jesuiten und Priester belehren lassen. Zugleich drohte er Strafe an, da er von ungewöhnlichen Konventikeln und Zusammenkünften, auch verdächtigen Verschwörungen und Abmachungen unter ihnen erfahren habe. Schließlich — auch dies wieder ein Hinweis auf die den geistlichen Motiven parallel laufenden weltlichen — teilte er dem Rat mit, er habe eine Polizei-, Almosen- und Steuerordnung beschlossen[102]. Nach kurzer Beratung antwortete der Rat dem Fürstbischof, die katholischen Ratsherren wollten mit Gottes Gnade beim katholischen Glauben bleiben, die anderen, die der Augsburgischen Konfession anhingen, böten an, insgesamt oder einzeln eine Erklärung abzugeben[103]. Der Bischof schien darauf einzugehen und gewährte eine unbefristete Bedenkzeit.

Im Laufe des Jahres 1587 schieden die prominentesten protestantischen Ratsherren aus dem Rat aus. Am 28. 4. 1587 ließ der fürstbischöfliche Kanzler den Bürgermeister durch einen Kanzleiboten auf die Kanzlei entbieten[104]. Der Kanzler teilte dem Stadtschreiber mit, der Fürstbischof habe Georg Reumann mehrfach ermahnt, sich in Religions- und Zivilsachen gehorsam zu verhalten. Dem habe sich Reumann widersetzt. Obwohl ihm dann verboten worden sei, an den Ratssitzungen teilzunehmen, sei Reumann doch erschienen. Der Bischof forderte den Bürgermeister auf, Reumann nicht mehr zu den Sitzungen einzuladen[105]. Im Mai 1587 erging der gleiche Befehl mit derselben Begründung wegen Konrad Müller[106]. Philipp Merklein kam einer Entsetzung zuvor und verreiste nach Bad Kissingen und Schweinfurt[107]. Auch Balthasar Rueffer, den der Unterrat nicht mehr wagte, ohne Rückfrage beim Landesherrn in den Oberrat aufrücken zu lassen, emigrierte[108]. Im September und Oktober 1587 legten auch zwei Viertelmeister ihr Amt nieder, um auszuwandern[109]. 1587 bzw. 1588 wanderten ferner

---

[102] Würzburg Stadtarchiv RP 14, f. 240v—242r. Am gleichen Tag ließ der Bischof ein Zirkular ausgehen, das dem Klerus die tridentinischen Seelsorgepflichten einschärfte (*Specker* 1965, 88).
[103] Würzburg Stadtarchiv RP 14, f. 243v (das Ratsprotokoll foliiert irrig 343).
[104] Würzburg Stadtarchiv RP 14, f. 251v.
[105] Ebd.
[106] Würzburg Stadtarchiv RP 14, f. 253v.
[107] Würzburg Stadtarchiv RP 14, f. 272v. Am 11. 9. 1587 legte Merklein die Rechnung über das Seelhaus, am 18. 9. 1587 bat er um Entlassung, da er aus Würzburg wegziehen wolle (RP 14, f. 281r, 283v).
[108] Würzburg Stadtarchiv RP 14, f. 273r—v: Obwohl Rueffer nicht entsetzt war, ließ der Rat vorsichtshalber beim Fürstbischof anfragen, was er zur Person Rueffers gebiete.
[109] Würzburg Stadtarchiv RP 14, f. 281r: Peter Plorock, Viertelmeister zu Sand, ebd.

Kilian Raspe und Peter Heller[110] aus. Auch der Oberratsschreiber mußte auf Vorstellung des Bischofs seinen Dienst quittieren[111].

Die Ausschaltung der führenden wie auch der übrigen Würzburger Protestanten konzentrierte sich auf das Jahr 1587[112]. Voraufgegangen war eine Anlaufphase, beginnend mit 1583[113]. Konrad Müller wurde 1582 noch als Bürgermeister toleriert, 1583 setzt die, wie die Wahlkapitulation 1573[114] zeigt, längst als notwendig erkannte Rekatholisierung des städtischen Ratsgremiums ein und dies unter Bruch des herkömmlichen Rechts. Allerdings trug die Auseinandersetzung auch in dieser ersten Phase nicht einen auf das Konfessionelle beschränkten Charakter. Julius Echter griff die durch Herkommen begrenzte Sphäre der städtischen Selbstverwaltung auf breiterer Front an und zielte auf Straffung und Stärkung der Rechte der Landeshoheit. Der Fürstbischof drückte den Rat in die Subalternität. Doch die Auseinandersetzung um die Sozialfürsorge[115], so sehr sie durch Zentralisierung die Landesherrschaft ausbauen sollte, traf konkret die Protestanten, die sich in den städtischen Institutionen der Armenpflege in hohem Maße betätigt hatten[116]. Die Eliminierung der Protestanten hatte nicht allein einen wohl erheblichen Verlust an wirtschaftlicher Potenz zur Folge[117], sondern beraubte das Bürgertum auch einer im weiteren Sinne politischen Elite.

f. 296r: Hans Schreier, Viertelmeister des Viertels jenseits des Mains: da der Bischof ihm und anderen Anhängern der Augsburgischen Konfession innerhalb 8 Tagen zu emigrieren befohlen habe.

[110] Würzburg Staatsarchiv Dkp 43, f. 160r; Dkp 44, f. 287r.

[111] Würzburg Staatsarchiv Dkp 44, f. 53 (6. 2. 1588); f. 73v (26. 2. 1588); f. 97v—98r (12. 3. 1588), f. 104v (19. 3. 1588). Nach f. 152r (14. 6. 1588) handelte es sich um Jost Trauttmann. Nach langer Verzögerung fiel der endgültige Beschluß erst am 2. 8. 1588 (f. 150r).

[112] Im gleichen Jahr setzte die Konversion der Bürgerschaft in den Vierteln ein: *Schornbaum* 1880, 25, nach *Gropp* 1748, I, 338. Eine spätere Überprüfung von 14 Familien erfolgte am 22. 6. 1594 (Würzburg Stadtarchiv Zieglerscher Nachlaß Nr. 1598). Den Text des Würzburger Eids des Widerrufs druckt *Kadner* 1900, 273, vgl. auch unten Kap. 8, A. 23.

[113] *Schubert* 1968, 293 f.

[114] Vgl. oben A. 9 (Kap. 7).

[115] Vgl. unten Exkurs 1, S. 133 ff.

[116] Vgl. unten Exkurs 1, S. 140.

[117] Würzburg Stadtarchiv RP 14, f. 381v (7. 10. 1588): die nach Schweinfurt emigrierten Balthasar Rueffer und Bastian Hübner zogen Textilhandel und Dörrfischkauf von Würzburg ab. Am 8. 1. 1588 wies der Rat den Fürstbischof auf die Steuerausfälle infolge der Emigration hin (ebd., f. 330r—332r). Dem begegnete der Fürstbischof durch die Anordnung, die unbewohnten Höfe weiterhin zu besteuern (ebd., f. 332v). — Die Diözesanrelation Echters von 1590 bestätigt diesen Sachverhalt, indem sie die Schreiben der protestantischen Fürsten (vgl. unten S. 74 f., A. 39) auf die Emigranten zurückführt, die reich waren (*Schmidlin* 1940, 26). Vgl. dazu *Schmidlin* 1910, 125 ff.

Die Verbindung von Stadt und Protestantismus hatte jedoch eine von der Affinität von Stadt und Reformation in den 20er Jahren des 16. Jahrhunderts abweichende Qualität: die Kreuzung und zeitweilige Vereinigung städtischer Interessen und protestantischen Selbstbehauptungswillens war die Reaktion auf den fürstbischöflichen Willen, gegenreformatorische Säuberung[118] und Durchsetzung der Territorialhoheit zugleich zu erreichen. So erscheint im Kampf um den konfessionellen und verfassungsrechtlichen status quo der Rat als defensiv. Trotz bemerkenswerter Zeugnisse von Standfestigkeit[119] scheint sich der Rat bewußt gewesen zu sein, daß seine Ohnmacht keine Chance hatte, dem Landesherren zu widerstehen: Die Unterwürfigkeitsgebärde beim Neujahrsempfang 1585 spricht da eine deutliche Sprache[120].

Kapitel 9:
Merkmale des Würzburger Protestantismus

Eine Folge der Vertreibung der Würzburger Protestanten ist die lückenhafte Überlieferung. Sporadisches und Individuelles lassen sich schwer zu einem Bild zusammenfügen. Die Zeitgenossen vermochten, die Protestanten als Gruppe zu identifizieren und ihr einzelne Personen zuzuordnen. Dies setzt sowohl die Absicht des Domkapitels, in den Pfarreien Listen von katholischen Ratskandidaten aufzustellen, voraus, als auch die Vertreibung, die sich ja nicht nur auf die führenden Protestanten beschränkte[1]. Die Protestanten in Würzburg waren also als solche erkennbar. Die Formulierungen, in denen damals die Unterschiede zur katholischen Landeskirche festgehalten wurden, variieren beträchtlich: sie reichen von ihrer Beschreibung als „nicht so gut katholisch"[2] über die Feststellung, daß sie selbst die Zeremonien der katholischen Kirche nicht achteten[3] zur schließlichen Brandmarkung als Ungehorsame[4]. Wahrscheinlich war diese Eska-

---

[118] Die hier verfolgte Perspektive rückt nur einen begrenzten Aspekt der gegenreformatorischen Tätigkeit Julius Echters, nämlich den repressiven, in den Blick. Zu den konstruktiven Zügen vor allem *Specker* 1965, 79 ff.
[119] Darin ist *Schubert* 1971, 82 zuzustimmen.
[120] Vgl. oben S. 64 f.

[1] Vgl. oben Kap. 7 (bei A. 91 und bei A. 112).
[2] Vgl. oben Kap. 7 (nach A. 11).
[3] Vgl. oben Kap. 7, A. 48.
[4] Vgl. oben Kap. 7 (vor A. 112). Ein illustratives Beispiel bietet die Echtersche Diözesanrelation von 1590, die die lutherische Häresie als ‚Seuche', die die Diözese ‚infiziert' habe, kennzeichnet (*Schmidlin* 1940, 25).

lation auch bestimmt von den gestiegenen Maßstäben infolge der tridentinischen Reform. Die Tendenz zur negativen Bestimmung, die eine Funktion der Absicht ist, die Gruppe zu eliminieren, erschwert es, die positiven Merkmale des Protestantismus in Würzburg festzustellen. Sie werden eben in den Quellen als Andersgläubige, als Dissidenten und Nonkonformisten diskriminiert. Auch das Bemühen der Protestanten, die Differenzen zunächst nicht zu betonen, verwischt die Unterschiede. Das Ringen um den gemeinsamen Begräbnisplatz bezeugt, daß sie die soziale Geltung innerhalb der bürgerlichen Gemeinschaft auch bei abweichender Konfession aufrechtzuerhalten bestrebt waren[5].

In diesem Punkte war von seiten der katholischen Kirche in Würzburg eine deutliche Marke gesetzt worden, deren Charakter als partieller Ausstoß aus der bürgerlichen Gemeinschaft die Protestanten durch den Bau eines eigenen Friedhofs zu kompensieren suchten. Diese Demonstration, die soziale Achtung geltend machte, aber auch die Dauerhaftigkeit und Eigenart der Augsburger Religionsverwandten betonte, wollte und konnte Julius Echter vereiteln. Das gleiche Bestreben der Protestanten, die Unterschiede nicht dort zu markieren, wo Kirchliches sozialrelevant war, zeigt sich bei den Taufen. Nicht nur daß ein führender Protestant wie Balthasar Rueffer seine Kinder in der Dompfarrei taufen ließ[6], die Protestanten leiteten aus der gemeinsamen christlichen Taufe auch den Anspruch auf Gleichberechtigung ab[7]. Die Patenschaften übersprangen die konfessionellen Grenzen[8]. Die Praxis interkonfessioneller Patenschaften blieb jedoch nicht unbeanstandet[9]. Das gleiche läßt sich für die Hochzeiten nachweisen: die führenden Würzburger Protestanten Philipp Merklein, Konrad Müller und Balthasar Rueffer vollzogen den Kirchgang im Dom[10]. Wenn somit die Protestanten in Würzburg den Entzug des katholisch-kirchlichen Zeremoniells bei Begräbnissen nur widerstrebend akzeptierten, wenn sie ihre Kinder katholisch taufen ließen und ihre Eheschließungen in katholischen Kirchen, und doch wohl

[5] Daß Julius Echter die soziale Geltung angriff, bezeugt die Diözesanrelation von 1590: „Ne etiam aliquis honor post mortem hereticis tribueretur, qui in vita ad nullam admittebatur functionem publicam, ipsis in sepultura campanarum pulsus, consecratus locus omniaque sacra fuerunt denegata" (*Schmidlin* 1940, 25).

[6] Rueffer Exkurs 4, Nr. 50. Würzburg Matrikelamt Dompfarrbuch 1562—1617, p. 26, 32.

[7] Vgl. oben Kap. 7, A. 25, und *Schubert* 1968, 287.

[8] So stand der Domdekan und spätere Fürstbischof von Bamberg, Neithart von Thüngen, bei einem Sohn Balthasar Rueffers Pate (*Schubert* 1968, 291), Georg Reumann bei Adam Kahl (Kitzingen Stadtarchiv Testament Reumann), ebendort eine lange Liste von Patenschaften Reumanns und seiner Frau, die sich zwar nicht konfessionell aufschlüsseln läßt, deren Umfang jedoch vermuten läßt, daß sie katholische Familien umfaßt. Vgl. auch Exkurs 4, Nr. 42 B.

[9] So notierte Barbara Reumann im Testament (Kitzingen Stadtarchiv Testament Reumann) bei der Taufe einer Tochter eines Posamentierers, bei der sie Pate stand: „hat mich der Pfaff meines glaubens halben gerecht".

[10] Vgl. unten Exkurs 4, Nr. 36, 38, 49.

nach katholischem Ritus, feierten, wenn man überdies von Anständen gegen Mischehen[11] nichts erfährt und ferner dem Protestanten Balthasar Rueffer vom Domkapitel bestätigt wurde, daß er „mit weib und haußgesindt vleissig zu kirchen gienge"[12], so stellt sich die Frage, ob nicht der Würzburger Protestantismus eine Form des Nikodemismus war[13] und wie es möglich war, einzelne Bürger als Dissidenten und als Bekenner des Augsburger Bekenntnisses zu erkennen. Daß Würzburger in den umliegenden Ortschaften protestantische Predigtgottesdienste besuchten, läßt sich belegen. Friedrich von Wirsberg beanstandete in seiner Antwort auf die städtischen Gravamina zu Beginn seiner Regierungszeit[14], daß Würzburger Bürger „ausserhalb der Statt an verbotten Ortten Ire predig unnd Sakramenta suchen", zugleich aber auch „ungeweichte vermeinte Kirchendiener here In die statt Inen oder andern schwachenn Personen die Sacramenta zuraichen Je bißweilen erfordern unnd holen"[15]. Wie wenig die fürstbischöflichen Appelle, das Auslaufen bleiben zu lassen, gefruchtet hatten, zeigt die Tatsache, daß noch 1583 Julius Echter dem Rat vor Augen halten mußte, daß dieser gegen den Predigtbesuch auf den Dörfern nichts unternehme[16]. Die Antwort des Rates entspricht der Haltung, die er damals noch einnehmen zu können glaubte. Zur Stützung seiner Auffassung, daß religiöses Verhalten politisch neutral, also auch nicht mit politischen Mitteln zu bekämpfen sei, zitierte er abgewandelt die Formel des Speyrer Reichsabschieds von 1526[17]. Daß Würzburger nach Gerbrunn auslaufen würden, befürchtete das Domkapitel 1563[18]. Die Würzburger scheuten auch weitere Wege nicht: 1585 gestand der Pfarrer von Winterhausen, daß Würzburger in seinen Gottesdienst kämen[19]. Das Auslaufen über so weite Entfernungen scheint jedoch nicht gewohnheitsmäßig erfolgt zu sein. So führte der Pfarrer in der gleichen Aussage aus, er kenne die Leute nicht und daß 84 das

---

[11] Beanstandet wurde nur die Klausel der Konfessionsstandsgarantie, vgl. oben Kap. 7, S. 62.

[12] Würzburg Staatsarchiv Dkp 33, f. 295v (1. 8. 1577).

[13] Carlo Ginzburg: Il nicodemismo. Simulazione e dissimulazione religiosa nell' Europa del '500. Torino: 1970: Definition S. XI: Nikodemiten sind „convertiti interiormente alla Riforma, celavano la propria fede, continuando a partecipare alle cerimonie della chiesa di Roma, assistendo alla messa e ricevendo i sacramenti...essi confessavano la vera fede ,di notte', nel segreto delle coscienze".

[14] Dazu Verf. in WDGBll 39, 1977.

[15] Würzburg Staatsarchiv ldf 30, f. 103.

[16] Würzburg Stadtarchiv RP 14, f. 38r.

[17] Ebd.: „Was besuchung anderer Pfarn betreffe, werde sich ein ieder zuuerhalten wißen, Alß es vor Gott undt unserm genedigen fursten undt herrn zuuerantworten sein will, undt geschehe dasselbige weder unserm gn. herr noch sonst iemands zu trutz undt verkleinerung. Verhoffen unser genediger Furst undt herr soltte damit genedig zufriden sein".

[18] Amrhein 1923, 101. Gerbrunn gehörte den Grafen zu Castell, erst 1662 an das Hochstift Würzburg verkauft (Buchinger 1843, 129).

[19] Bendel 1939, 95.

Abendmahl genommen hätten „wegen einfallender Sterbleuff". Diese Aussage weist darauf hin, daß die communio sub utraque der entscheidende Punkt der Differenz zur katholischen Kirche war. Dies bestätigen andere Nachrichten: so sollte der Schreiber des Domkapitels von der kirchlichen Bestattung ausgeschlossen werden, da er sub utraque kommuniziert hatte[20]: ein Punkt, den freilich das Domkapitel als nicht gravierend erachtete[21]. Berichte aus anderen Orten bezeugen die gleiche Haltung[22]. Infolgedessen konzentrierte sich die Widerrufsformel, die die Würzburger Konvertiten zu leisten hatten, auf diesen Punkt der communio sub utraque[23].

Obgleich die Grenzen zu einer Kelchbewegung[24] fließend sein mochten und diese Grenzen unbestimmbar geworden sind, wenn sie je bestimmbar gewesen waren, so markiert nicht nur die Fixierung der Trennungslinie durch die katholische Kirche selbst das Merkmal, worin sich Katholische und Protestanten unterschieden. Wir finden auch ein ausgesprochenes Bewußtsein konfessioneller Zugehörigkeit, d. h. in diesem Fall der Zugehörigkeit zur Augsburger Konfession. Und das nicht nur in der Absicht, protestantische Gesinnung durch Geltendmachen reichsrechtlicher Beschlüsse abzusichern[25]. Ebenso wie die Bibliothek des Georg Reumann[26] bezeugt sein Testament[27], daß er bewußt lutherischer Konfession war. So enthält es die Bestimmung, daß für den Fall, daß Kitzingen katholisch werde, seine Stiftungen nach Schweinfurt zu übertragen seien. Für die drei Töchter legt er fest, daß das Legat verfallen sollte, wenn eine in das gottlose

[20] Vgl. oben S. 55.

[21] *Amrhein* 1923, 174.

[22] Vgl. *Schubert* 1968, 288 f., für Ebenhausen. *Specker* (1967) in: *Zeeden* 1973, 188, für Gerolzhofen 1590 und allgemein.

[23] *Kadner* 1900, 273; Nuntiaturberichte Deutschland II, 3, 1889, 269, A. 1: „und nachdem ich durch der lutherischen predigt verführet bin, das ich wider den gemeinen gebrauch der heiligen christlichen kirchen das hochwirdige sacrament des Fronleichnams Jesu Christi unter beider gestalt brot und wein genommen, darmit ich mich aus dem gemeinen christlichen glauben und gehorsamb gewendet habe, das mir von herzen leid ist. . .".

[24] *Franzen* 1955; *Rössler* 1966, 10, spricht der (bayerischen) Kelchbewegung evangelischen Charakter zu, da der Laienkelch eine Testforderung für die Freigabe der CA gewesen sei. Dies müßte eingehender belegt werden. Von seiten der Kirche, so in Salzburg und Bayern (vgl. *Rössler* 1966, 10), schien es möglich, die Kelchbewegung kirchlich zu binden, indem die übrigen Sakramente strikt eingehalten wurden. — *Lutz* begreift die Forderung nach dem Laienkelch einerseits als Ausdruck des Emanzipationsstrebens der Laien, andererseits als Möglichkeit, theologisch subtile Unterschiede für Laien (adelige Patronatsherren, städtische Magistrate) zu konkretisieren, so daß sich an die Forderung des Laienkelchs (wie der Priesterehe) „das Bewußtsein des Abschieds von obsolet gewordenen Frömmigkeitsformen und der Befreiung von papistischer Willkür anheftete" (*Lutz* 1954, 211 f.).

[25] Vgl. oben Kap. 7 (bei A. 103).

[26] Vgl. unten Exkurs 5.

[27] Kitzingen Stadtarchiv Testament Reumann.

Papsttum zurückkehre. Über Georg Reumann sagt dieses Testament aus, daß er „dieser Calvinischer abscheulichen Sect . . . von Herzen feind gewesen" sei. Positiv bezeugen die Inschriften der von Georg Reumann und seiner Frau gestifteten Friedhofskapelle in Kitzingen[28] den lutherischen Grundcharakter seiner Frömmigkeit[29]. Diese singulären Zeugnisse eines hochgebildeten Protestanten lassen freilich keine Schlüsse zu, wieweit andere Würzburger gleiche Überzeugungen teilten. Die massive polemische Verteufelung katholischer Lehren durch den protestantischen Stadtschreiber von Würzburg, Valentin Wiltmeister, ist zufällig überliefert[30]. Diese Vertreter des Würzburger Protestantismus sind also weder dem Nikodemismus noch einer Kelchbewegung zuzurechnen. Ihr lutherisch-protestantisches Bewußtsein bezeugt dies ebenso wie die Tatsache ihrer Emigration. Daß auch Anpassung[31] und Konversionen[32] stattfanden, versteht sich.

Über Umfang und soziale Struktur der Würzburger protestantischen Bewegung lassen sich keine gesicherten Aussagen machen. Die Schwierigkeiten, genügend gebildete katholische Ratsherren zu präsentieren, spricht dafür, daß der Protestantismus die gebildeten Bürger weitgehend erfaßt hatte, die zugleich die wirtschaftliche und politische Elite bilden konnten. Da aber die zur Verfügung

---

[28] Würzburg UB HS M. ch. f. 263, f. 367r ff. Baubeginn 1593.

[29] Über dem Tor u. a. „Heil und leben gibt Christi blut/Freyer will und werckh hie nichts thut/". Barbara Reumann, geb. Weyer wird genannt „ein uffriege (!) Liebhaberin Göttlichs wortts, ein Spiegel vieler Tugend und besondere wohl theterin gegen kirchen, Schulen und arme. . .". Oder auf dem Epitaph u. a.". . . Auff Jesu verdient (!) Sie (scil. die Reumanns) haben traut/allein darumb Sie auch wohl baut/Christi todt, begrebnis und verstandt/Ihr bester trost war biß ans endt. . .".

[30] Vgl. oben S. 66 und Würzburg Stadtarchiv RP 14, f. 63r (1584). Das Protokoll gibt den Kontext der vom Fürstbischof inkriminierten Äußerung des Stadtschreibers: er nenne die Lehre, die der Bischof auf der Kanzel verkündigen lasse, teuflisch. Der Anlaß dazu war die Aussage eines Jesuiten, der im Dom predigte: obwohl ein Priester weder eine Konkubine noch eine Ehefrau haben dürfe, sei ersteres eine geringere Sünde als letzteres. Der Stadtschreiber hielt diese für protestantische Ohren zumal provokatorische Formulierung eher für teuflisch als englisch, „das nemblich unzucht dem Ehestandt sollte vorgezogen werden". Vgl. auch *Schubert* 1971, 72 f.

[31] Im Testament Reumanns deutet folgende Bemerkung auf ‚Nikodemismus' im oben (A. 13) zitierten Sinne hin: (Die Tochter des Krämers Röder, Patenkind der Barbara Reumann) „deren Vatters noch unsern Religion sein will, aber ein gesell ist wie seinesgleichen". Daß Reichere wie Reumann bei Emigration ein geringeres Risiko liefen als solche, die eine Einbuße wirtschaftlicher Tätigkeit nicht durch ein Vermögen ausgleichen konnten, übersah diese Bewertung einer Haltung, die sich äußerlich anpaßt. Vgl. das Schicksal des Kilian Raspe unten Exkurs 4, Nr. 44. Auch der hohe Nachsteuersatz wirkte abschreckend. Er betrug für Heidingsfeld 2 % des Vermögens (Würzburg Staatsarchiv Geistl. Sachen 3076).

[32] Vgl. Exkurs 4, Nr. 43.

stehenden Quellen einseitig die Personen, die Ämter innehatten, beleuchten, kann man ihnen über die Teilnahme der Mittel- und Unterschichten an der protestantischen Bewegung nichts entnehmen. Diese Schichten liefen zudem ein sehr viel höheres Risiko, ihre berufliche und wirtschaftliche Tätigkeit zu verlieren, wenn sie emigrierten. Das Beispiel der Frau aus dem Armenhaus in der Hörleinsgasse, die dort wegen ihres protestantischen Bekenntnisses ausgewiesen wurde, warnt jedoch davor, den Protestantismus exklusiv in der Elite zu suchen[33]. Die Verhältnisse in Münnerstadt[34] sind gewiß nicht per analogiam auf die Residenzstadt Würzburg zu übertragen. Sie machen es jedoch wahrscheinlich, daß protestantisches Bekenntnis und protestantische Gesinnung über den Kreis der Elite hinaus verbreitet waren. Eine genauere Analyse ist jedoch für Bamberg möglich[35].

Die Unschärfe des Profils, das der Würzburger Protestantismus heute bietet, betrifft nicht nur die soziale Dimension, sondern auch seine zeitliche Erstreckung. Dies gilt vor allem für die Genese. Erst am Ende der 50er Jahre des 16. Jahrhunderts sind erste Spuren nachzuweisen[36]. Einige der Würzburger Protestanten sind von auswärts zugewandert[37]. Andere gehörten Würzburger Familien an[38]. Das zahlenmäßige Verhältnis zwischen beiden Gruppen läßt sich freilich nicht bestimmen. Definitives läßt sich sagen über den Endzeitpunkt und die Gründe des Scheiterns. Der Würzburger Protestantismus bestand, solange ihn der fürstbischöfliche Landesherr gewähren ließ. Dem Angriff Julius Echters vermochte er nichts entgegenzusetzen, da weder städtische Autonomie, noch ständische Koalitionen einen Gegenhalt boten. Der energische Wille des Landesfürsten, seine Landeshoheit zu straffen und zu stärken, vereinigt mit dem Willen zur katholischen Reform, gestützt auf tridentinische Maßstäbe, richteten ihn zugrunde. Er stand im Weg, er wurde zur Seite gestoßen[39].

[33] Vgl. Exkurs 4, Nr. 53. Der Hof zur hohen Zinne, 1544 dem Stadtrat vom Bischof übergeben, da die Beginen bis auf eine verstorben. Der Rat besetzte den Hof mit verarmten Frauen (*Heffner* 1871², 454).

[34] Würzburg Staatsarchiv Geistl. Sachen 3086, f. 142 ff.: von 450 Bürgern in Münnerstadt waren acht Ratsherren und 30 Bürger katholisch, die anderen lutherisch. Zu Münnerstadt *Pölnitz* 1934, 364 ff.

[35] Vgl. unten S. 90 ff.

[36] In Münnerstadt macht der Rat 1587 vierzigjährige ungestörte Religionsausübung geltend (Würzburg Staatsarchiv Geistl. Sachen 3086, f. 64v). Die Diözesanrelation Echters 1590 setzt den Einbruch des Luthertums in die Diözese in der Zeit des Markgräflerkriegs an (*Schmidlin* 1940, 25).

[37] Vgl. Exkurs 4, Nr. 26, 49, und *Gropp* 1748, I, 338: „und fande sich, daß fast die Helffte meistentheils an denen, so von frembden Orthen herkommen, und in etwas Vermögen gerathen, der widrigen Religion waren".

[38] Vgl. Exkurs 4, Nr. 36, 45.

[39] Da für unser Thema nicht ergiebig, verfolgen wir die reichspolitische Fortentwicklung der Exulierung von Protestanten aus Würzburger Städten nicht weiter. Die Reichsstadt

Schweinfurt setzte eine Aktion in Gang, mit der die protestantischen Fürsten, der Reichsstädtetag und das Reichskammergericht befaßt waren. Gegenstand war hauptsächlich der Fall Münnerstadt, die Stadt Würzburg wurde, soweit ersichtlich, nicht genannt, wiewohl impliziert. Der Vorgang ist als ganzer noch nicht aufgearbeitet. Vgl. Würzburg Staatsarchiv Städtetagsakten Schweinfurt 5, f. 274 ff. (Städtetag Speyer 1588); Strasbourg Arch. Municip. AA 766, f. 54r ff.; chronikalische Nachrichten bei *Gropp* 1748, I, 335 f.; *Ehses-Meister* 1895, S. 349 ff. (Nr. 261); *Schweizer* 1889, 269 ff. (Nr. 147); *Ehses-Meister* 1895, 332 (Nr. 256: Kurfürsten von Sachsen, Brandenburg und Landgraf von Hessen an Kaiser Rudolf II. 15./25. 7. 1587), ebd. 349 ff. (besonders 359: Gesandtschaft der protestantischen Reichsstände an den Kaiser, Prag, 18. 3. 1589), ferner ebd. 360 ff., 371 ff. *Lünig DRA* part. gen. II, 522—526. — *Horst Rabe*: Der Augsburger Religionsfriede und das Reichskammergericht 1555—1600. In: Festgabe für E. W. Zeeden zum 60. Geburtstag, hg. v. Horst Rabe u. a. (RST Suppl. 2). Münster: 1976, 260—280, hier: 268 f.; *Pölnitz* 1934, 506 ff. — Schon an dem Reichstag 1570 erfolgte eine Klage gegen Fürstbischof Friedrich von Wirsberg wegen gegenreformatorischen Vorgehens in Münnerstadt unter Berufung auf die Declaratio Ferdinandea (*Becker* 1969, 50).

Teil II: Bamberg

Kapitel 10.1:
Die frühreformatorische Bewegung in der Stadt Bamberg

In der Entwicklung stadtbürgerlicher Rechte hat für die fürstbischöfliche Residenzstadt Bamberg der Muntäterkrieg[1] dieselbe hervorgehobene Bedeutung wie für Würzburg die Niederlage bei Bergtheim 1400, für Mainz die Stiftsfehde[2] und für Salzburg das gewaltsame Ende des Konflikts zwischen Stadt und Fürstbischof 1511 unter Leonhard von Keutschach[3]: Der Ausgang der langjährigen Auseinandersetzung, die das Reichsoberhaupt, den Papst und das Basler Konzil, benachbarte Fürsten, Städte und Ritterschaften einbezog, fixierte nicht nur die rechtliche Sonderstellung der Immunitäten, sondern erstickte auch Ansätze der Autonomiebewegung, die sich im Ringen um die Einheit des städtischen Bürgertums zu entwickeln begannen. Die nachfolgende Kräftigung der Stellung des Domkapitels gegenüber dem Fürstbischof minderte die Chancen, dieses Ergebnis des Muntäterkrieges zu revidieren: mit Hilfe der Wahlkapitulationen erlangte das Domkapitel eine Art von „Kondominat" auch über die engere Stadt, ob nun der jeweilige Bischof Exponent des Kapitels war oder sich gegen es zu stellen versuchte[4]. Der „Muntäterkrieg" entschied bis zur Aufhebung der Immunitäten im 18. Jahrhundert[5], daß aus den zusammengewachsenen Siedlungen, der aus dem forum ausgebildeten civitas[6], die den „Sand" und die Siedlung auf der

---

[1] *Chroust* 1907 ediert Chroniken und Akten; zuletzt dazu *I. Maierhöfer* in *Petri* 1976, 156—158; ausführliche Darstellung der Vorgeschichte bei *Neukam* 19(22—)24; knappe Zusammenfassung: *Michel Hofmann* 1956, 22—26.
[2] Vgl. unten S. 104 f.
[3] Vgl. unten S. 110.
[4] *Maierhöfer* 1976, 159: Die Wahlkapitulation für Bischof Philipp von Henneberg (1475 bis 1487) legte fest, daß die Bürger des Stadtgerichts auch dem Domkapitel Erbhuldigung zu leisten hätten. Nach *Bachmann* 1962, 39, bezog sich das Zugeständnis auf Stadt und Stift. — 1482 legte ein Schiedsspruch zwischen Fürstbischof und Domkapitel fest, daß der städtische (Ober-)schultheiß mit Rat des Domkapitels einzusetzen war (*Stolze* 1907, 150).
[5] *Reindl* 1969, 256 ff., bes. 270 f.: 1750; *Maierhöfer* 1976, 160.
[6] *Schimmelpfennig* 1964, 23; *Keyser-Stoob* 1971, 95 (4 b). Stadtherr der civitas war der Bischof: *Maierhöfer* 1976, 148. Zu den Immunitäten *Neukam* 1924; *Schimmelpfennig* 1964, 12—21 (Domburg, St. Stephan, St. Michael, St. Gangolf, St. Jakob), 44 (St. Theodor-Kaulberg), *Maierhöfer* 1976, 150 ff., *Reindl* 1969, 238—239 (St. Michael, St. Theodor, letztere wegen Kleinheit unbedeutend); wobei in der civitas der Abtswörth St. Michael unterstand (*Keyser-Stoob* 1971, 96), der Zinkenwörth der fürstbischöflichen Kammer (ebd.), insgesamt also 8 Rechtsbezirke machten Bamberg aus. Stadt = civitas und Immunitäten unterstanden dem Cent (= Hoch)gericht: *Maierhöfer* 1976, 151; *Weiss* 1974, 49.

Insel als eigentliche Stadt Bamberg umfaßte, und den Immunitätsbezirken (Burg, St. Stephan, St. Michael, St. Theodor, St. Jakob, St. Gangolf) als Orten mit besonderem Recht und Gericht und getrennter Verwaltung, keine Stadt gemeinsamen Rechts und unter einer Verwaltung, und implizit auch einer sich selbst verwaltenden Bürgerschaftsvertretung, wurde. Die Bamberger Immunitäten, schon seit Heinrich II. nicht zur Stadt gehörig, bildeten nicht nur durch ihre Mehrzahl und ihren Umfang von anderen Bischofs- und Klosterstädten unterschiedene Elemente, sondern entwickelten auch soziale und wirtschaftliche Besonderheiten. Sie besaßen einen eigenen Markt[7] und unterstanden im Niedergericht den von den Stiften besetzten Kellergerichten. Das Stadtgericht als Niedergericht urteilte unter Vorsitz des vom Fürstbischof bestellten Schultheißen. Die Immunitäten blieben getrennte Verwaltungseinheiten mit eigenem Gemeinmeister. Sie unterstanden dem Gebot und Verbot des Domkapitels, ohne dasselbe, auch für die Stadt geringe Maß an Beteiligungsrechten der Bürger[8]. Augenfällig wurde ihre Eigenständigkeit in der Absperrung durch Ketten und die Tore[9]. Privilegiert waren die Immunitätsbewohner durch Steuerfreiheit, so daß sich Bürger des „Stadtgerichts" der städtischen Besteuerung durch Umzug in die Immunitäten entzogen[10]. Das Nebeneinander von Ungleichheit — ganz abgesehen von der Exemtion des Klerus — erzeugte Spannungen, die dann 1430 unter den Anforderungen des Hussiteneinfalls[11] politisiert wurden. Dabei — wie ein Jahrhundert später im Bamberger Aufstand des Jahres 1525 — überschritt der städtische Rat, der zunächst als Ausschuß der Bürgergemeinde entstand, in Besetzung und Entsetzung vom Bischof abhängig und auf subalterne Verwaltung eingeschränkt war, ohne weiteres die bislang eingehaltene Grenze und betätigte sich als politi-

---

[7] *Reindl* 1969, 234 (mit älterer Literatur); *Neukam* 1924, 257—262. Die wirtschaftliche Struktur Bambergs bei *Weiss* 1974, 78 (regionaler Verteilermarkt); *Chroust* 1910, XXV; Berufe: *Schimmelpfennig* 1964, 69—73. Die wirtschaftliche und soziale Eigenstruktur der Immunitäten *Reindl* 1969, 276. Vgl. auch ebd. 256/257 den Plan der Immunität St. Stephan von 1748 mit den angegebenen Rebflächen.
[8] *Reindl* 1969, 277—282; *Neukam* 1924, 254.
[9] *Schimmelpfennig* 1964 (wie oben A. 6) und ebd. Karte I. Absperrung *Maierhöfer* 1976, 152.
[10] *Reindl* 1969, 284—286; *Maierhöfer* 1976, 151; *Chroust* 1907, XXXII—XL.
[11] *Chroust* 1907, XLIV und 1—6. Die Einforderung von Vorschlägen einer besseren Ordnung ging von den Domherren aus: *Chroust* 1907, 6 f. Die Bürger schlugen folgendes vor: 1) Zusammenlegung aller Gerichte (gemeint sind offenbar nicht nur die Niedergerichte) zu einem, der (vorsitzende) Schultheiß solle dem Bischof, dem Domkapitel und der Stadt schwören. Er und der Rat der Stadt sollten „alle werntlich sache, thatten und verhandlunge ganz mügen und macht hetten zu straffen": ausgenommen blieb also das privilegium fori. 2) Eine Ummauerung der Stadt sei notwendig, die Wächter sollten ebenfalls Bischof, Kapitel und „den burgern der statt" schwören. 3) Selbstbesteuerung und 4) Erbhuldigung gegen Bischof und Domkapitel. Die bürgerlichen Artikel räumten mithin dem Domkapitel Mitregierung ein, sollten jedoch zugleich die bürgerlichen Selbstverwaltungsrechte steigern. Die Zusammenlegung der Gerichte zum Schultheißen- und Ratsgericht hätte de facto die — wie intendiert — Einigung zu einer Bürgergemeinde bedeutet.

sche Vertretung der Bürger, trat als solche unmittelbar mit König und Konzil in Verhandlung und wurde in der „Goldenen Bulle" König Sigismunds von 1431 anerkannt, unter stillschweigender Übergehung des bischöflichen Rechts, den Rat mindestens zu bestätigen[12]. Dies, wie auch die in der Bulle vollzogene Zusammenfassung der Stadt und der Immunitäten zu einem Recht, ließ sich nicht durchsetzen. Mit der Wiederherstellung des status quo ante blieb der Rat, in den Mitte des 15. Jahrhunderts auch Vertreter der zünftischen Bürger kamen, ein in seiner Zusammensetzung vom Fürstbischof abhängiges und nur an seiner Legislative teilhabendes Organ der Bürgerschaft, zugleich Verwaltungsbehörde des Fürstbischofs als Stadt- und Landesherrn, in dessen Rechte dann noch im 15. Jahrhundert das Domkapitel eindrang[13].

In der städtischen Revolte von 1525 erwies sich der Rat der Stadt im engeren Sinne (Stadtgericht) noch einmal als handlungsfähiges Organ der Bürgerschaft. Wiederum an der 1437 abgebrochenen Entwicklung, einen einheitlichen Bürgerschaftsverband herzustellen, orientiert und überdies mit dem neuen Ziel, die Exemten in die bürgerliche Besteuerung einzubeziehen, zielte die Stadt Bamberg auch diesmal nicht auf volle Autonomie, sondern wollte lediglich die mittlerweile vom Domkapitel erreichte Mitregierung abschütteln. Der Fürstbischof sollte Landesherr bleiben: wie in Würzburg lag eine Stärkung der Landstände, in der die Hauptstadt des Hochstifts als Tagungsort eine hervorgehobene Rolle spielte, nahe[14]. Die Niederlage des „gemeinen Mannes" 1525 vereitelte die Durchsetzung der alten Tendenz, wie jeglichen Ansatz, die Autonomie weiter zu entfalten, ohne daß es jedoch wie in Würzburg zu einer scharfen Reaktion gekommen zu sein scheint[15].

[12] Die „Goldene Bulle" König Sigismunds legte die Gerichte zu einem — bischöflichen — zusammen, gestand das Befestigungsrecht den Bürgern zu, die Besteuerung sollte allen, Bürgern und Muntätern, von Bischof und Kapitel geboten werden. Sie bestätigte das alte Herkommen der Ratssetzung, ohne das Bestätigungsrecht des Bischofs zu erwähnen. Allerdings blieb Bamberg eine bischöfliche Stadt, der Rat hatte dem Bischof (das Domkapitel ist nicht genannt) den Treueid zu leisten (*Chroust* 1907, 32—50). Die Bulle wurde dem Rat der Stadt zugestellt (Ebd. 50 f.).

[13] Vgl. oben A. 4 — Zur Rekrutierung und Wahl des Rates (26 Ratsherren, 2 Bürgermeister) und seiner Kompetenzen *Bachmann* 1962, 65: danach war der Stadt(= civitas)rat nur in baupolizeilichen Angelegenheiten ganz selbständig. Vgl. aber das konträre Urteil bei *Endres* 1971, 113.

[14] *Bachmann* 1962, 108 f., 113, zur Stellung im Landtag. Eine ausgesprochene Forderung, wie in Würzburg, fehlt, jedoch traten im Vergleichsverfahren Deputierte des Landesherrn und Delegierte von Stadt und Landschaft zur Beratung zusammen. — Vorstellungen eines landständischen Regiments finden sich am 14. Mai 1525 (*Stolze* 1907, 240), jedoch ohne präzise Bestimmung, etwa über Ständigkeit, Periodizität.

[15] Die Besteuerung auch der Muntäter, 1522 im Streit um die Türkensteuer aktualisiert (*Reindl* 1969, 299—301), forderten die Artikel der Bamberger vom 11. 4. 1525 (*Chroust* 1910, 207), ebenso die „Beschwerden der Stadt Bamberg" (ebd. 213—219), die geistlichen, „amortisierten" Liegenschaften zu besteuern (ebd. 213). Die Forderung, auch die

Die Autonomiebewegung in Bamberg war also weit weniger ausgeprägt als in Würzburg, Mainz, Salzburg oder gar Trier; die stets vereitelte Bemühung, die Immunitäten in die Einheit der Stadt zu überführen, zehrte die Energien auf. Letztere kam wenigstens zu Teilerfolgen: so waren die Immunitätsbewohner gemeinsam mit der Stadt der Steuer unterworfen, auch die Untereinheiten der Gassenhauptmannschaften überzogen Stadt und Immunitäten[16].

Die Bamberger frühreformatorische Bewegung zeigte dieselben Grundzüge, wie sie in Würzburg festzustellen waren: Luthers Lehre fand Anhänger im höheren und niederen Klerus und, dies greifbarer, reformatorische Predigt setzte sich zu einer Prädikantenbewegung um. Weiter konnte sie sich nicht entwickeln, obwohl ihr, anders als in Würzburg, die Presse Erlingers zur Verfügung stand und sie von den Landständen gestützt wurde.

Die Luthersympathisanten hatten in Bamberg, verglichen mit Würzburg, einzelne höhere Positionen besetzt: so der Hofkaplan des Fürstbischofs Georg III. Schenk von Limpurg (1505—1522)[17] und des auf ihn folgenden Weigand von Redwitz (1522—1556)[18] Ulrich Burchardi[19]. Er griff in einem lateinischen Traktat, Fürstbischof Weigand gewidmet, eine theologische Kontroverse auf, in der

Geistlichkeit mit der Türkensteuer zu belasten, war schon 1522 erhoben worden (*Reindl* 1969, 299—301). — Selbstverwaltungsrechte forderte Bamberg in den „Artikeln" 4 (Ungelt), 5 (Torschlüssel) (= Beschwerden 216—217), und Beschwerden 218—219 (Satzungsrecht des Rates in Zunftsachen). Vgl. *Endres* 1971, 112 f. — Zur Pazifizierung *Endres* 1971, 133, 136. Für Bamberg ist — abweichend von Würzburg — keine neue Stadtordnung nach 1525 überliefert. Fürstbischof Weigand erließ jedoch analog zu Würzburg eine Reihe von Mandaten: am 6. 1. 1526 das Gebot, sich aufrührerischer Reden zu enthalten, und Fremde zu kontrollieren (*Schottenloher* 1907, 148 Nr. 23, 24), am 1. 3. 1527 ein Mandat, die kirchliche Ordnung und Parochialrechte einzuhalten (ebd. 153 Nr. 32, *Erhard* 1898, 61, *Zeissner* 1975, 96). *Endres* 1971, 137 sieht eine verhärtete Haltung Weigands erst 1527/28. Das Domkapitel setzte ab 1528 die Gassenhauptleute in den Immunitäten ein (*Reindl* 1969, 287).

[16] Dazu *Reindl* 1969, 268 f.

[17] *Kist* Nr. 5342; *Zeissner* 1975, 43—45; *Erhard* 1898, 2—5; Fürstbischof Georg III. forderte am 21. 2. 1521 die Publikation der Bulle Exsurge, das Domkapitel riet, dies erst nach Erlaß des kaiserlichen Mandats (dem späteren Wormser Edikt) zu tun (*Erhard* 1898, 5 f.). Das Wormser Edikt publizierte Georg gegen den, ständig auftauchenden, Rat des Domkapitels, abzuwarten, wie die anderen Reichsfürsten sich verhielten, im Herbst 1521 (*Erhard* 1898, 6).

[18] *Kist* Nr. 4839; *Endres* 1971, 124; *Zeissner* 1975 passim; Zeissner ist zuzustimmen, daß die Wahl Weigands nicht schon einer gegenreformatorischen, altkirchlichen Gruppe im Domkapitel zuzuschreiben ist (ebd. 46), die einstimmige Wahl (ebd. 46, A. 2) belegt sowohl wenigstens Hintanstellung religionspolitischer Motive als auch, daß das Domkapitel seinen Exponenten beförderte. Trotzdem forderte Weigands Amt als Reichsbischof wie auch seine hierarchische Position ggf. Abweichungen von der zunächst vorsichtigeren Haltung (*Zeissner* 1975, 100) des gemischt-adligen Domkapitels (*Weiss* 1974, 16); der Bischof war nicht dessen gefügiges Werkzeug (*Schottenloher* 1907, 24). Im Grundsatz, auf dem Boden des Kirchen- wie des Reichsrechts zu bleiben, bestand die konsistente Haltung Weigands (so auch *Zeissner* 1975, 100 und 288, und schon *Erhard* 1898, 9). Dabei blieb in der Anwendung ein Ermessensspielraum, dessen Ausnutzung jedoch kaum als unsichere

sich Luther exponiert hatte, und schon der Titel dieses Traktats[20] läßt die theologische Position Burchardis erkennen[21]. Burchardi blieb bis 1527 im Amt: er konnte, trotz allem, was sich an radikalen Veränderungen aus der Theologie Luthers ergab, ohne Konsequenzen zu ziehen, die gottesdienstlichen Funktionen in der alten Kirche weiter vollziehen. Andererseits sah der Bischof wegen theologischer Fragen allein zunächst keinen Grund, seinen Hofkaplan zu entlassen. Auch nach Entlassung und Haft (1527/1528—30) paßte sich Burchardi an. Ein Einfluß auf kirchenpolitische Entscheidungen des Bischofs ist nicht greifbar. Doch ließ Burchardi im Auftrag des Bischofs Georg 1522 Schriften Luthers und des Erasmus anschaffen[22]. Auf die Politik Weigands hatte auch der Hofmeister Georgs III., Johann von Schwarzenberg, keinen Einfluß mehr, da er aus diesem Amt im September 1522 ausschied und nur als Rat von Haus aus bestallt wurde[23]. Sein Interesse an Luther datiert von 1520[24], er entwickelte sich zu reforma-

Haltung (*Heller* 1825, 50: „stets wechselnde Gesinnung", *Zeissner* 1975, 55 übernimmt den Rückschluß vom Verhalten auf die Motive und den Charakter: „Zögernde Unentschlossenheit und übergroße Vorsicht lenkten sein Handeln"), sondern eher als flexible Reaktion unter den Bedingungen des Bamberger fürstbischöflichen Amtes zu verstehen ist. Weigands Haltung im Bauernkrieg bezeugt, daß er Rechtspositionen auch unter Einsatz seiner Person vertrat (vgl. unten A. 34).

[19] *Kist* Nr. 832; Burchardi war die von ihm selbst gewählte Namensform (*Schmidt* 1917, 298). Zu Burchardi: *Schottenloher* 1907, 34—36; *Schmidt* 1917, 297—316; *Zeissner* 1975, 116—124. Die Amtsaufgabe des Hofkaplans bestand in der Ausübung der gottesdienstlichen Funktionen in der fürstbischöflichen Hauskapelle (*Schmidt* 1917, 307).

[20] *Zeissner* 1975, 117, A. 1: Dialogismus de fide christiana, in quo illud propheticum et apostolicum, sola scilicet fide constare iustificationem, perspicitur, qualiter quoque fides eadem acquiratur, ac demum fidem habens a non habente discernatur. Vgl. *Schottenloher* 1907, 193 f., dort Friedrich Peypus, Nürnberg, zugewiesen, der auch Johann von Schwarzenbergs „Sendbrief an den Bischof von Bamberg" 1524 druckte. Eine deutsche Übersetzung des „Dialogismus" druckte Erlinger 1527 (*Schottenloher* 1907, 118, Nr. 43), er war schon 1525 zweimal auf deutsch erschienen (ebd. 120). Inhaltsreferat bei *Schmidt* 1917, 311 f., eine theologiegeschichtliche Analyse fehlt. Nach *Schmidt* a. a. O. läßt sich ein „mehr oder minder starker Anklang an die Solafideslehre und den Fiduzialglauben ... auch bei mildester Beurteilung nicht ganz in Abrede stellen". Nach *Zeissner* 1975, 117 „tendiert (die Schrift) mehr zur reformatorischen als zur altkirchlichen Seite".

[21] So urteilte die Ingolstädter theologische Fakultät 1527 binnen drei Tagen, Burchardi lehre häretisch. Burchardi hatte in privatem Gespräch auch den Primat Petri bestritten (dazu und zum Verfahren *Zeissner* 1975, 118 ff.).

[22] *Schottenloher* 1907, 35, A. 3 (36): Danach hatte Burchardi die Kaufsumme bereits ausgelegt, die Kammer zahlte kurz nach Pfingsten 1522, so daß der Erwerb der Bücher in die Zeit Georgs III. fallen dürfte, der im übrigen schon Lutherschriften besaß (*Zeissner* 1975, 45).

[23] Zu ihm zuletzt *Zeissner* 1975, 73—75; Lorz in *Müller-Seebass* 1975, 283—284; *Zeissner* 1975, 73, belegt Schwarzenberg als Bamberger Hofmeister bereits 1499; da er 1501 auch Würzburger Amtmann war (*Lorz* a. a. O. 283), bestand eine Doppelloyalität. — Unklar bleibt der Grund seines Ausscheidens 1522: der von *Zeissner* 1975, 73, genannte (Einsparungsabsichten) dürfte kaum zutreffen, da Schwarzenberg als Diener von Haus aus 100 fl erhielt (*Zeissner* 1975, 74) und die Stelle doch wiederbesetzt werden mußte.

[24] Lorz in *Müller-Seebass* 1975, 283 f.

torischer Gesinnung, wie sein von Osiander mit einem Vorwort versehenes Schreiben an Bischof Weigand von 1524 belegt, in dem er begründet, warum er seine nunmehr 34jährige Tochter, Priorin der Bamberger Dominikanerinnen, aus dem Konvent holen ließ[25].

Der Domdekan Andreas Fuchs[26] ging 1522 aus Bamberg nach Kärnten. Trotz seiner dort gezeigten evangelischen Neigungen kehrte er nach Bamberg zurück, wurde auch 1536—1539[27] erneut Vizedom in Kärnten. Wie Burchardi vermochte er Gesinnung und Verhalten im Dienste des geistlichen Staates auseinanderzuhalten[28].

Der Bruder des Andreas Fuchs, Jakob Fuchs, der die zölibatsbrüchigen Würzburger Apel und Fischer in einer Schrift verteidigt hatte[29], resignierte sein Bamberger Kanonikat erst 1528[30]. Ein hoher Kanzleibeamter, Hieronymus Kammermeister, blieb ebenfalls bis nach 1527, obwohl er Dominikanerinnen aus dem Heilig-Grab-Kloster in Bamberg zum Aussprung verholfen hatte[31]. Es zeigt sich somit ein den Verhältnissen in Würzburg vor 1525 ähnlicher Befund: Wer nicht öffentlich und aktiv für die Reformation eintrat, nicht auf Veränderung der Praxis drängte, konnte selbst in Ämtern, die Einfluß und Ansehen besaßen,

---

[25] Druck: *Heller* 1825, 209—212. Schwarzenberg sieht die Zeit im Sinne der Reformation qualifiziert: „Byß ytzo Gott der Herr, das licht seines gottlichen worts, uns armen Christen menschen, so gnediglich helle uñ klare, widerumb herfur scheinen lest . . .“ (ebd. 210), stellt das „wort gots“ den „menschen gesetzen“ gegenüber (ebd. 210 f.), sandte „Euangelische büchern“ in den Konvent („das hellische gefengknus“ ebd. 211).

[26] *Kist* Nr. 1874; *Zeissner* 1975, 75—77, 126 f.; *Erhard* 1898, 58, 65 f.; *Endres* 1971, 124.

[27] *Erhard* 1898, 66.

[28] Das entsprach der Erwartung des Kaplans 1529, „daß er sich als Rat Weigands der neuen Lehre nit anhengig machen oder derselben nachhandeln, sondern sich in solchem Fall nach geistlichen und weltlichen Rechten und des Stifts Gebrauch und Herkommen halten woll“ (zitiert nach *Erhard* 1898, 66; *Zeissner* 1975, 126 f. [mit abweichendem Datum]).

[29] Vgl. oben S. 26 f. Die Schrift druckte unter anderem Georg Erlinger: *Schottenloher* 1907, 70, Nr. 11 und ebd. 28.

[30] *Kist* Nr. 1878; *Endres* 1971, 124 f. Der Darstellung *Zeissners* 1975, 97—101, zur Haltung des Domkapitels in der Religionsfrage ist in der Tendenz zuzustimmen, nur implizierte eine Stellungnahme stets religiöse Motive, über die sich wegen der Art der Quellen keine Aussagen machen lassen, es sei denn, man rekonstruiere minutiös die Präsenzen und schließe vom Abstimmungsverhalten auf die Motive. Aus dem Fehlen direkter Belege über Motive ist nicht zu schließen, daß die Kapitelmehrheit „Glaubensfragen gegenüber indifferent und nur interessiert am Fortbestehen der Einkünfte“ gewesen sei, wenn freilich Kanonikate stets auch als Versorgungs- und Karrierepositionen angesehen wurden. So behielt doch auch Jakob Fuchs seine Pfründen bis 1528/29, obwohl er zumindest als lutherfreundlich eingestuft wird.

[31] *Zeissner* 1975, 77—78. Es ist daran zu erinnern, daß die Reinigung der Beamtenschaft eine Forderung der Nuntien war und erst später im 16. Jahrhundert durchgeführt wurde. — Wir übergehen einige lutherfreundliche Kleriker in Bamberg, vgl. *Hofmann* 1956, 30, und *Endres* 1971, 105 (Johann Schoner, Stiftsherr St. Jakob), Eucharius Ott (*Zeissner* 1975, 248, 254 f.; *Deckert* 1952, 56), Lukas Arnold und Johann Esselbach (*Zeissner* 1975, 254), Johann Crusius (*Schmidt* 1917, 312).

bleiben. Und dies, obwohl Weigand seit 1524 einen offen gegenreformatorischen Kurs steuerte, ein Mandat publizierte, gegen den Rat des Domkapitels, das die Einhaltung des Wormser Edikts gebot[32]. Ebenso wie in Würzburg wurde das Reichsrecht nicht gegen Gesinnungen oder theologische Positionen, wie im Fall Burchardis, angewandt, sondern nur dann, wenn, wie etwa in Nürnberg, Taten folgten. Dann stellte sich auch Weigand von Redwitz, wie Konrad von Thüngen, auf den Boden des geltenden Rechts, des kanonischen wie des Reichsrechts[33]. Weigands Verhalten im Bamberger Aufstand vom April 1525, in dem er die Rechte des Kapitels auch in einer Situation persönlicher Bedrohung aufrechterhielt[34], zeugt von derselben Haltung. So ging der Fürstbischof gegen Johann Schwanhausen[35] vor, der in St. Gangolf erfolgreich reformatorisch predigte[36], unter Einhaltung des vom Reichstag vorgesehenen Verfahrens[37]. Denn in

---

[32] *Erhard* 1898, 23 f. Text des Mandats in modernisierter Form ebd. Datum: 11. 6. 1524. Gedruckt von Erlinger (*Schottenloher* 1907, 132, Nr. 6). Dieses Mandat, das sich ausdrücklich auf den Reichsabschied von 1524 berief, und das noch vor dem Regensburger Konvent erlassen wurde, dessen Rezeß Bamberg unterzeichnete (ARC I, 1959, 329), bedeutete doch eine Festlegung der Obrigkeit, zumal eine verbindliche Poenformel hinzugefügt wurde. *Zeissner* 1975, 83 bagatellisiert den Vorfall: Bischof und Domkapitel „. . . erließen ein Mandat nach dem anderen, jeweils voll leerer Formeln ohne tiefere Begründung". Tiefere Begründung ist von Mandaten ohnedies nicht zu erwarten; daß der Fürstbischof Ernst machte, bezeugt das folgende Verfahren gegen Schwanhausen und das gegen die Nürnberger Pröpste (*Zeissner* 1975, 111 und 113 f.; *Pfeiffer* 1968, Br. 28, 29, 31, 45, 46. *Müller-Seebass* 181 ff.); die Landstände hatten erkannt, daß das Mandat eine Rechtsposition markierte (vgl. dazu unten A. 41). Zeissner verkennt die Bedeutung des Wormser Edikts als pièce de résistance (vgl. *Stolze* 1907, 187). Richtige Bewertung bei *Stolze* 1907, 157 f.
[33] Das Mandat vom 11. 6. 1524 berief sich auf die Publikation des Wormser Edikts durch Fürstbischof Georg (*Erhard* 1898, 23), ebenso die Proposition, die der Kanzleramtsverweser Hieronymus Kammermeister am 30. 8. 1524 dem Landtag vortrug (*Bachmann* 1962, 252 f.); zur Abgrenzung der rechten von der neuen Lehre zog Bischof Weigand den Reichsabschied 1523 heran (ebd. 253).
[34] Zum Aufstand in Bamberg *Chroust* 1910; *Endres* 1971; *Rublack* 1975, 96 f.; *Zeissner* 1975, 85—90; vgl. ebd. 87 und *Endres* 1971, 114: Bischof Weigand verhandelte von der Rechtsposition aus, daß er weiter an seine Eide gegenüber Papst, Kaiser und Domkapitel gebunden sei. — *Chroust* 1910, 104, 105: auf das Verlangen des Ausschusses der Landschaft, ihn allein zum Herrn zu haben und die Güter der Geistlichen und des Adels zu konfiszieren, antwortete Weigand: „das solichs ein ansinnen were, das unzimblich und ime nit fuegen wolt, das er anderen, es weren geistlich oder des adels, das ir nemen solt; er handlet domit wider die obrigkeit, wieder den kaiserlichen landfrieden, recht und alle pilligkeit . . .". Vgl. auch *Chroust* 1910, 14.
[35] *Erhard* 1897, 1—23, 55—74; *Schornbaum* 1900, 216—224; *Schottenloher* 1907, 25; *Endres* 1971, 107 f.; *Zeissner* 1975, 110—112; *Kist* Nr. 5721.
[36] Predigt bei *Heller* 1825, 158—175, 181—200; sein Trostbrief 1525 ebd. 200—208. Sowohl Paul Neydecker, der spätere Generalvikar (*Straub* 1961, 171), als auch der bischöfliche Sekretär Müllner (*Chroust* 1910, 98) berichten von großem Zulauf.
[37] Im Juli 1524 wurde Schwanhausen vorgeladen zur Erläuterung des Wormser Edikts; ein Gespräch der Geistlichen war Voraussetzung für ein Verfahren gemäß dem Mandat des Reichsregiments vom 6. 3. 1523 (RTA JR III, 1901, 447—452, bes. 451 f.). Am 2. Mai 1523

der Stadt Bamberg hatte sich 1524 Predigt in Taten umgesetzt[38], und es war ein Eingriff in geltendes Recht, die Exemtion des Klerus von städtischen Lasten[39], vorgekommen. Zudem hatte im Forchheimer Aufstand vom Sommer 1524 ein reformatorischer Prädikant eine Rolle gespielt: das Interesse an Herrschaftssicherung und das an der Wahrung geistlicher Rechte verbanden sich. Schwanhausens Predigten hatten eine zumindest sozialkritische Spitze, wenngleich sie in positive Darlegung evangelischer Lehre eingebettet blieb[40]. Die Landstände, die eben im Frühherbst 1524 die Auslegung des Reichsregimentsmandats vom 6. März 1523 erörterten und den Fürstbischof baten, es nicht anzuwenden, brachten eine angekündigte Intervention zugunsten Schwanhausens nicht zustande[41].

Die in Folge der Vertreibung Schwanhausens anhaltende Unruhe in der Bamberger Bevölkerung bildete nun einen Anlaß für den Aufstand in der Stadt: die evangelisch Gesinnten sahen sich bedroht[42].

Vom Anlaß her bestand zwischen reformatorischer Predigt und „Bauern-

ordnete das Domkapitel an, das Mandat als Kanzelabkündigung sonntäglich zu verlesen (*Looshorn* 4, 1900, 695 f.).

[38] Um Ostern 1524 begannen Almosensammlungen während der Predigt (wahrscheinlich Schwanhausens), das Geld wurde unter die Armen verteilt; auch im Dom und in den zwei Pfarrkirchen sollten Almosenstöcke aufgestellt werden (*Erhard* 1897, 16; *Endres* 1971, 108). Die neue (Nürnberger/Kitzinger?) Kastenordnung fand also auch in Bamberg Resonanz (*Looshorn* 4, 1900, 570).

[39] *Erhard* 1898, 16: Gassenhauptmann Paul Lautensack zog 1524 Priester zum Wachtdienst heran (*Looshorn* 4, 1900, 673; *Endres* 1971, 137). Schwanhausen sandte 1528 an ihn ein Sendschreiben: *Erhard* 1897, 5.

[40] So in der Predigt zu Allerheiligen 1523 (*Heller* 1825, 158—175), in der Schwanhausen zunächst mit Schriftbelegen darlegt, daß die Heiligen die Lebenden seien, „die noch got nit volkömlich liben", worauf er sich gegen die Werkgerechtigkeit wendet: nicht den „Ölgötzen" oder den toten Heiligen sei zu opfern, sondern den Armen. — In der Fastenpredigt 1524 legt er Matthäus 21, 33—41 als „ein erschreckenlich exempel allen obersten, das niemant disem weinperg schedlicher ist, und nyemant ine mere verwüst, dañ allein die, den er beüolhen ist pauen" aus und zitiert Jesaja (3,14): „Der herr wert zu gericht komen mit den eltisten seines volks und irer Fürsten, Ir seyt die da verwüst haben meinen weinperg, und der raub der armen ist in euern hauß". Vgl. auch *Endres* 1971, 108 und 110.

[41] *Looshorn* 4, 1900, 689—692; *Bachmann* 1962, 252—258. Weigand von Redwitz schlug die Bitte der Stände ab, den Forchheimer Stiftsprediger Georg Kreuzer (*Endres* 1971, 106), der in Folge des Aufstandes zu Pfingsten 1524 verhaftet war, zu entlassen (*Bachmann* 1962, 257). Die Städtevertreter fragten daraufhin Prälaten und Ritter, welche Haltung diese einnehmen würden, wenn der Bischof aufgrund des Wormser Edikts Urteile vollstrecke. Diese sagten zu, „mit schreiben, reden und reitten das pest thun helfen und raten"; jedoch mußte Schwanhausen noch vor dem 24. Oktober aus Bamberg fliehen, so die Darstellung Paul Neideckers (*Straub* 1961, 171). Schwanhausens Darstellung in seinem „Trostbrief" (*Heller* 1825, 201): „das ich von den feinden des götlichen worts, von euch getriben und verjagt bin", kann sich ebensowohl auf das Scheitern des Bauernkriegs beziehen.

[42] *Endres* 1971, 109 f.; *Chroust* 1910, 6: Das Ausschreiben vom 5. 4. 1525 an die Ritterschaft wurde „bei etlichen fur das scherpfst ausgelegt, als wolt der furst diejenigen, so

krieg" eine Verbindung. Sowohl der 1. Artikel der Stadt Bamberg als auch, anknüpfend an die Beratungen der Landschaft vom September 1524, der erste Artikel der Gravamina der Städte[43] forderte die Predigt des Wortes Gottes. Das Schwergewicht der Forderung nach reformatorischer Predigt wird dadurch deutlich, daß sowohl Schwanhausen zurückgerufen[44] als auch dieser Artikel zuerst vom Schiedsausschuß beraten wurde[45]. Doch schlug die religiöse Frage nicht auf die rechtlichen und sozialen Forderungen begründend durch[46]. Weitergehende Vorstellungen zur Reform kirchlicher Institutionen, wie in den Ganheimer Artikeln in Würzburg, finden sich erst im Schreiben der Ritterschaft und des Stadtrats Bamberg und der Vertreter der Landschaft vom 14. Mai 1525[47]. So sollte der Wille zur Veränderung in Bamberg nicht überbewertet werden.

Allerdings hatte die reformatorische Predigt antiklerikale Ressentiments aktualisiert, die zwar in den Artikeln in die Bahnen städtischer Beschwerden gegen den Klerus gelenkt wurden, die in der Praxis des Aufstands jedoch sehr handfeste Formen annahmen[48]. Wie in Würzburg, wenn auch weniger scharf und mit zeitlicher Verzögerung, ging der Bischof nach 1525 gegen reformatorische Gesinnungen vor, wobei nun das Domkapitel keine Hindernisse mehr bereitete. Reformatorische Predigt und Schriften verschwanden[49]. Daß Fürstbischof Weigand

---

sich der lutterischen mainung, wie obangezeigt, mit missbrauch unterfangen hetten, strafen". Ebd. 100: „wie der bischoff vorhette, die, so also an die vorgemelte zwei ort zu predig [scil. die reformatorische] gingen, zu uberfallen . . .". Einer der Rädelsführer des Aufstandes war nach übereinstimmender Aussage vieler Ratsherren Heinz Trechssel, Schwanhausens Schwager (*Erhard* 1897, 5; *Chroust* 1910, 243, 244, 245, 246 etc. jeweils bei 4.). Zum Bamberger Aprilaufstand auch *Stolze* 1910, 207, 174 ff.

[43] *Chroust* 1910, 207, 208 f.

[44] *Chroust* 1910, 8, 161 f.; vgl. dazu *Schornbaum* 1900; *Pfeiffer* 1968, 70, (RV 547), 400 (Br. 198).

[45] *Chroust* 1910, 23 (4. 5. 1525), 221—224; *Endres* 1971, 110.

[46] Vgl. die Artikel der Bamberger *Chroust* 1910, 207 f.; die Gemeine Beschwerde ebd. 209—213; die Beschwerden der Stadt Bamberg ebd. 213—219, die keine Begründung aufgrund religiöser Prinzipien oder mit Schriftworten aufweisen. Daß Hans Hartlieb radikal gesinnt war, geht aus dem Verhörprotokoll hervor (*Chroust* 1910, 277). Eine Abstrahierung und Radikalisierung setzte Ende Mai 1525 ein; vgl. die Formulierung des Ausschusses an Nürnberg bei *Stolze* 1907, 245.

[47] *Endres* 1971, 111; *Chroust* 1910, 28 ff.; Güter der Klöster St. Michael, Langheim und Banz sollten zur Deckung außerordentlicher Steuern herangezogen werden (ebd. 29), ein oder zwei Konvente der Bettelorden sollten zur Unterhaltung von Predigern des Wortes Gottes bestimmt werden, zur Schule für den Predigernachwuchs und des öffentlichen Dienstes (ebd. 29 f.); Mönche sollten die Konvente verlassen, aber auch bleiben können, Neuaufnahmen nicht mehr stattfinden. Im Klarissenkloster in Bamberg wurde die Messe abgestellt und ein lutherischer Prediger eingesetzt (*Chroust* 1910, 175, 187; *Stolze* 1907, 239; *Endres* 1971, 111).

[48] *Chroust* 1910, 175 f., 185, über den Klostersturm. *Looshorn* 4, 1900, 590—592, über die Teilnehmer am Sturm des Heilig-Grab-Klosters.

[49] Vgl. *Schottenloher* 1907, 112 ff. (Nr. 40 ff.), nur noch eine deutsche Übersetzung von Burchardis Dialogismus erschien in Erlingers Presse 1527 (Nr. 43).

mit den Täufern auch Protestanten verfolgte, warf Markgraf Georg den Bambergern vor, ohne daß sich dies nachprüfen ließe[50]. Die frühreformatorische Bewegung war nach 1525 auch in Bamberg gescheitert.

10.2: Der Bamberger Protestantismus in der 2. Hälfte des 16. Jahrhunderts

Entstehung und Entwicklung des Protestantismus der 2. Hälfte des 16. Jahrhunderts im Bürgertum der Stadt Bamberg sind noch weniger genau als in Würzburg zu verfolgen. Erste Anzeichen, daß Protestanten in der Stadt Bamberg existierten, lassen sich für den gleichen Zeitraum wie in Würzburg nachweisen: so beschloß das Domkapitel Anfang 1558, den Unterschultheiß, der lutherisch gewesen war, nach altem Herkommen kirchlich beerdigen zu lassen, obwohl der Weihbischof ein kirchliches Begräbnis verweigert hatte[1]. Einer generellen Verweigerung des kirchlichen Begräbnisses für Bürger, die sub utraque kommunizierten, durch den Weihbischof widersetzte sich Bischof Veit II. von Würzburg[2]. Anders als in Würzburg wurde also der konfessionelle Konflikt zunächst nicht in diesem Punkte ausgetragen, da Fürstbischof und Kapitel toleranter waren. Erst in den achtziger und neunziger Jahren, als die Gegenreformation entschiedener einsetzte, verband sich die Verweigerung des kirchlichen Begräbnisses mit anderen gegenreformatorischen Maßnahmen[3].

Doch versuchte das Domkapitel 1558 dem Einschleichen von Predigern der Augsburger Konfession zu wehren. Sie seien zu verhaften und abzuweisen[4]. Zu vermuten ist, daß die nahegelegene Pfarrei Walsdorf, die dem Patronat der protestantischen Familie von Crailsheim unterstand, schon damals, wie in den neunziger Jahren, der Ort war, an den die Bamberger Protestanten zur Predigt gingen[5]. Für diese spätere Zeit ist auch nachzuweisen, daß der Pfarrer von Walsdorf in die Stadt Bamberg hereinkam, um Protestanten zu betreuen[6].

---

[50] Zur Täuferbewegung *Bauer* 1966; *Zeissner* 1975, 90—95; der Vorwurf Markgraf Georgs ebd. 93; vgl. dagegen *Endres* 1971, 136 f.

[1] *Looshorn* 5, 1903, 30.
[2] *Hotzelt* 1919, 71.
[3] Bamberg Staatsarchiv B 86 I, 22, f. 18v (6. 8. 1596): der Fürstbischof ersuchte das Domkapitel „bey den Pfarrkirchen ... anordnung [zu] thun, damit die uncatholische ... nit mehr uf das geweicht begraben werden". Bamberg Staatsarchiv Rep. ex J 3, Nr. 214 a, f. 2r: Neithard von Thüngen befahl, „den Prophanirten Gottsacker beim Eussern Siechhauß alhie, fur die Catholischen Christen zu reconsilijren", für Nichtkatholiken solle nur ein „sonderbarer geringer ortt" abgeteilt werden. *Looshorn* 5, 1903, 264.
[4] *Looshorn* 5, 1903, 30.
[5] 1565: *Hotzelt* 1919, 52; *Looshorn* 5, 1903, 73 f.; 1573 hatte der Lehrer Hans Ludwig in Walsdorf sub utraque kommuniziert (*Hotzelt* 1919, 71). 1595 beriefen sich die Walsdorfer auf ihren Grundherrn: ein katholischer Pfarrer dürfe nicht eingesetzt werden, sie wollten

Wenn das Domkapitel, Hauptträger des Widerstandes gegen eine Reform im tridentinischen Geiste, gelegentlich gegenreformatorische Aktionen zuließ, so blieben diese langfristig offenbar wirkungslos. So billigte das Domkapitel am 16. Januar 1573, daß der Generalvikar oder der Fiskal gegen die lutherischen Schriften vorgehen dürfe. Sie sollten in den Buchhandlungen konfisziert werden, ebenso sollte der Gebrauch lutherischer Bücher bei den Bamberger Lehrern überwacht werden. Die daraufhin erfolgte Untersuchung, die der Weihbischof Feucht, der Generalvikar Dr. Hieronymus Stör sowie der Fiskal Johann Neydecker vornahmen, ergab, daß von zwölf Lehrern der Stadt sieben Lutheraner waren und daß gerade die Lutheraner den größten Zulauf hatten. Zwei lutherischen Lehrern, Peter Henning und Leonhard Sandreutter, die zusammen um 190 Schüler hatten, wurde verboten, Schule zu halten. Vier weitere mußten versprechen, nur den Katechismus des Canisius zu verwenden und innerhalb eines Monats zur katholischen Kirche zurückzukehren[7].

Fürstbischof Ernst von Mengersdorf (1583—1591)[8] leitete die Ära der tridentinischen Reform im Fürstbistum Bamberg ein. Seine Methode, die Lutheraner ohne Gewalt, auf die er ausdrücklich verzichtete[9], zur katholischen Kirche zurückzuführen, läßt sich am besten durch das Ehemandat vom 29. Januar 1587 illustrieren[10]. Das Mandat, das sich auf die Beschlüsse des Trienter Konzils berief, verbot Winkelehen, alle Ehen sollten vor dem Ortspfarrer und zwei bis drei Zeu-

---

keine „Bebstischen huntspfaffen" einlassen. Bei gewaltsamer Einsetzung würden sie mit Gewalt antworten. Auf den Hinweis, früher sei der Pfarrer vom Landesherrn eingesetzt worden, antworteten sie: „Ja es sey Ihnen zum thaiß wolbewust, aber ein Bebstisch schelmpfaff sey bey Ihnen außgeriessen, Ihre pferden ein gutte Zeidt öhde gelegen und der gottes dinst in der kirchen nicht versehen worden und wan Ir Junker nicht gethun, Es musten Sie sambt Ihren kinden nach heydnischer weiß gestorben unnd begraben worden sein." (Bamberg Staatsarchiv Rep. B 49, 213, f. 20r—v, Bericht des in die Pfarrei eingewiesenen Andreas Frank vom 14. 11. 1595). — 1596: Bamberg Staatsarchiv Rep. B 68 I/21, f. 415v: Der fürstbischöfliche Kanzler stellte dem Domkapitel vor, die Mahnung, nicht nach Walsdorf zur Predigt zu gehen, sei „ohne frucht" geblieben, man solle morgen die Tore schließen.

[6] Der Walsdorfer Pfarrer sollte noch 1608 in die Stadt gerufen werden, um einem vom Gerüst gestürzten Maler beizustehen (*Looshorn* 5, 1903, 349). Eine der ersten Maßnahmen Neithards von Thüngen war die Anordnung, den Pfarrer von Walsdorf in Bamberg gefangenzunehmen (*Zagel* 1900, 28). Walsdorf wird auch namentlich in der römischen Instruktion von 1593 genannt (vgl. unten A. 17).

[7] *Hotzelt* 1919, 69—71; *Bauer* 1965, 321 f., *Looshorn* 5, 1903, 81. David Pauridel, der Rückkehr zur katholischen Kirche versprach, war jedoch noch 1594 protestantisch (*Zagel* 1900, 95, vgl. auch ebd. 37, A. 3). Der lutherische Schulmeister Peter Henning dürfte mit dem Kantor im Dom und späteren Richter auf dem Kaulberg Peter Heinnck/Heincken (*Reindl* 1969, 423; *Looshorn* 5, 1903, 310, 274) identisch sein, der erst 1601 ausgewiesen wurde, nachdem er mehrmals Aufschub vom Domkapitel erbeten hatte.

[8] *Schmidlin* 1910, 143; *Kist* in *Schreiber* 1951, 125—127; *Looshorn* 5, 1903, 151—217.

[9] *Looshorn* 5, 1903, 201.

[10] *Looshorn* 5, 1903, 170—172.

gen geschlossen werden. Übertretungen wurden mit Ausweisung aus dem Hochstift bedroht. Das Mandat ermahnt die Ehewilligen, vor der „Einleitung" zu beichten und zu kommunizieren. 1589 wollte Fürstbischof Ernst von Mengersdorf einen Mischehenzusatz hinzufügen. Danach seien Auswärtige nur, wenn sie katholisch wurden, kirchlich zu trauen, Bürgerskinder der Stadt Bamberg seien zu ermahnen, katholisch zu werden, allenfalls solle man ihnen ein Vierteljahr Bedenkzeit geben. Das Domkapitel nahm wie folgt dazu Stellung: es hielt den Zusatz nicht für ratsam, da es böses Gerede beim gemeinen Mann gebe und die reichen Auswärtigen vom Einzug in das Stift abhalte, so daß Steuer- und Ungeldzahlungen gemindert würden. Daraufhin erwiderte der Bischof, man könne Reiche ja dispensieren, die Novelle sei wegen der vielen Handwerksleute, die sich in das Stift begäben, vorgesehen.

Das Domkapitel erwies sich gegen Reformen als widerspenstig. So genehmigte es vier lutherischen Witwen, denen der Weihbischof die Eheschließung in St. Martin verweigert hatte, die „Einleitung" in der Oberen Pfarre[11]. Eine weitere Reformmaßnahme bildete die Feiertagsordnung, die sonntäglichen Unterricht im katholischen Katechismus anordnete und verbot, an den festgesetzten Feiertagen zu arbeiten oder spazierenzugehen[12].

Der Widerstand des Domkapitels versteifte sich gegen kombinierten Einsatz reformerischer und gegenreformerischer Maßnahmen unter Neithard von Thüngen (1591—1598)[13]. Schon in der Wahlkapitulation hatte sich Fürstbischof Neithard zu verpflichten, kein schriftliches oder mündliches Gebot in Stadt und Stift Bamberg ausgehen zu lassen ohne Wissen des Domkapitels[14]. Bis 1596 verschärfte sich der Konflikt zwischen Bischof und Domkapitel so weit, daß der Domdechant die bischöflichen Erlasse, denen das Domkapitel nicht zugestimmt hatte, öffentlich widerrief[15]. Das Kapitel faßte seine Bedenken gegen die Ausweisung lutherischer Bürger aus Bamberg in einem umfassenden Gutachten zusammen[16]: es befürchtete Aufruhr im Volk, Interventionen benachbarter Obrigkeiten, möglicherweise Religionskonflikte wie in den Niederlanden, in Frankreich, Straßburg und Fulda. Die Reformstrategie des Kapitels sollte dagegen die des Vorgängers Neithards von Thüngen fortsetzen. Wenn die Predigt verbessert, die Schulen reformiert und die Jugend katholisch erzogen würde, wenn überdies Ehen nur katholisch geschlossen würden, dann sei eine allmähliche Rekatholisierung ohne Gewalt und Konflikt möglich.

Dieses Gutachten versuchte nachzuweisen, daß die Bedingungen für eine Reform in Würzburg andere gewesen seien als jetzt in Bamberg. Das Modell der

[11] *Looshorn* 5, 1903, 200—215 und 230.
[12] *Looshorn* 5, 1903, 187 f. (12. 12. 1589).
[13] *Pölnitz* 1930; *Looshorn* 5, 1903, 218—279; *Zagel* 1900 passim; *Schmidlin* 1910, 145 ff.; *Kist* in *Schreiber* 1951, 127 ff.
[14] *Zagel* 1900, 92.
[15] *Pölnitz* 1930, 51.
[16] Bamberg Staatsarchiv Rep. B 86 I, 21, f. 408r — 409v (9. 4. 1596); *Zagel* 1900, 95—97.

Gegenreformation Julius Echters leitete in der Tat Neithard von Thüngen direkt, sowie ihn auch die römische Instruktion von 1593 ausdrücklich auf Julius Echter als Vorbild hinwies[17]. Insbesondere verwies diese Instruktion darauf, daß eine Visitation zweckmäßig sei, um Ketzer auszurotten, Mißbräuche zu beseitigen und Glaubenseinheit und Kultreinheit herzustellen[18]. Die Bamberger Gegenreformation nach dem Muster Würzburgs verband die kirchlichen Ziele und Maßnahmen mit den weltlichen Durchsetzungsinstrumenten des Fürstbischofs. Auf diese Verbindung hatte auch die römische Instruktion hingewiesen, wenn sie die Säuberung des Beamtenapparats des Hochstifts von Andersgläubigen forderte[19]. Ebenso wie im benachbarten Hochstift stellte der Fürstbischof die Untertanen in der seit 1595 durchgeführten Visitation vor die Alternative, entweder zur Kirche zurückzukehren oder sich der zwangsweisen Auswanderung zu unterwerfen[20]. Dem Würzburger Verfahren entsprach auch das Vorgehen Neithards von Thüngen gegen den Bamberger Rat. Von 27 Ratsherren des Jahres 1595 wurden 1596 bei der erneuten Erbhuldigung am 27. 7. sieben aus dem Rat entlassen[21], drei wurden wegen der Religion absent gehalten[22]. Da letztere 1597 wieder als Ratsherren erscheinen[23], waren diese wohl konvertiert, während die ersteren auf ihrem lutherischen Bekenntnis beharrten. Schon am 9. März 1595 waren sechs Gassenhauptleute durch neue ersetzt worden[24]. Von den vier obersten Gassenhauptleuten waren drei protestantisch[25]. Von 1596 auf 1597 wurde wiederum eine Säuberung der Gassenhauptleute vorgenommen: fünf hartnäckige Lutheraner wurden ersetzt[26], neun weitere stellten Konversion in Aussicht und sind noch 1597 im Amt[27]. Nur drei der Gassenhauptleute von 1596 wurden als eifrig katholisch bezeichnet[28]. Insgesamt waren achtzehn von achtundzwanzig Gassenhauptleuten in civitas und Immunitäten lutherisch. Zur gleichen Zeit

---

[17] *Zagel* 1900, 107—111, hier 107: „Primum igitur habet Reverendissimus Bambergensis vicinum Reverendissimi Herbipolensis Episcopi exemplum . . .".

[18] *Zagel* 1900, 107.

[19] Ebd. 109.

[20] Das Religionsmandat vom 29. März 1594 (*Looshorn* 5, 1903, 248) mahnte die Protestanten, katholisch zu werden und sub una zu kommunizieren, und drohte, wenn dies nicht erfolge, Zwangsmaßnahmen an, die der Fürst vollziehen werde. 1595 wurde Forchheim visitiert, 19 Forchheimern, die sich weigerten, Kommunion zu empfangen, befahl der Weihbischof, das Hochstift zu verlassen (*Bauer* 1965, 326).

[21] Bamberg Stadtarchiv B 22, Nr. 11 und B 4, Nr. 34: Steffan Zeitlos, Carol Zolner, Hans Schmidt, Jakob Stahl, Georg Neydecker, Conrad Wolf, Fabian Aumeier.

[22] Simon Bauer, Hans Weismantel, Hans Caspar Lorber (Bamberg Stadtarchiv B 4, Nr. 34).

[23] Bamberg Stadtarchiv B 22, Nr. 11.

[24] Bamberg Stadtarchiv B 22, Nr. 11.

[25] Ebd.: Zeitlos, Neydecker, Zolner.

[26] *Zagel* 1900, 41: Hans Weismantel, Hans Burckhardt, Jakob Stahl, Georg Kraus, Michel Pankraz Riegel.

[27] Bamberg Staatsarchiv Rep. A 231/I 8310.

[28] *Zagel* 1900, 41: Sebastian Betz, Hans Hornung, Hans Bucher.

wurden die wichtigsten Pflegschaften und Ämter der städtischen Verwaltung vakant, da die Entlassenen sie innegehabt hatten[29]. Auch der Stadtschreiber Magister Johannes Großmann erhielt einen Abschiedsbrief[30]. Die protestantische Bewegung war in Bamberg also tief in die städtische Führungsschicht eingedrungen, die Säuberung der städtischen Institutionen vollzog sich gegen den Widerstand des Domkapitels, für den Stadtrat selbst liegen uns keine Zeugnisse vor[31].

Der Ausweisung schloß sich das Domkapitel an: der Syndikus des Kapitels, Dr. Paul Brückner, verließ Bamberg und wurde Advokat der Stadt Schweinfurt[32], ebenso der Substitut des Syndikus[33]. Schließlich war der langjährige Landschreiber, danach Kanzler des Fürstbischofs, Achaz Hüls, lutherisch gewesen, er zog nach Coburg[34]. Am 18. 10. 1597 erließ der Fürstbischof ein verschärftes Mandat, nach dem ungehorsame Untertanen und Bürger vor den Oberschultheißen und den Domprediger zu laden seien. Dort sei die Annahme der katholischen Religion zu befehlen, Hartnäckige hätten in acht Tagen Stadt und Territorium zu verlassen[35]. Das Domkapitel beschloß ein gleiches am 3. 12. 1599 und

---

[29] Bamberg Stadtarchiv, Historischer Verein Rep. 3, 1186, Nr. 11:
Steffan Zeitlos: Pfleger des St. Katharinenspitals bei St. Martin, Pfleger der Trinkstube, Einnehmer auf der Wochenstube, Executor des „Künsperger geschäffts mit begnadung der Jungkfrawen".
Jacob Stahl: Pfleger des St. Katharinenspitals bei St. Martin, Pfleger des St. Marthaseelhauses.
Carol Zolner: Pfleger des St. Elisabethspitals im Sand, Pfleger des Reichen Almosens, Executor des „Künsperger geschäffts mit begnadung der Jungkfrawen".
Georg Neydecker: Pfleger der Trinkstube, Pfleger des Reichen Almosens, Executor des „Künsperger geschäffts mit begnadung der Jungkfrawen".
Hans Schmidt: Einnehmer des Ungelts, Pfleger Unserer Lieben Frauen Seelhofs.
Simon Bauer: Pfleger des St. Antoniersiechhauses auf dem Kaulberg.
Fabian Aumeier: Gemeiner Stadt Baumeister.
Hans Weismantel: Pfleger des Franzosenhauses, Pfleger des Lazaretthauses.
Hans Caspar Lorber: Pfleger U. L. F. Kapelle am Judenplatz.
Looshorn 5, 1903, 262: diese Entlassung könnte sich schon 1595 ereignet haben. Der Bischof befahl dem Kanzler, bei der kommenden Jahresrechnung des Spitals dem Rat mitzuteilen, daß die „Lutherische Pflegere ab undt an Ihrer Statt hinfuro Catholische gesatzt . . ." werden sollten, die alle 2—3 Jahre wechseln sollten (Bamberg Ordinariatsarchiv 735, f. 46r).
[30] Bamberg Stadtarchiv Historischer Verein, Rep. 2,1 Nr. 21, f. 71v—72r. Magister Johannes Großmann, der 17 Jahre Stadtschreiber gewesen war, obwohl die Stadt „do es die gelegenheit geben gern bey unns lenger geduldet und befurdert gesehen" . . . „Wann aber mutationes und verendrung furgefallen, er auch sein heußlich wesen weiters anzustellen, und sich an andrer ortten zugeben in vorhabens" sei (15. 4. 1597). Ebd. f. 74r: Abschiedsbrief für Hans Schmidt, 11. 12. 1596.
[31] Die Ratsprotokolle des Bamberger Rates fehlen.
[32] Looshorn 5, 1903, 179, 252; Kist 1951, 129.
[33] Johann Hoffman (Looshorn 5, 1903, 274).
[34] Kist 2925; Looshorn 5, 1903, 252.
[35] Looshorn 5, 1903, 263.

setzte dabei eine Frist von einem Monat[36]. Die gegenreformatorischen Maßnahmen gegen die Lutheraner in Bamberg durch das Domkapitel liefen also auch in der Amtszeit des Nachfolgers Neithards von Thüngen, des einstigen Domdekans Johann Philipp von Gebsattel (1599—1609), weiter. Durchschlagender Erfolg war der Ausweisungsaktion nicht beschert: noch 1609 wurde der Pfarrer von St. Martin, der Weihbischof Dr. Johann Schoner, angewiesen, Andersgläubige vorzuladen und ihnen eine Monatsfrist zur Konversion zu setzen und Ungehorsame anzuzeigen[37].

Die Parallelität des Verfahrens zu Würzburg liegt auf der Hand, nicht nachweisbar hingegen ist der in Würzburg stattfindende Konflikt um die städtischen Selbstverwaltungsrechte.

Für einen großen Teil der Stadt Bamberg, die Pfarrei St. Martin[38] läßt sich Genaues über Zahl und Verteilung der Lutheraner auf die einzelnen Stadtviertel angeben[39].

Eine Kollektenliste von 1596 führt insgesamt 2018 erwachsene Personen in der civitas, soweit die Pfarrei St. Martin sie erfaßte, in der Muntät St. Gangolf und in der Wunderburg auf. Davon waren 288 (= 14 %) Lutheraner. Die Zahl der lutherischen Frauen (182) überstieg die Zahl der Männer (106) um 80 %. Der Anteil der Lutheraner in den einzelnen Vierteln schwankt von 44 bis 0 % der haushabigen Personen[40], er nimmt vom Stadtzentrum nach außen hin ab[41]. Der Anteil der rein lutherischen und der gemischtkonfessionellen Ehen betrug

---

[36] *Looshorn* 5, 1903, 294.

[37] *Looshorn* 5, 1903, 412 f. (6. September 1609, 15. Oktober 1609).

[38] Die ganze Stadt Bamberg (civitas + Immunitäten) war in zwei Pfarreien gegliedert: St. Martin und die Pfarrei zu Unserer Lieben Frauen. Letztere umfaßte mit Ausnahme der Veitspfarrei, die nur für die Bewohner der Domherrenhöfe zuständig war, die Immunitäten auf dem Kaulberg, das Gebiet um den Schrannenplatz bis zum Sand, aber auch auf der Seite der civitas die Häuser zwischen Kapuzinerstraße und Regnitz, ferner den Mühlwörth und den Geierswörth (*Arneth* 1953, 187 f.).

[39] Die „Adventsopferkollektenliste" (Bamberg Ordinariatsarchiv Nr. 439) ist bisher von der Forschung nicht benützt worden. Sie beschreibt die „haushabigen Personen" der St. Martinspfarrei Bamberg, und zwar straßenweise. Für die Verheirateten in rein katholischen Ehen steht der Name des Ehemanns, rein lutherische und Mischehen sind mit dem Beisatz uxor gekennzeichnet. Die lutherische Konfession ist jeweils durch ein L gekennzeichnet. Ferner gibt die Liste Witwer und Witwen an. Kollektenbeträge sind nicht eingetragen, jedoch finden sich Zusätze von anderer Hand, die offenbar während der Sammlung vorgenommen wurden. Am Ende jeder Abteilung (Straßen, Quartier) werden die haushabigen Personen summiert, wobei die nicht aufgeführten Ehefrauen der rein katholischen Ehen in die Rechnung einbezogen sind. Schließlich wird die Zahl der Lutherischen angegeben und die Zahl der lutherischen Männer und Frauen. Die folgenden Zahlen beruhen auf einer Durchrechnung, die Überprüfung ergab geringfügige Abweichungen nach unten. Herrn Doktor Neundorfer, Ordinariatsarchiv Bamberg, ist an dieser Stelle sehr herzlich zu danken, er hat eine Xerokopie der Liste zur Verfügung gestellt. Die weitere Auswertung der Liste bleibt vorbehalten.

[40] Vgl. unten Exkurs 7, Tabelle 2 und 3.

[41] Vgl. unten Exkurs 7, Tabelle 3.

zirka 21 %, davon waren Mischehen mit lutherischem weiblichen Partner 11 %, Mischehen, in denen der Mann lutherisch war, 2 % und rein lutherische Ehen 7 %. Auch bei den Witwen war der Anteil der lutherischen Witwen (14 %) höher als der Anteil der Lutherischen an der Gruppe der Witwer (2 %)[42].

Für Bamberg läßt sich der Umfang der protestantischen Bewegung in der 2. Hälfte des 16. Jahrhunderts in der gleichen Größenordnung wie für andere Städte (Mainz)[43] nachweisen. Ob diese Bewegung im Wachsen war, stagnierte oder abnahm, ist nicht zu belegen. Der höhere Anteil der gemischten und rein lutherischen Ehen gegenüber dem Verwitwetenanteil mag darauf hinweisen, daß zumindest ein Wachstumspotential vorhanden war und der Ansatz, die Rückführung zur katholischen Kirche über die Eheschließung vorzunehmen, realistisch war. Wie stark die protestantische Einwohnerschaft im Jahre 1596 schon durch vorhergehende Konversionen vermindert war[44], läßt sich nicht abschätzen. Die weitgehende Durchsetzung gerade der inneren Stadt mit Lutheranern sowie die hohe Zahl der Mischehen läßt den Schluß zu, daß sich die Konfessionen im täglichen Leben an ein friedliches Nebeneinander gewöhnt hatten. Für politische Aktivität der Protestanten gibt es in Bamberg kein Indiz[45]. Die Durchführung der tridentinisch orientierten Gegenreformation zerstörte auch hier einen friedlichen modus vivendi.

[42] Vgl. unten Exkurs 7, Liste 4.

[43] Vgl. unten zu Mainz, S. 109.

[44] Das Domkapitel machte 1596 (vgl. oben A. 16) geltend, daß die gewaltlose Methode wirksam sei: „Sintemal die erfarung gibt, das der uncatholisch hauff nur In vier Jaren sehr geringert worden".

[45] So enthalten etwa die städtischen Gravamina von 1557, 1558 und 1563 nichts über konfessionelle Konflikte (Bamberg Stadtarchiv Historischer Verein Rep. 2, 1, Nr. 20). Das Domkapitel hob 1596 (vgl. oben A. 16) hervor, die Untertanen seien bisher gehorsam gewesen.

Teil III: Geistliche Residenzen im Westen und Süden des Heiligen Römischen Reiches

Kapitel 11:
Reformatorische Bewegungen in bischöflichen Residenzstädten West- und Süddeutschlands (Trier, Mainz, Salzburg, Passau, Freising, Eichstätt)

An die Untersuchung der fränkischen Bischofsresidenzen Würzburg und Bamberg läßt sich ein weiterer Kreis von Bischofsstädten anschließen. Wir beschränken uns dabei auf die west- und süddeutschen Bischofsstädte, in denen der Bischof (Ordinarius) zugleich als Landesherr residierte, also geistliche und weltliche Gewalt identisch waren, oder die zumindest Metropolen im Sinne von „Verwaltungszentren" waren[1].

Wir fragen zunächst nach dem Stand der Autonomie- und Selbstverwaltungsrechte der städtischen Kommune um 1500, skizzieren danach den Verlauf der frühreformatorischen Bewegung, um dann beim Auftreten protestantischer Bewegungen in der zweiten Hälfte des 16. Jahrhunderts die Verbindung von städtischer Autonomiebewegung und Protestantismus zu untersuchen. Schließlich versuchen wir, die soziale Dimension der protestantischen Bewegungen zu erfassen, sowie deren religiöse Lebensäußerungen zu charakterisieren.

11.1 Trier

Eine enge Verbindung gingen städtische Autonomiebewegung und Protestantismus in der erzbischöflichen Metropole des Kurfürstentums Trier ein[2]. Anfang des 12. Jahrhunderts konstituierte sich eine rechtlich selbständige Kommune. Doch die Entwicklung der Emanzipation vom erzbischöflichen Stadtherrn verlief keineswegs geradlinig[3]. Noch im 12. Jahrhundert verfestigte sich die Bürgerschaft zu einer coniuratio, unter Führung von Ministerialen mit Bürgern gebil-

---

[1] Diese Städte bilden ‚Metropolen' im Sinne von Zentralorten für (Erz-)Diözese und Territorium. Für Trier: *Laufner* 1952, 151, A. 4. Trier beherbergte das Domkapitel und das Offizialat sowie die Verwaltungsbehörden für das Obererzstift (*Caspar* 1966, 4). Der Hof residierte in Koblenz-Ehrenbreitstein (ebd. 47).
[2] Die jüngste Zusammenfassung zum sogenannten Trierer Reformationsversuch bei *Molitor* 1967, 15 ff., dort auch weitere Literatur.
[3] *Laufner* 1952, 153. *Schulz* 1968, 36 f., setzt die Autonomiebewegung mit der Bildung des

det[4]. Der Abschluß eines Zolltarifvertrages mit Köln 1149 bezeugt die überregionale wirtschaftliche Bedeutung der Träger der Autonomiebewegung[5]. Am Ende des 12. Jahrhunderts (1197) erlangte der Erzbischof jedoch die volle Gerichtshoheit über die Stadt. Sie wurde in Trier durch den Schultheißen und die Schöffen ausgeübt[6]. Im 13. Jahrhundert erschien einmal neben den vom Erzbischof ernannten Schöffen ein „ratsähnlicher Bürgerausschuß", die „Jurati"[7], gegen den der Stadtherr ebenso wie gegen die frühere coniuratio mit Erfolg vorging. Der städtischen Gemeinde wuchsen, ohne daß sie sich offen gegen den Stadtherrn gewandt hätte[8], im 13. Jahrhundert bedeutende Rechte zu: Verwaltung der Stadtbefestigung, Erhebung des Ungelds und des städtischen Zolls durch die Schöffen[9]. Am Anfang des 14. Jahrhunderts (1302) läuft die Emanzipation gegen den Stadtherrn: nach dem Aufstand der Trierer Zünfte bildete sich der Rat aus. Der Charakter der Stadtgemeinde als selbständigen Partners ist dokumentiert in einem Beistandsvertrag, den der Erzbischof, das Domkapitel, die Schöffen und die Stadtgemeinde schlossen[10]. Doch der erste, 1350 ausbrechende große Konflikt mit dem Stadtherrn endete mit der Kassierung der kaiserlichen Privilegien für die Stadt durch Kaiser Karl IV. im Jahre 1364[11]. Das 15. Jahrhundert brachte dann mit den Bürgermeisterämtern die volle Ausbildung der Ratsverfassung[12]. Im Rat erhielten die Zünfte die Majorität, die sich den Schöffen entgegensetzten. Der Rat kontrollierte den Mauerbau, die Unterhaltung der Straßen, hatte über den Judenschutz das Geleitrecht erworben und übte die Polizeigewalt aus, jedoch nur eine beschränkte Gerichtsgewalt. Das Hochgericht blieb in der Hand des Landesherrn[13]. Der Durchbruch zur vollen Reichsstandschaft gelang jedoch nicht, obwohl Trier mehrfach zu Reichstagen geladen und zu Reichsanschlägen veranlagt worden war. Es war die Stadt selbst, die den Kurfürsten um Vertretung bei den Reichsanlagen ersuchte. Sie erkannte ihn weiter ausdrücklich als Landesherrn an[14]. Die Rechtslage blieb so ungeklärt: das ältere und gesicherte landesherrliche Recht stand einer immer wieder erneuerten Tendenz der Stadt

Schöffenkollegs 1168/1172 an.
[4] *Kentenich* 1907, 60 f., ders. in *Rudolph* 1915, 37* f., *Rudolph* 1915, 275, *Laufner* 1952, 154 f., *Schulz* 1968, 32 f.
[5] *Rudolph* 1915, 273 f. (18. 11. 1149), *Laufner* 1952, 155.
[6] *Kentenich* in *Rudolph* 1915, 41*, *Rudolph* 1915, 276 f., *Laufner* 1952, 155.
[7] *Kentenich* in *Rudolph* 1915, 46*, *Laufner* 1952, 157.
[8] *Laufner* 1952, 157.
[9] *Laufner* 1952, 158.
[10] *Kentenich* in *Rudolph* 1915, 54* ff., *Rudolph* 1915, 290, *Laufner* 1952, 158, *Schulz* 1968, 26 ff., 78, 152 ff.
[11] *Kentenich* in *Rudolph* 1915, 61*, *Rudolph* 1915, 343 ff., *Laufner* 1952, 161 f.
[12] *Rudolph* 1915, 385, *Laufner* 1952, 163.
[13] *Kentenich* in *Rudolph* 1915, 70*, 72* f., *Laufner* 1952, 163.
[14] *Kentenich* in *Rudolph* 1915, 83* f., *Rudolph* 1915, 436, 443, 450 f., 467 f. (1522), *Laufner* 1952, 164 f.

gegenüber, sich als freie Stadt[15] zu verstehen, wie sie auch von Kaisern (Maximilian I., Karl V.) als Reichsstadt angesprochen wurde. Die erzbischöflichen Landesherren ließen nie einen Zweifel aufkommen, daß sie Trier als eine landesherrliche Stadt betrachteten.

Auf diese Situation der nicht voll zur Reichsstandschaft entwickelten städtischen Autonomie stieß die reformatorische Bewegung. Sie ging in den zwanziger Jahren des 16. Jahrhunderts spurlos an der Bischofsstadt vorüber. Das zum Beweis der Existenz einer reformatorischen Bewegung in Trier herangezogene Schreiben des Kurfürsten Richard von Greiffenklau an den Trierer Rat von 1524 betont, daß in Trier („unser Burgerschaft") das Wormser Edikt befolgt worden sei. Es warnt eher vor möglichen Handlungen, hatte also präventiven Charakter[16]. Auch die sechs Artikel, die der Rat am 9. Mai 1525 auf Drängen der Bürgerschaft entwarf, forderten, die Geistlichkeit den bürgerlichen Lasten zu unterwerfen, enthielten aber keine religiösen Vorstellungen. Sie verlangten nicht einmal freie Evangeliumspredigt[17].

Erst für 1544 läßt sich nachweisen, daß ein Trierer Bürger der neuen Lehre anhing. Seit 1527 tauchen auch vereinzelt Trierer in der Marburger Matrikel auf[18].

Der in Bischofsstädten stets latent vorhandene Antiklerikalismus trat 1540 im Kontext eines Zunftaufstandes hervor[19] und bestimmte kurz vor dem sogenannten Trierer Reformationsversuch 1559 einen gewaltsamen Übergriff von Zunfthandwerkern auf konkurrierende Konvente (1557)[20]. Letzterer gehörte zur Vorgeschichte der Ereignisse von 1559. 1540 handelte es sich um eine antioligarchische Partizipationsbewegung gegen den Rat. Bei wichtigeren Angelegenheiten sollte ein Zunftausschuß zur Beratung hinzugezogen werden. Einen bleibenden

---

[15] *Laufner* 1952, 166. Aber auch ein Vordringen des Landesherrn in städtische Rechte ist festzustellen: *Kentenich* in *Rudolph* 1915, 79*. — 1542 weigerte sich die Stadt, die noch 1522 Landsteuern gezahlt hatte, die Türkensteuern mit der Landschaft zu zahlen, 1566 führte sie die Türkensteuer direkt an das Reich ab: *Laufer* 1973, 58.

[16] Text bei *Kentenich* 1912 und 1915. Vgl. ebd. 1915, 328: „aber als uns jetzo angelangt, so sulle den (scil. dem Wormser Edikt) zugegen zu handeln understanden werden". Der Kurfürst drohte Strafen gegen Bürger an, „wie dann gegen andere Stätten beschehen ist". — Anders *Goeters* 1959, 11. Vgl. auch *Schmidt* in *Reuter* 1971, 293 ff.

[17] *Haustein* 1908 (13), 44 f. *Kentenich* in *Rudolph* 1915, 81*. — Das Vorgehen der Bürger gegen das Kloster St. Maximin von 1522 ist wirtschaftlich bedingt. *Kentenich* 1915, 328, ordnet es einfach als „Einwirkung der Reformation" ein. Auch die 6 Artikel weisen den bekannten Zug gegen die Privilegien des Klerus auf. Vgl. zur Frage *Molitor* 1967, 14, *Caspar* 1966, 47.

[18] *Laufner* 1960, 24 weist für 1544 einen Fall nach, *Molitor* 1967, 15, *Froehlich* 1959, 238 f. — Studenten: *Kentenich* 1915, 328, *Caspar* 1966, 47, 173, *Goeters* 1959, 11, stellt in den 50er Jahren eine steigende Zahl von Trierer Studenten an evangelischen Universitäten fest und hält dies für ein Indiz dafür, „daß nun auch die evangelische Bewegung in der Stadt anschwillt."

[19] *Kentenich* 1915, 355—357, *Rudolph* 1915, 485.

[20] *Kentenich* 1915, 361 ff.

Einfluß wollten sich die Zünfte sichern, indem Zunfthandwerker zur Verwaltung der städtischen Ämter ernannt werden sollten[21]. Die 1522 und 1525 deutlich hervorgetretene antiklerikale Haltung kam 1540 lediglich in der Forderung zur Geltung, eine rigorosere Amortisationsgesetzgebung durchzusetzen[22]. Sie richtete sich so direkt am städtischen gemeinen Nutzen aus.

1557 dagegen waren die Übergriffe auf geistliche Institutionen wirtschaftlich motiviert: die Weber gingen gegen zwei Frauenklöster vor, deren Textilproduktion mit der städtischen unter günstigeren Bedingungen konkurrieren konnte, da die bürgerlichen Lasten bei den Zunfthandwerkern als Kosten zu Buche schlugen, während die Konvente befreit waren und so billiger produzieren konnten.

Der kurfürstliche Rat stellte diese traditionellen Reaktionen der Bürger gegen die geistlichen Privilegien jedoch in einen weiteren Zusammenhang. Er sah hinter diesen und anderen Übergriffen den Willen des städtischen Rates, seine Selbstverwaltungsrechte auszudehnen. Schon damals wurde im kurfürstlichen Rat der Vorschlag laut, die Stadt durch eine Blockade gefügig zu machen, um die volle Landeshoheit des Kurfürsten durchzusetzen[23]. Dem Rat andererseits war schon 1556 bewußt geworden, daß er über die städtischen Freiheiten aufmerksam zu wachen hatte. In Folge der Markgrafenfehde hatte vier Jahre lang in Trier eine kaiserliche Besatzung gelegen. Sie zog 1556 ab. Die Schlüssel der Stadt lieferte sie jedoch nicht dem Rat aus, sondern kurfürstlichen Beamten. Als diese die Schlüssel an den städtischen Rat weiterreichten, betonten sie, daß die Stadt Trier „iren gnedigsten herrn als dem rechten Chur- und Landt-Fürsten one einiche mittel eigentümlicher Weise mit aller hochheit und oberkeit allein zustendig und dem Ertzstifft Trier anhengig sei . . ."[24]. Der Dissens über die Rechtsstellung in diesem Punkte wurde klar, als der Bürgermeister Johann Steuß sich gegen diese Deutung der Rechtslage verwahrte und auf die alten Freiheiten und Rechte der Stadt hinwies[25]. Daß sich schon 1556 hinter dem Protest der Wille des — protestantischen — Bürgermeisters Steuß verbarg, die protestantische Bewegung reichsrechtlich abzusichern, ist nicht nachweisbar[26]. Auch die Frage

---

[21] *Kentenich* 1915, 356, *Rudolph* 1915, 51, 54 f.

[22] *Kentenich* 1915, 356, *Rudolph* 1915, 58: Erbgang von Liegenschaften an Klöster und Nichtbürger sollten verboten, im Erbgang erworbene Liegenschaften binnen Jahresfrist wieder an Bürger und Einwohner verkauft werden. 1440 hatte die Stadt im Schlichtungsvertrag mit der Geistlichkeit nur durchsetzen können, daß sich der Klerus mit der Stadt über die Besteuerung der Liegenschaften, die in den vorangehenden 30 Jahren steuerpflichtig gewesen waren, vereinbaren sollte: *Rudolph* 1915, 391, *Laufer* 1973, 65 f. (A. 172).

[23] *Kentenich* 1915, 362 f.

[24] *Kentenich* 1915, 361.

[25] *Kentenich* 1915, 361, vgl. *Laufner* 1952, 171: auf diese Übergabe der Schlüssel berief sich der Kurfürst u. a. beweisführend im Prozeß um die Reichsstandschaft der Stadt 1568—1580.

[26] *Laufner* 1952, 167. Das Wiederaufleben des Trierer Strebens nach Anerkennung der

der Reichsunmittelbarkeit der, Stadt war nur indirekt angesprochen, da die Schlüsselgewalt zu den traditionellen städtischen Rechten Triers gehörte.

Die Verbindung zwischen Autonomiebewegung, dem Bemühen der Stadt, zur Reichsstandschaft durchzustoßen, und der protestantischen Bewegung kam jedoch 1559 klar zustande. Die Partizipationsbewegung, die sich 1540 gegen den Rat gerichtet hatte, blieb während des Konfessionskonfliktes von 1559 latent. Unter den in diesem Konflikt wirkenden Motiven, Freiheit der Stadt, Einheit der Bürgerschaft, Zur-Geltung-Bringen der reformatorischen Wahrheit, bleibt erheblich, daß die Mehrheit der Bürger an der alten Kirche festhielt. Hier ist zu erörtern, in welcher Weise die protestantische und Autonomiebewegung zusammenwirkten[27]. Die Ausgangslage des Konfessionskonfliktes kennzeichneten verschärfte Spannungen, die antiklerikale Elemente in der Stadt und die kurfürstliche Politik der Sicherung der Landeshoheit hervorriefen. Auch unmittelbar vor 1559 spielte ein Drängen auf Ausübung der protestantischen Konfession keine sichtbare Rolle: Kurfürst Johann von der Leyen duldete die communio sub utraque[28]. Der Bericht Pierre de Cologne's an Calvin vom März 1559[29] bestätigt, daß

Reichsstandschaft ist zuerst in der oben A. 15 genannten Weigerung, mit der Landschaft Steuern zu zahlen, greifbar (1542).

[27] Für die Protestanten in Trier freilich gilt, wie *Molitor* 1967, 17, feststellt, der wesentlich religiöse Charakter der Erhebung: „der Impuls zur Aktion (ist) im religiösen Bereich zu suchen", obwohl wirtschaftliche und politische Faktoren „mitgespielt" haben. Wir setzen bei dieser vorsichtigen Formulierung an und versuchen, den Vorgang, der andernorts vollständig beschrieben ist (*Ney* 1906, *Laufner* 1960), auf die Wechselwirkungen zwischen städtischer Autonomie, neuem und altem Glauben zu befragen, und lehnen damit die vereinfachte Zuordnung ab, die schon die Gesta Trevirorum (ed. *Wyttenbach-Müller* 1794, 18) behaupten: „res autem novas Senatus indies movebat: jam de portarum clavibus, de monetae valvatione cum praedecessoribus Archiepiscopi lis et controversia fuerat, quibus de provincialibus subsidiis, de praesidio in urbem introducendo, deque custodia urbis disceptatio accessit; tandemque de novis operibus et molendinis in flumenis ripa erectis, de Judaeis, aliisque rebus quotidianae quaestiones adjectae sunt. Et sub istorum colore, religionis libertas, more aliarum haereticarum partium, quaerebatur, quod exitus probavit." Dieser Ansicht entspricht der noch von *Caspar* 1966 verwandte Begriff „Religionsaufstand", wobei ebenso wie bei *Conzemius* die landesherrliche Perspektive fraglos übernommen wird. Der sonst übliche Begriff „Reformationsversuch" impliziert antizipierend die nicht zustande gekommene und in der Intention nicht nachweisbare Zielsetzung, die ganze Stadt der ‚Reformation' zuzuführen. Nachweisbar für 1559 ist, daß ein (Olevian) und ein zweiter (Flinsbach) Prediger das Recht zur protestantischen Predigt haben sollten. Von einer etablierten Gemeindeorganisation verlautet nichts. Trotz des expansiven Charakters der protestantischen Bewegung kann nicht behauptet werden, daß sie auf alleinige Geltung durch Unterdrückung der katholischen Mehrheit abzielte. Vgl. die vorsichtigere Formulierung bei *Goeters* 1959, 5: „... daß ... sich eine starke evangelische Bewegung zu Worte meldete, die die Freiheit evangelischer Predigt und die Freiheit evangelischen Gottesdienstes auf ihre Fahnen geschrieben hatte."

[28] *Ney* 1906, 22. Wir stimmen *Molitor* 1967, 14 f., zu, daß der Laienkelch nicht ein stets eindeutiges Kennzeichen konfessioneller Zugehörigkeit war. Doch wurde der Kurfürst gerade unter Hinweis auf die in Trier praktizierte communio sub utraque auf die Protestanten aufmerksam gemacht.

[29] *Ney* 1906, 26, *Laufner* 1960, 24, *Calvini Opera* = CR 17, 1877, 471.

in Trier der konfessionelle Gegensatz nicht bestimmend war. Traditionelles Anlaufen gegen den privilegierten Klerus und Streben nach anerkannter Reichsstandschaft waren der protestantischen Minderheit vorgegeben. Wenn sich — wie das gleiche Schreiben berichtet — diese Minderheit bemühte, eine städtische Gesandtschaft auf den Reichstag zu entsenden, „libertatis evangelicae obtinendae", zeigt dies die Richtung der Politisierung an, wiewohl sie darin offenbar keine Unterstützung im Rat gefunden hatte.

Sofort aber, als Caspar Olevian im August 1559 in Überschreitung seines Amtsauftrages zu predigen begann, verbanden sich Protestantismus und Autonomiebewegung. Nachdem die Versuche, die Predigten durch Mehrheitsentscheid des Rates oder der Zünfte zu unterbinden, an der ausweichenden Taktik Olevians gescheitert waren, nachdem auch der bischöfliche Offizial gegen Olevian nicht vorgehen konnte, da dieser dem Klerikerrecht nicht unterstand, reagierte der kurfürstliche Rat prompt und wurde vor dem Stadtrat vorstellig. Dagegen berief sich die protestantische Minderheit im Rat auf den Augsburger Religionsfrieden, wobei sie die Reichsstandschaft Triers unterstellte. Damit war die Religionsfrage in Trier aus einem reinen innerstädtischen Kontext herausgehoben und zu einer politischen Frage gemacht: der Konflikt um Olevian und den Protestantismus floß mit der bereits bestehenden Auseinandersetzung um die Landeshoheit des Kurfürsten zusammen. Der Protestantismus fand die Autonomiebewegung als Plattform vor und aktualisierte sie. Dabei folgte die Berufung auf den Reichsabschied 1555 der extensiven Auslegung. Denn er sicherte, wie bekannt, nur die Fortexistenz der vor 1555 bereits ausgeübten Religion der Confessio Augustana. Vor 1555 hat sich in Trier die protestantische Gruppe nicht als Gemeinde organisiert. Daher berief man sich wohl auch nicht auf die Declaratio Ferdinandea. Olevian hat sich im übrigen nicht auf den Reichsabschied von 1555, sondern auf sein Gewissen berufen sowie auf seine Berufung durch das Volk[30]. Als die kurfürstlichen Räte am 25. August die drei protestantischen Schöffen ihres Amtes enthoben, verstärkte sich die Deckung der Loyalitäten gegen Stadt und Konfession: der Eingriff bewirkte, daß zugleich die freie Religionsausübung und die Freiheit der Stadt zu verteidigen waren. Für die katholischen Ratsmitglieder jedoch brachte dies eine Spaltung der Loyalitäten mit sich: obwohl sie bei der alten Kirche bleiben wollten, mußten sie die städtische Freiheit gegen den Kurfürsten, der zur Stützung der alten Kirche eingriff, behaupten[31]. Um die Ursache dieses inneren Konfliktes zu beheben, versuchte die katholische Ratsmehrheit zunächst den status quo ante wiederherzustellen: wenn der Bürgermeister Olevian jegliches Predigen untersagte, wäre die Einheit innerhalb der Stadt wiederhergestellt. Der protestantische Bürgermeister, Johann Steuß, weigerte sich, dem zuzustimmen: er setzte die religiöse Überzeugung

---

[30] *Ney* 1906, 35.
[31] *Laufner* 1960, 31.

dem Grundsatz der Einigkeit in der Stadt vor[32]. Dementsprechend verstärkte sich der aggressive Charakter der protestantischen Bewegung, möglicherweise gegen altgläubige Abwehr reagierend, als auch die Ausbildung eines Ansatzes einer eigenen Gemeindeorganisation[33]. Dadurch, und als die Zahl der Anhänger Olevians stieg[34], als überdies die kurfürstlichen Räte forderten, Olevian verhaften zu lassen[35], geriet die katholische Gruppe im Rat unter zunehmenden Druck. Der Rat versuchte, durch eine Abstimmung der Zünfte einen Konsens zu erreichen. Zu gleicher Zeit ersuchten die Anhänger der Augsburgischen Konfession den Kurfürsten, die evangelische Predigt in der Stadt Trier freizugeben[36]. So ließ sich der Konflikt nicht lösen. Ein erneuter Eingriff von kurfürstlicher Seite stellte jedoch den Rat wieder auf eine gemeinsame Grundlage: am 14. September sagte der kurfürstliche Statthalter Olevian das Geleit auf und verbot ihm weiteres Predigen. Der Rat protestierte feierlich unter notarieller Beglaubigung, daß diese Geleitaufsage den Rechten der Stadt widersprach[37]. Das Predigtverbot, das unwirksam blieb, da sich Olevian ihm entzog, indem er eine Bedenkzeit ausbat, stellte die innerstädtischen Parteien wieder in eine gemeinsame Front gegen den Landesherrn, zudem machte der neue Eingriff es möglich, den Akzent von der rechtlich unsicheren Berufung auf den Augsburger Religionsfrieden in Richtung auf die Wahrung der städtischen Freiheiten nach altem Herkommen zu verschieben. Die Wirkung des sich so ergebenden Solidarisierungseffektes zeigte sich in der Szene am Morgen des 16. September, als der Bürgermeister dem Kurfürsten, der Eintritt in die Stadt begehrte, entgegentrat und ihn auf die Wahrung der städtischen Rechte und Freiheiten verpflichtete[38]. Deutlich wurde aber auch, daß Bürgermeister Steuß nicht den ganzen Rat hinter sich wußte, als er den Kurfürsten fragte, ob er gegen die Augsburger Konfessionsverwandten gewaltsam vorgehen wolle, und sich zugleich erbot, vor einem unparteiischen Gericht, er dachte an das Reichskammergericht, zu einer gütlichen Untersuchung zur Verfügung zu stehen. Obwohl der Kurfürst eine ausweichende Antwort gab und Steuß den

---

[32] *Ney* 1906, 44: nach späteren, freilich nicht unwidersprochenen Ausführungen der kurfürstlichen Seite kam diese Fixierung der Prioritäten bei Steuß so zum Ausdruck: „Es muß fort, es sei dem katholischen Rat lieb oder leid".

[33] So zersprengten Anhänger Olevians die Schlösser der Burse, die der Rektor der Universität hatte anlegen lassen, um Olevian am Predigen zu hindern (*Ney* 1906, 38). Ende August/Anfang September verzeichneten die Führer der Protestanten diejenigen, die Olevian finanziell unterstützen wollten, sie bereiteten damit eine — staatsfreie — protestantische Gemeinde vor. Sie beriefen ferner einen zweiten Prediger (Flinsbach) von auswärts (*Ney* 1906, 45). Weiteres *Laufner* 1960, 31 f.

[34] *Ney* 1906, 55: Anfang September ca. 500—600.

[35] *Ney* 1906, 49. Dies rief Erinnerungen an Fälle wach, in denen solche Aufforderungen zu Unrecht und ohne Verhör ergangen waren. Zu beachten ist, daß die kurfürstlichen Räte das städtische Recht, die Verhaftung durchzuführen, beachteten.

[36] *Ney* 1906, 51.

[37] *Ney* 1906, 55.

[38] *Ney* 1906, 60.

Handschlag verweigerte, erging der Befehl, die Stadt dem Kurfürsten zu öffnen[39].

Die Anwesenheit des Kurfürsten zeitigte nicht die von ihm erhoffte Wirkung. Er wollte die innerstädtischen Spannungen ausnutzen und verhandelte direkt mit der katholischen Ratsgruppe, belastete sie aber durch die Forderung, der städtischen Wache an den Toren kurfürstliche Soldaten beizugeben. Darüber hinaus machte der Kurfürst in einer Unterredung am 17. September erneut klar, daß er die anderskonfessionelle Gruppe als Rebellen behandeln werde[40]. Gerade diese Identifizierung der religiösen mit der politischen Seite wollte die katholische Gruppe unter allen Umständen vermeiden. So schloß sie mit der evangelischen Gruppe eine Übereinkunft, nach der sich beide an der Wache beteiligen sollten. Eine erneute Eingabe der Augsburger Konfessionsverwandten deutete eine Linie des Kompromisses an. Olevian sollte verhört werden, das heißt, eine Disputation sollte stattfinden nach dem Maßstab der heiligen Schrift. Zugleich aber wollten sich die Evangelischen belehren lassen, ob sie berechtigt seien, Prädikanten anzustellen, und ob sie sich auf den Religionsfrieden berufen könnten. Sollte dies nicht der Fall sein, baten sie den Kurfürsten um Toleranz[41]. Auf dieser Linie war zwischen der katholischen und der protestantischen Gruppe ein, wenn auch nur kurzfristiger, Konsens hergestellt: Die katholische Gruppe unterstützte in einer Eingabe an den Kurfürsten das Rechtserbieten der Evangelischen[42]. Die Politik des Kurfürsten während seiner Anwesenheit in der Stadt war damit gescheitert: entgegen seinem Ziel, den Rat zu spalten und die katholische Gruppe gegen die evangelische einzusetzen, ergab sich infolge seines Behauptens auf der Landeshoheit ein höheres Maß von Einigung zwischen den beiden Gruppen, eine Einigung, die sich zwar nicht auf die Konfession erstreckte, aber doch die Behauptung abwies, die evangelischen Bürger seien Aufrührer. Es erschien so denkbar, daß sich beide Parteien des Rates ohne weitere kurfürstliche Einwirkung auf die Koexistenz beider Konfessionen einigen konnten. Der Kurfürst erklärte in seinem Rat am 30. September, „daß es die Katholiken mit den Konfessionisten halten"[43]. Er verließ daher die Stadt und setzte sein Recht als Landesherr mit Gewalt durch.

Wie mühsam jedoch die konfessionellen Spannungen innerhalb der Bürgerschaft durch den städtischen Kompromiß hintangehalten waren, erwies sich nicht nur in einzelnen Äußerungen[44], sondern erst recht, als sich der Druck von außen durch die Blockade verstärkte. Die Einheit des Magistrats zerbrach so-

---

[39] *Ney* 1906, 60 f.
[40] *Ney* 1906, 66 f. Schon das kurfürstliche Schreiben vom 11. 9. 1559 hatte Olevian als Rebellen bezeichnet (*Laufner* 1960, 31).
[41] *Ney* 1906, 71—73.
[42] *Ney* 1906, 80.
[43] *Ney* 1906, 86.
[44] *Ney* 1906, 91.

fort: am 3. 10. bildeten die katholischen Ratsherren den „katholischen Rat", der mit den katholischen Zunftausschüssen kooperierte[45]. Die evangelischen Ratsherren ließen nun zwar auf Ersuchen des katholischen Rates die protestantische Predigt einstellen, die intransigente Haltung des Kurfürsten vereitelte aber jede Vermittlung. Der katholische Rat nahm hinfort die volle Autorität der städtischen Obrigkeit in Anspruch, der evangelische Appell, die städtischen Freiheiten gegen den Kurfürsten zu wahren, zeitigte jetzt nur noch die Wirkung, daß der Rat den Kurfürsten um eine einsichtige Haltung bat, wobei freilich nichts anderes erreicht wurde als die Zusage, diese Bitte dem Kurfürsten vorzutragen[46]. Auch daß der katholische Rat die führenden Protestanten in Sicherheitsverwahrung bzw. Hausarrest nahm, half ihm weder beim Kurfürsten, noch konnte es seine Glaubwürdigkeit, auf städtischen Freiheiten zu bestehen, stärken. Dennoch ließ sich in Verhandlungen erreichen, daß der Landesherr darauf verzichtete, mit der Eliminierung der neugläubigen Elemente weitere Eingriffe in die städtische Selbstverwaltung zu verbinden: als er am 26. Oktober erneut in die Stadt einritt, versprach er, städtische Rechte nicht aufzuheben[47]. Der Rat mußte dabei die klare Aussage des Kurfürsten hinnehmen, daß er der Landesherr sei: eine Reichsstandschaft konnte in dieser Situation nicht mehr behauptet werden. De facto hatte der katholische Rat den Kurfürsten als Landesherrn schon Ende September akzeptiert[48]. Auch das von den Protestanten angerufene Reichskammergericht hatte die Anerkennung der Reichsstandschaft verweigert[49].

Die genauere Analyse der Trierer Ereignisse ergibt also, daß die Stärkung der städtischen Autonomie gegenüber dem Landesherrn und das Streben nach Reichsstandschaft von den Protestanten instrumental gesehen wurden. Sie wollten sich erstens durch Berufung auf den Augsburger Reichsabschied rechtlich absichern und zweitens mit der Berufung auf die überkommenen städtischen Freiheiten, die es zu bewahren galt, die protestantische Gemeindebildung in der Stadt stützen. Freiheit bildete also nicht ein dem protestantischen Glauben innewohnendes Element, das sich zugleich mit diesem freisetzte. Auch die Norm der stadtbürgerlichen Einigkeit setzte die protestantische Gruppe hintan, als sie sich dem Bekenntnis und dessen Verwirklichung in der Praxis abträglich erwies. Die Ereignisse in Trier im August und September 1559 zeigen jedoch, wie wirksam die Autonomiebewegung sich zugunsten des Protestantismus einsetzen ließ. Erst die Bedrohung des vitalen Interesses durch die Blockade konnte sowohl den „katholischen Rat" als auch die katholisch gebliebene Bürgerschaft dazu zwingen, ihr Bekenntnis zur alten Kirche gegen die Norm der bürgerlichen Einigkeit einzusetzen, die weltliche Norm und den alten Glauben zusammenzusehen und

---

[45] *Ney* 1907, 4.
[46] *Ney* 1907, 13 f.
[47] *Rudolph* 1915, 497.
[48] *Ney* 1907, 25, *Ney* 1906, 80.
[49] *Ney* 1907, 15.

die Einheit der Stadt auf der Grundlage des alten Glaubens gegen die Protestanten zu suchen[50].

Obwohl die Stadt Trier mit der Ausweisung führender Protestanten infolge des gescheiterten sogenannten Reformationsversuchs einen Teil ihrer Führungselite verlor, setzte sie ihren Kampf um die Anerkennung der Reichsstandschaft fort. Er wurde nun getragen von denen, die sich 1559 zur alten Kirche bekannt hatten. Dieser Konflikt mit dem Kurfürsten fügte sich fast bruchlos an die Ereignisse von 1559 an. Im Verlauf der sechziger Jahre steigerte er sich bis zu einer kriegerischen Auseinandersetzung. Es ging zunächst um die Gerichtshoheit der Stadt, die das Recht der Verhaftung bei Friedbrüchen und die Exekution von Urteilen des Schöffengerichts für sich forderte[51]. Nachdem ein Lösungsversuch auf dem Rechtsweg[52] und eine gütliche Vermittlung[53] gescheitert waren, zeigte sich die kurfürstliche Interpretation der Rechtslage der Stadt in seiner Forderung, sie als landsässige Stadt zu besteuern. Der Rat strebte zunächst eine Lösung an, die seine Rechte wahrte, nämlich die pauschale Abführung einer Steuersumme, um so die direkte und individuelle Besteuerung der Bürger zu vermeiden. Nur in diesem Zusammenhang wies der Rat darauf hin, daß die Bürgerschaft arm sei, da durch die Exemtion der Geistlichkeit ein großer Teil des Hausbesitzes unbesteuert bleibe und da 1559 ein Teil der großen Vermögen abgewandert sei[54]. Die unnachgiebige Haltung des Kurfürsten führte dazu, daß der Rat dem neugewählten Kurfürsten Jakob von Eltz (1567—1581) wiederum den Eintritt in die Stadt verweigerte und erneut auf rechtlich gesicherte Anerkennung der Reichsstandschaft hinarbeitete[55]. Während erneuter Blockade und Belagerung der Stadt kam es zwar wieder zu antiklerikalen Ausschreitungen[56], konfessionelle Motive lassen sich jedoch bei dieser langen Auseinandersetzung nicht erheben, obwohl Trier auch protestantische Fürsten wie den Kurfürsten Friedrich von der Pfalz und Herzog Wolfgang von Pfalz-Zweibrücken zur Parteinahme aufforderte[57]. Durch Vermittlung einer kaiserlichen Gesandtschaft wurde der Konflikt auf den Rechtsweg vor Reichsinstanzen geleitet[58]. Ein langwieriger und gründlicher Prozeß vor dem Reichshofrat schloß 1580 mit einem Urteil zugunsten des Kurfürsten[59]. Der Reichshofrat fixierte den rechtlichen Status der

[50] Vgl. den bei *Laufner* 1960, 40, A. 58 zitierten Satz Dronckmanns: „Ubi est fidei dissentio, non potest esse animorum conjunctio".
[51] *Conzemius* 1956, 21.
[52] *Conzemius* 1956, 21: die Stadt klagte vor dem Reichskammergericht gegen den Kurfürsten.
[53] *Conzemius* 1956, 22.
[54] *Conzemius* 1956, 23.
[55] *Laufner* 1952, 167, *Conzemius* 1956, 23.
[56] *Conzemius* 1956, 28.
[57] *Conzemius* 1956, 29 f.
[58] *Laufner* 1952, 168, *Conzemius* 156, 51.
[59] *Laufner* 1952, 168 ff. stellt die beiderseitigen Argumente zusammen. *Conzemius* 1956, 35 ff. *Marx* 1858, 399 ff.

Stadt Trier eindeutig, indem er dem Kurfürsten und Erzbischof von Trier die volle Obrigkeit und Landeshoheit über die Stadt zusprach, die Stadt verpflichtete, ein Teil der Landschaft zu sein, dem Kurfürsten zu huldigen, ihm gehorsam zu sein und seine volle Jurisdiktion anzuerkennen. Ebenso sanktionierte das Urteil das Aufsichtsrecht des Kurfürsten über die städtische Gesetzgebung und die Wahl des Magistrats. Es bestätigte ferner die Exemtion des Klerus[60]. Im selben Jahr 1580 erließ Jakob von Eltz eine neue Stadtordnung, die die Rechte, die das Urteil ihm zusprach, konkretisierte. Die städtische Verwaltung war in Zukunft nicht mehr eine Selbstverwaltung nach herkömmlichem Recht, sondern erfolgte im Auftrag des Landesherrn[61]. Sie wurde gemeinsam dem kurfürstlichen Statthalter und dem Rat übertragen. Der neue Bürgereid umfaßte auch eine Verpflichtung auf den Glauben der alten Kirche, die Ratsherren hatten sich überdies auf die Beschlüsse des Trienter Konzils zu verpflichten[62]. Diese Klausel übernahm die schon im Jahre 1562 formulierte der Koblenzer Stadtordnung[63].

An der letzten, intensivsten Phase der Autonomiebewegung der Stadt Trier hatten die in der Stadt zurückgebliebenen Protestanten keinen führenden Anteil[64]. Kurfürst Johann von Schönenberg (1581—1599) ging 1583/84 gegen sie vor. Das erhaltene Verhörsprotokoll[65] erweist, daß es sich nur noch um Reste einer vordem bedeutenden Minorität handelte: zum Teil um solche, die neu eingewandert waren[66], zum Teil um solche, die zurückgekehrt waren nach der Ausweisung 1559/60[67], aber auch um solche, die ununterbrochen in Trier gewohnt hatten[68]. Sie zeigten einen völlig verschiedenen Bekenntnisstand: neben klarem Bekenntnis zur Augsburger Konfession[69] gestanden einige, sie empfingen das Sakrament sub utraque[70], nähmen aber an anderen kirchlichen Zeremonien teil[71],

---

[60] *Rudolph* 1915, 525—529. *Kentenich* in *Rudolph* 1915, 84*·f.

[61] Druck: *Rudolph* 1915, 72 ff.

[62] *Rudolph* 1915, 80 f. Festgelegt war auch Intoleranz gegenüber Nichtkatholiken ebd. 79.

[63] *Reimer* 1911, 281 f.

[64] Dagegen übernimmt *Froehlich* 1959, 250 (U 102) und 253 (U 122) die Bezeichnungen als „tuba belli civilis" der Gesta Trevirorum für Hans Steuß, Metzger, den Sohn des Bürgermeisters Hans Steuß (*Froehlich* 1959, 228), der ca. 1570 wieder nach Trier zurückkehrte, bei der Confessio Augustana blieb und 1584 wieder ausgewiesen wurde, und für Lorenz Zweicher (*Froehlich* 1959, 253, U 122) und bezieht dies ohne Beleg auf die Auseinandersetzung um die Reichsstandschaft.

[65] *Kentenich* 1912, 277 ff., und ders. 1915, 441 ff.

[66] Hans Pfeil (*Kentenich* 1912, 282), Dr. med. Heso Meyer (ebd., 285), Lorenz Jeger (ebd., 285).

[67] Hans Steuß, Metzger (*Kentenich* 1912, 281), Dietrich Hanf (ebd., 285), Gerhard, Büchsenmacher (ebd. 285).

[68] Hans Thiener, Goldschmied, seit 30 Jahren in Trier (*Kentenich* 1912, 283).

[69] Hans Steuß (*Kentenich* 1912, 281), Lorenz Zweicher (ebd., 282), Hans Thiener (ebd., 283).

[70] Anna, Bäckermeisterin (*Kentenich* 1912, 284), Gerhard, Büchsenmacher (ebd., 284).

[71] Hans Pfeil (*Kentenich* 1912, 282), Gerhard, Büchsenmacher (ebd., 284).

andere kommunizierten auch nach katholischem Ritus[72]. Nach 1559 hatte nur eine Neukonversion stattgefunden[73]. Die nach 1559 fortschreitende Autonomiebewegung hatte also dem Protestantismus in der Stadt keinen neuen Auftrieb gegeben. 1584 wurden diejenigen, die nicht konvertierten, ausgewiesen[74].

Auf Grund der von Laufer[75] gegebenen Zunftrangordnung und der Abstimmungsergebnisse von 1559 läßt sich die soziale Streuung des Protestantismus in Trier im groben bestimmen. Neben den in den Akten stark hervortretenden, im Magistrat tätigen und führenden Protestanten und der die Zunftrangordnung anführenden Weberzunft, die sich bis auf ein Mitglied geschlossen für Olevian erklärt hatte[76], waren die an vierter, siebenter und neunter Stelle der Zunftrangordnung stehenden Zünfte der Lauer (Gerber)/Schuhmacher, Schneider[77] und Schmiede[78] überwiegend protestantisch. Die übrigen Zünfte stimmten mehrheitlich für den alten Glauben, obwohl die an zweiter Stelle der Zunftrangordnung stehenden Bäcker eine protestantische Minorität von 10 aus ca. 61 aufwiesen, die an sechster Stelle rangierenden Krämer eine Minorität von 16 Protestanten aus ca. 119[79] und die an letzter, der dreizehnten Stelle liegenden Steinmetzen eine Minorität von 8—9 bei ca. 27 Mitgliedern aufwiesen[80]. Damit ist belegt, daß keineswegs nur die angeseheneren Gruppen der Zunftbürgerschaft dem Protestantismus zugänglich gewesen waren, zumal die Zünfte auch in sich sozial differenziert waren[81]. Zu beachten ist dabei die relative Geschlossenheit der zünftischen Korporationen. Die jeweiligen Mehrheiten für oder gegen den Protestantismus waren eindeutig[82]. Daß dies nicht auf den Einfluß der führenden Zünftler in der jeweiligen Zunft zurückzuführen ist, zeigt das Beispiel der Krämer und Pelzer,

---

[72] Dietrich Hanf (*Kentenich* 1912, 285).
[73] Jakob Scapulis, Bäcker (*Kentenich* 1912, 284 f.).
[74] *Kentenich* 1912, 286. Dazu das Belegmaterial bei *Froehlich* 1959, Nrr. auf S. 254 (zu A. 3).
[75] *Laufer* 1973, 37, A. 4.
[76] *Ney* 1906, 39. Der Webermeister (Zunftvorsteher) war Peter Steuß, als solcher Ratsherr (*Froehlich* 1959, 251, U 104). Von 9—10 Ausgewiesenen stellten 5 Wiederaufnahmeanträge. Die Größenordnung der Weberzunft bestimmt sich aus der bei *Laufer* 1973, 234 (Tab. 1), für 1572 gegebenen Zahl der Zunftmitglieder, plus Ausgewiesene, minus Wiederaufgenommene: 141/2. Analog im Folgenden.
[77] Von ca. 56+7−1 = 62 Mitgliedern des Schneideramts emigrierten 7, einer (*Froehlich* 1959, 245 [U 71]) stellte Wiederaufnahmeantrag, von den Schuhmachern (49+2 = 51) emigrierten nur 2 (*Froehlich* 1959, U 47, 120).
[78] 1572 hatte das Schmiedamt 65, die Goldschmiedbruderschaft 16 Mitglieder, insgesamt 81+15 = 96, davon emigrierten 15. Eine Minderheit von 5—6 hatte gegen die Ausweisung Olevians gestimmt.
[79] Von dieser Minderheit emigrierten 7—8.
[80] *Ney* 1906, 46.
[81] *Laufer* 1973, 154 f., für 1624: *Laufer* 1973, 238 Tabelle 4.
[82] Doch emigrierte jeweils nur ein Bruchteil, vgl. oben A. 76—78.

von denen führende Mitglieder protestantisch gesinnt waren, und die 1559/60 auswanderten, während die Zünfte mehrheitlich katholisch waren[83].

Die für Trier genauer erhobenen Exulantenlisten[84] lassen gewisse Abschichtungen der Anhängerschaft des Protestantismus erkennen. Die Kerngruppe beschränkte sich nicht auf die im Konflikt 1559 führend auftretenden Schöffen, die Inhaber von Rats- oder Magistratsämtern und die Mitglieder der Intelligenz[85]. Die Predigt Olevians und die in der Folge sich verschärfenden Spannungen führten der protestantischen Bewegung gerade in der Zunftschicht eine breite Welle von Anhängern zu, die dann zum Teil aus Überzeugungstreue auswanderten. Ein beträchtlicher Teil kehrte jedoch nach dem Scheitern des Versuchs, eine protestantische Gemeinde zu organisieren, zur alten Kirche zurück[86]. Ein Teil der Ausgewanderten mußte, da das Exil den Verlust der Nahrungsgrundlage mit sich brachte, wieder nach Trier zurückkehren[87]. Eine weitere Gruppe ist zu erkennen unter den dann 1583/84 Ausgewiesenen. Sie hatten sich konform verhalten oder versucht, ihren Überzeugungen, ohne Aufsehen zu erregen, zu leben. Schließlich gab es eine durch Olevian kurzfristig mobilisierte Hörerschaft, die schätzungsweise ein Drittel der Vollbürgerschaft ausmachte[88].

11.2 Mainz

Mainz war wie Würzburg eine landsässige Stadt. In Folge der Mainzer Stiftsfehde (1459—1463) verlor Mainz seine privilegierte Stellung als freie Stadt[1]. Das Patriziat wurde enteignet und vertrieben[2]. Der sozialen und politischen Führungsschicht beraubt, geriet die Stadt völlig unter Kontrolle des Landesherrn. Der Rat wurde zur kurfürstlichen Lokalverwaltungsbehörde. Der „Ratseß" hatte 12 Mitglieder, die „sechs Alten" setzte der Kurfürst und Erzbischof auf Le-

---

[83] *Milz* 1952/53, Nr. 298 und 302 (Krämer), 307 (Kürschner, Pelzer), *Froehlich* 1959, 249 (U 98) Hans Steuff (Steub), Pelzermeister.

[84] Neben *Milz* 1952/53 *Froehlich* 1959.

[85] Johann Steuß, Bürgermeister (*Froehlich* 1959 U 103), Peter Montag, Zender (U 55), Johannes Piesport (U 69), Schöffe, Johannes Zehnder, Ratsyndikus (U 76), Peter Sirck (U 91), Schöffe, sein Bruder Adam Sirck (*Milz* 1952/53, 202). Zur „Intelligenz" zu zählen: Friedrich Olevian (U 63), Otto Seel (U 87), der kurpfälzischer Rat wird, ferner die späteren Schulmeister Ludwig Vellerich (U 112), Hans Weber (U 116).

[86] Die Rückkehr zur alten Kirche setzte unter dem Druck der Blockade ein. Am 19. 10. erschienen Weber vor dem Rat und erklärten, sie seien bereit, die Augsburgische Konfession aufzugeben (*Laufner* 1960, 33).

[87] *Laufner* 1960, 36 f., *Froehlich* 1959, 253: von 80 Emigranten stellten 18 Wiederaufnahmeanträge.

[88] *Laufner* 1960, 30.

[1] *Brück* 1972, 1. Maximilian I. erkannte 1486 die kurfürstliche Herrschaft über Mainz an (ebd., 107; *Schrohe* 1915, 184 ff.; *Ders.* 1920, 1 ff.).

[2] *Brück* 1972, 1.

benszeit ein, wobei die sechs Alten selbst ein Vorschlagsrecht hatten. Die „sechs Jungen" wurden periodisch vom Landesherrn erneuert[3]. Der Tätigkeitsbereich des Rates war beschränkt auf Bürgeraufnahme, Bausachen, Zunftstreitigkeiten und Beleidigungsklagen[4]. Der vom Kurfürsten ernannte „Vicedom" besetzte die städtischen Verwaltungsämter, er hatte auch den Vorsitz im Rat inne[5]. Verteidigung und Wirtschaft kontrollierte der „Gewaltbote" in Vertretung des Vicedom[6]. Die städtischen Güter und Finanzen verwaltete der durch den Landesherrn eingesetzte Schatzmeister[7].

So galt Mainz als „Pfaffenstadt"[8]. Dies bezog sich auf die geistliche Stadtherrschaft. Die Dominanz des Klerus zeigt sich auch in der schon 1435 durch die „Pfaffenrachtung" anerkannten und nach 1462 weiterhin gültigen Privilegierung des Klerus[9] und den in geistlichen Residenzen üblichen hohen Anteil des Klerus am Liegenschaftsbesitz der Stadt[10]. Anders als in Würzburg besaß das Domkapitel keine Mitregierungsrechte außer bei Sedisvakanz. Schon dadurch mußte sich das Verhältnis zwischen Bürgern und Klerus entspannen. Die Mainzer selbst waren nach der Unterwerfung von 1462 noch einmal 1476 aufständisch geworden, als Erzbischof Diether von Isenburg die Stadt an das Domkapitel abgetreten hatte[11]. Die Restitution der kurfürstlichen Herrschaft über die Stadt brachte den Bürgern keine neuen Freiheiten, wohl aber erließ der Kurfürst danach Ordnungen, die die Stärkung der wirtschaftlichen Stellung des Klerus eindämmen sollten: 1483 vereinbarte der Kurfürst mit dem Domkapitel und den Mainzer Stiften, daß die Stiftsgeistlichkeit keinen Handel treiben dürfe[12], Berthold von Henneberg erließ ein Amortisationsgesetz[13].

Wie in der Ausgangslage so sind auch im Verlauf der reformatorischen Bewegung der 20er Jahre des 16. Jahrhunderts in Mainz in wesentlichen Punkten zwischen Mainz und Würzburg Analogien zu erkennen[14]. In der Mainzer Kathedrale predigten Wolfgang Fabritius Capito kurzfristig 1520 und danach Kaspar Hedio bis zum Herbst 1523 reformatorisch[15]. Capitos Predigten waren stark be-

[3] *Brück* 1972, 12, *Schrohe* 1920, 92.
[4] Ebd. *Brück* 1972, 12; *Schrohe* 1920, 30 ff.
[5] *Brück* 1972, 2 f.; *Schrohe* 1920, 92.
[6] *Brück* 1972, 3.; *Schrohe* 1920, 42 ff.
[7] Ebd. *Brück* 1972, 3.
[8] So in Konstanz am Anfang des 16. Jahrhunderts: *Verf.* 1971, 3.
[9] *Brück* 1972, 2.
[10] In Mainz ein Drittel der Wohnhäuser: *Kissling* 1906, 94.
[11] *Brück* 1972, 7.
[12] *Brück* 1972, 9.
[13] *Brück* 1972, 12; *Schrohe* 1920, 120.
[14] Auf der grundlegenden Arbeit von *Herrmann* 1907 fußen die neueren Zusammenfassungen von *Petry* 1952, *Schmidt* in *Steitz* 1962, *Brück* 1972.
[15] *Herrmann* 1907, 73 ff.; *Brück* 1960, 132 ff. Der Vorgänger Capitos, Bartholomäus Zehender (1508—1519), war ein Reuchlingegner (*Brück* 1960, 133). Mit Capito nahm also die humanistische Partei Besitz von der Domkanzel. Per procurationem nahm zunächst

sucht. Sie schufen eine Kontroverssituation, da Ordensprediger gegen Capito polemisierten[16]. Um Hedios Predigt sammelte sich eine kleine, nicht in Zahlen greifbare Hörergemeinde[17]. Sein Weggang von Mainz nach Straßburg, in einer Situation, die er selbst als Verfolgung des Wortes Gottes[18] bezeichnete, führte dazu, daß Evangelische wieder zur alten Kirche zurückkehrten[19]. Die reformatorische Bewegung in Mainz drang ebensowenig wie die Würzburger über das Stadium der Predigtbewegung hinaus. Die Situation des Gegensatzes, die sie erzeugte, konnte sie nicht in Richtung auf konkrete Veränderungen, sei es im Sinne humanistischer Reform oder der Reformation, weitertreiben.

Dies, obwohl sie von namhaften Humanisten unterstützend begleitet wurde. Der Humanismus war in Mainz stärker vertreten als in Würzburg, die Verbindung zwischen Humanismus und Reformation ist in der Person Capitos deutlich greifbar[20]. Neben ihm und Hedio sind Adam Weiß und Melchior Ambach zu nennen. Letztere verließen schon früh die Stadt, Weiß Ende 1521[21], Ambach 1522[22]. Mit ihnen ist der Kreis der Lehrer der Universität Mainz angesprochen. In ihr lehrte auch der oben schon genannte Johann Stumpf, genannt Eberbach[23]. In der theologischen Fakultät der Universität bildete sich ein schwacher Ansatz einer Reform im Sinne eines humanistischen Biblizismus[24]. Da in Mainz eine im Sinne des Humanismus tätige Presse existierte[25], waren die Umstände, welche

Johannes Stumpf die Vikarie in Besitz, Capito leistete am 2. Mai 1520 den Vikarseid (*Brück* 1960, 134). Ab Oktober 1520 ließ sich Capito von Hedio vertreten. Am 5. Januar 1521 resignierte Capito die Vikarie. Die Vikarie war die durch Einkünfte der Marienvikarie aufgebesserte Pfründe des vicarius archiepiscopalis (*Brück* 1960, 132). Auch nach 1520 predigte Capito gelegentlich in Mainz (*Kittelson* 1975, 54 f.). — Die von *Kittelson* 1975 dargelegte differenzierte Haltung Capitos und seine Wandlung vom Humanisten zum reformatorisch Gesinnten trat nicht in der gleichen Nuancierung an die Öffentlichkeit, schon in Basel galten Capitos Predigten als „lutherisch" (*Kittelson* 1975, 39). Vgl. auch *Stierle* 1974, 193, A. 4.

[16] *Herrmann* 1907, 76 f.; *Kalkoff* 1907, 59 f., 138.

[17] *Herrmann* 1907, 140.

[18] Vgl. den „Sendbrief Caspar Hedios an die Evangelischen in Mainz" vom September 1524 bei *Herrmann* 1907, 238—245 (Beilage XVI).

[19] Ebd., 239: „so man die gotsbothen vmb eüch veruolgt vnnd vertreibt/von wegen der bezeignüsz des Euangelii . . ." und ebd. 240: „wie durch das predigen so nach meinem abschied beschehen ist/etlich widerumb abgefallen . . .".

[20] Zum Mainzer Humanismus *Kalkoff* 1907, 51 f.; *Herrmann* 1907.

[21] *Herrmann* 1907, 109: Weiß reformierte Crailsheim.

[22] *Herrmann* 1907, 110 f. Ambach wurde Pfarrer von Bingen, wo er 1524 wegen lutherischer Lehre verhaftet wurde. Er schwor ihr ab, dazu *Herrmann* 1907, 236—238 (Beilage XV: Urfehde, 2. 8. 1524). Weiteres *Kissling* 1906, 98.

[23] *Herrmann* 1907, 107 f.; *Brück* 1960, 148—150.

[24] *Herrmann* 1907, 109: 1523 legte eine Kommission, zu der Stumpf gehörte, in einem Gutachten (Notula reformationis generalis studii Moguntini) fest, daß die zwei ordentlichen Professoren der Theologie täglich je eine Stunde über ein AT- oder NT-Buch zu lesen hätten. Hedio wurde 1523 von Stumpf zum Dr. theol. promoviert (*Kissling* 1906, 97).

[25] Johannes Schöffer: *Herrmann* 1907, 123 f., und *Brück* 1972, 20.

die reformatorische Bewegung in Mainz unterstützten, etwas stärker ausgebildet als in Würzburg. Auch außerhalb der Stadt und des Hochstifts beachtete man die reformatorischen Impulse in Mainz: auf einer Tagung der rheinischen Kurfürsten am 3. Oktober 1523 wurden Köln und Trier bei Mainz vorstellig wegen des „lutherischen handel(s)", der „den zu Mentz ganz vor augen sy"[26] und der in Buchdruck und Kanzelpredigt zutage trete[27].

Über die Haltung der Bevölkerung wissen wir wenig. Die von Aleander im November 1520 auf dem Marktplatz geplante Verbrennung von Büchern Luthers wurde zwar von der eingeladenen Öffentlichkeit verhindert, es ist jedoch unklar, wer dabei den Nuntius ins Gedränge brachte. Studenten könnten da eine Rolle gespielt haben[28]. Antiklerikale Äußerungen sind für 1521 und 1522 bezeugt[29], und zwar in der Zunft der Meistersinger, in der sich auch noch in den 30er Jahren Spuren reformatorischer Gesinnung zeigten[30]. Reformatorische Überzeugungen setzten sich schon punktuell in Taten um, wie in den vom Domkapitel 1524 beanstandeten Fastenbrüchen[31]. Hedio hatte die Freiheit eines Christenmenschen auch in bezug auf das Fasten gepredigt[32].

Bis zu welchem Grade die reformatorische Bewegung die Bürgerschaft in Mainz ergriffen hatte, verdeutlichen die Artikel vom 26. April 1525[33]. Sie forderten die Ein- und Absetzung der Pfarrer der vier Mainzer Hauptkirchen durch die Kirchgeschworenen oder Baumeister und fügten hinzu, daß diese Pfarrer dem Volk das Wort Gottes bzw. das Evangelium[34] verkünden sollten, sie forderten ferner die Freilassung von inhaftierten Pfarrern, was sich nach Ausweis der zweiten Fassung der Artikel auf die wegen lutherischer Predigt Verhafteten be-

[26] *Herrmann* 1907, 148; *Kalkoff* 1907, 124.
[27] *Herrmann* 1907, 148 f.; *Kissling* 1906, 103.
[28] Studenten vermutet *Kalkoff* 1907, 38. *Brück* 1972, 20 sieht dagegen dahinter „die Haltung der Bürgerschaft". Zum Vorgang *Herrmann* 1907, 115 ff.
[29] *Herrmann* 1907, 123. 1522 bot die Geistlichkeit Anlaß, als sie wegen der Gefährdung der Stadt infolge der Sickingenschen Fehde die Stadt verließ. *Kissling* 1906, 95 f.; *Brück* 1972, 19.
[30] *Herrmann* 1907, 170 f.
[31] *Herrmann* 1907, 142.
[32] *Herrmann* 1907, 242: „So sol auch alls vnser leben ein abbruch vnnd ein fasten sein... wir essen dan fisch oder fleisch, wir haltend goldfast/banfast/fronfast/apostelfast/oder nitt/dann ye nach Grund der gschrifft das fasten fry wilkorig/der tag vnd speisz halber." Daß Hedio kontrovers predigte, belegt auch die Ermahnung des Domkapitels 1523: „daß er sich der Artikel, darin Mißverstand und Irrung ist, zu predigen enthalt und das heilig Evangelium und was zu Andacht und Gehorsam etc. diene, sag und nit widerwertigkeit erweck" (*Brück* 1960, 135).
[33] Sie sind in zwei in Anordnung und Formulierung verschiedenen Fassungen überliefert, Inhalte und Tendenz jedoch sind identisch: *Hegel* 1882, 106—111, in der Annahmeurkunde des Domkapitels vom 27. 4. 1525, und *Franz* 1963, 453—455. Zum Aufstand *Brück* 1972, 21 f.; *Franz* 1962, 231 f., und *Cochlaeus* in *Laube-Seiffert* 1975, 404 f.
[34] *Hegel* 1882, 106: „das Wort Gottes gemeinem Volck zu verkunden", *Franz* 1963, 453: „das Evangelium", jedoch ohne einen Zusatz wie ‚rein' oder ‚lauter'.

zieht[35]. Weitere Vorstellungen zur Umgestaltung der Kirche finden sich nicht. Noch gewinnt gar das Wort Gottes begründenden Charakter für einzelne Artikel. Selbst die Artikel, die sich gegen die Privilegien des Klerus richteten, ordnen sich völlig ein in die zentrale Tendenz der Artikel, die Entlastung. Ebensowenig finden sich städtische Autonomieforderungen. Lediglich eine stärkere Teilnahme der Zünfte an der Verwaltung ist angedeutet[36]. Ausdrücklich vermerken die Artikel am Schluß, daß die Herrschaftsrechte des Kurfürsten, selbst die Rechte des Domkapitels nicht berührt sein sollten[37]. Der Rat scheint weder an dem städtischen Aufruhr im Zusammenhang des Bauernkrieges noch an der reformatorischen Bewegung Anteil gehabt zu haben. Die reformatorische Bewegung in Mainz wurde also nicht politisiert. Sie fand weder einen Ansatzpunkt in einer Autonomiebewegung, noch hat sie in der bürgerlichen Partizipationsbewegung eine zentrale Rolle gespielt. Die reichsstädtische Tradition, 1462 ausgelöscht, hatte, wie die Artikel 1525 erweisen, keine Spuren hinterlassen. Die reformatorische Bewegung entfaltete sich, solange der Landesherr gegenreformatorische Maßnahmen suspendierte[38], die in Mainz schon seit September 1523 einsetzten[39].

Wie in Würzburg, Bamberg und Trier bedeutete dann der Bauernkrieg auch in Mainz das endgültige Scheitern der frühreformatorischen Bewegung. Doch breitete sich wie in den eben genannten Bischofsstädten in der zweiten Hälfte des 16. Jahrhunderts der Protestantismus in der Bürgerschaft wieder aus[40]. Wir wissen davon noch weniger als von der protestantischen Bewegung in anderen Bischofsstädten. So ist unbekannt, welche Rolle die protestantische Predigt während der Besatzung durch die Truppen des Markgrafen Albrecht Alkibiades von Brandenburg 1552 spielte[41]. Eine Chronik vermerkt lediglich, daß es wenige Bürger waren, die an den Gottesdiensten der markgräflichen Prediger teilnahmen[42]. Protestantische Gesinnung war nicht nur in der Bürgerschaft, sondern auch in der domkapitlischen und kurfürstlichen Beamtenschaft und im Domkapitel selbst verbreitet. 1555 wurde Bischof Daniel Brendel nur mit einer Stimme

---

[35] *Franz* 1963, 454, dort sind auch die „wegen lutherischen Hendel" verhafteten Bürger genannt. *Cochlaeus* in *Laube-Seiffert* 1975, 404, berichtet, vier Priester seien freigelassen worden. Einer, der Pfarrer von St. Ignaz, Mainz, ist bekannt: *Brück* 1972, 21.
[36] *Hegel* 1882, 110; *Franz* 1963, 455; *Brück* 1972, 21.
[37] *Hegel* 1882, 111; *Franz* 1963, 455; allerdings nur auf den Kurfürsten bezogen.
[38] *Herrmann* 1907, 126 f.; zur Aktivität Capitos *Kalkoff* 1907, danach *Herrmann* 1907, 73 ff. Zur Änderung des Verhaltens Albrechts von Mainz gegenüber der Reformation *Kalkoff* 1907, 123 ff. Zu Albrecht von Mainz zuletzt *Brück* in *Reuter* 1971.
[39] *Herrmann* 1913, 154; *Kissling* 1906, 102 ff.
[40] *Herrmann* 1907, 200 f.; *Brück* 1972, 38; *Ackermann* in *Steitz* 1962, 45—50. Ruggieri notierte (*Wandruszka* 1953, 154) 1562: „publicamente si vive catolicamente, ma ci è gran numero di Lutherani . . .".
[41] *Hegel* 1889, 125; *Nick* 1900, 272; *Brück* 1972, 28—30.
[42] *Hegel* 1889, die markgräflichen Prädikanten predigen, „sungen teutsche psalmen undt hielt einer teutsche meß im Eysern Chor (in Dom) undt reicht den leuten daß nahtmal. Darzu gingen auch ettlihe, doch wenig burger, allein die lust hatten zur newrung. Disse ding gefielen ettlihen wol, ettlichen aber ubel".

Mehrheit vom Domkapitel gewählt. Die Gruppe, die den protestantisch gesinnten Reichardt von Simmern wählen wollte, mochte sich freilich auch aus denen zusammensetzen, die einer katholischen Reform widerstrebten[43]. So ist zu vermuten, daß die Verbreitung des Protestantismus auch durch diejenigen ermöglicht wurde, die nicht entschieden Gegenreformation und katholische Reformen fördern wollten. Ein Beispiel für eine solche Haltung ist der Mainzer Dompfarrer Dr. Georg Artopaeus (Becker) (1556—1578), der mehrfach in den Verdacht geriet, das Fastengebot nicht eingehalten und die communio sub utraque gespendet zu haben[44]. Er selbst beteuerte jedoch, er wolle trotz lockender Angebote von protestantischer Seite katholisch bleiben[45]. Über die Zahl der Protestanten in der Einwohnerschaft kann man aufgrund der Konversionen[46] einen Eindruck gewinnen[47]: es ergibt sich eine Größenordnung von ungefähr 10 Prozent der Einwohnerschaft. Daß dabei ein nicht zu bestimmender Anteil von Einwanderern war, belegt die 1580 und 1595 angeordnete Regelung, bei der Einbürgerung ein Religionszeugnis zu verlangen[48]. Auch protestantisches Schrifttum förderte die „Protestantisierung": 1579 verbrannten Jesuiten häretische Bücher, die Kinder eingesammelt hatten[49]. Abweichend von Würzburg und Trier endete in Mainz das Verfahren der Gegenreformation nicht in der Vertreibung. Die seit Regierungsantritt des Kurfürsten Johann Adam von Bicken (1601—1604) in die Höhe schnellenden Konversionszahlen zeigen, daß der Nachdruck des Landesherrn den Erfolg des Bekehrungsverfahrens erhöhte[50]. Doch sind Einzelheiten des Verfahrens nicht bekannt. Vermutlich ist der geringere Einsatz staatlicher Machtmittel nicht nur auf ein langfristig angelegtes Vorgehen, sondern auch darauf zurückzuführen, daß — wie in den 20er Jahren — ein Widerstand gegen die Rekatholisierung keinen Rückhalt an städtischen Selbstverwaltungsrechten fand.

[43] *Brück* 1954, 2—11; *Ackermann* in *Steitz* 1962, 46; *Petry* 1952, 12 f.
[44] *Brück* 1960, 153 f.
[45] *Brück* 1960, 155.
[46] *Herrmann* 1907 nach *Schmidt* 1903, 11.
[47] Die Zahl der Konversionen von 1581—1605 betrug ca. 843. Wir setzen die Einwohnerzahl von Mainz um 1600 mit ca. 7920 an, was sich aufgrund einer Interpolation der bei *Kellenbenz* 1976, 138 f., angegebenen Zahlen für die Zünftigen (1541: 1049; 1641: 1641) + 10 % für die Unterschichten (ebd.) × 4,5 ergibt, da wir annehmen, daß die Familienmitglieder bei Konversionen mitgezählt wurden.
Roberg 1971, Nr. 278, S. 115 (C. Aldobrandini an Frangipani, Rom, 20. 11. 1592); „È gran miseria ch'egli tolleri nella propria città le Magonza non solo i publici concubinarii, ma anco li publici heretici, . . .".
[48] *Brück* 1972, 38 spricht von „verhältnismäßig vielen Neubürgern aus inzwischen sicher protestantischen Gebieten". *Schrohe* 1920, 129 f. (1580).
[49] *Ackermann* in *Steitz* 1962, 47.
[50] *Brück* 1972, 38. Johann Adam von Bicken forderte die Bürger 1602 auf, zur Feier des Mainzer Jubiläums vollzählig an der Kommunion teilzunehmen (*Brück* 1971, 173). Die Konversionszahlen für 1600 ff.: 1600: 24, 1601: 113, 1602: 48, 1603: 68, 1604: 53 (Bicken starb am 11. 1. 1604), 1605: 139.

11.3 Salzburg

Die Residenzstadt des Erzbistums Salzburg hatte im Spätmittelalter Selbstver-
waltungsorgane entwickelt und, wie die anderen Städte des Hochstifts[1], Land-
standschaft erreicht. Einen weiteren Schritt auf volle Autonomie zu erreichte sie
1481, als Kaiser Friedrich III. Salzburg im Zusammenhang des „Ungarischen
Krieges" mit reichsstädtischen Rechten privilegierte[2]. Zur Unabhängigkeit vom
Stadtherrn jedoch fehlte der Stadt die Gerichtshoheit, die dem Erzbischof ver-
blieb[3]. Salzburg blieb auch Landstand[4], über eine Reichsstandschaft verlautet
nichts. So war der Konflikt mit dem Landesherrn vorgeprägt. Er verlief, in sich
vervielfältigenden Aktionen kompliziert, trotz mehrfacher kaiserlicher Vermitt-
lungsbemühungen ohne Ausgleich[5]. Der Erzbischof, Leonhard von Keutschach
(1495—1519), demonstrierte sein Recht als Landesherr durch Eingriffe in die
Verwaltung, während der Rat seine Rechte verteidigte und sie auf das Gerichts-
wesen ausdehnen wollte. Erst 1511 fand der Konflikt ein gewaltsames Ende zugunsten des Erzbischofs. Er setzte den Rat gefangen und nötigte ihm einen Verzicht auf die 1481 erreichten Freiheiten ab[6]. Als Kardinal Matthäus Lang 1519
Erzbischof von Salzburg wurde, sah er sich der Forderung der Gemeinde gegenüber, die Neuordnung seines Vorgängers rückgängig zu machen[7]. Eine vorläufi-
ge Antwort Matthäus Langs setzte fest, daß die Gemeinde nicht versammelt werden dürfe, sie auch nicht den Magistrat zu wählen habe, die Gesamtheit der Beschwerden blieb jedoch unbeantwortet. Noch 1523 hatte der Erzbischof die
Stadt Salzburg hintangehalten[8]. So liegt die Vermutung nahe, daß die frühreformatorische Bewegung sich mit den angestauten, bislang vereitelten Autonomiebestrebungen verband. Der erzbischöfliche Rat verwarf am 16. März 1523 einen
Vorschlag, die Gemeinde der Stadt Salzburg zusammenzurufen, um den Mühldorfer Rezess von 1522 zu erläutern und einzuschärfen[9], da die städtischen Beschwerden noch nicht beantwortet seien[10]. Statt dessen sollten nun die fürstlichen

---

[1] *Knittler* 1973, 133; *Klein* 1965, 121.
[2] *Zillner* 2, 1890, 389 f., *Widmann* 2, 1909, 363; *Knittler* 1973, 139. Zum „Ungarischen
Krieg" *Widmann* 2, 1909, 305 ff. und *Klein* in *Huter* 1966, 327.
[3] *Zillner* 2, 1890, 390. Auch im Ratsbrief 1481 ist der Erzbischof als Landesherr in seiner
Gerichtshoheit bestätigt (*Widmann* 2, 1909, 363).
[4] *Zillner* 2, 1890, 774 f. So klagte die Stadt 1508 wegen des Konflikts mit dem Erzbischof
vor dem Landtag (*Widmann* 2, 1909, 372).
[5] *Zillner* 2, 1890, 775—782 referiert die Akten. *Widmann* 2, 1909, 362 ff.
[6] *Zillner* 2, 1890, 416; *Widmann* 2, 1909, 375 ff.; hinfort bestätigte der Erzbischof die Bürgermeister; der Rat durfte nur im Beisein des Stadtrichters tagen; er verbot, die Gemeinde
ohne seine Zustimmung zu versammeln; die Stadt huldigte dem Landesherrn, der das Satzungsrecht grundsätzlich in Anspruch nahm.
[7] *Zillner* 2, 1890, 417 f.; *Widmann* 2, 1909, 382 f.
[8] *Zillner* 2, 1890, 419; *Datterer* 1890, XXIII.
[9] Dazu ARC 1, 62—75; *Widmann* 3, 1914, 13 f. Zum Rat: *Mayr* 1925, 2 ff.
[10] *Datterer* 1890, XXIII. *Köchl* 1907, 12 übergeht diese Begründung im Referat der Sitzung des 16. 3. 1523.

Beamten, der Richter oder der Stadthauptmann, gegen die, die das Fastengebot brachen, die lutherische Bücher läsen, die sich von Beichte und Messe fernhielten, vorgehen[11]. Die frühreformatorische Bewegung hatte also die Stadt Salzburg erfaßt, wie andernorts waren Prädikanten und Schriften die wichtigsten Verbreitungsmittel[12]. Das gleiche Protokoll der Sitzung des erzbischöflichen Rates vom 16. 3. 1523 wirft ein Schlaglicht auf das antiklerikale Element der frühreformatorischen Bewegung: Erzbischof Matthäus Lang solle mit seinem Hofgesinde handeln, unter dem sich auch Mitverfasser eines „Pfaffenliedes" befänden[13]. Die Einsicht in den durch den anstößigen Lebenswandel des Klerus stets neu genährten Antiklerikalismus war ja eines der Hauptmotive der von Lang seit 1522 betriebenen Versuche der Klerusreform, die mit den gegenreformatorischen Maßnahmen parallel laufen sollte[14].

Schon im Sommer 1523 bestätigten sich die Befürchtungen der erzbischöflichen Räte. Ein Aufstand der Salzburger Bürgerschaft konnte von Matthäus Lang nur mit Hilfe habsburgischer Truppen niedergeworfen werden. Doch sind Anlaß und Motive des sogenannten „Lateinischen Krieges" unklar. Folgt man den Berichten des Hans von Planitz, der jedoch dem Ort des Ereignisses ferner stand und dessen Gewährsmänner nicht genannt sind, so entstand der Aufruhr, da Lang forderte, Lutherschriften nicht zu lesen und die lutherischen Prediger nicht zu hören[15]. Die Antwort lautete, Luthers Lehren halte man wie andere für die eines Menschen, wenn sie aber mit dem Evangelium und der Heiligen Schrift übereinstimmten, wolle man diese Lehren glauben dürfen. Der Erzbischof möge das göttliche Wort, das an den Tag getreten sei, nicht hindern. Diese Antwort zeigt, neben den schon im März 1523 beanstandeten Abweichungen, daß die reformatorische Bewegung in Salzburg über das Stadium eines unklaren Wildwuchses hinausgelangt war. Der Aufstand brach aus, als Matthäus Lang seine Absicht klarmachte, mit scharfen Strafen gegen die Anhänger Luthers und die Leser seiner Schriften vorzugehen[16]. Dagegen seien die Steuerforderungen Matthäus Langs bewilligt worden[17].

---

[11] *Datterer* 1890, XXIII f.
[12] Ebd. XXIII f.: vgl. auch ARC 1, 64 und 65.
[13] *Datterer* 1890, XXIII.
[14] ARC 1, 48 ff. Daneben tritt die Furcht vor der Erschütterung der kirchlichen und weltlichen Herrschaftsordnung, wie sie als Antrieb der bayrischen Herzöge hervortritt: ARC 1, 6 ff. *Rössler* 1966, 8. Doch konstatierten auch sie radikalen Antiklerikalismus: ARC 1, 7. Zu Salzburg *Schmid* 1899, 156. — Für die Stadt Salzburg hebt das Gutachten des Salzburger Offizials Dr. Jacob Hausshamer Ende 1519 (ARC 1, 18—20) hervor, daß in der Metropole die Mißstände besonders offen hervorträten, da sich dort die Kleriker konzentrierten, die ihren Lebenswandel den kirchlichen Vorschriften nicht anpaßten.
[15] *Wülcker-Virck* 1899, 465.
[16] Allerdings ist der Zusammenhang des Beginns des Aufstandes, als ein „alter maler" die Anhänger des Wortes Gottes aufforderte, demonstrativ zu ihm zu treten (1523), mit der Tagung der Landschaft nicht deutlich. Deren Befassung mit der Durchführung des Mühldorfer Rezesses schlug der erzbischöfliche Rat am 23. 4. 1523 (*Datterer* 1890, XXV) vor,

Ist auch für die Motivation des „Lateinischen Krieges" Klarheit nicht zu gewinnen, so spricht indirekt die Tatsache, daß der Erzbischof sowohl seine gegenreformatorischen Maßnahmen fortsetzte[18], als auch im folgenden Jahr 1524 (18. 7.) eine neue Stadtordnung erließ, die die landesherrlichen Kontrollmöglichkeiten erweiterte[19], dafür, daß in der Perspektive des geistlichen Landesherrn Bekämpfung der reformatorischen Bewegung und Beschränkung der Selbstverwaltung der Gemeinde eng zusammenhingen.

Die Beschwerden der Stadt Salzburg von 1525[20] nehmen die Bestrebungen der Stadt, die auf den Ausbau der Autonomie zielten, wieder auf, die alten Freiheiten sollten wiederhergestellt werden[21]. Von reichsstädtischen Rechten ist nicht die Rede, die Stadt stellt auf Stärkung der landschaftlichen Ordnung ab[22]. Die Autonomieforderungen schlossen sich mit den reformatorischen zusammen:

die Steuerfrage war jedoch schon auf der Landschaft 1522 anhängig (*Zillner* 1890, 419). Überdies erfolgte nach Planitz der Beginn des Aufstandes in einer Versammlung des „gemeinen volks", wobei nicht zu ersehen ist, ob dies eine reguläre Bürgerschaftsversammlung war oder eine irreguläre Ansammlung von Bürgern und Einwohnern; *Widmann* 1914, 9—11.

[17] *Wülcker-Virck* 1899, 465. Die Tornator-Chronik (*Datterer* 1890, XI ff.) dagegen schreibt der Steuerforderung eine auslösende Funktion für den „Lateinischen Krieg" zu (a. a. O. XV und *Köchl* 1907, 7). Nach *Zillner* 1890, 419, bewilligte schon der Landtag 1522 Geld und Steuer. Zu den Landtagen *Widmann* 1913.

[18] Der Kardinal-Erzbischof zwang am 16. Juli 1523 die Stadt zum erneuten Verzicht auf alle Freiheiten und zum Gehorsam gegenüber der neuen Stadtordnung. Er erließ am 22. Juli 1523 ein an die Amtsträger und Untertanen des Hochstifts Salzburg gerichtetes Mandat gegen Luthers Schriften und Lehre (*Datterer* 1890, XXX—XXXII; *Widmann* 1914, 54 f., *Hauthaler* 1895, 200 f.), in dem die neue Lehre als Ursache aller Uneinigkeit bezeichnet wird (*Köchl* 1907, 12).

[19] *Zauner* 4, 1800, 363; *Zillner* 1890, 421 ff.; *Widmann* 1914, 11 f. Danach bestätigte der Landesherr die Ratsherren und konnte sie absetzen. Unter diesen Bedingungen wählte die Gemeinde den Großrat. Der Stadtschreiber legte auf ihn den Eid ab, wie auch die städtischen Beamten. Der Landesherr genehmigte Bürgeraufnahmen. Städtische Satzungen durch den Magistrat mußten vom Landesherrn genehmigt werden. Im übrigen regelte die Ordnung die städtischen Lebensbereiche detailliert in einer Polizeiordnung (Feuerordnung, Zunftordnung, Friedegebot). Vgl. die Bewertung bei *Franz* 1962[6], 165.

[20] *Widmann* 1897; die Darstellung *Franz* 1962[6], 1975[10], 166, verkürzt, da sie die Salzburger Beschwerden mit den Gasteiner Artikeln vergleicht, deren reformatorischen Gehalt, indem sie den politischen hervorhebt. Zur Haltung der Stadt Salzburg im Bauernkrieg 1525: *Köchl* 1907, 31—33; *Hollaender* 1932, 28—30, 34.

[21] *Widmann* 1897, 20 f. No. 6, 7, 8, 9, 10: und zwar fordern sie nicht nur freie Ratswahl und Bürgermeisterwahl durch die Gemeinde, sondern auch, daß der Richter, der entweder weiterhin vom Landesfürsten eingesetzt (implizit No. 10) oder nach einem gestrichenen Artikel (die Beschwerden sind nur im Konzept überliefert) durch die Gemeinde gewählt werden soll, nur in Hochgerichtssachen Mitglied des Rats(gerichts) sein solle. Ferner fordern sie das Satzungsrecht (gestrichen: alternativ „in nöttigen Sachen" nach Information der Gemeinde oder des Fürsten).

[22] *Widmann* 1897, 25—26, No. 46—57. Auch eine Armenordnung ist vorgesehen (ebd. 22, No. 21).

112

Salzburg stellt nicht nur — wie weit verbreitet — das Verlangen nach Predigt des Wortes Gottes durch gelehrte Prediger obenan[23], sondern begehrt die „ordnung der mess, wie zu Nürnberg", Abschaffung unnötiger Feiertage, aber auch die Einsetzung und Entsetzung des Stadtpfarrers durch die Gemeinde, sowie dasselbe für Spitalpfarrer und -meister durch den Rat[24]. Salzburg fordert nicht nur die Unterstellung der Geistlichen (und des Adels) unter das Stadtgericht in Zivilstreitigkeiten sowie die Strafgerichtsbarkeit für die Diener des Klerus und Adels — also nicht die volle Aufhebung des privilegium fori — und die Besteuerung des Klerus, sondern auch — wie ähnlich in Würzburg — die Unterstellung der Dompropstei und der Klöster unter die Herrschaft der Landschaft[25], sie sollen unterhalten werden, die überschüssigen Einkünfte sollen der Landschaft zufallen[26]. So ausgeprägt der politische Akzent war, die Artikel erweisen, daß die reformatorische Bewegung nicht bei dem unscharfen Anruf des Wortes Gottes stehengeblieben war, sondern Vorstellungen zur Umgestaltung der Kirche entwickelt hatte wie ähnlich in Würzburg. Ansätze zu einer Gemeindeorganisation sind jedoch nicht ausgebildet. Am zweiten Aufstand 1526 nahm die Stadt Salzburg nicht mehr teil[27].

Für das Scheitern der frühreformatorischen Bewegung ist nicht nur das entschiedene und frühe Einsetzen der gegenreformatorischen Maßnahmen des Kardinalerzbischofs Matthäus Lang verantwortlich zu machen. Es fehlte in Salzburg auch ein Prediger, der die Bewegung vorantreiben konnte[28]. So stark sich um das Schlagwort Evangelium oder Wort Gottes der Konsens der Bürgerschaft sammeln konnte, so wenig hatte diese Bewegung eine Chance, Ansätze einer organisierten Gemeinde auszubilden. Nach dem Scheitern des „Bauernkrieges" konnte Matthäus Lang im Hochstift die Ansätze der reformatorischen Bewegung erfolgreicher unterdrücken. Mit der reichsrechtlich sanktionierten Verfolgung der Täufer[29] ließ sich auch das Luthertum verfolgen[30].

[23] *Widmann* 1897, 20: „das Wort gots lautter vnd clar, on all menschlich zuesätz . . ." gestrichen wurde: „unnd all missbrauch desselben abgethan".
[24] *Widmann* 1897, 20, No. 2—5.
[25] *Widmann* 1897, 26, No. 57.
[26] Ebd. No. 57: „. . . sollen Inen alsdann Ir zimblich notturfft raichen Vnnd mit dem Vbringen ain Landschafft, zu gemainer lands notturfft zuhandeln haben."
[27] *Köchl* 1907, 85 stellte jedoch Sympathisanten fest, zu deren Kontrolle Lang die Bürger entwaffnen ließ (ebd. 91).
[28] Die Dompfarrei hatte ein Domherr inne, der einen Vikar einsetzte (*Widmann* 1913, 9). Wie hoch die Wirkung des Johann von Staupitz anzusetzen ist, der seit *Schellhorn* 1732 „inter primos evangelii in provincia Salisburgensi fautores" gerechnet wird, bleibt unklar. Er predigte mindestens zeitweise in der Pfarrkirche (*Schellhorn* 1925, 147, bes. A. 183). Die überlieferten Predigten hielt er vor den Benediktinerkonventualinnen „hinnen in der siechenstub" (ebd. 175). Seine Stellung zur frühreformatorischen Bewegung ist noch nicht geklärt. Dazu sind die Untersuchungen im Sonderforschungsbereich 8, Projektbereich Oberman, abzuwarten. — Wegen der Kürze des Zeitraums ist es unmöglich, daß Speratus nach seinem Abgang aus Würzburg in Salzburg länger predige, vgl. oben S. 12.
[29] Zur Täuferbewegung im Hochstift Salzburg *Schmid* 1900, 146 ff.; *Loserth* 1912; *Wid-*

Dennoch entfaltete sich auch hier, wie in anderen bischöflichen Residenzen, der Protestantismus in der 2. Hälfte des 16. Jahrhunderts erneut. Trotz mehrfacher Versuche, im Hochstift die uneingeschränkte kirchliche katholische Lehre und Praxis durchzusetzen[31], konnte der Protestantismus nicht wirksam eingedämmt werden. Entschieden und mit Erfolg ging gegen den Protestantismus in der Residenz erst Erzbischof Wolf Dietrich von Raitenau (1587—1612) vor. Er erreichte die Säuberung der Hauptstadt gleich nach seinem Regierungsantritt[32].

mann 3, 1914, 60 ff.; *Mecenseffy* 1956, 35 ff.; *Florey* 1967, 158—161; *Rischar* 1968 und 1969; *Clasen* 1972 (Register); *Mecenseffy* 1972.

[30] Vgl. die Fremdenpolizeiordnung vom 4. 1. 1528 bei *Loserth* 1912, 48—50.

[31] Nach einer Generalvisitation erließ Erzbischof Michael von Kuenburg (1554—1560) am 23. 7. 1557 ein Religionsmandat, das die Rückkehr von Dissidenten zur katholischen Kirche und die Einhaltung der Zeremonien gebot: *Köchl* 1910, 109—111; *Widmann* 3, 1914, 87 (dort datiert 20. 7. 1557). *Widmann* 3, 1914, 86: aus der Stadt Salzburg wanderten 1555 einige Bürger in die Kurpfalz aus. *Von Bucholtz* 9, ND 1968, 563 f. (Schreiben der protest. Reichsstände an Erzbischof Salzburg, Frankfurt/Main, 1. 7. 1557). Die protestantischen Reichsstände wurden vorstellig gegen die Landesverweisung „etliche Ire underthanen aus ursachen das sye unnser Christlichen waren bekhanntnus der Augspurgischen Confession sich gemes Ertzaigt und Christj einsetzung nach under bederlay gestalt Communiciert . . .“. Die Kelchbewegung erreichte 1564, analog zu Bayern und Österreich, die Duldung des Laienkelches. Die Konzession kam jedoch zu spät. An dem Aufstand 1564/65 beteiligte sich die Stadt Salzburg jedoch nicht (*Köchl* 1910; *Widmann* 3, 1914, 92—96). 1571 wurde die Duldung des Laienkelches aufgehoben (*Widmann* 3, 1914, 96 f.). Zur Kelchbewegung auch *Steinruck* 1965, 63. — 1580 schilderte eine Denkschrift des Salzburger Domdekans Wilhelm von Trautmannsdorff die religiöse Lage in Salzburg so: fast die ganze Stadt sei von der katholischen Kirche abgefallen, sub una kommuniziere nicht einmal jede zehnte Person, das Fastengebot werde gebrochen, die Messe verspottet, antiklerikale Lieder grassierten. Häretische Bücher seien verbreitet, die Predigten des Stadtpfarrers würden nicht besucht. Die Nichtkatholiken hätten eine Begräbnisstätte gekauft, dort errichte man kostspielige Grabmäler; das Gebot des Weihbischofs, niemanden in geweihter Erde zu bestatten, der nicht katholisch kommuniziere, werde mißachtet. Häretische Prädikanten seien in die Stadt eingedrungen, zwei Schulen seien verseucht. Der Erzbischof kümmere sich nicht um die Zusammensetzung des Stadtrats (*Schellhass* 1939, 271 f.).

[32] *Widmann* 3, 1914, 157; eine knappe Zusammenfassung seiner Reformtätigkeit bei *Oswald* in *Schreiber* 1951, 22 f. *Schweizer* 1912, S. 323 (Nr. 173) Puteo an Montalto, Prag, 11. 10. 1588: „Monsign. arcivescovo di Salzburg . . . è entrato con gran fervore nella strada del vescovo di Herbipoli et di altri prelati di Germani, i quali con la debita cura et sollicitudine attendono a restituire l culto di Dio et l 'osservanza della santa religione catholica.“ Vgl. auch das günstige Urteil Caetanos von 1591 (*Schweizer* 1919, S. 323; Prag, 25. 6. 1591) über Wolf Dietrich von Raitenau: „È Signor di gran spirito . . . si è mostrato molto zelante nel discacciar gli heretici dalla città . . .“; zu den Vorgängen auch das Rechtfertigungsschreiben vom 23. 10. 1590: *Schweizer* 1919, Nr. 128. — Zu Fürstbischof Wolf Dietrich zuletzt, unter dem Gesichtspunkt der habsburgisch-wittelsbachischen Rivalität *Raab* 1973, 89 (Lit.). — Die Säuberung gerade auch der bischöflichen Residenzstädte von häretischen Elementen hatte Ninguarda schon 1572 in seiner Denkschrift gefordert: *Schellhass* 1930, 98.

Ein Mandat vom 3. 9. 1588[33] wies die Protestanten als Ketzer aus der Stadt Salzburg und dem Hochstift aus. Ihre Liegenschaften waren zu veranschlagen, in Stadt und Umgebung innerhalb eines Monats zu verkaufen oder an Personen zu verpachten, die in der Gunst des Erzbischofs standen. Den Protestanten war verboten, im Hochstift Handel zu treiben. Geschäfte konnten nur durch katholische Treuhänder abgewickelt werden. Wiedereinreise war länger als 3 Tage nur mit erzbischöflicher Genehmigung gestattet.

Zuvor hatte Wolf Dietrich von Raitenau den Stadtrat gesäubert[34]. Obwohl die Stainhauser Chronik berichtet, daß über die Hälfte des Stadtrats lutherisch gewesen sei[35], ergibt ein Vergleich der ersten Ratsliste von 1588 mit der „ergänzten"[36], daß nur 2 Ratsherren endgültig aus dem Rat ausschieden[37], sie finden sich auch in der Liste der Emigranten[38]. Ein weiterer schied zunächst aus, läßt sich aber später wieder in städtischen Ämtern und im Rat nachweisen[39]. Die von Zillner offenbar aus dem Ratsprotokoll erhobene Liste von Exulanten nennt 30 Namen, darunter einige, die in Rats- und Ämterlisten früherer Jahre aufgetaucht waren[40]. So wenig sich die soziale Struktur der protestantischen Bewegung in Salzburg aufgrund der Nachrichten in der Literatur erschließen läßt, so sehr bestätigt sich auch im Falle Salzburgs, daß der Protestantismus in den Oberschichten, der Rats- und Handelsfamilien, vertreten war[41]. Die Stainhauser Chronik bestätigt diesen Sachverhalt. Sie berichtet, die Lutherischen hätten gehofft, an

---

[33] *Zauner 7*, 1813, 18 ff. *Martin* 1911, 256. Druck: *Lünig* DRA Spicil. Eccles. Cont. I. Teil 1041—1042.
[34] *Zillner* 1890, 498 f.; *Martin* 1911, 255. *Steinruck* 1965, 73: danach ließ der Fürstbischof den Stadtrat am 20. 7. 1588 berufen, Bürgermeister und Stadtrat hatten das tridentinische Glaubensbekenntnis abzulegen. Auch die Bürger sollten am folgenden Tag (?) desgleichen tun.
[35] *Keplinger* 1955, 72.
[36] *Zillner* 1890, 498 f.
[37] Tobias Unterholzer, Sohn des Bürgermeisters von 1562 Georg Unterholzer (*Zillner* 1890, 621) war 1576/78 Ratsherr in Salzburg. Ein Sebastian Unterholzer, Handelsmann und Mitglied des äußeren Rates, wanderte 1554 aus Salzburg nach München ein und ging 1563 nach Nürnberg (*Rössler* 1966, 59, 76, vgl. auch 57). Die Familie gehörte zu den reichsten in Salzburg (*Zillner* 1890, 621). Tobias Unterholzer emigrierte (*Zillner* 1890, 499), wie anscheinend auch die übrige Familie Unterholzer (*Zillner* 1890, 621). Max Buchner (*Puechner*) emigrierte ebenfalls, nachdem er 1588 aus dem Rat entfernt worden war (*Zillner* 1890, 499). Er war 1583 Steuerkommissär (*Zillner* 1890, 498).
[38] *Zillner* 1890, 499.
[39] Sebastian Eder wurde 1588 aus dem Rat entfernt (*Zillner* 1890, 499), war jedoch 1590 Zechpropst der Pfarrkirche (ebd., 500) sowie 1595 Ratsherr (ebd., 504).
[40] Zu den 1588 ff. emigrierten Windisch, Althamer und Michael Kerscher finden sich die Familiennamen als Ratsherren früherer Jahre, ohne daß sie durch Vornamen identifiziert werden könnten: für Windisch *Zillner* 1890, 493 (Rat 1573), für Althamer *Zillner* 1890, 609 (Hämmerer 1581), für Kerscher: *Zillner* 1890, 493 (Großrat 1573).
[41] Elias Seybold war Eisenkrämer (*Zillner* 1890, 499), der gleichfalls 1588 ff. emigrierte. Auer war Eisenhändler (ebd.), ebenso Hans Wiedner, als Eisenkrämer nachgewiesen von *Martin* 1911, 256. Felix Praun, der 1588 das Kämmereramt niederlegte (*Zillner* 1890, 499,

Wolf Dietrich von Raitenau einen guten Herrn zu haben, „dan er mit den Bürgern und jungen Kaufleiten guete Confersazion hielt", als er ein Domherr gewesen war. Sie berichtet ferner, daß die protestantischen Kaufleute und wohlhabenden Bürger die katholischen Handwerksleute benachteiligten[42]. Wolf Dietrich von Raitenau ging nicht als erster gegen den städtischen Protestantismus in Salzburg vor[43], aber er beseitigte ihn endgültig. Aus späteren Jahren und Jahrzehnten ist von Protestanten in der Stadt Salzburg nichts mehr zu hören.

Da die städtische Verwaltung seit Leonhard von Keutschach völlig unter landesherrlicher Kontrolle stand, war in Salzburg die Säuberung der Residenz von Protestanten nicht mit einem Kampf um die Autonomie verbunden. Die Tendenz zur Straffung der Landesherrschaft jedoch findet sich bei Erzbischof Wolf Dietrich ebenso: die Blutsgerichtbarkeit wurde dem Hofrat übertragen, die Stelle des Stadthauptmannes und des Syndikus besetzte Erzbischof Wolf Dietrich mit Adligen und Hofräten[44]

11.4 Passau

Wie in Trier und Salzburg so läßt sich in Passau im Spätmittelalter in der Stadtrechtsentwicklung eine aufsteigende Linie der Emanzipation vom Bischof und Stadtherrn erkennen[1]. Die Gerichtsbarkeit blieb zwar stets in den Händen des

609) gehörte zu einer der angesehensten Kaufmannsfamilien, seine Mutter war eine Unterholzer (*Zillner* 1890, 620). Vgl. die Bemerkung bei *Mayr-Deisinger* 1886, 49, A. 14, es sei Erzbischof Wolf Dietrich lieber gewesen „habere civitatem et provinciam in fide integram quam opibus affluentem".

[42] *Keplinger* 1955, 72: „Es het aber diser Zeit in der Stadt villerlay Religion, welche sich alle der Augspurgischen Confession beriembten und ware der Statrath mer als halbentaill luterisch und so dye Kauffleit unnd statlichen Burger einen Handtwerchsmann mit Arbaith nicht befidern, der catolisch war, wolten sy im nit trauen. Hiessen in ein Verrater, wan sy ain bey der Mess sachen knüeen oder in Tuemb auf den Kor geen, dann sy herunden neben der Korstiegen unnder den Ambt sparcieren giengen. Waren derenthalben dye catolischen Handtwerckslait auch andare bey inen hardt verhasset, deren doch wenig waren. Woldt einer ihren Gunst unnd sein Nahrung von innen haben, musst einer mit inen hinaussgehen zum Predicannten ihres gefallen und vermainten Nachtmall empfangen. Also zochen sy dye gemain und ihre Ehehalten fast alle an sich, vilmer als dye gelerten Prediger. Wolf Dietrich, der in seiner Jugennt von inen dye Sach alle wolerfaren, machet in der Religion Fridt, liess dye gannze Bürgerschaft examonieren unnd liess ein jeden ein Monnat bedacht. Hernacher noch vüerzechentag nach dem Termin, der nicht catolisch werden wolt, der muesste auss der Stadt ohn Aufenthaltung ihrer Gueter."

[43] Der endgültigen Ausweisung ging 1578 ein offenbar wenig oder unwirksames Ausweisungsgebot voraus, 1581 das Verbot, Protestanten als Bürger aufzunehmen (*Zillner* 1890, 494, 497; danach *Widmann* 3, 1914, 103). 1582 begann die Auswanderung der städtischen Protestanten in Salzburg (*Widmann* 3, 1914, 109).

[44] *Widmann* 3, 1914, 167; *Mayr-Deisinger* 1886, 25; *Keplinger* 1955, 71. Doch restituierte er im Aufstand 1595 offenbar die städtischen Freiheiten: *Keplinger* 1955, 73.

[1] *Sittler* 1937, 20, 27. In der 1. Hälfte des 13. Jahrhunderts war der Bischof im Besitz fast aller wichtigen Hoheitsrechte (ebd. 27).

Bischofs. Er setzte den Stadtrichter als seinen Beamten ein[2]. Der Stadtrat, 1368 rechtsförmlich konstituiert[3], tagte stets in Anwesenheit zweier fürstlicher „Anwälte" mit Stimmrecht[4]. Die Bürgermeister und Mitglieder des Rats wurden vom Bischof auf ein Jahr ernannt[5] und konnten einzeln oder insgesamt abgesetzt werden[6]. Nach einem vergeblichen Versuch am Ende des 14. Jahrhunderts, reichsstädtische Freiheiten anzustreben[7], erlangte der städtische Magistrat im ‚Laudum Bavaricum' 1535 wenigstens das Verordnungsrecht über Gewerbe und Polizei[8] und ließ das Vetorecht der „Anwälte" auf die dem Bischof vorbehaltenen Gerichtssachen beschränken, im Zuständigkeitsbereich des Stadtrates hatten sie nur eine Stimme[9]. Als Vermittlungsinstanz in Konflikten zwischen Stadt und Bischof ließ das ‚Laudum Bavaricum' das Domkapitel zu, sowie in zweiter Instanz bei Klagen gegen den Bischof das Reichskammergericht[10]. Passau war nach geltendem Recht landsässig, auch auf den Landtagen vertreten[11]. Daß auch weitergehende Autonomiebestrebungen fortlebten, zeigt die im Konzept erhaltene Supplik von 1527, die bei König Ferdinand um Bestätigung und Vermehrung der Privilegien der Krone von Böhmen einkam[12].

Über eine frühreformatorische Bewegung ist wenig bekannt[13]. Die Wiedertäufergemeinde in Passau, deren Existenz dort erst aufgrund eines Hinweises aus Bayern[14] bekannt wurde, hat allem Anschein nach keinen direkten Zusammenhang mit der evangelischen Bewegung. Erst in einer zweiten Verhaftungswelle 1531 wurde der Rat, dessen Rechte schon 1528 mißachtet worden waren, vorstellig und deckte Passauer Bürger, die des Täufertums verdächtigt wurden[15].

---

[2] *Sittler* 1937, 34; ebd. 40: er mußte jedoch aus der Bürgerschaft gewählt werden.
[3] Ebd. 34.
[4] Ebd.
[5] Ebd. Erst gegen Ende des 16. Jahrhunderts/Anfang des 17. Jahrhunderts sind — wie in Würzburg — Vorschlagslisten des Magistrats nachweisbar (*Sittler* 1937, 35).
[6] *Sittler* 1937, 34 f.
[7] *Sittler* 1937, 44—47. Der Spruchbrief 1394 entzog der Stadt die königlichen Privilegien, die 1390—92 gewährt worden waren.
[8] Vorbehaltlich der Zustimmung des Fürstbischofs: *Sittler* 1937, 99.
[9] Ebd. 96.
[10] Ebd. 82.
[11] Ebd. 97.
[12] *Pruckner* 1968, 224 f. Es ist nicht bekannt, ob die Bestätigung erfolgte. Ein Postskript des Konzepts vermerkt die Expedition der Supplik, Nachrichten über eine Ausfertigung liegen nicht vor.
[13] Nach *Simon* 1952[2], 163: der Stiftsprediger Johann Pfeffinger predigte 1522 bis 1523 evangelisch (RGG[2] 4, 1930, Sp. 1151 *(O. Clemen)*; ADB 25, 1887, 625 *(G. Lechler)*; RE[3] 15, 1904, 252 *(Georg Müller)*, der Domdekan (seit 1522: *Krick* 1922, 58) Ruprecht von Mosham äußerte 1524 Neigungen, nach Nürnberg zu ziehen, wenn auch offensichtlich nicht aus positiven Gründen religiöser Überzeugung *(Heuwieser* 1913, 121). Seine Wendung zu einer theologisch unabhängigen Stellung, die zwischen den Religionsparteien vermitteln wollte, datiert von 1532 *(Heuwieser* 1913, 126 f.).
[14] *Wiedemann* 1962 passim und 264.
[15] Ebd. 269.

Einzelne reformatorisch Gesinnte lassen sich dann um 1540 nachweisen[16]. Sie gehörten zum Klerus und zur Intelligenz[17]. Der Passauer Domdekan Ruprecht von Mosham predigte unter großem Zulauf des Volkes nicht nur aus der Stadt, sondern auch aus dem Umland[18]. Bischof Wolfgang von Salm (1540—1555)[19] verbot 1551 dem Klerus, Neuerungen einzuführen[20], ebenso sorgte er für altgläubige Prediger[21].

Wie in anderen Bischofsstädten läßt sich auch für Passau in der 2. Hälfte des 16. Jahrhunderts eine protestantische Bewegung nachweisen. Der Visitationsbericht Commendones[22] gibt an, daß von 8000 Kommunikanten nur 4000 praktizierten, die übrigen häretisch seien. Die Bürgerschaft habe im St. Johannes-Spital einen Prediger anstellen wollen, was der Bischof „propter suspitionem haeresis" verhindert habe. Ebenso hatte es um einen Schulmeister mit dem Magistrat eine Auseinandersetzung gegeben: der Bischof hatte die Anstellung eines der Häresie verdächtigen Schulmeisters verweigert, die Stadt hatte einen Schulmeister, den der Bischof vorschlug, nicht akzeptiert[23]. Erst spät ging Urban von Trennbach (1561—1598) gegen den städtischen Protestantismus vor[24]. Das Indiz für Rechtgläubigkeit ist wiederum die Teilnahme an der communio sub una, seit 1582 finden sich Listen von Nichtkommunikanten[25]. 1586 ergeht an den Stadtrat und den Stadtrichter der Befehl, die Nichtkommunikanten auszuweisen[26]. Dieser Befehl ist offenbar befolgt worden, denn 1594 beauftragt der Bischof den Stadtrichter, den Aufenthalt der Ausgewiesenen in der Stadt zu kontrollieren. Erst

[16] *Simon* 1952[2], 273.
[17] *Simon* 1952[2], 273: Leonhard Päminger, seit 1538 Rektor der St. Nikolausschule, sein Sohn Sophonias, der in Wittenberg studiert hatte, seit 1545 Lehrer an der gleichen Schule (ebd.). Abt (?) Gunner (Thomas Gruner Stiftspropst [*Keyser—Stoob* 1974, 538]?) von St. Nikola, evangelisch gesinnt, floh erst 1556 (*Simon* 1952[2], 273). Nach *Erhard* 1864, 274 war St. Nikola ein Stift, ebd. 280 ff., die Liste der Pröpste, ebd. 281 Nr. 56 Thomas, gest. 1560.
[18] *Heuwieser* 1913, 145.
[19] *Reichenberger* 1902, *Raab* 1973, 88.
[20] *Reichenberger* 1902, 11.
[21] Ebd. 11 f., so predigte 1543/44 Bobadilla im Passauer Dom, allerdings auf lateinisch (ebd. 12).
[22] *Mayr* 1893, 579 (Text), 395 (Darstellung). Schon 1556 berichtete Delfino an Carlo Carafa (*Goetz* 1970, S. 223 f.) über Passau: „. . .quella città, anzi, la diocesi tutta, è infetta de varie heresie. . .".
[23] *Mayr* 1893, 579.
[24] Über ihn *Schmidlin* 1910, 3 ff.; *Eder* 1936, 86 f.; *Raab* 1973, 96.
[25] *Rumpl* 1962, 144; 1582: ebd. 145. *Rumpl* veröffentlicht die Namen der „Ungehorsamen". Über die Zahl der Passauer Einwohner im 16. Jahrhundert läßt sich nur ein ungefähres Bild gewinnen. Die Zahl von 8000 Kommunikanten, die Commendone nennt (oben bei A. 22), scheint weit übertrieben, wenn *Keyser-Stoob* für 1504 ca. 4000; 1528: 4019; 1605: 691 Bürger (× 4,5 = 3109) nennt, mithin ca. 3000—4000 eine ungefähre Vorstellung vermitteln.
[26] *Rumpl* 1962, 147.

jetzt ergeht die Anordnung, daß die hinterlassenen Güter verkauft werden sollten[27]. Auch mit solchen, die in der Stadt geblieben waren, aber protestantische Neigungen aufrechterhielten, mußte er offenbar rechnen, denn er befahl im gleichen Jahre dem Stadtrat, die Bürgerkinder aufzuzeichnen, die an protestantischen Orten Schulen besuchten oder studierten[28].

Die Listen geben die Namen der sogenannten Ungehorsamen sowie auch häufig ihre Berufe. Die Mehrzahl von ihnen waren Handwerker. Bemerkenswert ist, daß auch unter den Inwohnern eine große Anzahl von Nichtkommunikanten war[29]. Da auch Hofbeamte und höhere Kleriker protestantisch gesinnt waren[30], ergibt sich ein klarer Hinweis, daß die protestantische Bewegung in der 2. Hälfte des 16. Jahrhunderts in Passau durch alle Schichten Anhänger hatte.

11.5 Freising

Ansätze einer frühreformatorischen Bewegung existierten auch in der bischöflichen Residenz Freising, greifbar eigentlich erst, wenn sie beseitigt wurden. Denn Fürstbischof Philipp (1498—1541) zeigte schon früh eine feste Haltung gegenüber der Lutherfrage und der reformatorischen Bewegung. Er publizierte die Lutherbulle, die ihm im Oktober 1520 zugegangen war, am 10. Januar 1521, wenn auch infolge einer nachdrücklichen Mahnung Ecks[1]. Mit der Wendung der Bayernherzöge gegen Luther im März 1522[2] lag auch die des Freisinger Bischofs endgültig fest. Schon im Februar 1522 hatte er den Regensburger Domprediger Augustinus Marius als Weihbischof und Stadtpfarrer nach Freising berufen. Daß dieser selbst seine Aufgabe darin sah, das Gift der lutherischen Lehre aus den Herzen zu reißen[3], bezeugt, daß es Anhänger der neuen Lehre in der Stadt Freising um 1523/24 gab. Der vor Marius an der Stadtpfarrei tätige Leonhard Pirkhaymer (Pirchaymer)[4] predigte schon 1522 reformatorisch, verließ aber Freising 1523[5]. 1524 wurde ein Freisinger Stiftsherr denunziert und floh[6]. Neben Marius

---

[27] Ebd.
[28] Ebd.
[29] Ebd. 146 f.
[30] *Schmidlin* 1910, 3. Der Kanonikus Christoph Hillinger war lutherisch, er war in österreichischen Diensten tätig (1566) (*Dengel* 1939, 10). Doch zählt Biglia den Passauer Hof unter die von Häretikern gereinigten (1567) (*Dengel* 1939, 40).

[1] *Birkner* 1925, 4—7; *Ders*, 1930, 15—19.
[2] *Rössler* 1966, 7 (Lit.).
[3] *Birkner* 1930, 30.
[4] *Rössler* 1966, 104 f. — Marius trat erst im Dezember 1523 seine Freisinger Stelle an: dazu *Birkner* 1930, 27—30 mit Beilage 5 (ebd. 119 f.).
[5] Er wurde Ende 1524 in Neu-Ötting wegen lutherischer Lehre verhaftet (*Rössler* 1966, 104).
[6] *Birkner* 1925, 11—13; *Rössler* 1966, 105 f.

trat der Domprediger Pankratius Weiß als Vertreter einer entschiedenen altgläu-big-antireformatorischen Haltung hervor[7].

Bei der festen Haltung von Bischof, Weihbischof und Domprediger gelangen der reformatorischen Bewegung, die ohnehin nur in einzelnen Personen greifbar ist, weder Einbrüche, noch sind Äußerungen bekannt, die auf Ausdehnung oder Entwicklung hindeuten. In Freising genügte der gewaltlose Widerstand der alten Kirche, um Ansätze der neuen Lehre zu bereinigen. Als jedoch 1528 eine evan-gelische Gruppe in Freising ausgehoben wurde[8], zeigte sich, daß Einzelne mit Luther und reformatorischen Gedanken sympathisierten, daß diese nicht nur versuchten, sich ihnen anstößiger kirchlicher Pflichten zu enthalten, sondern daß sie versteckt dazu übergegangen waren, kirchliche Gebote zu brechen[9]. Der Kreis blieb jedoch an Zahl gering. Auch in der 2. Hälfte des 16. Jahrhunderts ist — wie in Eichstätt — von einer protestantischen Bewegung nichts bekannt[10], ebensowenig wie für die stadtbürgerlichen Organe irgendein Anteil an der früh-reformatorischen Bewegung nachzuweisen ist[11].

So blieb Freising, wie Ruggieri 1562 feststellte, „molto pacifico et cattolico", eine „città episcopale piccola et bella... obedisce in tutto al vescovo"[12]. Der städtische Rat wurde eingesetzt, um Einwanderungen zu kontrollieren[13], doch auch dabei handelte er nicht in eigener Befugnis, da Bürgeraufnahmen der Be-willigung der bischöflichen Kurie unterlagen[14]. Um die Rechtsstellung der vom Bischof beherrschten wie vom Domkapitel beaufsichtigten Stadt[15] zu charakteri-sieren, genügt es, darauf hinzuweisen, daß — wiewohl ein innerer und äußerer Rat bestand[16] — die Stadt nicht einmal über eine Abschrift der kodifizierten Sat-zungen verfügte[17], daß die Satzungen in der fürstbischöflichen Kanzlei gemacht

---

[7] *Birkner* 1930, 31.
[8] *Rössler* 1966, 106—112. Die Gruppe zeigte täuferische Neigungen, die Erwachsenentau-fe wurde diskutiert, nicht praktiziert.
[9] Wie den Fastenbruch (*Rössler* 1966, 108).
[10] 1553 und 1559/60 waren zwei Freisinger Studenten in Tübingen immatrikuliert; ein Schreiber bewarb sich als Glaubensflüchtling in Württemberg, der Dekan des Andreasstifts resignierte und schloß sich in Österreich dem Protestantismus an, immerhin war letzterer seit Mitte der 50er Jahre bis 1570 Domprediger in Freising (*Rössler* 1966, 112). Die Mög-lichkeit einer zweiten Welle des Protestantismus bleibt offen, nachzuweisen ist sie nicht.
[11] *Birkner* 1930, 26. Auch der „Bauernkrieg" erfaßte Freising nicht.
[12] *Wandruszka* 1953, 163.
[13] *Rössler* 1966, 110, A. 45.
[14] *Stahleder* 1974, 105. 1560 hatte die Stadt das Recht zur Bürgeraufnahme ganz verloren (ebd. 114).
[15] *Stahleder* 1974, 103 hebt hervor, daß das Domkapitel der Gegner bürgerlichen Freiheits-strebens gewesen sei, so protestierte es 1524 beim Bischof, daß die Bürger die Stadtmauer ausbauten (ebd. 158).
[16] Wenn auch spät so differenziert (1510): *Stahleder* 1974, 111. Zum Rat: *Stahleder* 1974, 109; *Keyser-Stoob* 1974, 193; die Eidesformeln bei *Meichelbeck* 1729, 349 f.
[17] *Stahleder* 1974, 108.

wurden[18] und daß sich der Bischof bei der Bestätigung der Privilegien vorbehielt, sie zu mindern, zu mehren oder aufzuheben[19]. Die städtische Verwaltung war selbst auf diesem niedrigen Niveau[20] nicht vor Eingriffen der landesherrlichen Gewalt sicher.

11.6 Eichstätt

Unter den hier untersuchten bischöflichen Residenzstädten ist Eichstätt die einzige, in der sich weder eine frühreformatorische noch eine protestantische Bewegung im 16. Jahrhundert nachweisen lassen[1]. Die verschwindend geringe Zahl der feststellbaren Sympathisanten Luthers oder des Protestantismus oder derer, die des Luthertums verdächtigt wurden[2], macht es auch unwahrscheinlich, daß solche Bewegungen existierten und sich nur nicht in den Akten niederschlugen. So gab es auch in der Stadt Eichstätt keine Kelchbewegung[3].

Gründe dafür, daß in der Stadt Eichstätt die reformatorische Bewegung keine Resonanz fand, lassen sich nur vermuten. Die Vermutungen werden durch Analogie zu anderen Bischofsstädten gestützt. Auszuschließen ist, daß in der bischöflichen Residenz der sittliche Standard des Klerus über dem Durchschnitt anderer Hauptstädte von Diözesen gelegen habe: es werden ständig auch von seiten der Bürgerschaft Abweichungen von einzelnen Klerikern von der geforderten kirchlichen Norm beanstandet[4]. Dabei lebte in der Stadt, ähnlich wie in

[18] *Stahleder* 1974, 113 f.
[19] *Stahleder* 1974, 105, 114 f.: 1560 gewährte der Fürstbischof gnädig den Wegfall der Klausel.
[20] Zur Begründung des in A. 19 angeführten Gravamens brachte die Stadt vor: „Wir khundten auch nit erfarn, das ainicher Statt unnd Marckt im Furstenthumb Bayrn oder annder ortten Ire freyhaiten der gestalt confirmirt werden" (*Stahleder* 1974, 114).

[1] *Heidingsfelder* 1911, 165 f.; *Reiter* 1965, 2 f.; *Schmidlin* 1910, 75; *Simon* 1952², 203 umschreibt den Befund so: Bischof Gabriel von Eyb scheine wenig Anlaß gehabt zu haben, gegen die Evangelischen einzuschreiten. Vgl. auch *Wandruszka* 1953, 161 f.
[2] *Ried* 1925, 1 f.; die frühen Wittenberger Schriften vermittelte Nürnberg (Scheurl) nach (Eichstätt und) Rebdorf (*Deutsch* 1910, 45, 47). Zu Adelmann: *Thurnhofer* 1900, 70 ff.; *Neuhofer* 1934, 105 ff.; über einen Bäcker in Rebdorf 1521 *Deutsch* 1910, 83. *Ried* 1925, 154 f., 1548 wird sowohl der mangelhafte Unterricht an der Domschule beklagt, als auch der Schulmeister des Luthertums verdächtigt. 1551 wurde der vom Domkapitel angestellte Schulmeister, der in Wittenberg studiert hatte, verhört, weitere Nachrichten fehlen. *Buchner* 1919, 74: der Spitalbruder Martin Weinzier verbreitete häretische Schriften, offenbar ohne Wirksamkeit (1554); *Reiter* 1965, 55: 1563 hatte der Bischof einem Dominikaner die Seelsorge in der Spitalpfarrei übertragen, er predigte gegen Wallfahrten und Heiligenverehrung und trug protestantische Lehren vor. Er wurde durch den Generalvikar und den Offizial verhört, Bischof Martin von Schaumberg erreichte, daß der Mönch abberufen wurde.
[3] *Buchner* in: *Schreiber* 1951, 108 f., anders in Wemding: ebd., 113.
[4] *Ried* 1925, 102 ff., für Eichstätt 104, 139; *Götz* 1934, 13 f., 83 (Konkubinat); für das 15. Jahrhundert *Sax* 1927, 203—206.

anderen Bischofsstädten, eine große Anzahl von Klerikern[5]. Trotz der Kleinheit des hochstiftischen Territoriums gelang es den Fürstbischöfen nicht, die Abweichungen von der Amtsdisziplin vor dem Einsetzen der tridentinischen Reform in den Griff zu bekommen. Dies gilt vor allem für die Diözese, die durch die Reformation in den angrenzenden Territorien um zwei Drittel ihrer Pfarreien gemindert wurde[6], als auch für die Stadt selbst. Die Art des Vorgehens gegen die Disziplinlosigkeit vermittelt jedoch eher den Eindruck, daß die verantwortlichen Geistlichen gewillt waren, die kirchliche Disziplin zu wahren und die Dinge nicht schleifen zu lassen. Das gleiche gilt auch für die Fürstbischöfe und ihr Verhalten gegenüber der reformatorischen Lehre. Die Bulle Exsurge wurde erst nach dem 24. 10. 1520[6a] publiziert, der Luthersympathisant, der Domherr Bernhard Adelmann von Adelmannsfelden, ließ sich von Johann Eck absolvieren und paßte sich an, in der Jahrhundertmitte (1548 ff.) wurden eine Diözesansynode und eine Generalvisitation abgehalten und gegen Geistliche, die des Protestantismus verdächtig waren oder das Abendmahl unter beiderlei Gestalt spendeten, Gerichtsverfahren angestrengt[7]. Der Seelsorgeklerus in der Stadt Eichstätt unterstand geschlossen dem Domkapitel, der Domdekan übte die Jurisdiktion aus[8]. Die Konzentration von Einsetzung und Aufsicht mag dazu beigetragen haben, daß Lehrabweichungen nicht vorkamen. Schließlich war die städtische Verwaltung fest im Griff des geistlichen Landesherrn[9]. Er setzte die Ratsherren ein, sie wurden jährlich erneuert und die Tatsache, daß meist die bisherigen Ratsherren bestätigt wurden, weist darauf hin, daß sich auch hier durch Ämtervergabe eine Oligarchie bildete. Denn die Gemeinde wirkte an der Bestellung des Rates nicht mit[10]. Das ungestörte Verhältnis[11] des Rates zum Fürstbischof war also in der Abhängigkeit von ihm begründet.

[5] *Götz* 1934, 10: 110 Weltgeistliche, die Konventualen des Dominikanerklosters (ohne Zahl) und ca. 30 Patres und Laienbrüder des Augustiner-Chorherrenstifts Rebdorf.
[6] *Schmidlin* 1910, 73; *Buchner* in *Schreiber* 1951, 93.
[6a] *Birkner* 1930, 17, A. 7.
[7] *Buchner* 1919, 74 f.; *Suttner* 1886, 123—130. Zur Synode *Ried* 1925, 125 ff.; *Buchner* in: *Schreiber* 1951, 96. Zur Publikation der Bulle Exsurge *Ried* 1925, 1 f.; *Reiter* 1965, 2. Fürstbischof Gabriel von Eyb (1496—1535) war ein Vetter Bernhard Adelmanns (ebd.), die Lösung Adelmanns vom Bann erfolgte im März 1521.
[8] Zur Predigt und der Sorge für Domprediger in Eichstätt *Ried* 1925, 100, die dauernden Bemühungen um die Domprädikatur resultierten jedoch aus der ständigen Fluktuation.
[9] *Heidingsfelder* 1911, 56. Die Einsetzung des Rates erfolgte in der Regel durch die fürstbischöflichen Beamten, oft aber auch direkt am fürstbischöflichen Hofe. *Sax* 1927, 351. Der Fürstbischof erhielt die städtische Steuer und sanktionierte die städtischen Satzungen. Ferner waren neue Bürger auf ihren katholischen Glauben hin zu befragen (ohne Datum) *Schmidlin* 1910, 78.
[10] *Heidingsfelder* 1911, 56.
[11] *Heidingsfelder* 1911, 55: „die bischöflichen Städte ... standen überhaupt in der größten Abhängigkeit vom Bischof und seinen Beamten". *Reiter* 1965, 306: „In der Stadt Eichstätt herrschte zwischen Bischof und Bürgern ein gutes Verhältnis; letztere konnten sich mit ih-

Die geringe Resonanz, die der „Bauernkrieg" in dem Hochstift und der Stadt fand, bestätigt die Wirksamkeit der direkten geistlichen Herrschaft in der Stadt: der Rat verhielt sich völlig abweisend, nur die Tuchknappen sympathisierten mit den Bauern. Doch auch diese zeigten keine Durchschlagskraft[12], so blieb der „Bauernkrieg" für die Stadt eine Episode.

Kapitel 12:
Ergebnisse

Von acht untersuchten fürstbischöflichen Residenzstädten West- und Süddeutschlands[1] blieb nur eine, Eichstätt, von der reformatorischen Bewegung unberührt: Würzburg, Bamberg, Mainz und Salzburg wurden von der frühreformatorischen und der protestantischen Bewegung erfaßt, Freising von der frühreformatorischen berührt, Passau von der protestantischen. In Trier, das von der frühreformatorischen Bewegung nicht nachweisbar erfaßt wurde, entfachte die protestantische Bewegung einen Konflikt, der ebenso abrupt ausbrach wie er binnen kurzer Zeit mit der Vertreibung der Protestanten endete.

Obwohl die frühreformatorischen Bewegungen in der Niederlage der ‚Revolution des gemeinen Mannes' 1525 untergingen, entwickelte der Protestantismus — wo nachweisbar lutherischer Prägung — seit der Jahrhundertmitte in solchen landsässigen Städten, in denen der Landesherr ex officio altgläubig und sein konfessioneller Status reichsrechtlich im ‚Geistlichen Vorbehalt' garantiert war, und deren Obrigkeit weltliche Herrschaft und geistliche Gewalt in einer Hand

---

ren Sorgen immer an ihn wenden". Der städtische Rat ließ sich 1531 sogar in die Kampagne des Fürstbischofs gegen die Pläne einer wittelsbachischen Koadjutorie einspannen und unterstützte den Eichstätter Abwehrvorstoß mit einem eigenen Schreiben an die römische Kurie (14. 3. 1531): „Wir achten vnd bekönnen vns des stiftes vnderthan ganz selig sein, das uns in dißen schweren zeiten vnd bößen leuffen under ainem solchen hierten vnd bischof zu leben von got verlihen ist, der auch durch sein fleißig aufsehen, arbat vnd besonder geschicklichkeit fürkommen vnd somit gehandelt hat, das unser vorfaren warer cristlicher gelaub in seinem bistumb nit allein erhalten worden ist, sondern auch niemant in seinem stiftt erfunden mag werden, der mit Luthers lere oder ander ketzerey vergifft ist". (*Neuhofer* 1934, 169).

[12] *Franz* 1962[6], 215 f.; *Sax* 1927, 219—224; *Heidingsfelder* 1911, 186—170. *Deutsch* 1910, 52 f.

[1] Die Einschränkung auf Süddeutschland ist weniger sachlich begründet, wir klammern die nichtautonomen Bischofsresidenzen Norddeutschlands aus, da sie gemäß einer Absprache der Bearbeitung durch den SFB 164 der Universität Münster vorbehalten sind. Die Untersuchungen im Teilprojekt Z 2 des SFB beschränken sich auf Süddeutschland. — An dieser Stelle sei nochmals hervorgehoben, daß die Auswahl der beschriebenen Orte wie folgt abgegrenzt ist: es handelt sich 1. um landsässige Städte, 2. um Bischofsresidenzen oder -metropolen (Trier, Mainz).

vereinigte, eine bemerkenswerte Dynamik, ungestützt durch die Obrigkeit, ja gegen sie.

Um den Einbruch des Protestantismus in den fürstbischöflichen Residenzstädten rückgängig zu machen und die konfessionelle Einheit der Bürgerschaft wiederherzustellen, bedurfte es der Anwendung dieser kombinierten weltlich-geistlichen Gewalt. Den geistlichen Landesherren fiel mit dem militärischen Sieg über den ‚gemeinen Mann' 1525/1526 auch die Möglichkeit der Unterdrückung der frühreformatorischen Bewegung zu — diese besaß ohnehin in den beschriebenen Fällen (Würzburg, Bamberg, Mainz, Salzburg) geringe Stoßkraft, war abhängig von vereinzelten Personen und kleinen Gruppen (Prädikanten, Humanisten), unformiert und ohne institutionelle Basis. In den Magistraten hatte sie vielleicht Befürworter, keine Mehrheiten.

Die protestantische Bewegung hingegen ließ sich nur im günstigeren Falle (Mainz) durch langwierige Konversionskampagnen eliminieren, in der Regel wandte der Fürstbischof Gewalt an[2]. Das bedeutete durch den Landesherrn angeordnete, durch den Augsburger Religionsfrieden reichsrechtlich gedeckte[3] Vertreibung von konfessionellen Minoritäten. Die Reformation konnte sich in den untersuchten Städten also ebensowenig ohne die Obrigkeit durchsetzen, wie die Beseitigung der Protestanten, die Stabilisierung der konfessionellen Landschaft ohne Anwendung gewiß legalen Zwangs gelang[4]. Für die ‚Reformation' ist die Bilanz von ‚fürstbischöflicher Residenzstadt und Reformation' — anders als bei ‚Reichsstadt und Reformation' — in Süddeutschland negativ: die reformatorischen Bewegungen scheiterten, sie entfalteten sich nicht über Ansätze einer Prädikantenbewegung hinaus oder — in der 2. Hälfte des 16. Jahrhunderts — blieben bestenfalls zeitweilig geduldete Dissidenten ohne rechtlich gesicherten Status und förmliche Organisation.

[2] *Zeeden* 1965, 125. Wir heben mit unserer Formulierung auf die menschlichen „Kosten" des Vorgangs ab und betonen erneut, daß die Thematik die konstruktiven Züge zurücktreten läßt hinter den negativen. Weder in Würzburg noch in Bamberg und Salzburg wurde gegen Protestanten bloß „unsanft" verfahren oder hielten Landesherren „die Bevölkerung an", wieder katholisch zu werden (ebd. 124). Auf diese menschlichen Kosten weist hin *Schubert* 1968 in: *Zeeden* 1973, 269, mit dem notwendigen Verweis auf die gleiche Erscheinung des Gewissenszwangs in protestantischen Territorien. Daß die Verfolgung religiöser Minoritäten im 16. Jahrhundert generell gegenüber dem Täufertum praktiziert wurde, braucht nur in Erinnerung gerufen zu werden. Vgl. für den religiösen Dissent der Täufer in Süddeutschland *Claus-Peter Clasen* 1972, 330.
[3] Die zugelassene Auswanderung wurde im Sinne des implizierten cuius regio-eius religio-Grundsatzes als Recht zur Ausweisung der Anhänger der anderen Konfession interpretiert.
[4] *Zeeden* 1973, 102 f.: „Nimmt man weiter hinzu, daß ... in Territorien, in denen seit Mitte des 16. Jahrhunderts die katholische Restauration zu wirken begann, sich gewöhnlich größere Bevölkerungsteile der Reformation zugewendet hatten ... so liegt auf der Hand, daß ein einigermaßen geordnetes kirchliches Leben im Normalfall kaum herzustellen war, wenn die Landesobrigkeit nicht in Richtung auf Einheit des Bekenntnisses und Gleichheit

In Verlauf und Eigenart heben sich die beiden Bewegungen deutlich voneinander ab. In der Frühphase der Reformation vermittelten Druckschriften und Kontakte, die aufgrund gemeinsamer humanistischer Vorbildung und Gesinnung bestanden, die Ideen Luthers[5]. Prädikanten popularisierten die Ideen in die Bürgerschaft. Die Institutionen der Kirche bildeten den Rahmen, ein Teil der Träger kirchlicher Ämter die Medien dieser Bewegung. Sie bestand somit aus heterogenen Elementen: einem Teil der intellektuellen Elite, die durch die Öffentlichkeit der Gebildeten von den neuen Ideen erfaßt wurde, und einer nicht näher zu qualifizierenden, da kaum erfaßbaren Anhängerschaft der Prediger. Der Charakter dieser Bewegung entspricht dem der Anfangsphase anderer Städte, bevor dort die städtische Obrigkeit die reformatorische Bewegung schützte und stützte. In den dargestellten Bischofsstädten erfolgte eben dies nicht: die Magistrate, abhängig vom Landesherrn, blieben loyal. Die frühreformatorische Bewegung in diesen Städten blieb eine weitgehend latente; wo sie tatkräftiger wurde, setzten Gegenmaßnahmen ein. Erst die Autoritätskrise des ‚Bauernkriegs‘ förderte reformatorische Forderungen an die Oberfläche, zugleich mit einem ausgeprägten Antiklerikalismus, einer Frontstellung gegen die geistlichen Privilegien und einer allgemeinen Entlastungstendenz. Alles dies verband sich in den städtischen Aufständen im Rahmen der ‚Revolution des gemeinen Mannes‘, ohne sich eigentlich, wie an Würzburg, Bamberg, Mainz und Salzburg zu zeigen war, miteinander zu verschmelzen. Nach 1525 unterdrückten die Fürstbischöfe die frühreformatorische Bewegung.

Personale Kontinuität zur protestantischen Bewegung war nicht nachzuweisen[6]. Seit der Jahrhundertmitte setzte die Aufnahme nun schon konfessionell geprägter, d. h. lehrmäßig fixierter Lehr- und Frömmigkeitsformen ein. In den genauer untersuchten Fällen (vor allem Würzburg, Bamberg) waren diese Protestanten lutherisch, auch in Trier berief man sich — trotz Olevian — auf die Confessio Augustana. Die protestantische Bewegung paßte sich nicht mehr völlig in die Parochialorganisation ein: in dem für wesentlich gehaltenen abweichenden credendum, dem Abendmahl, und auch zur Predigt, ‚lief‘ man ‚aus‘, doch blieb man für die sozialrelevanten kirchlichen Zeremonien (Taufe, Begräbnis) innerhalb der in der eigenen Stadt gültigen kirchlichen Organisationseinheit. Die soziale Zusammensetzung dieser rein bürgerlichen Bewegung läßt sich in einigen Fällen eruieren: sie rekrutierte sich aus den städtischen Handwerkerschichten mit starker Beteiligung der ökonomischen und politischen Führungsgruppen (Trier, Würzburg, Bamberg, Salzburg).

---

der Zeremonien wirkte und ihren diesbezüglichen Aktionen ihren Polizei-, Gerichts- und Regierungsapparat zur Verfügung stellte“. Vgl. ebd. 118 f.
[5] *Kurt Victor Selge:* Das Autoritätengefüge der westlichen Christenheit im Lutherkonflikt 1517 bis 1521. In: Historische Zeitschrift 223, 1976, 591—617, hier: 598.
[6] Wir vermeiden das Bild der zwei Wellen (*Rössler* 1966), da es eine Kontinuität suggeriert, die in den beschriebenen Fällen nicht nachweisbar ist.

Es war dies also keine reine Bildungsbewegung. Aufgrund der Tatsache jedoch, daß auch gebildete Kreise protestantisch waren, drangen die Protestanten in die Magistrate vor. Die protestantische Bewegung erwies sich als resistent gegenüber nichtgewaltsamen Maßnahmen: dort, wo nur kirchliche Sanktionen erfolgten, behauptete sie sich. Der landesherrlichen Alternative: ,Rückkehr' zur alten Kirche oder Exulierung konnte sie nicht widerstehen, da die politische Basis nur ein geringes Widerstandspotential bot und die Protestanten selbst sich nicht als politische Opposition verstanden.

Damit stellt sich abschließend die Frage nach der Bedeutung der städtischen Autonomiebestrebungen für die reformatorische und die protestantische Bewegung in den fürstbischöflichen Residenzstädten. In Würzburg (1400), in Salzburg (1511) und in Mainz (1463) scheiterten im Spätmittelalter Autonomiebewegungen, die Städte wurden landsässig oder drangen mit ihrem Kampf um gesteigerte Autonomie nicht durch. In Bamberg bewegte sich der Muntäterkrieg noch auf einer ,Vor'stufe: hier war erst einmal die Einheit der Bürger unter einem gemeinsamen städtischen Regiment durchzusetzen. Auch das scheiterte. In eben diesen vier Bischofsstädten lassen sich frühreformatorische Bewegungen nachweisen. Überdies faßte in ihnen auch die sozialrevolutionäre Bewegung des ,Bauernkriegs' Fuß.

Dieser Befund legt eine Erklärung nahe im Sinne einer aus der Sozialpsychologie bekannten Frustrations-Aggressions-Hypothese. Sie würde besagen: Angestaute, vereitelte Tendenzen bilden ein Unruhepotential, das, auf die ursprünglich verfolgten, frustrierten Ziele hin orientiert, bei gegebenen Anlässen wieder „ausbricht" und die alten Ziele, in diesem Fall die Autonomiebestrebungen, wieder aufnimmt.

Eine solche Wiederaufnahme der frustrierten Tendenzen läßt sich indes nur im Falle Salzburgs im Lateinischen Krieg 1523 vermuten, sicher nachweisbar ist sie auch dort nicht. Schon 1525 erscheint die Steigerung der Autonomie dort ebenso wie in Würzburg als Bemühen, die landständische Position gegenüber dem Landesherrn auszubauen. In Bamberg trat zwar die Hauptstadt des Territoriums in einer Führungsposition in den Ausgleichsbemühungen während des Bauernkrieges auf, wiederaufgenommen wurden jedoch lediglich die vergeblich angestrebten Ziele des Muntäterkriegs, wobei — wie allgemein — die Geistlichkeit mit den gleichen städtischen Lasten belegt werden sollte wie die Bürger.

Immerhin wäre damit für drei Städte zumindest eine Tendenz zur Autonomie wiederaufgenommen. Vom Ziel der mittelalterlichen Emanzipationsbestrebungen, der Abschüttelung der bischöflichen Stadtherrschaft, war man weit entfernt. Im Gegenteil verhielten sich gerade die Magistrate durchaus loyal gegenüber dem Landesherrn. Selbst für die begrenzte, landständisch orientierte Autonomiebewegung ist jedoch eine direkte motivationale Verbindung zur frühreformatorischen Bewegung nicht nachzuweisen.

Für die protestantische Bewegung ergibt sich eine ähnlich negative Aussage: Trier, wo sich Emanzipationsbestreben und Protestantismus zeitweilig verbanden, blieb eine Ausnahme, und selbst dort führte die Affinität von ‚Freiheit' und Protestantismus nur zu einer brüchigen Koalition. In Würzburg bildete der Restbestand an städtischen Verwaltungsrechten bestenfalls eine vorübergehend wirksame Verteidigungsstellung. Sie brach zusammen, da der Landesherr die bestehenden Eingriffsmöglichkeiten nutzte und ausbaute. Der Zusammenhang zwischen Autonomie und ‚Reformation' in den hier dargestellten Städten ist ein negativer: die fehlende Ausbildung der Selbständigkeit gegenüber dem bischöflichen Landesherrn war eine Bedingung des Scheiterns sowohl der frühreformatorischen als auch der protestantischen Bewegung. Anders gesagt: sie konnte sich nur solange entfalten, als der Landesherr die ihm gegebenen Rechte nicht nutzte. Wenn er die in seiner Hand konzentrierte geistliche und weltliche Gewalt anwandte, gab es für die reformatorischen Minoritäten keine Chance des Widerstands.

Der Erzbischof von Salzburg, so kommentierte der päpstliche Nuntius Puteo die Austreibung der Protestanten aus der Stadt, habe sich „nella strada de vescovo di Herbipoli" begeben[7]. Das Verfahren Julius Echters mochte ihm exemplarisch erscheinen, angewandt war es bereits in Trier. Der Einsatz weltlicher Herrschaft in geistlichen Territorien blieb auf deren Residenzstädte nicht beschränkt. Sie bildeten in den jeweiligen Territorien nur einen Fall unter mehreren: landsässige Städte wie Dörfer waren von Protestanten durchsetzt. Allerdings war in den Residenzstädten ein effektiverer Zugriff möglich, und wie sich die Institutionen tridentinischer Reform in den geistlichen Residenzen konzentrierten, so kulminierten auch die gegenreformatorischen Maßnahmen in der Landeshauptstadt.

[7] *Schweizer* 1912, S. 323 (Nr. 173 Puteo an Montalto, Prag, 11. 10. 1588).

Teil IV: Exkurse und Anhänge

Exkurs 1:
Würzburger Armenordnungen in der frühen Neuzeit

Der geringe Nahrungsspielraum und die Krisenanfälligkeit der vorindustriellen Wirtschaftsverfassung ließ es selbst bei niedrigem Wachstum der absoluten Bevölkerungszahl nicht zu, Armut als Dauererscheinung zu beseitigen[1]. Bettel- und Almosen-, bzw. Armenordnungen sind daher in der frühen Neuzeit durchgängige Erscheinungen. Sie treten auf, wenn Armut als soziale Frage oder als drängend erkannt wurde und wenn sie durch obrigkeitliche Ordnungen lösbar oder wenigstens kontrollierbar erschien[2]. In den Armenordnungen verbanden, bzw. überschnitten sich mehrere Motive und Ziele: Das religiös bestimmte Motiv des Almosengebens — und sein Wandel[3] —, sozialpolitische Ziele, wie die Vermehrung des Angebots an Arbeitskräften oder die Kontrolle von gesellschaftlichen

---

[1] *Goubert* 1969, 38 ff., *Bog* 1975, 989, *Abel* 1972, 28 f., 61 f., mit Einschränkung für das 17. Jahrhundert: ebd. 31 f. Strukturelle Ursachen für die zunehmende Verarmung um 1500 sieht auch *H. Soly:* Economische outwikkeling en sociale politiek in Europa tigdens de overgang van middeleeuwen naar nieuwe tigden. In: Tijdschrift voor Geschiedenis 88, 1975, 585 f., 594 f. Zur frühneuzeitlichen Definition der Armut: *Gutton* 1974, 7 f.

[2] *Gutton* 1974, 103 ff., *Bog* 1975, 987; 989.

[3] Die ältere deutsche Sekundärliteratur ist konfessionell polemisch geprägt, wie schon *Feuchtwanger* 1908, 173 f. (1436 f.) darlegte. Die traditionelle These, die Reformation habe mit dem neuen religiösen Motiv (Ablehnung der Werkgerechtigkeit) die Ordnungen des Armenwesens umgestaltet (vgl. *Winckelmann* 1912/13, 242, dagegen *Bog* 1975, 984, *Gutton* 1974, 103 ff., *Naujoks* 1953, 94, auch schon modifiziert bei *Haussherr* 1960, 107 ff.) ist abgelöst durch die zu allgemeine These, daß die Fürsorgeinstitutionen konfessionsneutral seien, zusammenfassend *Liermann* 1963, 120 f., für die Stiftungen: er stellt fest, „daß zwischen dem 15. und 16. Jahrhundert, zwischen vor- und nachreformatorischer Zeit, keine Zäsur vorhanden ist, sondern daß alles das, was die Reformation im 16. Jahrhundert bewirkt hat, bereits im 15. Jahrhundert, zum mindesten in den Grundlagen, vorhanden gewesen ist" und „daß trotz des Verlustes der kirchlichen Einheit bei beiden Konfessionen eine im wesentlichen übereinstimmende Entwicklung des Stiftungswesens zu beobachten ist", für die Armenordnungen ebd., 146 f. Vgl. jedoch die Differenzierung *ders.,* 1967, 172—180: das theologische Motiv führte zu Verwerfung der Stiftungen, die auf das Wohl der eigenen Seele gerichtet waren (ebd., 173), reformatorische Obrigkeiten verhielten sich konservativ, brachen nicht abrupt mit den überkommenen Formen, nahmen doch die spätmittelalterlichen Tendenzen auf (ebd., 174 f.). Vgl. auch *ders.* in: *Buck-Zophy* 1972, 340—354. — *Harold J. Grimm:* Luther's Contributions to Sixteenth-Century Organization of Poor-Relief. In: *ARG* 61, 1971, 222—234.

Störfaktoren[4], die sozialethisch formuliert wurden: Müßiggang soll aufgehoben und so eine Quelle des Lasters verstopft werden, und schließlich ein sozialhygienisches Ziel[5]: Kinder Arbeitsunwilliger sollten resozialisiert, das heißt der Arbeit im Beruf wieder zugeführt werden. Auch im engeren Sinne hygienische, genauer seuchenhygienische Maßnahmen finden sich in den Ordnungen.

Dieses Bündel interdependenter Motive war relativ konstant. Generelle Zielsetzung war die Stabilisierung der gesellschaftlichen Verhältnisse. Insofern lassen sich aus den Armenordnungen Normen der Gesellschaft erheben. Da es sich in unserem Falle um die Ordnungen für eine landsässige Stadt handelt, sind es Normen einer bürgerlichen Ordnung, insoweit sie vom Landesherrn akzeptiert wurden[6]. So zeigen die Armenordnungen in Würzburg gegebenenfalls auch „modernisierende" Züge, vorwiegend im Organisatorischen im Sinne des geistlichen Frühabsolutismus, der zunächst die städtische Teilautonomie aufhob. Erst nach Sicherung der landesherrlichen Aufsicht und Kontrolle und der Legalisierung der Eingriffsrechte, die altes Herkommen aufhoben, wurde der Magistrat wieder in die Almosenverwaltung eingesetzt. Die Auseinandersetzung um die städtischen Armenstiftungen in der Regierungszeit Julius Echters von Mespelbrunn bildete eine markante Etappe in der Ausbildung des frühabsolutistischen-fürstbischöflichen Staates[7].

I

Die früheste erhaltene Ordnung für die Stadt Würzburg ist eine Bettelordnung. Sie entstand am Ende des 15. Jahrhunderts[8]. Sie enthält einige auch die folgenden Ordnungen charakterisierende Momente:

Anlaß der Verordnung bildete die mißbräuchliche Ausnutzung der Gebefreudigkeit durch solche, die „des nit notturfftig sein"[9]. Ferner regulierte sie das

---

[4] Betont bei *Zeeden* 1968, 108. — Schätzungen über Zahlen bei *Endres* 1975, 1007, doch vgl. *Gutton* 1974, 72: „le problème du nombre des pauvres par rapport à la population totale est essentiel et insoluble."

[5] *Liermann* 1963, 145: „Man hatte ... die Armut als eine Krankheit am sozialen Körper erkannt ...".

[6] Von den Almosenordnungen gilt *Guttons* Satz (1974, 52): „Documents plus révélateurs des mentalités que des réalités!"

[7] So hängt das Thema des Exkurses eng mit der Thematik der Untersuchung zusammen, vgl. oben S. 60 ff.: Die Verstaatungstendenz unterbrach die Tendenz zur Kommunalisierung (*Trüdinger* 1977, 109, *Zeeden* 1968, 112). Die Grundlinien der frühneuzeitlichen Fürsorge faßt zusammen *Scherpner* 1962, 170.

[8] *Hoffmann* 1955, 204—207 (1490), Würzburg Stadtarchiv Ratsbuch 258, f. 130—134 v (Dorsualvermerk 1474). *Trüdinger* 1977, 116 f. Erwähnt bei *Zeissner* ²1952, 75.

[9] Würzburg Stadtarchiv Ratsbuch 258, f. 130 r. Das Kriterium beruht auf der „Arbeitspflicht der Armen" vgl. unten A. 22. Zum „mendicus validus" *Scherpner* 1962, 148.

Verhalten der Bettler[10]. Schon die Bettelordnung von 1490 wollte die Gebefreudigkeit erhalten, indem sie den Zweck der Spenden, der durch „unbillige und betriegliche geuerde" bedroht war, sicherzustellen beabsichtigte[11].

Um die wirklich Bedürftigen zu erreichen, unterwarf der Oberrat die Bettler einem Konzessionsverfahren und legte ihnen auf, ein Zeichen zu tragen[12]. Das Prüfungsverfahren berücksichtigte die Arbeitsfähigkeit, den Beruf, den Zivilstand und die Kinderzahl[13]. Diese Angaben dienten als Nachweis der Bedürftigkeit. Wie aus den immer wiederkehrenden Klagen zu schließen ist, bildeten auswärtige Bettler eine besonders zahlreiche Gruppe in der bischöflichen Residenz am Main. Ihre „Tätigkeit" sollte auf zwei Tage im Vierteljahr beschränkt werden. Bettelnde Einwohner der eigenen Stadt wurden also gegenüber Auswärtigen bevorzugt[14]. Auch andere Gruppen „religiöser" Bettler wurden Einschränkungen unterworfen. Schon in dieser Bettelordnung sind Sonderregelungen für die stets genannten Sondersiechen und Schüler getroffen[15].

Die Gebotsgewalt für das Armenwesen lag in der Stadt Würzburg beim Oberrat, der aus seiner Mitte Almosenherren einsetzte[16] und die Aufseher der Bettler (=stertzell) beauftragte, deren Aufgabenkreis die Ordnung nicht näher

[10] Würzburg Stadtarchiv Ratsbuch 258, f. 130 r: das Verhalten der Bettler wird als ungottesfürchtig, unziemlich und ungebührlich bezeichnet. Die Ordnung verbot das Singen und das Zeigen von Gemälden, desgleichen die Zurschaustellung von Gebrechen, auch das Fluchen.

[11] Ebd., allerdings wird der Zweck der Erhaltung der Gebefreudigkeit nicht ausdrücklich genannt.

[12] Diese Zeichen sind nicht zu verwechseln mit den ‚Marken‘, die zum Empfang von Unterstützung berechtigten, vgl. *William J. Courtenay:* Token Coinage and the Administration of Poor Relief during the Late Middle Ages. In: Journal of Interdisciplinary History 3, 1972/3, 275—295. Bei Betteln ohne Zeichen droht Stadtverweisung für ein Jahr. Die Be-Zeichnung schon in Nürnberg 1370: *Bog* 1975, 988. Für die oberrheinischen Städte *Müller* 1963, 16 f.

[13] Ein ‚examen pauperum‘ für 1490 bei *Naujoks* 1953, 90 f.

[14] Der gleiche Grundsatz galt für das Bürgerspital: *Trüdinger* 1977, 111. — Die herkömmliche Bezeichnung des Almosenempfängers als ‚Objekt‘ der mittelalterlichen Frömmigkeit infolge des Grundsatzes der Werkgerechtigkeit übersieht (dazu *Scherpner* 1962, 28), daß die Empfänger des Almosens nicht pauschal als Gruppe ‚Objekte des heilsichernden Almosengebens‘ (dazu *Gutton* 1974, 94 ff.) gesehen wurden. Bürger, bzw. Einwohner und Fremde, Seßhafte und Nichtseßhafte (dazu *Bog* 1975, 988, A. 19) und Berufsbettler wurden unterschieden. Dazu *Zeeden* 1968, 113, für die frühe Neuzeit. Zur Gruppe der Nichtseßhaften *Endres* 1975, 1012, *Gutton* 1974, 21 ff., *ders.* 1974, 23 zur unterschiedlichen Geschlechts- und Altersstruktur. Zur Attraktion der Stadt *Gutton* 1974, 38 ff., *Müller* 1963, 12 ff. Der Ausbau der territorialen Staatlichkeit konnte die Differenz mildern, dazu unten S. 135, anders in Ulm: *Naujoks* 1953, 96 ff.

[15] Die Sondersiechen werden in diesem Bettlersatz lokalisiert auf zugewiesene Aufenthaltsorte vor der Stadt (vgl. *Mitterwieser* 1910, 88 ff.). Von Schülern wird regelmäßiger Schulbesuch erwartet (Würzburg Stadtarchiv Ratsbuch 258, f. 133 r).

[16] Pfleger oder Almosenherren. — Die Ordnung ist mit Wissen und Willen des Bischofs

beschreibt. Trotz mancher zukunftsweisender Züge blieb die Bettelordnung von 1490 darin traditional, daß sie individuellen Bettel und individuelles Almosengeben nicht obrigkeitlicher Verwaltung unterstellte, wie die Almosenordnungen von Nürnberg und Kitzingen am Anfang des 16. Jahrhunderts, sondern nur regulierte und kontrollierte: Bettel blieb grundsätzlich erlaubt, wenn auch unter gesetzten Bedingungen. Wiedereingliederung der Kinder von Bettlern in das Arbeitsleben war vorgesehen[17], eine besondere Begründung dieser Resozialisierungsmaßnahme gab die Ordnung nicht: sowohl Entlastung des — nicht zentralisierten, also imaginären — Almosenfonds, als auch das bürgerliche Arbeitsethos wird begründend gewesen sein. Nicht in Frage gestellt wurde schließlich die positive religiöse Bewertung des Almosengebens als verdienstliches Werk[18].

II

1533 erließ Fürstbischof Konrad von Thüngen die erste umfassende Almosenordnung für die Stadt Würzburg[19]. Gegenüber dem auf Würzburger Verhältnisse angepaßten Entwurf nach der Kitzinger Ordnung[20] von 1523 kehrte diese Almosenordnung wieder zu vorreformatorischen Akzenten zurück. Allerdings nahm sie Anregungen der Nürnberger-Kitzinger Ordnung auf. Sie stellte eingehend die Schäden dar, die durch ungerechtfertigte Inanspruchnahme des Almosens entstehen[21]: aus der Versäumnis der Arbeitspflicht der Armen[22] ergab sich

(Rudolf von Scherenberg) und des Dompropsts (Kilian von Bibra und des Domdechanten, Richard von der Kere) erlassen. *Trüdinger* 1977, 116.
[17] Würzburg Stadtarchiv Ratsbuch 258, f. 131 v—132 r. Die Arbeitsvermittlung übernahm die ‚Fürkäuflerin‘ vor der Marienkapelle. An Werktagen sollten die bezeichneten Bettler spinnen oder andere Arbeit verrichten, ohne daß gesagt wurde, wie dies organisiert werden sollte. Dazu *Bog* 1975, 996, doch nicht dem frühreformatorischen, sondern dem städtischen Motiv zuzurechnen.
[18] „so geben ein sonderlich Loblich verdienlich unnd Thugenthafftig werck unnd gutthait ist“ (ebd., f. 130 r).
[19] Würzburg Stadtarchiv Ratsbuch 258, f. 158 v—166 r. Modernisierter Druck: *Scharold* 1839, 136—152. — Der Unterrat setzte zur Beratung am 1. 7. 1532 einen Ausschuß ein (Würzburg Stadtarchiv Ratsprotokolle [= RP] 10, f. 171 r). Nicht genauer ausgeführt wird hier der kurze Bettlersatz von 1532, der im Druck vorliegt (Würzburg Stadtarchiv Ratsakten 1907): er ist bemerkenswert, da er die religiöse Motivation auf die brüderliche Gemeinschaft und die christliche Nächstenliebe zurückführt, und dies — ähnlich der Kitzinger Ordnung — ausführlich, während die Almosenordnung von 1533 nur knapp vom heiligen Almosen spricht.
[20] Siehe oben S. 45 ff. Es bleibt unklar, ob Kenntnisse aufgrund des Würzburger Entwurfs von 1524 oder aufgrund der Nürnberger oder Kitzinger Ordnung in die Ordnung von 1533 gekommen sind.
[21] Wie 1490 und 1524, in letzterer nur in einem verknappten Satz: „Auch manch starckh vermogennd mennsch sich sampt seinen kindern uff solchenn Bethell begebenn“ (Würzburg Stadtarchiv Ratsakten 1907).
[22] Zu Thomas von Aquin: *Scherpner* 1962, 26 ff. *Paul A. Fideler:* Christian Humanism and Poor Law Reform in Early Tudor England. In: Societas 4, 1974, 269—285, hier: 270 f.

eine Knappheit des Angebots am Arbeitsmarkt, die die Tagelöhne steigerte[23]. Durch ihre physische Überlegenheit gewannen die Arbeitsscheuen gegenüber den Alten, Kranken und ‚Verschämten' einen Vorteil, den sie wiederum in Geld umsetzten, indem sie Erbetteltes verkauften[24]. Der Müßiggang verderbe überdies die Kinder der Bettler. Rechte Verwendung des Almosens stärke die Gebefreudigkeit[25]. Die rudimentäre Organisation der älteren Ordnung von 1490 erscheint nunmehr ausgebaut: statt der Almosenherren von 1490 setzte die Ordnung von 1533 zwei Gremien ein: einen Aufsichtsrat, der von den 6 Pflegern Rechenschaft nahm[26] und der die Funktion des Oberrates ersetzte[27]. Die Pfleger verwalteten die Stiftungen und prüften die Bedürftigkeit. Sie rekrutierten sich aus dem Klerus, dem städtischen Rat und aus der Gemeinde (je 2). Die Feststellung der Bedürftigkeit erfolgte aufgrund eines ausführlichen Kriterienkatalogs, die erhobenen Angaben sollten durch die Viertelmeister und ein bis zwei Einwohner des Viertels überprüft werden.

Besondere Aufmerksamkeit widmete die Ordnung von 1533 den Kranken und zum ersten Mal dem kranken Gesinde, das bei Krankheit von den bisherigen Dienstherren entlassen oder hilflos ausgesetzt wurde. Hierbei verbanden sich sozialfürsorgerische und hygienische Maßnahmen. Neu war auch eine Winterhilfe für Arme. Aus der Nürnberger-Kitzinger Ordnung war die Starthilfe für arme Bräute und Handwerksgesellen übernommen, ergänzt durch Darlehen für Weingärtner. Hier zeigen sich Ansätze, Ursachen der Armut zu beheben[28]. Das Bettelverbot, das der Entwurf von 1524 vorsah, wurde 1533 nicht ausgesprochen. Lediglich den Auswärtigen wurde das Betteln untersagt[29].

---

[23] Würzburg Stadtarchiv Ratsbuch 258, f. 158 v, wie Windsheim: *Bog* 1975, 998. Dabei wird deutlich, daß die Armen nicht in die Mittelschicht (= Zunfthandwerk) integriert werden sollten, sondern als Angebotsfaktor auf dem Sektor des Tagelohnarbeitsmarktes. Vgl. auch *Zeeden* 1968, 107 f.

[24] Würzburg Stadtarchiv Ratsbuch 258, f. 159 r.

[25] Ebd. „wan gleich mancher biderman geren allmüsen geben hett und doch nit wissen mocht, ob er einem durfftigen damit zů hilff keme oder einem mussig geher zu seiner faulheit und mutwillen enthaltung gebenn, das er dardurch scheu gemacht unnd sich des gebens enthalten hat."

[26] Ebd., f. 159 r—v und 163 r.

[27] Der Oberrat trat erst 1540 wieder in Funktion, vgl. *Verf.* in: *WDGBll.* 39, 1977, 124.

[28] Dies nur in bezug auf einzelne Personengruppen, also sozial-politisch motiviert, nicht — auch nicht tendenziell — wirtschaftspolitisch, etwa als Arbeitsbeschaffung zur Aufhebung ungünstiger Lebenslagen. *Müller* 1963, 22 f.

[29] Die Nähe zum Entwurf von 1524 besonders Würzburg Stadtarchiv Ratsbuch 258, f. 162 v: „Wann dann mit der zeit wie zu dem allmechtigen got guttlich zuuerhoffen ist, der ytzt bemelt vorrath durch gabe fromer gotsfurchtiger lewte, auch Testament, gescheft und andere milte handreichung dermassen wachsen, zunemen" sollte, könne man mit dem Überschuß die angegebenen Zwecke finanzieren. Das Bettelverbot für Auswärtige ebd., f. 158 v f.

Die Almosenordnung von 1533 versucht, sich den komplexen sozialen und wirtschaftlichen Problemen zu stellen, die das Phänomen der Armut konstituierten. Sie forderte zuviel und konnte sich daher nicht in der Praxis entfalten. Wie die Beratungsartikel über eine revidierte Ordnung von 1540/41 bewiesen[30], bedurfte es statt vieler wohlgemeinter Absichten schärferer Kontrollen und eines Aufenthaltsortes für die nicht mehr zur Arbeit Fähigen[31].

III

Die Ordnung der Sozialfürsorge durch Fürstbischof Julius Echter von Mespelbrunn[32] gab sich als Wiederaufrichtung der älteren Almosenordnungen[33]. In der Tat sind Zielsetzungen[34] und die Verfahren der Erhebung der Bedürftigkeit durch Verzeichnisse[35] und bei der Verteilung des Almosens[36] übernommen oder

[30] Würzburg Stadtarchiv Ratsakten 1907 und RP 10, f. 285 v, 286 v (15. 2. 1541, 29. 3. 1541).
[31] Würzburg Stadtarchiv Ratsakten 1907: „das man zuuorderst zu den ganntz unuermoglichen, die nichts Arbeyten oder thun megenn, ein gemeyn hauß haben muß". Der Unterrat sah das Reuerinnenkloster dafür vor (Würzburg Stadtarchiv RP 10, f. 258 v, 29. 3. 1541). — Die Almosenordnung des Oberrats von 1541 (Würzburg Stadtarchiv Ratsbuch 258, f. 172 v—185 v) wurde vor diesem Datum erlassen, sie novellierte die Ordnung von 1533. Da sie keine wesentlichen Abweichungen zeigt, wird sie in den folgenden Anmerkungen zum Vergleich der Echterschen Ordnung herangezogen.
[32] Entwurf von 1587 in Würzburg Stadtarchiv Ratsakten 1907 (datiert von späterer Hand: „de dato 27. t. Novembris 1606") und 1906 (1. 12. 1587). Die Auseinandersetzung um die Echtersche Ordnung seit 1583 vgl. unten: jedenfalls nicht 1583 erlassen (gegen *Merzbacher* 1973, 94, der auch ebd., 122, keine Ausfertigung, bzw. Kopie einer Ausfertigung nachweist). *Pölnitz* 1934, 291 f. *Buchinger* 1843, 221, ebenfalls ohne Datum.
[33] 1550 beanstandete Fürstbischof Melchior Zobel sowie der Unterrat die Unordnung der Bettel- und die parteiische Handhabung der Almosenordnung (Würzburg Stadtarchiv RP 11, f. 83 v). Der Oberschultheiß regte auf Befehl des Fürstbischofs 1560 an, eine neue Bettelordnung zu erlassen, da zu viele Bettler in der Stadt seien (Würzburg Stadtarchiv RP 11, f. 241 r). Für seine Spitalordnungen zog Julius Echter auch Vorlagen aus Wien und Nürnberg heran, ein Hinweis auf die unten herausgestellte ‚Kompatibilität' konfessioneller Maßnahmen, vgl. *Schenk* in *Hessdörfer* 1917, 163.
[34] Ziel war explizit: „gebührliche gleichheit" (Würzburg Stadtarchiv Ratsakten 1907), Erhaltung des Spendewillens, Aufhebung der Mißbräuche, vor allem der Inanspruchnahme des Almosens durch solche, die sich selbst ernähren konnten. Das Almosen sollte allein den wirklich Armen zukommen. Als erstes Mittel, die verfügbaren Spenden zu steigern, erschien Julius Echter schon als Domdechant 1572 die genauere Rechnungsführung: *Hersam* in *Hessdörfer* 1917, 154. Kontinuität der Ziele stellt *Pölnitz* 1934, 405, auch für die Klerusreform fest, sie schloß „sich inhaltlich fast genau an das Programm der spätmittelalterlichen Reformbewegung an".
[35] Würzburg Stadtarchiv Ratsakten 1907: das Armenverzeichnis sollte folgende Angaben

bei gleicher Ausrichtung präzisiert oder folgerichtig weitergeführt: das Verfahren zur Einsetzung der Pfleger wurde genau festgelegt[37], öffentlich zu betteln nun verboten[38]. Ebenso wie in den früheren Ordnungen wurde die Wiedereingliederung der Armen in das Arbeitsleben angestrebt, indem Kinder von Almosenempfängern in Ausbildungen zu überführen waren: bei Echter trat dabei neben den Gesindedienst oder das Handwerk auch die Schule[39]. Gleich war auch die Kontrolle der Verschwendung des empfangenen Almosens (Verbot des Wirtshausbesuchs, Kontrollierbarkeit durch Zeichen)[40].

enthalten: 1. ob die Bedürftigen Bürger, wie lange sie Bürger gewesen seien, 2. wie sie sich als Bürger verhalten hätten, „ob sie geuolgt unnd zu arbeiten willig, oder aber ungehorsam, unartig unnd verthunisch gewesen", 3. die Art des Gebrechens, 4. ob einer der Ehepartner den Unterhalt verdienen könne, 5. ob die Armen Kinder hätten, wie viele, ob diese arbeitsfähig seien, zur Schule gingen oder erwachsen seien. Das Verzeichnis sollte vierzehntäglich revidiert werden, 1541 wurde vierteljährliche Revision gefordert. Das Verzeichnis von 1541 nahm als letzte Angabe auf, ob der Verzeichnete von dem Ort, an dem er zuvor gewohnt habe, ein Zeugnis („Abschied") habe. Sonst ist der Kriterienkatalog mit dem von 1533 identisch.

[36] Die Hausarmen sollten viermal wöchentlich, am Sonntag, Montag, Mittwoch und Donnerstag für den Wert von 5 Schilling genau festgesetzte Mengen erhalten: 2 Hofwecken, 1,5 Pfund Fleisch, ⅛ Erbsen oder Linsen, oder ¹⁄₁₆ Gerste, 1 „Vierttinch" Butter. Der verbleibende Rest bis zum Wert von 5 Schilling sollte als Brot ausgeteilt werden. An Fasten- oder Feiertagen statt des Fleisches Hering, „halbnisch" oder Eier, ein weiteres Vierttinch Butter. Die Verteilung sollte nach Schüsseln erfolgen, die Verordnung schätzt, daß 200 Schüsseln notwendig seien.

[37] Das Pflegekollegium sollte aus sechs Mitgliedern bestehen: 2 Kleriker, 2 Mitglieder des Unterrats, 2 Bürger aus der Gemeinde. Die Stadträte waren vom Unterrat zu bestellen, je ein Kleriker und Bürger von Fürstbischof und Domkapitel. Die Amtszeit betrug drei Jahre, wobei die Erstbesetzung zur Hälfte nach zwei Jahren ausscheiden sollte, so daß eine überlappende Rotation eintrat.

[38] Ebd. mit der Begründung, daß dabei zwischen Einheimischen und Fremden, Armen und Arbeitsscheuen zu unterscheiden nicht möglich sei.

[39] Dies schon bei Vives: *Fideler* 1974, 279. Die Sorge trugen die Pfleger, die auch das Lehrgeld aushandeln sollten. Die Ordnung von 1541 schloß an die von 1490 an, indem sie den Kindern der Armen ab dem 8. Lebensjahr den Unterhalt durch Almosen entzog und sie auf den Dienst, d. h. eine Anstellung als Gesinde verwies, der durch die geschworene Fürkäuferin zu vermitteln war. Vgl. auch die Reichspolizeiordnung 1577 (*Schmelzeisen* 2/1, 1968, 74). Sie ordnete die Zuführung der Kinder der Bettler nur in Handwerk und Dienst an. Analog in der Fundation des Juliusspitals 1579, vgl. *Martin Hettinger* in: *Hessdörfer* 1917, 226.

[40] Auch die Auflagen in bezug auf das religiös-kirchliche Verhalten, die durch die Ordnung von 1541 wiederaufgenommen worden waren, und zwar in Erneuerung der Bestimmungen von 1490, veränderte die Echtersche Ordnung: nicht mehr religiöses Wissen und Minimalteilnahme (jährliche Beichte und Sakramentsempfang) genügten ihm, er forderte die regelmäßige Teilnahme an der Messe, die dadurch kontrolliert werden konnte, daß die

Den bisherigen Verfahren, den Kapitalstock zu vermehren[41], fügte Echter die wöchentlichen Sammlungen von Haus zu Haus hinzu[42].

Überdies sah seine Ordnung feste, jährliche Spenden vor[43]. Die Definition der Gruppe der Bedürftigen zielte auf die Verarmten: die Armen sollten sich nicht perpetuieren und demgemäß keinen Stand mehr bilden[44]. Die rigorose Ausschließung fremder Bettler wurde gemildert mit der den geistlichen Landesherrn charakterisierenden Begründung, daß diese doch Mitchristen seien[45].

Bei gleicher Verfolgung des Zieles der gerechten Verteilung tat die Echtersche Ordnung gegenüber den älteren doch einen entscheidenden Schritt: sie versuchte, die in Würzburg vorhandenen Stiftungen zu zentralisieren. Alle städtischen und kirchlichen Stiftungen sollten von einer Verwaltung erfaßt werden.

Verteilung des Almosens sich an den Gottesdienst anschloß. Im Juliusspital fanden jüdische, lutherische und calvinistische Waisen Aufnahme, sofern sie katholisch werden wollten: *Hettinger* in *Hessdörfer* 1917, 227. Gegenüber der von *Liermann* 1963, 164, festgestellten Verweltlichungstendenz, zeigt sich hier eine Tendenz zur Verkirchlichung. Analog beim Juliusspital: *Pölnitz* 1934, 286. Die Almosenempfänger wurden als Multiplikatoren der Kirchenreform eingesetzt (ebd. 375).

[41] Wie 1533 und 1541 sollte während der Gottesdienste gesammelt werden und testamentarische Stiftungen waren erwünscht.

[42] Dabei sollten diejenigen erfaßt werden, die sich nicht durch feste Jahresbeiträge verpflichten wollten. Für die oberrheinischen Städte *Müller* 1963, 20, für Württemberg (Armenordnung 1531): *Allweyer* 1929, 32, 1536 ebd. 46.

[43] Auch dies ein Zug der Rationalisierung: diese Beiträge sollten vierteljährlich eingezogen werden.

[44] Die Echtersche Ordnung definiert die Bedürftigen so: Bürger und Bürgerinnen, „die auß aigenem vermögen oder von wegen ihrer wißentlichen Leibsgebrechligkait oder aber zugestandten Schwacheit unnd also in niderligung ihrer handtwerckh und arbeit darum sie sonsten sich unnd Ihre Kinder erneren köndten, ihnen selbst nit mögen vorstehen oder nahrung erwerben". Die gleiche Tendenz bei denen, die von auswärts in Würzburg Arbeit gesucht hatten und dabei erkrankten, hier also ein Beispiel aus dem nichtprotestantischen Bereich für Resozialisierungspolitik, deren Tendenz die Verbürgerlichung war. Dazu *Bog* 1975, 996. *Scherpner* 1962, 823: „Der Hilfsbedürftige ist als solcher Glied eines Standes, dessen Existenz im Rahmen der mittelalterlichen Ordnung notwendig ist, weil er ihren übrigen Gliedern Gelegenheit zum verdienstlichen Handeln gibt."

[45] Obwohl die Echtersche Ordnung die rigorose Haltung gegenüber den Fremden, die noch 1541 markant ist, unterbricht, stellt sie diese den Einheimischen noch nicht gleich: die Praxis ist der der früheren Ordnungen sehr ähnlich. Ausgeschlossen vom Almosenempfang sollten werden: die Arbeitsscheuen und Vagierenden, „aß denen unter dem schein ihrer vorgebenen armselikait ein soliches nit zugetraut würdt, sehr gefärlich ist", d. h. es schiebt sich — unter Berufung auf die Reichspolizeiordnungen — ein Sicherheitsmotiv ein, das potentielle Unruhestifter abwehren will. Die beständigen „Landsbettler" sollten überhaupt nicht durch die Tore gelassen werden. Kranke und Gebrechliche sollten mit einem Zehrgeld (viaticum) versehen werden, um ihnen den Weitertransport möglich zu machen.

Eine Hauptrechnung über sie sollte geführt und diese der Aufsicht der Obrigkeiten, des Fürstbischofs, des Domkapitels und des Bürgermeisters, unterstellt werden. Die Almosenverwaltung wurde nun endgültig nicht nur der landesherrlichen Legislative untergeordnet, sondern auch in der Durchführung der städtischen Autonomie entzogen[46]. Nur bei den kirchlichen Korporationen erfolgte die Zentralisierung aufgrund von Vereinbarungen[47]. Die Sozialfürsorgepolitik Fürstbischof Julius Echters, die die Almosenverwaltung rationalisieren und zentralisieren sollte, führte in den 80er Jahren des 16. Jahrhunderts zu einer Auseinandersetzung, die die Beziehungen von Stadt und Fürstbischof belastete[48]. Wir verfolgen sie hier nur so weit, als die grundsätzlichen Standpunkte zu erkennen sind.

1577 nahm der Fürstbischof ein Aufsichtsrecht in Anspruch: er kontrollierte die Rechnungen der Almosenstiftungen der Armenhäuser[49]. Seine Beanstandungen führten zur Forderung, die Rechnungen nicht ohne vorherige Stellungnahme durch einen Vertreter des Fürstbischofs zu beschließen[50].

Schon 1581 traten die entgegengesetzten Standpunkte des Rates und des Fürstbischofs hervor, als Julius Echter die Stiftungsvermögen des Franzosenhauses und des Seelhauses in die Fundation des Juliusspitals übertragen wollte[51]. Der Stadtrat bestand darauf, daß 1. die Stiftungen zweckgebunden seien nach dem

---

[46] Der Punkt, am dem sich die langjährige Auseinandersetzung entzündete, lag dort, wo sich die Verstaatungstendenz Julius Echters der Kommunalisierungstendenz gegenüberstellte. Insofern ist das Beispiel Würzburgs von Interesse, da anders als in den Reichsstädten die Träger dieser Tendenzen nicht zusammenfallen. So wurde auch die Visitation (jährlich) der Spitäler und Armenhäuser in Würzburg dem geistlichen Spitalmeister des Juliusspitals übertragen (*Schenk* in *Hessdörfer* 1917, 172). Über die geistliche Ordnung des Juliusspitals ebd. 175 ff. Siehe auch *Endres* 1975, 1009 f. Analog in Bayern (*Liermann* 1963, 157), wo der weltliche Fürst mit dem geistlichen Bischof nicht identisch war.

[47] Mit dem Domkapitel und den geistlichen Korporationen war verhandelt worden. Sie sollten einen Jahresbeitrag an die Almosenverwaltung abliefern, der das Auszahlen von Almosen an den Klosterhöfen ersetzte.

[48] Würzburg Stadtarchiv Ratsakten 1906, enthält Akten, die zusammmengebunden sind, Deckelaufschrift „Allmussen unnd Arme Heüser Betreffendt", doch kein vollständiges Dossier. Zur Gesamttendenz der Gesetzgebung Julius Echters *Merzbacher* 1973, 120—122, der die konservativen Züge und die Gleichrangigkeit von geistlichen und landesherrlichen Motiven betont. Zentralisierung und Rationalisierung als generelle Tendenzen: *Zeeden* 1968, 113.

[49] Würzburg Stadtarchiv Ratsakten 1906, f. 6 r—8 v; ebenso kontrollierte er die Rechnungen der Spitäler und Armenhäuser von 1581/82: RP 11, f. 34 v (11. 5. 1583). Die Reichspolizeiordnung 1577 (*Schmelzeisen* 2/1, 75) ordnete die jährliche Visitation der Spitäler an. *Pölnitz* 1934, 280.

[50] Würzburg Stadtarchiv Ratsakten 1906, f. 8 v.

[51] Ebd., f. 23 r—28 v: Schreiben von Bürgermeistern und Rat an Fürstbischof Julius vom 11. 11. 1581 (Ausgangskopie, Konzept vorhanden). Die Anregung dazu war vom Domkapitel ausgegangen: *Pölnitz* 1934, 280.

Willen der Stifter und 2. eine spezialisierte Verwaltung sachgemäß sei[52]. Er bezweifele nicht, daß das Juliusspital auch der Würzburger Bürgerschaft zugute komme, doch sei „ein großer unterschied, ob einer ein ding allein für eigen undt für sich alein oder mit andern gemein habe". Aus den Würzburger Stiftungen sollten primär die Bürger versorgt werden. Nur der Überschuß könne Fremden zuteil werden. Im Juliusspital wären die Stiftungen „gemeiner armer Burgerschafft nimer eigen, sonder mit der gantzen Landschafft gemein". Schon jetzt ließen sich manche Ansprüche nicht sofort befriedigen, viel mehr bestehe nun die Gefahr, daß Auswärtige den Einheimischen vorgezogen würden und so Fremde das genössen, was Eigentum der Bürger sei. Auch die Abordnung eines städtischen Pflegers neben einem des Domkapitels und der Geistlichkeit werde Benachteiligungen nicht verhindern, da „wir bißhero zu etlich maln gespürt, das do wir als arme Burger und unterthanen neben unserer gnediger herrschafft zugeordneten und den Geistlichen zuuerrichtung etlicher sachen deputirt undt verordnet werden, unser einfeltig und wolmeinent bedencken offtermals gar wenig oder nichts gelten wöllen, Sich auch keiner bald seiner herrschafft fürschlag und gut beduncken (sonderlich do sie darauff ernstlich verhart) zuwider setzen untersteht"[53]. Der Rat bestand auf dem alten Herkommen, dem geltenden Recht, überdies befürchtete er, daß die Neuordnung den Stiftungswillen beeinträchtigen werde[54]. Der Wille, den Rest an Selbstverwaltungsrechten festzuhalten, bestimmte den Rat, da abzusehen war, daß das Angebot des Fürstbischofs, den städtischen Rat an der Verwaltung zu beteiligen, bei der überlegenen Position des Landesherrn, die städtischen Rechte weiter mindern würde und das in der Stadt gestiftete Kapital zur Sozialfürsorge den Bürgern in geringerem Maße zuteil werden könnte.

1583 beriet der Rat einen Entwurf einer Almosenordnung[55]. Der Entwurf übernahm zwei Ziele, die auch der Fürstbischof verfolgte: 1. die Stiftungen städtischer Provenienz sollten zusammengefaßt werden[56], 2. mit den geistlichen Kor-

---

[52] Würzburg Stadtarchiv Ratsakten 1906, f. 23 v: der Rat sei bisher davon ausgegangen, daß die bestehenden Einrichtungen weiterhin genutzt würden und nur diejenigen, die darin nicht versorgt werden könnten, ins neue Spital (= Juliusspital) kommen sollten. Die Stiftungen (ebd., f. 24 r) seien vorgesehen für verschiedenartige Krankheiten, solche mit hohem Pflegeaufwand (= mühselige) und „etlicher maßen abscheuliche sachen", die schon wegen der Infektionsgefahr isoliert behandelt werden sollten. Auf die Differenzierung der Zwecke spätmittelalterlicher Stiftungen weist hin *Bog* 1975, 987.

[53] Würzburg Stadtarchiv Ratsakten 1906, f. 25 rv.

[54] Ebd., f. 27 r.

[55] Ebd., f. 29 r—38 v. Die Initiative ging vom Fürstbischof aus: RP 14, f. 36 r (30. 5. 1583). Nach den Dorsualvermerken ist dieser Entwurf am 12. 7. 1583 beraten (RP 14, f. 44 r) und gebilligt, am 31. 7. 1585 (!) oder 12. 5. 1585 dem Fürstbischof übergeben (ebd., f. 38 v).

[56] Die älteren Stiftungen: Das Reiche Almosen, das Brückner Almosen sollten mit den neueren Stiftungen: Ursula Birnessers Stiftung (von 1550 Würzburg Staatsarchiv ldf 32, p. 567), Georg Meders Kornstiftung (ebd., p. 567 von 1542), Pauls von Worms (ebd.,

porationen war ein Informationsaustausch vorgesehen, um zu verhindern, daß einzelne aus der unkoordinierten Almosenverteilung Nutzen zögen[57]. Anders als vom Fürstbischof geplant, sollte das städtische Almosen vom Rat verwaltet werden und vorwiegend den Würzburger Hausarmen zugute kommen[58]. So lag der entscheidende Differenzpunkt nicht in der Frage der Zentralisierung, schon gar nicht im Ziel der gerechten Verteilung, sondern darin, wer die Verfügungsgewalt über die Armenstiftungen haben sollte. So weitgehend der Gegenentwurf Julius Echters von 1584 — es handelt sich um den Entwurf der oben besprochenen und spätestens 1606 realisierten Ordnung — mit dem Entwurf des Rats von 1583 übereinstimmte[59]: er sah vor, daß die Verwaltung des Almosens der Selbstverwaltung des Rates zu nehmen sei. Der Rat wich hier, anders als bei gleichzei-

---

1579), Barbara Blumins Jahrtagsstiftung (ebd. 1570), Nikolaus Diemers (ebd. 568 ohne Datum) und Thomas Irtenbergers Stiftungen (Würzburg Stadtarchiv Ratsbuch 11, f. 184 r—185 r, die Stiftung (1588) des Nürnberger Bürgers, geboren in Würzburg, lautete über 300 fl zu Ankauf von Getreide und sah bei Ausschluß von Ausgburger Konfessionsverwandten den Rückfall an den Stifter vor) in ein ‚Gemeinwerk‘ zusammengezogen werden (Würzburg Stadtarchiv Ratsakten 1906, f. 29 r—v).

[57] Der Entwurf blieb mit dieser Koordination der Stiftungen noch hinter dem zentralisierenden Typ, den *Liermann* 1963, 148, dem fusionierenden Typ gegenübergestellt, zurück. Die Empfänger des Ritterschafts- und Hofgesindealmosen sollten den Almosenherren mitgeteilt werden, die Almosen der geistlichen Korporationen in jährlichen Pauschalsummen in das gemeine Werk eingebracht werden, wobei den Stiften und Konventen ein Kontrollrecht zugesprochen wurde (Würzburg Stadtarchiv Ratsakten 1906, f. 31 r—v). Die Folgen der Überversorgung werden konkret angegeben: Arbeitsunwillige sagten: ,,waß solt ich mein kindt dienen laßen, oder Ich einen Tag umb 2 sh oder 14 arbeiten, mein kindt kon mit mir bettlen woll mehr gewinen und darbey gute faule tag haben … und mein brott hol (den also nennen sie s, Alß were mans Ihnen von Rechts wegen schuldig …) so kan ich manchen tag uff ein ortt eines guldens und hoher kumen.‘‘ Man bekomme daher keine Mägde mehr, die Mädchen würden zum Betteln erzogen, bis sie 12 oder 14 Jahre alt würden, dann nähmen sie Häckersknaben, die auch im Bettel aufgewachsen; wenn ihnen Gott Kinder beschere, so würden diese auch an das Betteln gewöhnt.

[58] Ebd., f. 34 r: die Hausarmen werden beschrieben als solche, ,,die zwar Ihres leibs vermoglichkeiten halben und dieweil sie selbsten noch ettwaß eigens haben, in kein Spittal oder arm haus begeren, oder auch daran nicht zunemen sindt, doch wegen menge der kinder oder zugestanden unfals sich und die Ihrigen ohne ander leut helff und dz Almoßen nicht konnen ernahren undt fortbringen‘‘. Dies beschreibt die typischen Ursachen der Verarmung: Kinderzahl und Invalidität bringen die Hausarmen unter das Existenzminimum. Vgl. *Bog* 1975, 987.

[59] Ebd., f. 43 r (1. 7. 1585, Konzept Bürgermeister und Rat an Fürstbischof Würzburg): die vom Fürstbischof vorgelegte Ordnung stimme mit dem vor zwei Jahren übergebenen Vorschlag meist überein, vgl. auch RP 14, f. 97 v. Danach wäre der Entwurf von 1583 dem Fürstbischof nicht erst 1585 übergeben worden. Der Entwurf von 1584 Ratsakten 1907, f. 51 ff. Das Domkapitel beanstandete das Armenwesen 1584: Würzburg Staatsarchiv Domkapitelsprotokolle (=Dkp) 40, f. 135 r (14. 3. 1584), f. 338 r (26. 9. 1584).

tigen Konflikten, nicht zurück, sondern beharrte auf seinem herkömmlichen Recht. Er berief sich dabei auf die bei der Erbhuldigung gegebene Versicherung des Landesherrn, die alten Rechte zu wahren[60]. Noch Ende 1587 steigerte ein Ultimatum Julius Echters den Konflikt[61]. Der Rat wandte sich an das Domkapitel als Mitregenten, das die Ordnung noch nicht bewilligt hatte[62]. 1588 war die neue Almosenordnung noch nicht erlassen. Von 1594 und 1595 sind dann scharfe Kontrollen des Fürstbischofs über Almosen, Armenhäuser und Spitalrechnungen bekannt[63].

Der Versuch, die Almosenordnungen im Sinne des geistlichen Absolutismus zu reformieren, scheiterte zunächst am Widerstand des städtischen Rats. Bis in

---

[60] Würzburg Stadtarchiv Ratsakten 1907, f. 44 r. Der Rat forderte die Nomination der Pfleger aus dem Rat und der Gemeinde durch den Rat selbst (RP 14, f. 97 v). Die Voten der Ratsherren in dem — ein vom usus abweichender Vorgang - wörtlichen Protokoll der Ratssitzung vom 9. 12. 1587 (RP 14, f. 307 v—310 r) bringen den entscheidenden Konfliktpunkt klar heraus. Die Ratsherren berufen sich auf das geltende Recht, nach dem die Stifter die Verwaltung der Stiftungen dem Rat übertragen hatten, so z. B. ebd. f. 308: die Ordnung sei annehmbar, „allein weil diese Allmußen und arme heuser uff ein E. Rath zu verwallten und uf zu theilen gestifft". Ebenso werden Gründe der Pietät — die Stiftungen seien von den Vorfahren gestiftet worden — und die Besorgnis, daß die Gemeinde sowohl den Vorwurf der Veruntreuung entnehmen als ihn auch gegenüber dem Rat erheben könnte, wenn er die Verwaltung der Stiftungen aus der Hand gäbe. Demgegenüber betont der Vertreter des Bischofs, Weimer, der fürstbischöflicher Sekretär war, daß das landesherrliche Recht dem der Untertanen überlegen sei: „so khonten solche eins Raths Reuers die Obrigkheit nit binden noch hindern oder abhalten zu verbeßerung", nur Unverständige könnten den Rat „alls der obrigkeit verordnete underthanen" für Rechtsbrecher halten (ebd., f. 309 r). Wenn der Fürst „es befehlen wurdte, was man da thun wollte" (ebd., f. 309 v). Die schwache Position wird in dem Beschluß deutlich: man wolle den Fürstbischof untertänig bitten, es beim Alten zu lassen, „wolls helffen, wohl und gut, wo dann nit, So khennden wir alls arme underthanen Ihren F. g. nit vorgreiffen oder Ordnung geben". (ebd., f. 310 r).
[61] Würzburg Stadtarchiv Ratsakten 1907, f. 92 r—96 v (9. 12. 1587), behändigt 11. 12. 1587. Der Rat berief sich gegenüber dem Fürstbischof auf das Herkommen (ebd., f. 97 r—100 v): Bürgermeister und Rat an das Domkapitel Würzburg 15. 12. 1587 (Konzept): der Fürstbischof habe nach Empfang des Schreibens vom 9. 12. den Rat am 14. 12. auf die Kanzlei gefordert und befohlen, bis heute (15. 12.) die Ordnung zu bewilligen und zwei Pfleger zu benennen (RP 14, f. 307 v, 3. 12. 1587). Das Domkapitel beklagte den Erlaß von Mandaten, die in die Kompetenz des Oberrats eingriffen (Würzburg Staatsarchiv Dkp 42, f. 262 r (11. 12. 1586).
[62] Würzburg Stadtarchiv Ratsakten 1907, f. 99 r. Das Domkapitel wird als „gepietendte herren" angesprochen.
[63] Würzburg Staatsarchiv Dkp 44, f. 57 r (16. 12. 1588): das Domkapitel stellte sich hinter den Unterrat, die alten Stiftungen sollten nicht aufgehoben werden, der Entwurf der Ordnung wurde unter dieser Bedingung gebilligt: Würzburg Stadtarchiv Ratsakten 1906, f. 105 r ff.

das Jahr 1587, in dem Julius Echter auch gegen die protestantischen Ratsherren in Würzburg vorging, verschärfte sich die Auseinandersetzung. In ihren prominenten Vertretern[64] waren die Würzburger Protestanten zugleich Pfleger der bedeutendsten Almosenstiftungen. Das Bestreben, die Landesherrschaft auszubauen, verband sich eng mit dem Ziel des Fürstbischofs, die Gegenreformation durchzusetzen.

IV

Ein abschließender Blick auf Würzburger Bettel- und Almosenordnungen des 17. und 18. Jahrhunderts[65] erweist die Konstanz der Ursachen der Armut, zugleich zeigen sie, daß es unmöglich war, mit dem Problem der Armut auch nur in der Form des öffentlichen Bettels fertigzuwerden[66]. Letzterer ist ständig als

[64] Würzburg Stadtarchiv Ratsakten 1906, f. 11 r (vermutlich 1577): Pfleger des Reichen Almosens war Balthasar Rueffer (vgl. oben S. 66), des Brückneralmosens Konrad Müller (vgl. unten S. 194), des Rock- und Schuhalmosens Heinrich Wilhelm (vgl. unten S. 198), Philipp Merklein (vgl. unten S. 193 f.) war 1580 Pfleger der Armenhäuser (Würzburg Stadtarchiv Ratsbuch 11, f. 67 r—v).

[65] Almosen- und Bettelordnung vom 15. 3. 1676: *(Philipp Heffner)*, Sammlung der hochfürstlich-wirzburgischen Landesverordnungen welche in geist- und weltlichen Justiz-Landgerichts-Criminal-Polizey-Cameral-Jagd-Forst- und andern Sachen von einigen Jahrhunderten bis daher verfasset, und durch offentlichen Druck verkündet worden sind. 3 Bde. Würzburg 1770—1800, hier Band I, 297 f. — Bettelordnung vom 24. 12. 1685: Würzburg Staatsarchiv ldf 48, f. 498—501. — Almosenordnung 17. 3. 1703: Würzburg Stadtarchiv Ratsakten 1907 (Druck). — Almosenordnung vom 7. 5. 1720: ebd. und *Heffner* I, 625—631. — Almosenordnung vom 24. 6. 1732: *Heffner* II, 62—69. — Almosenordnung vom 26. 11. 1749: Würzburg Stadtarchiv Ratsakten 1907 (Druck). — Almosenordnung vom 9. 1. 1772: ebd. und *Heffner* III, 18—21. (dazu *Flurschütz* 1965, 179). — Der Überblick berücksichtigt nicht die Sozialpolitik Franz Ludwig von Erthals, da sie, aufklärerisch bestimmt, vom generellen Typ der Ordnungen der frühen Neuzeit abweicht. Vgl. dazu unten Exkurs: Zur Struktur der Armut S. 143 ff. Zur Ordnung von 1732 *Wild* 1906, 194 f., der in den durch diese Ordnung bekämpften Maßnahmen nur solche des 18. Jahrhunderts sieht, sie tauchen jedoch in allen hier besprochenen Ordnungen der frühen Neuzeit auf. Vgl. auch *Endres* 1975, 1015, und *Merkle* 1914, 169 f. — Die durch das Juliusspital betriebene Sozialfürsorge klammern wir aus, vgl. dazu *Hettinger* in *Hessdörfer* 1917, 190 ff.

[66] Zu den Ursachen vgl. unten Exkurs: Zur Struktur der Armut S. 143 ff. *Flurschütz* 1965, 172, 179. Erst die Verordnung von 1788 (vgl. oben A. 65), S. 422, proklamiert als Grundsatz: daß „Jede Armenpolizeyeinrichtung sowohl das Moralische als Oekonomische der Unterthanen zum Grunde hat; so sind zugleich auch die Ursachen und Quellen der Armuth mit aufzusuchen, und, wie solche zu untergraben, mit angemessenen Vorschlaegen zu begleiten, denn ohne diesen wesentlichen Punkt sind alle Einrichtungen und Maasregeln vorübergehend und unwirksam". — Allgemein: *Endres* 1975, 1020.

Anlaß der Ordnungen genannt, deren Kern im übrigen darin besteht, daß das tatsächliche Verhalten der einzelnen Gruppen von Armen beschrieben und die Maßnahmen festgelegt werden, die die Übel bekämpfen sollen. Die Grundlinien der Ordnungen blieben erhalten, wie z. B. die Bevorzugung der Einheimischen und die Visitation der Wirtshäuser. Grundsätzlich neue Maßnahmen zur Bekämpfung des Bettels — das Verbot zu betteln, wird in allen Ordnungen ausgesprochen[67] — sind nicht zu sehen. Nur die Sanktionen verschärfen sich: Bettler können ins Zuchthaus eingewiesen[68] oder Landbewohner und Auswärtige aus der Stadt verwiesen und aufs Land zurückgeführt werden[69]. Als neue Gruppe für Würzburg tauchen in den Ordnungen zu Anfang des 18. Jahrhunderts die Studenten auf[70]. Neu ist ferner, daß der Fonds vorwiegend durch laufende Zuschüsse aus der fürstlichen Kammer[71] gespeist werden muß[72]. In der Ordnung von 1772 ist eine Tendenz zu erkennen, die Bettelfrage als Polizeifrage in engerem Sinne zu behandeln: Bettler werden als Unruhestifter betrachtet, die Bettelvögte abgeschafft und durch sogenannte Rumorwachen ersetzt[73].

[67] *Flurschütz* 1965, 174 f. 1676: *Heffner* I, 298; 1685: Würzburg Staatsarchiv ldf 48, f. 499 f.; 1703: Würzburg Stadtarchiv Ratsakten 1907, Ordnung 1703, S. 10 (XV); 1732: *Heffner* II, 62; 1749: Würzburg Stadtarchiv Ratsakten 1907, Ordnung 1749 (11.); 1772: ebd. Ordnung 1772 (primo).

[68] Zuerst 1732, dann 1749 und 1772 wird Bettlern mit dem Arbeitshaus gedroht: *Heffner* I, 62; Würzburg Stadtarchiv Ratsakten 1907, Ordnung 1749 (XI), Ordnung 1772 (9mo): für rückfällige Bettler. Über die Zuchthausfabrik in Würzburg *Wild* 1906, 172 f. Das Würzburger Strafarbeitshaus war 1690—1696 von Fürstbischof Gottfried II. von Guttenberg (1684—1698) erbaut worden: *Mader* 1915, 548, nicht erst 1731/32 (*Flurschütz* 151). Vgl. auch *Merkle* 1914, 170, und *Flurschütz* 1965, 195 f. — Zum Arbeitshaus allgemein *Endres* 1975, 1012 ff.

[69] Gegenüber den früheren Anordnungen, Bettlern den Eintritt in die Stadt zu verweigern, die offenbar nicht genügend waren, bedeutete dies die Ausdehnung der Kontrolle auf die ganze Stadt. 1720 drohte die Ordnung „Die Ausrott- und Fortschaffung des fremden Bettelgesinds betr." (*Heffner* I, 631 f.) die Ausweisung aus dem Stift an.

[70] Ordnung 1703 (wie oben A. 65), S. 6 (VI): „. . . nachdeme sich die gröste Exorbitanz bishero der Studenten halben ereignet, als deren ein grosser Accursus von allen Orthen und Nationen dahier sich cumuliret, so durch das Nacht = Singen und Gassen = Betteln sich fortzubringen suchen, die Consumption augiren und durch sie die meiste Insolentien und Excessus verübet werden;".

[71] Zuerst 1703 (Würzburg Stadtarchiv Ratsakten 1907), dann 1720 (ebd.), 1732 (*Heffner* II, 62 f.): außer Zuschüssen und Pauschalbeiträgen der Stifte und Konvente nennen die Ordnungen nur noch die Sammlungen. Die Zuschüsse: 200 fl aus der fürstbischöflichen Kammer, in natura: 50 Malter Korn vom Butteramt, 35 vom Juliusspital, 52 aus einer Waisenstiftung, 25 Malter Korn vom Hofspital.

[72] Die Geschichte der städtisch-bürgerlichen Stiftungen verfolgen wir hierbei nicht weiter. Für das 17. Jahrhundert vgl. die knappen Nachrichten bei *Dümig* 1974, 103 f.

[73] Ordnung 1772 (wie oben A. 65), (7 mo), die Rumorwachen erwiesen sich jedoch als wenig wirksam: *Flurschütz* 1965, 186 f., doch schon für das 16. Jahrhundert: *Zeeden* 1968,

Die Verfügungsgewalt ist klar geregelt: in jedem Fall delegiert der Fürstbischof die Verwaltung der Almosen an die Stadt, die nun keine Rechte gegen den Landesherrn mehr geltend macht und nur im Auftrag des Landesherrn handelt[74]. Die Formen der Bewältigungsversuche des Armenproblems haben sich nicht geändert[75]. Diese späten Ordnungen bezeugen erneut in ihrer Übereinstimmung mit den früheren, daß Armut ein Dauerproblem war. Denn aus der Häufung der Armenordnungen im 18. Jahrhundert läßt sich nicht ableiten, daß konjunkturelle Fluktuationen die Gesetzgebungstätigkeit anregten[76]. Die Grundlagen der Armengesetzgebung[77] waren um 1500 gelegt. In Würzburg griff man dabei auf Vorbilder (Nürnberg) und gewohnte Verfahren des Mittelalters zurück[78]. Im

108, und generell für die europäische frühe Neuzeit *Gutton* 1974, 11 ff. — Die Almosen- und Bettelordnung von 1676 führt noch einmal, wie 1533, die abträgliche Wirkung der Almosenverteilung an arbeitsfähige Bettler auf den Arbeitsmarkt aus: „woraus dann erfolgt, indem der Zeit das Brod etwas höher im Kauf, also, daß sie mehr aus Brod ersammeln dann mit der Arbeit gewinnen mögen, fast kein Taglöhner mehr zu haben, sondern alle dem Müßiggang und Bettelstab nach ziehen" (wie oben A. 65), 298. Die Ordnung von 1685 hebt dagegen die Verwahrlosung der Kinder der Bettler hervor: die ans Betteln gewöhnte Jugend wird „zum höchst schadlichen Müßiggang und Mancherley darauß fließende Sund, schand und leichtfertigkeiten mit ihrem Unwiderbringlichen schaden deß Leibs und der seelen verleythet" (wie oben A. 65), f. 499.

[74] Ordnung 1703 (wie oben A. 65) (IV): „Seine Hochfürstl. Gnaden auß besonderem dero Burgermeister und Rath dahiesiger Residentz zu tragendem Gnädigstem Vertrauen die völlige Direction und Administration in dem Allmosen = Wesen erstbesagtem Stadt = Rath (als deme die Beschaffenheit und Qualität der Armen am besten kündig) gleich dero Herrn Vorfahrern am Hohen Stifft lediglich wiederumb hiemit übergeben haben wollen. . ", übernommen 1720 (wie A. 65) (4 to), 1732 (wie oben A. 65), f. 63, 1749 (wie oben A. 65) (Viertens), nicht dagegen 1772, wo nur einzelne Durchführungsmaßnahmen durch städtische Beamte abgewickelt werden.

[75] Die Veränderungen der Organisation sind dabei freilich nicht zu übersehen: beginnend bei obrigkeitlich kontrollierter Stiftungs- und Spendetätigkeit von Individuen und Korporationen endet die Almosenverwaltung in Würzburg in der Hand des Landesherrn zentralisiert, in ihrer Durchführung an untere Verwaltungsorgane delegiert.

[76] Die Daten der Almosenordnungen des 17. und 18. Jahrhunderts liegen nahe bei den Regierungsantritten der Fürstbischöfe: 1676: Peter Philipp von Dernbach (1675—1683); 1685: Johann Gottfried II. von Guttenberg (1684—1698); 1703: Johann Philipp von Greiffenklau (1699—1719); 1720: Johann Philipp Franz von Schönborn (1719—1724); 1732: Friedrich Karl von Schönborn (1729—1746); 1749: Karl Philipp von Greiffenklau (1749—1754), abweichend 1772: Adam Friedrich von Seinsheim (1755—1779). — Vgl. *Endres* 1975, 1015, A. 77 für Bamberg. *Zeeden* 1968, 109 f., hebt strukturelle Momente hervor, neben konjunkturellen und Krisen, sowie ‚public events'. Vgl. *Gutton* 1974, 54: „. . . l'existence de ces pauvres est liée à la structure des sociétés dans la mesure où les institutions d'assistance destinées à lutter contre la maladie et la vieillesse restent toujours insuffisantes jusqu'à la fin du XVIIIe siècle . . .".

[77] *Merzbacher* 1973, 120 f.

[78] *Rüger* 1932, ebenso *Gutton* 1974, 93.

142

Rückblick ist deutlich, daß das, was zunächst genuin reformatorisch schien, problemlos in katholische Ordnungen der Armenfrage übernommen werden konnte: das absolute Verbot des Bettels und die Zentralisierung der Fonds. In Würzburg trat freilich die Laisierungstendenz nicht auf[79], da hier ein Bischof als Landesherr fungierte. Trotz theologisch verschieden geprägter Motivation wiesen die Maßnahmen einen hohen Grad an Kompatibilität auf[80].

Exkurs 2:
Zur Struktur der Armut in der Stadt Würzburg am Ende des 18. Jahrhunderts

Die folgenden Ausführungen dienen zunächst zur Überprüfung der Aussage in Exkurs 1, daß Armut in der frühen Neuzeit strukturell bedingt sei. In zweiter Linie soll die Untersuchung, insbesondere in ihrem tabellarischen Teil, Vergleichsmaterial bereitstellen. Es soll zugleich ein Ausgangspunkt geschaffen werden, um für das weitverbreitete Phänomen der Armut in der frühen Neuzeit zu quantifizierten Aussagen zu kommen. Für die Stadt Würzburg ergab ein glücklicher Quellenfund die Grundlage zu einer solchen Untersuchung in zwei im Druck veröffentlichten Rechenschaftsberichten, die 1791 und 1794 auf Befehl des Fürstbischofs Franz Ludwig von Erthal (1779—1795) von der Oberarmeninstitutskommission herausgegeben wurden[1].

Franz Ludwig von Erthal bezeichnete selbst soziale Fürsorge als ein „Lieblingsgeschäft"[2]. Er entfaltete, um Bettel zu bekämpfen und Armut zu beseitigen, nicht nur vermehrte Verwaltungstätigkeit, die Stadt und Land umfaßte[3], sondern erhöhte auch den Propagandaeinsatz, dem er persönlich durch einen Hirtenbrief[4] Nachdruck verlieh. Den neuen Zug in Franz Ludwig von Erthals Verord-

---

[79] Vgl. *Courtenay* (wie oben A. 12), 284 schon für das 13. und 14. Jahrhundert. Die Grundsätze der frühneuzeitlichen Armenfürsorge resümiert *Soly* (wie oben A. 1), 592 und *G. J. Mentink:* Armenzorg en armoede in de archivalische bronnen in de Noordelige Nederlanden 1531—1854. In: Tijdschrift voor Geschiedenis 88, 1975, 551—561, hier: 552.

[80] *Gutton* 1974, 103: „. . . ce qui frappe . . . c'est . . . les similitudes entre pays protestants et pays catholiques" (betreffend die neue Sozialfürsorgepolitik) . . . " des pays de confessions différentes mettent sur pied, dans la pratique, des organismes d'assistance très comparables."

[1] Vgl. die Nachweise bei Tab. 1.
[2] *Flurschütz* 1965, 173.
[3] Vgl. das „Gesetzbüchlein zur Behandlung der Armen-Polizey auf dem Lande; das heißt: Verordnungen in Betreffe der Land-Armen-Polizey in dem fürstlichen Hochstifte Wirzburg. Gedruckt bey Franz Sebastian Sartorius, Hofbuchdrucker, Würzburg 1791.
[4] Hirtenbrief zur Unterstützung der Armenpflege, 1786. Vgl. *Flurschütz* 1965, 182, A. 121.

nungstätigkeit hat schon Hildegunde Flurschütz erkannt[5]: die Armut sollte nicht mehr nur geordnet verwaltet oder gemildert, sondern dadurch beseitigt werden, daß ihre sozialen und wirtschaftlichen Ursachen durch konstruktive Maßnahmen behoben würden. Hierzu propagierte Franz Ludwig von Erthal nicht nur, wie das vor ihm durch das Würzburger Arbeitshaus auch geschah, ein Arbeitsbeschaffungsprogramm, vielmehr förderte er Reformen der Wirtschaftsstruktur, besonders auf dem Lande[6]. Er schrieb im Sinne der Agrarreform des 18. Jahrhunderts z. B. Besömmerung der Brache durch Kleebau und Einführung der Stallfütterung vor. Die Modernisierung der Bebauung der landwirtschaftlichen Fläche wollte er durch Beispiele und Belehrung fördern[7]. Neben traditionellen — und traditionell unwirksamen — Maßnahmen wie der Bekämpfung des Bettels und des Verbotes privaten Almosengebens zeigte sich Franz Ludwig von Erthals Reformwille in der rationaleren Anwendung überkommener Mittel. Beruhte die Verteilung des Spendens in Würzburg während der ganzen frühen Neuzeit auf den Listen, die die Viertelmeister unter Beachtung bestimmter Kriterien aufstellten[8], so bestimmte Franz Ludwig die Kriterien genauer[9]. Er wandte eine Definition von Armut an, nach der sich die Almosenempfänger in drei Gruppen klassifizieren ließen[10]: Die erste Klasse bildeten[11] „nur solche, welche sich das, was sie zur täglichen Nothdurft brauchen, gar nicht verschaffen können", die zweite Klasse „diejenigen, welche sich das, was sie zur Nothdurft brauchen, nicht ganz, sondern nur zum Theile zu verschaffen imstande sind". Nur die dritte Klasse umfaßte Armut infolge von „außerordentlichen Nothfällen"[12]. Mit diesen Vorschriften war eine exaktere Erfassung der Almosenempfänger ermöglicht.

Die Publikation der Listen der Almosenempfänger der Stadt Würzburg als Rechenschaftsbericht war eine Konsequenz der enttäuschenden Ergebnisse bloß moralischer Appelle. Durch den Nachweis zweckentsprechender und gerechter Verwendung, durch Darstellung des Verwaltungsapparates und der Verwaltungsgrundsätze sollte die Gebefreudigkeit, und damit das Spendenaufkommen, erhöht werden[13].

---

[5] *Flurschütz* 1965, 173 ff.
[6] Vgl. das „Gesetzbüchlein" (wie oben A. 3).
[7] Ebd. 37.
[8] Vgl. oben Exkurs 1.
[9] Gesetzbüchlein 1791, 9, und Rechenschaftsbericht 1791 (wie oben A. 1), 5.
[10] Gesetzbüchlein 1791, 9: „Ist nur derjenige ein Armer, welcher sich das, was er zur täglichen Nothdurft braucht, entweder gar nicht, oder nicht ganz verschaffen kann."
[11] Ebd. 12.
[12] Flurschütz 1965, 197.
[13] Die Oberarmeninstitutskommission „wünscht nichts sehnlicher, als daß beydes recht eingesehen und geprüft werde, damit die einzige Absicht des erhabenen Stifters des Armen = Instituts, und der zur Ausführung angeordneten Commission die wahrhaft billige und für das gemeine Wohl zweckmäßige Unterstützung der Armen, durch fernere und hie und da auch reichlichere Theilnahme des dabey interessirten Publicums befördert werde".

Das Neue dieses Verfahrens liegt in der Transparenz, die eine rationale Kontrolle der Verwaltungstätigkeit ermöglichte. So machen die Rechenschaftsberichte genaue Angaben über Einnahmen und Ausgaben der Armenkasse, die Erträge der wöchentlichen Sammlungen in den acht Würzburger Stadtvierteln, die der Stiftung zufließenden Einnahmen an Korn und Holz und geben schließlich in der nach Vierteln gegliederten Liste die Namen der Empfänger der Almosen, der durch die Almosenpflege unterstützten Kostgänger, der Jugendlichen, die in die Lehre gegeben wurden, sowie die Zahl der Kranken, die einen Verpflegungszuschuß erhalten hatten, die Namen der Handwerker, die rückzahlbare Beihilfen empfangen hatten, ferner die Zahl der Personen, die entweder zum Gesindedienst aufgefordert oder in das fürstbischöfliche Arbeitshaus überwiesen wurden. Schließlich ist die Zahl der Armen gesondert nach Geschlecht summiert, und, nach der — leider nicht weiter aufgegliederten — Einwohnerzahl des jeweiligen Viertels die Proportion der Armen zur Einwohnerzahl vermerkt.

Im folgenden verwenden wir die Angaben der Listen. Das Geschlecht ergibt sich aus den Vornamen, Personenstand, Alter, Gewerbe oder Arbeitstätigkeit und „Ursache des Almosens", d. h. die meist eingliedrige Angabe zur Begründung des Almosenempfangs sind in den Listen gegeben. Die ebenfalls angegebene Höhe der Unterstützung wird nicht ausgewertet.

Zu berücksichtigen ist, daß die in den Listen aufgeführten Personen nicht die gesamte Gruppe der Armen darstellen. Außer den Armen, die vom Armeninstitut betreut wurden, lebte eine beträchtliche Anzahl Armer in den städtischen Spitälern und Pflegen. Nach einer Einwohnerstatistik von 1788[14] lebten 487 in Spitälern, das sind 63,41 % der Almosenempfänger durch das Armeninstitut[15]. Beide Gruppen zusammen (= 1255) bilden 5,86 % der Gesamteinwohnerzahl[16].

Die Vorakten, insbesondere die zusammenfassenden Listen und Daten für die einzelnen Viertel, scheinen verlorengegangen zu sein[17]. Es ist daher nicht

— Eine ausführlichere Merkmalsbeschreibung gab der Rechenschaftsbericht 1791, S. 5: „a) 1te Klasse. Solche, die gar nichts mehr, oder doch nur äußerst wenig, Alters oder Gebrechlichkeit halber verdienen können, auch keinen, oder doch nur äußerst geringen Nebenbeytrag weder vom eigenen Vermögen, noch von bestimmten Gutthätern erhalten, bekommen das ganze Almosen ... b) 2te Klasse. Solche, die sich und ihre Familie nicht ganz durch Arbeit oder anderweitige Zuflüsse ernähren können, aus mancherley Ursachen, als Kränklichkeit, Menge der Kinder, die noch nichts für sich und ihre Aeltern verdienen können etc. erhalten nach Proportion ihres Bedürfnisses und ihrer Einnahme, eine verhältnismäßige Zulage desjenigen, was ihnen zur nothwendigsten Erhaltung ihrer Haushaltung oder eigenen Person noch abgehe." Das ganze Almosen, also das Existenzminimum, belief sich auf wöchentlich 18 Schillinge und 1 Laib Brot (ebd.), d. h. nach Ausweis der Listen jährlich 33 fl und 12 Schillinge.

[14] Würzburg Stadtarchiv Ratsakten 1120.
[15] Almosenempfänger 1788: 768 (ebd.).
[16] Vgl. unten Tabelle 1: 21 380, in dieser Zahl sind Klerus und Militär plus deren Familien inbegriffen; 7,45 % abzüglich dieser zwei Gruppen (16 844).
[17] In: Würzburg Stadtarchiv Ratsakten 1135, finden sich einige wenige Erhebungsbögen zu einzelnen Personen, nicht jedoch Viertelslisten. Nach Auskunft des Staatsarchivs

möglich, spezifische Geschlechts-, Alters-, Personenstands- und Berufsrelationen innerhalb der Viertel herzustellen.

Im Jahre 1791 waren 4,62 % der Würzburger Einwohner Empfänger von Almosen des Armeninstituts[18]. Gegenüber 1788 hatte die Zahl der Almosenempfänger also um 1,24 % abgenommen[19]. Für 1794 ergibt sich ein weiterer, wenn auch nur geringfügiger Rückgang des Prozentsatzes der Almosenempfänger auf 4,34 %[20]. Die Zahl der Almosenempfänger, wohlgemerkt immer ohne die Spitalinsassen, liegt also nur geringfügig unter der der Handwerker[21].

Tabelle 1 macht deutlich, daß die Zahl der Almosenempfänger weiblichen Geschlechts die des männlichen um das Vierfache überstieg[22].

Die Verteilung der Almosenempfänger auf die einzelnen Stadtviertel zeigt bedeutende Unterschiede. Weit über der Prozentzahl für die Gesamtstadt von 4,62 % liegen die Viertel jenseits Main mit 7 % der Einwohnerschaft des Viertels, Sander mit 6,15 %, Pleichach mit 6,04 %. Alle anderen Viertel liegen unter dem Niveau der Gesamtstadt bis zu 2,52 % beim Kresserviertel. Zum gleichen Ergebnis gelangt man, wenn man die Anteile der einzelnen Viertel an der Gesamteinwohnerzahl mit denen an allen Almosenempfängern vergleicht. Die höchste negative Differenz weist das Viertel jenseits Main auf, die positivste Bilanz das Kresserviertel mit 4,17 %[23].

Bei der Altersstruktur zeigt sich dasselbe Bild unterschiedlicher Verteilung auf die einzelnen Viertel[24]. In fünf Vierteln (Ganheim, Kresser, Bastheim, Haug, Pleichach) liegt die stärkste Gruppe zwischen 60 und 70 Jahren, nur im Dietricher und im Mainviertel zwischen 50 und 60 Jahren. Eine Ausnahme bildet das Sanderviertel, in dem die Gruppen zwischen 60 und 70 und 70 und 80 ungefähr gleich stark vertreten sind (27,02 % und 27,56 %). Der Modalwert reflektiert die gleiche Erscheinung: er reicht von 55,6 im Mainviertel (Dietrich 56,53) bis zu 70,24 im Sanderviertel[25], die fünf übrigen Viertel weisen Modalwerte von 60—70 auf. Ein vorläufiges Ergebnis ließe sich etwa so formulieren: die Altersgruppe zwischen 60 und 70 Jahren war am stärksten von Armut bedroht, besondere strukturelle Gründe müßten für das Dietricher und Mainviertel zu finden sein. Festzuhalten ist auch die Tatsache, daß in der Altersgruppe zwischen 40

Würzburg sind die von Hildegunde Flurschütz benützten Akten des Bestandes Administration verbrannt.

[18] Die Einwohnerzahl (= 17 711) ergibt sich aus der Summe der im Rechenschaftsbericht genannten Zahlen der Einwohner in den einzelnen Vierteln, ebenso die Zahl der Almosenempfänger (= 791).

[19] Vergleichszahl für 1788: Einwohner minus Klerus und Militär.

[20] Gesamteinwohnerzahl: 17 923, Almosenempfänger: 778.

[21] Die statistische Tabelle für 1788 in Würzburg Stadtarchiv Ratsakten 1120 gibt deren Zahl mit 987 = 5,85 % der Einwohner ohne Militär und Klerus an.

[22] Weiblich: 80,91; männlich: 19,08 %; für 1794: weiblich 79,82; männlich 20,17 %.

[23] Vgl. Tabelle 2.

[24] Vgl. Tabelle 4.

[25] Vgl. Tabelle 4.

und 50 Jahren bereits in jedem Falle Anteile über 10 % erschienen. Die Spannweite reicht von 10,46 % im Haugerviertel bis zu 18,51 % im Bastheimer Viertel. Gruppiert man die Almosenempfänger nach Geschlecht, Alter und Personenstand[26], so ergeben sich deutliche Schwerpunkte bei den verwitweten Frauen zwischen 50 und 80, ebenso den ledigen Frauen, und bei den verehelichten Männern zwischen 60 und 70. Diese leicht zu erklärende Tatsache — die Frauen verarmen, wenn der Ernährer entfällt, die Männer und Eheleute durch Arbeitsunfähigkeit, wird erhärtet durch die Aufschlüsselung der Angaben der Gründe des Almosenempfangs auf die beiden Geschlechter. Wir haben dabei zwei Gruppen gebildet: die erste Gruppe umfaßt alle im weiteren Sinne sozialen und wirtschaftlichen Gründe (geringes Einkommen oder Stillstand des Gewerbes, Versorgung von Kindern, die sich selbst nicht ernähren können [„unerzogene Kinder"] und Alter), die zweite die Personen, für die Krankheiten den Empfang begründen. In der ersten Gruppe der sozioökonomischen Gründe bilden die Männer die Mehrheit: in der Gesamtstadt sind 65,03 % aller männlichen Almosenempfänger dieser Gruppe zuzuordnen gegenüber einem Gesamtdurchschnitt (männlich und weiblich) von 42,56 %. Innerhalb der Gruppe 1 beläuft sich der Anteil der Männer, die aus Gründen geringen Einkommens verarmen, immerhin auf 43,01 %. Auch hier ist die Erstreckung der Prozentsätze zwischen den einzelnen Vierteln außerordentlich groß; sie reicht von 23,8 % (17,85%) im Viertel jenseits Mains bis 71,42 % im Bastheimer Viertel (72,22% im Kresserviertel)[27]. Für die 2. Gruppe (Krankheit) stellen sich zwei Schwerpunkte heraus: 1. allgemeine Schwäche, Kränklichkeit (47,11 % der gesamten Gruppe 2 für die Gesamtstadt) und Lähmungen (34, 36 % für die Gesamtstadt). Die geschlechtsspezifische Aufgliederung zeigt bei den Lähmungen in der Regel einen hohen Wert bei den Männern, z. B. im Viertel jenseits Main 77,77 % der Männer der Gruppe 2, im Dietricher Viertel 45,45 %. Umgekehrt zeigt Gruppe 2 bei den Frauen die höchsten Prozentsätze bei Schwäche und Krankheit. Für die Gesamtstadt läßt sich also folgende Rangordnung der Verarmungsgründe angeben: 1. allgemeiner Schwächezustand und Krankheit, 2. Lähmungen, 3. geringes Einkommen, 4. hohes Alter, 5. Belastung durch nicht verdienende Kinder.

Aus dieser Übersicht ergibt sich, daß die Gründe der Verarmung, jedenfalls soweit die in Würzburg zu erfassenden Almosenempfänger betroffen waren, struktureller Natur waren, da lediglich in der 3. Gruppe konjunkturelle Ursachen im Spiel gewesen sein können. Der zeitübliche Satz, daß Verarmen durch Verschwendung und Müßiggang hervorgerufen sei[28], traf sicher nicht, die da-

[26] Die Listen unterscheiden zwischen Verwitweten, Ledigen, Verheirateten und Eheleuten, wobei der Unterschied zwischen den letzteren beiden Gruppen lediglich bedeutet, daß bei ‚Eheleuten' beide als verarmt gelten, bei ‚Verheirateten' einer der Ehepartner der Almosenempfänger ist.
[27] Allerdings spielt in diesem Viertel das Faktum der geringen Zahl eine Rolle (vgl. unten Tabelle 8).
[28] *Flurschütz* 1965, 172.

mals daraus gezogene Konsequenz, daß im wesentlichen ein Programm der Arbeitsbeschaffung vorgelegt werden müsse, nur teilweise den Kern der Sache. Setzt man zudem die Berufsbezeichnungen mit den Gründen der Verarmung in Beziehung[29], ergibt sich, daß mit höherem Alter die Zahl derjenigen, deren Gewerbe stillstand, stieg. Bei den Textilarbeiterinnen liegt der Schwerpunkt in den Altersgruppen zwischen 50 und 60 und 60 und 70 eindeutig auf den Krankheitsfällen. Dasselbe Bild ergibt sich bei den dienstleistenden Frauen. Über die Männer in Dienstleistungsbeschäftigungen läßt sich mangels genügend großer Zahlen keine signifikante Aussage machen. Bei denjenigen, für die kein Beruf angegeben ist, spielen Alter und Krankheit ungefähr die gleiche Rolle.

Es wäre lohnend, der Topographie der Armut, d. h. den Unterschieden zwischen den einzelnen Vierteln nachzugehen. Eine Untersuchung erscheint erst dann sinnvoll, wenn Einwohnerzahlen und spezifische Gliederungszahlen für die einzelnen Viertel vorliegen. So läßt sich über den Gemeinplatz, daß die Vorstädte (Main, Sander, Haug, Pleichach) ärmer waren als die Viertel in der Stadt, nichts Wesentliches aussagen. Daß diese Aussage zu allgemein ist, darauf weisen die unterschiedlichen Modalwerte der einzelnen Viertel sowie die unterschiedlichen Werte, etwa für die Gründe der Armut, hin.

Im übrigen gibt es auch bei den 1794 gegebenen Kinderzahlen signifikante Unterschiede zwischen den Vierteln[30]. In der Regel werden bei Almosenempfang infolge von nichtverdienenden Kindern, bei Verwitweten 1 bis 2 Kinder angegeben, bei Eheleuten 2 bis 5. Kinderzahlen von 6 bis 7 begegnen in den Listen von 1794 nur dreimal. Der Grund dafür mag darin liegen, daß bei höherer Kinderzahl die ältesten Kinder jeweils die Altersgrenze erreicht hatten, nach der sie in Lehren überführt werden konnten[31]. Die Zahl derjenigen Kinder, die in Gewerbe vermittelt wurden, lag 1791 bei 41 und steigerte sich 1794 auf 58. Die Zahl der Kinder, die in Kost gegeben wurden, steigerte sich ebenfalls von (1791) 50 auf (1794) 58. Zieht man jeweils die Zahlen zusammen, so ergibt sich doch eine erstaunlich hohe Zahl von Kindern und Jugendlichen, die von ihren Eltern nicht ernährt werden konnten: 1791 waren es 91 Kinder, 1794 116. Auch die Zahl derer, denen das Armeninstitut mit Krankenverpflegung half, war beträchtlich: 1791: 366; 1794: 256[32].

---

[29] Tabelle 9.
[30] Tabelle 6 bietet nur die Summen für die gesamte Stadt.
[31] Vgl. Tabelle 3.
[32] Vgl. Tabelle 3.

Tabelle 1: Einwohner und Almosenempfänger in der Stadt Würzburg (1788), 1791, 1794[1]

Viertel	1 Einwohner		2 Almosenempfänger masc.		3 fem.		4 insg.		5 4 in % v.1	
	1791	1794	1791	1794	1791	1794	1791	1794	1791	1794
Dietrich	3 339	2 876	23	25	109	95	132	120	3,95	4,17
Ganheim	2 083	2 043	11	12	62	58	73	70	3,5	3,42
Kresser	1 701	1 634	12	15	31	43	43	58	2,52	3,54
Bastheim	1 342	1 310	8	5	22	23	30	28	2,23	2,13
Sander	3 036	3 924	30	34	157	158	187	192	6,15	4,89
Haug	2 606	2 339	15	13	72	67	87	80	3,33	3,42
Pleichach	1 406	1 248	17	20	68	63	85	83	6,04	6,65
Main	2 198	2 549	35	33	119	114	154	147	7,00	5,76
Gesamtstadt	17 711	17 923	151	157	640	621	791	778	4,46	4,34
1788[2]	16 844		175		593		768		4,55	

[1] Quellen: 1788: Würzburg Stadtarchiv Ratsakten 1120: Statistische Tabelle pro 1788.
1791: Oeffentliche Rechenschaft über die Armenversorgung in der fürstlichen Residenz-stadt Würzburg, (Würzburg): 1791.
1794: Oeffentliche Rechenschaft über die Armenversorgung in der fürstlichen Residenz-Stadt Würzburg vom 1sten Mayes 1793 bis dahin 1794, (Würzburg): 1794.
[2] Die Quelle enthält keine Zahlen für die Viertel. Die Gesamteinwohnerzahl enthält nicht Militär und dessen Angehörige und geistliche Personen (männlich und weiblich).

Tabelle 2: Anteile der Viertel der Stadt Würzburg 1791 an der Gesamteinwohnerzahl und der Zahl der Almosenempfänger[1]

Viertel	% von Einwohnern	% von Almosen-empfängern	Differenz
Main	12,41	19,46	+7,05
Sander	17,14	23,64	+6,50
Pleichach	7,93	10,74	+2,81
Dietrich	18,85	16,68	−2,17
Ganheim	11,76	9,22	−2,54
Haug	14,71	10,99	−3,72
Bastheim	7,57	3,79	−3,78
Kresser	9,6	5,43	−4,17

[1] Quellen: 1791: Oeffentliche Rechenschaft über die Armenversorgung in der fürstlichen Residenzstadt Würzburg, (Würzburg): 1791.

Tabelle 3: Sondergruppen und -leistungen der Sozialfürsorge aus dem Armeninstitut der
Stadt Würzburg 1791 und 1794[1]

	1791	1794
Verschämte[2]	8	9
Kinder in Kost[3]	50	58
Jugendliche in Gewerbe vermittelt[4]	41	58
Krankenverpflegung	366	256
Vorschuß an Gewerbetreibende[5]	5	—
Zum Dienst verwiesen	32	19
Ins Arbeitshaus verwiesen[6]	131	31
Zeichen abgenommen	31	26
Abgewiesen	307	73

[1] Quellen: 1788: Würzburg Stadtarchiv Ratsakten 1120: Statistische Tabelle pro 1788.
1791: Oeffentliche Rechenschaft über die Armenversorgung in der fürstlichen Residenzstadt Würzburg, (Würzburg): 1791.
1794: Oeffentliche Rechenschaft über die Armenversorgung in der fürstlichen Residenz=
Stadt Würzburg vom 1sten Mayes 1793 bis dahin 1794, (Würzburg): 1794.
[2] Von 43 Armen, 1791, die aus Rücksicht auf Stand, Verwandtschaft oder mögliche Minderung ihres Einkommens nicht genannt werden wollten, wurden nur die angegebene Anzahl berücksichtigt (Rechenschaftsbericht 1791, 8 f.).
[3] Rechenschaftsbericht 1791,7: „In jenen Fällen, wo die Kinderzucht wegen üblen Charakters, oder wegen anderer Umstände der Aeltern ganz vernachlässigt wird, werden die
Kinder den Aeltern abgenommen, und auf Kosten der Armen-Casse andern braven Leuten
zur Verpflegung in ihre Häuser übergeben, und dort unter besonderer Aufsicht der Vier-
tel-Deputationen und Oberaufsicht der Ober-Armen-Commission zu guten und fleißigen
Bürgern erzogen."
[4] Rechenschaftsbericht 1791,7: Die Vermittlung erfolgte nach „hinlänglichem" Unterricht
im Christentum und anderen Gegenständen.
[5] Ebd. 7 f.: berücksichtigt wurden Handwerker, die bei gutem Charakter und Fleiß infolge
von ‚Unglückfällen' verarmten. Der Vorschuß war rückzahlbar.
[6] Die Zwangsarbeit wurde nach Rechenschaftsbericht 1791,7 erst nach anderen Besse-
rungsmaßnahmen angeordnet.

Tabelle 4: Altersgliederung der Almosenempfänger der Stadt Würzburg 1791 nach Vierteln[1] und Mittelwerte[2] des Alters[3]

	1	2	3	4	5	6	7	8
Über 80	3,90	5,40	6,92	0,00	5,94	3,48	7,05	4,63
70—79	18,75	20,20	25,58	22,22	27,56	23,25	15,29	21,85
60—69	23,43	31,08	30,23	29,62	27,02	34,18	42,35	17,21
50—59	30,46	24,32	18,60	18,51	17,83	19,76	17,64	31,78
40—49	17,18	14,86	11,62	18,51	16,21	10,46	14,11	13,24
30—39	2,34	2,70	0,00	7,40	3,75	3,48	3,52	7,94
20—29	3,12	1,35	6,97	3,70	1,62	3,48	0,00	1,32
10—19	0,78	0,00	0,00	0,00	0,00	1,16	0,00	1,98
A	58,10	60,36	60,90	57,85	61,03	59,77	61,41	57,54
Z	58,71	62,17	64,23	60,62	64,02	63,33	63,47	58,02
D	56,53	63,84	67,14	66,00	70,24	65,65	64,77	55,60

[1] 1: Dietrich
 2: Ganheim
 3: Kresser
 4: Bastheim
 5: Sander
 6: Haug
 7: Pleichach
 8: Main
[2] A: arithmetischer Durchschnitt
 Z: Median
 D: Modal
[3] Quelle: Oeffentliche Rechenschaft über die Armenversorgung in der fürstlichen Residenzstadt Würzburg, (Würzburg): 1791.

Tabelle 5a: Geschlechts-, Alters- und Personenstandsgliederung der Almosenempfänger der Stadt Würzburg 1791[1]

	Witwen absolut	Witwen % v. Geschl.	Ledige absolut	Ledige % v. Geschl.	Verheiratete absolut	Verheiratete % v. Geschl.	Ehefrauen absolut	Ehefrauen % v. Geschl.	Frauen absolut	Frauen % v. Geschl.
über 80	16	2,5	8	1	1	—	2	0,5	27	4,5
70—80	88	14	35	5,5	2	0,5	9	1,5	134	21,5
60—70	89	14	62	10	10	1,5	9	1,5	170	27
50—60	73	12	59	9,5	6	1	16	2,5	154	24,5
40—50	31	5	26	4	16	2,5	18	3	91	14,5
30—40	9	1,5	13	2	4	0,5	5	0,5	31	5
20—30	—	—	10	1,5	4	0,5	2	0,5	16	2,5
10—20	—	—	4	0,5	—	—	—	—	4	0,5
insges.	306	49	217	34	43	6,5	61	10	627	100

[1] Quelle wie Tabelle 4, A. 3.

Tabelle 5a: Geschlechts-, Alters- und Personenstandsgliederung der Almosenempfänger der Stadt Würzburg 1791 (Fortsetzung)

	Witwer		Ledige		Verheiratete		Ehemänner		Männer	
	absolut	% v. Geschl.	absolut	% v. Geschl.	absolut	% v. Geschl.	absolut	% v. Geschl.	absolut	% v. Geschl.
über 80	5	3,5	—	—	3	2	5	3,5	13	9
70—80	10	7	2	1,5	14	9,5	14	9,5	40	27
60—70	5	3,5	7	5	12	8	18	12	42	28,5
50—60	—	—	—	—	13	9	14	9,5	27	18,5
40—50	—	—	2	1,5	10	7	9	6	21	14,5
30—40	—	—	1	0,5	—	—	1	0,5	2	1,5
20—30	—	—	1	0,5	—	—	—	—	1	0,5
10—20	—	—	1	0,5	—	—	—	—	1	0,5
insges.	20	14	14	9,5	52	35,5	61	41	147	100

Tabelle 5b: Anteile über 1 % der Alters- und Personenstandsgruppen an der Gesamtzahl der Almosenempfänger der Stadt Würzburg 1791

Position	Personenstand	Alter	Frauen	Männer
1	Witwen	60—70	11,49	
2	Witwen	70—80	11,36	
3	Witwen	50—60	9,43	
4	Ledige	60—70	8,00	
5	Ledige	50—60	7,62	
6	Ledige	70—80	4,52	
7	Witwen	40—50	4,00	
8	Ledige	40—50	3,35	
9	Ehefrauen	40—50	2,32	
10	Ehemänner	60—70		2,32
10	Verheiratete	40—50	2,06	
	Witwen	über 80	2,06	
11	Ehemänner	70—80		1,80
	Ehemänner	50—60		1,80
	Verheiratete	70—80		1,80
12	Ledige	30—40	1,67	
	Verheiratete	70—80		1,67
13	Verheiratete	30—40	1,29	
	Witwer	70—80		1,29
	Ledige	20—30	1,29	
14	Witwen	30—40	1,16	
	Ehemänner	40—50		1,16
	Ehefrauen	70—80	1,16	
	Ehefrauen	60—70	1,16	

Tabelle 6: Kinderzahl der Almosenempfänger der Stadt Würzburg 1794[1]

	absolut	% der Kinder
7	1	1
6	2	2
5	5	5
4	15	15,5
3	22	23
2	18	19
1	22	23
o. A.	11	11,5
gesamt	96[2]	
davon von Witwen	40	41,5
davon von Eheleuten	55	57

[1] Quelle vgl. Tabelle 1.
[2] Die Gesamtzahl enthält 1 verkrüppeltes Kind einer ledigen Frau.

Tabelle 7: Gründe des Almosenempfangs in der Stadt Würzburg 1791[1]

	absolut	davon männlich	1 : % von I	1 : % von II	1 : % von I + II	1 : % von Männern (I + II)	1 : % von Frauen (I + II)
I							
Alter	109	23	34,5		14,5	16	
Kinder[2]	83	30	26,5		11	21	
Einkommen[3]	123	40	39		16,5	28	
insgesamt	315	93	100		42,5	65	
II							
Geistes-krankheit[4]	15	1		3	2		2
akute Krankheit[5]	10	1		2	1		1,5
Lähmungen[6]	167	27		34,5	21		25,5
blind	34	5		} 9	} 5,5		} 6
taub	10	1					
Sonstige[7]	21	4		4,5	2,5		2,5
Schwäche[8]	229	11		47	28,5		35
insgesamt	486	50		100	60,5		71
I + II	801						
Frauen	658						
Männer	143						

¹ Quelle vgl. Tabelle 1.

² Unerzogen Kind: vgl. *Zedler*, Grosses Vollständiges Universal-Lexikon 49, 1746 (ND 1962), 1282: „liberi nondum educati heissen Kinder, welche noch nicht im Stande sind, sich selbst zu ernähren, und vor deren Unterhalt also nothwendig von ihren Eltern und Anverwandten, oder nach Gelegenheit auch von der Obrigkeit gesorget werden muß."

³ Diese Gruppe faßt die Personen mit den Angaben ‚Geringer Verdienst' und ‚Stillstand des Gewerbes' zusammen.

⁴ Faßt die Angaben ‚simpelhaft', ‚Delirantin' zusammen. Zum letzeren vgl. *Zedler* (wie oben A. 2) 7, 1734 (ND 1961), 457: „Delirium heist insgemein eine Raserey, dergleichen bey hitzigen Fiebern und Haupt-Kranckheiten zu seyn pflegen. Solche aber ist nichts anderes als eine Abweichung von der gesunden Vernunft . . .".

⁵ Akute Krankheiten nach *Zedler* (wie oben A. 2) 15, 1737 (ND 1961), 1754—56 solche Krankheiten, die in wenigen Tagen zum Tode oder zur Besserung führen, Ggs. chronische Krankheiten. Hier wurden eingruppiert Rotlauf (*Zedler* 23, 1740, 793—795 (Nasenrotlauf, Rose), Krebs (*Zedler* 15, 1737, 1812), Lungensucht (*Zedler* 18, 1738, 1189—1192: Phtisis ist ein „Abnehmen des ganzen Leibes mit einem schleichenden Fieber, Husten, beständigen Auswerffen eines zähen, blutigen und eytrichten Rotzes oder Schleimes."), Blutspeien (*Zedler* 4, 1733, 262—269), offene Füße (*Zedler* 25, 1740, 902).

⁶ Eingruppiert wurden Bezeichnungen lahm, Lähmungen einzelner Glieder, contract. (*Zedler* 6, 1733, 1136: „ist ein zweydeutig Wort . . . In ausserordentlichen, krancken Zustande wird es von der Verkürtzung derer festen Theile gesagt, und heist contract an Gliedern, derjenige, dessen Hände und Füsse durch Gicht, Krampff, und andere Krankheiten krumm gezogen, oder zum ordentlichen Gebrauch untüchtig gemacht werden."), Gicht, schadhaft (*Zedler* 6, 1733, 712: „mangel- oder schadhaft, verkürzt: Dieses Wort wird von demjenigen gesagt, was einen Mangel hat, als von denen Lefftzen, Ohr-Läpplein, Augen-Winckeln. Besonders wird darunter verstanden, wenn gedachte, oder andere Theil wiedernatürlicher Weise an einander wachsen").

⁷ Mutterkrankheit (= Krampf der Gebärmutter: *Zedler* 13, 1735, 1511), Wassersucht (*Zedler* 53, 1747, 737 ff.), Epilepsie, Auszehrung, „geschwollen".

⁸ Hier sind „kränklich" und „schwächlich" zusammengefaßt, zum letzeren vgl. *Zedler* 7, 1734, 294: debile Personen „sind welche wegen ihrer Schwach- oder Kranckheit ihren Sachen nicht wohl und gebührend vorstehen können".

Tabelle 8: Gründe für Almosenempfang nach Berufs- und Altersgruppen in der Stadt Würzburg 1791[1]

	1 Selbständige, Handwerksgesellen	2 Textilarbeiterinnen	3 Dienstleistungen weiblich	4 Dienstleistungen männlich	5 ohne Berufsangabe
Stillstand des Gewerbes					
über 70	16				
60—70	5				
50—60	4				
40—50	3				
insgesamt	28				
Geringer Verdienst					
über 70		1		5	
60—70	6	21	18	6	2
50—60	1	13	20	3	1
40—50		5	2		
unter 40		1			
insgesamt	7	41	40	14	3
Alter					
über 70	16	26	21	5	46
60—70		6	6		3
insgesamt	16	32	27	5	49
Krankheit					
über 70	5	30	8	4	33
60—70	7	69	32	17	20
50—60	3	59	54	6	6
40—50	3	22	16	} 3	5
unter 40		19	3		6
insgesamt	18	199	113	30	70
Kinder					
60—70			2	4	
50—60		2	8	11	
40—50		10	17	10	1
30—40		1	16		
unter 30		1			
insgesamt		14	43	25	1
Total	69	286	223	74	123

[1] Quelle: wie oben Tab. 1.

Exkurs 3:
Die Bibliothek des Würzburger Kartäuserpriors Georg Koberer

1. Die Ratsbibliothek Sommerhausen/Main enthält zum überwiegenden Teil die von Georg Koberer 1534 an die Gemeinde Sommerhausen verkauften Bücher. Da nur wenige Bände nach diesem Datum hinzugefügt wurden, die Bibliothek seit Anfang des 17. Jahrhunderts nicht mehr erweitert wurde, besteht diese Bibliothek im wesentlichen so, wie Koberer sie bei seinem Tod 1534 hinterlassen hat. Trotz dieser gegenüber öffentlichen und Kirchenbibliotheken seltenen Situation ist diese Bibliothek bisher unerschlossen. Otto Veit hat, von Hildebrecht Hommel unterstützt, in einer handschriftlichen Kartei die Titel verzeichnet, von der ein Doppel im Rathaus Sommerhausen existiert[1]. Der Katalog von Veit-Hommel erfaßt 772 Titel[2].

Hommel hat selbst zuletzt an unzugänglicher Stelle über die Ratsbibliothek berichtet[3]. Eine kurze Notiz von Hans Bösch[4] ist fast alles, was an Literatur aufzufinden war.

---

[1] Für die großzügige zeitweilige Überlassung dieser Kartei, die für die Vorarbeiten zu diesem Exkurs unerläßlich war, sowie für einige Korrekturen und Verbesserungsvorschläge nach kritischer Durchsicht des Manuskripts ist H. Hommel besonders herzlich zu danken. Ebenso den Bürgermeistern und der Gemeindeverwaltung Sommerhausen, die Zugang und Arbeitsmöglichkeiten gewährten. Herrn Dr. Klaus Arnold ist zu danken für die Erlaubnis, Einsicht in ein Manuskript zu nehmen, das das bisher Bekannte über die Ratsbibliothek zusammenfaßt. Schließlich danke ich Herrn Erwin Freund, der mit mir die Titelaufnahme in Sommerhausen beendete.

[2] Es ist möglich, daß diese Zahl geringfügig überschritten wird, wenn die Bibliothek genau verzeichnet wird. Bei der auf die Titel zwischen 1517 und 1524/25 beschränkten Durchsicht ist ein bisher nicht erfaßter Titel aufgenommen: *Benzing* Nr. 461: Ad Johannem Ecciū/ /Martini Lutheri/ /Epistola super/ /expurgatiōe/ /Ecciana./ /Vuittenberge. Anno M.D.XIX. I.G., der nicht in den Katalog aufgenommen wurde, da er keinen Eintrag von Koberers Hand enthält. Die Schrift ist zwischen 4° 228/9 und 10 eingebunden.

[3] Nürnberger Nachrichten 1956, Nr. 75.

[4] Centralblatt für Bibliothekswesen 12, 1895, 186 f. — H. Hommel teilte freundlicherweise noch folgende Titel mit: *K. Schornbaum:* in: Zeitschrift für bayrische Kirchengeschichte 1928, 254 f.; *H. Hommel:* Lutherschriften in fränkischen Bibliotheken. In: Die Frankenwarte (Beilage zum Würzburger General-Anzeiger) 1933, Nr. 45 vom 9. November, hier S. 2; *Ders.* in: *Hommel* 1976, 421 f. mit Anm. 30; *Ders.* in: Nürnberger Nachrichten 1956, Nr. 75 vom 29. 3. 1956, S. 18; *Otto Veit:* Aus dem Leben der Sommerhäuser Ratsbibliothek. In: Familienkunde (Beilage zum Würzburger General-Anzeiger) 1938, Nr. 10 vom 8. Dezember, S. 1—4; *Walter Geis:* Die Ratsbibliothek von Sommerhausen. In: Frankfurter Allgemeine Zeitung vom 14. 12. 1956. — Ferner weist Hommel auf ein Manuskript hin,

2. Die Titel vor 1517 und nach 1534 haben wir nur auf Einträge hin durchgesehen, eine Titelaufnahme erfolgte ebensowenig wie für die zwischen 1525 und 1534. Die Titelaufnahme für die Schriften zwischen 1517 und 1524 (in einigen Fällen 1525) erfolgte durch Autopsie, ebenso wurden sie auf Einträge von der Hand Georg Koberers durchgesehen. Die Handschrift Koberers läßt sich aufgrund des Eintrags in 2° 50 (eine Justinausgabe von 1497, vgl. unten Anhang 3) identifizieren. Sie enthält den Besitzvermerk: „Constat 7 Grossos Emptus anno dni 1502 lipczk per georgium köberer Sumerhausensem". Ebenso lassen sich Anstreichungen seiner Hand zuweisen.

Daß die Bibliothek von Koberer stammt, läßt sich aufgrund eines weiteren Vermerks von nach 1534 in Nr. 210 sicher sagen: „1534 Jar ist Jorg köberer zu nurmburck gestorbenn der hat die bucher In das dorff gestifft vnd sein gewest an der Zal (gestrichen: 200 vnd 4 haben gekost) zweihundert vnd vierundsibenzig sein (gestrichen: unnd) umb dreihundert vñ achtundzwentzig gulden erkaufft worden etc. Beschriben durch (gestrichen: Joannem) Johannes köberer Das buchlein gehort in die Librey."

Abgesehen von den später hinzugefügten Bänden, nach dem Katalog von Hommel 59 Schriften, die z. T. Besitzvermerke eines Andreas Barg aus Schweinfurt tragen[5], fanden sich in den Bänden mit Schriften zwischen 1517 und 1524/25 die folgenden Vermerke, denen nicht weiter nachgegangen werden konnte: Der interessanteste in 4° 256/3: QVANTVM/ /DEFVNCTIS PROSINT/ /VIVENTIUM BONA OPERA/ /SERMO IOANNIS DAMA=/ / SCENI, IOANNE ŒCO/ /LAMPADIO IN=/ /TERPRETE./ /(Staehelin 28) auf dem Titelblatt: „Nobili et optimo viro Wilhelmo de Zell/ /Ex dono . . . confessoris In altominster" — also eine Widmumg Ökolampads an den ca. 1470 in Zell bei Kaufbeuren geborenen, 1545/46 in Konstanz gestorbenen Anhänger Schwenckfelds[6]. Eine weitere Widmung läßt Vermutungen über die Teile des Bestandes aufkommen, die von Koberer nicht benützt wurden. In 4° 232/6, Mosellans ‚De ratione disputandi . . .‘ findet sich die Widmung des Autors an Johann Apel („Joanni Apello suo P. Mosellanus"). Apel, wie oben[7] dargelegt, wurde im Sommer 1523 des Landes verwiesen. Möglicherweise hat Koberer seine Bibliothek oder einen Teil davon übernommen. Ferner ist in einer Ausgabe Gregors des Großen[8] eingetragen: „Ad Christum Crucifixum. Mors tua vita mea est. . . . L. S." Schließlich finden sich von zwei Händen Einträge auf der Rückseite des letzten Blattes in einem Band, der auch von Koberer benutzt

---

dessen Veröffentlichung durch den Krieg verhindert wurde: *H. Hommel:* Fränkische Bibliotheksfunde zur Nürnberger Geschichte (Alt-Nürnberg in fränkischen Funden). Vortrag im Histor. Verein Nürnberg 1938.

[5] Vgl. etwa 104, 186, 152, 127, 128, 185, 142.

[6] RE[3] 21, 773, 23; LThK[2] 10, 1341 f.

[7] S. 29.

[8] Paris: Francois Regnault 1521 — *Panzer* Annales VIII, 76, Nr. 1302.

wurde[9], 1. „dem jungenn heī hansen ī der charthaus", 2. „Lyß es wol es ist voller geystlicheyt vnd trostt". Der genannte Herr Hans könnte der[10] als Prior von 1525, also als Nachfolger Koberers genannte Johannes Hurri sein, der später als Prior zu Bern protestantisch wurde.

Diese Funde bestätigten die notwendige Vorsicht, nur auf die Schriften einzugehen, die tatsächlich von Koberer in seiner Würzburger Zeit benutzt worden sind.

3. Über Georg Koberer ist über das oben[11] Mitgeteilte hinaus wenig bekannt. Das Folgende nach Matthias *Simon:* Nürnbergisches Pfarrerbuch[12]: Danach ist Koberer 1484 in Sommerhausen geboren, studierte im Sommersemester 1497 in Leipzig, dort am 16. 2. 1499 Baccalaureus, am 28. 12. 1502 Magister artium. Er taucht ferner in Frankfurt/Oder 1506 auf[13], schließlich soll er nach der Priorenliste bei Ullrich[14] seit 1521 Kartäuserprior gewesen sein. Daß er in Würzburg gepredigt hat, ist oben im Text nachgewiesen. Schriften hat er allem Anschein nach nicht publiziert. Er ist, wie seine Übersiedlung 1525 nach Nürnberg beweist, reformatorisch gesinnt, ein weitgehend unbekannter Zeitgenosse der Reformation, umso aufschlußreicher in rezeptionsgeschichtlicher Hinsicht. Präzisere Aufschlüsse können freilich erst dann erhoben werden, wenn die Einträge Koberers in bezug auf den Kontext der Schriften analysiert werden. Obwohl die Mehrzahl der Einträge lediglich Bibelstellen marginal vermerkt, gibt es kommentierende Bemerkungen, die Koberers Interesse schärfer bestimmen könnten. Dies konnte jedoch aus Zeitgründen hier nicht geleistet werden.

Wir versuchen durch Beschreibung der von Koberer zwischen 1517 und 1525 benutzten Schriften, seiner Haltung näherzukommen.

4. Listet man die mit mehreren Schriften vertretenen Autoren auf, so ergibt sich folgende Ordnung der Häufigkeit:

Autor	Zahl absolut	in %	mit Vorreden absolut	%
Luther	45	40,5	54	48,5
Erasmus	17	15,3	18	16,2
Melanchthon	8	7,2	9	8,1
Übrige Wittenberger (*Bugenhagen, Jonas, Karlstadt*)	9	8,7		
Zwingli	5	4,5		
Ökolampad	3	2,7	4	3,6

[9] Nr. 81: Luther, Deutsch//Auslegung des sie=//ben vnd sechzigsten//Psalmen/ . . .
[10] *Ph. Emil Ullrich:* Die Karthause Engelgarten in Würzburg. In: Archiv des Historischen Vereins für Unterfranken und Aschaffenburg 40, 1898, 10.
[11] S. 20 f.
[12] Einzelarbeiten aus der Kirchengeschichte Bayerns 41. Nürnberg 1965, S. 112, Nr. 655.
[13] Nachweis von Klaus Arnold.
[14] Wie oben A. 10. Der Prior der Kartause Engelgarten wurde 1521 nach Güterstein versetzt (*Stöhlker* 2, 244, 395).

Daß Luther dominiert, mag nicht überraschen, wirft aber doch ein Schlaglicht auf das Gesamtthema, die reformatorische Bewegung in Würzburg. Luther wurde von Koberer gelesen und, so ist zu folgern, auch gepredigt[15]. Überraschender mag erscheinen, daß mit Zwingli und Ökolampad so viele Schriften von Schweizer Reformatoren gelesen wurden: Koberer hat, wie auch die Titel von 1525 zeigen, die wichtigsten Zwinglischriften besessen[16]. Später, nach 1525, erwirbt er nur noch drei exegetische Schriften Zwinglis (Complanatio Isaiae 1529 [2° 58/1], Complanatio ... Ieremiae 1531 [2° 58/2] und die postum herausgegebene „Brevis ... in Epistolam ... Jacobi Expositio" von 1533 [8° 165/2]). In die gleiche Richtung seines Interesses an den Schweizer Reformatoren weisen die nach 1525 erworbenen Bände Zürcher und Basler Provenienz: Bullingers Johanneskommentar (1532), auch ‚De Prophetae officio‘ (1532), Jud-Meganders Exoduskommentar (1527), Meganders Galaterkommentar (1533), von Ökolampad der Jesaja- (1525), Dreipropheten- (1527), Hesekiel- (1527), Daniel- (1530), Hiob- (1532), Jeremias- (1533), Johannes- (1533) und Hesekielkommentar (1534) — dies unterstreicht die jüngst von Fritz Büsser[17] hervorgehobene Bedeutung der Zürcher, aber auch der Basler exegetischen Arbeit. Zürich verdankt die Bibliothek auch eines der Prachtstücke: die Froschauerbibel von 1531 (2° 2).

Das gleiche Interesse an Kommentarwerken zur Heiligen Schrift zeigte sich schon in der Würzburger Zeit Koberers als beherrschend. Man kann, wie die Auflistung im Anhang 2 deutlich macht, geradezu von einer Kommentarsammlung sprechen. Melanchthon, Bugenhagen, Jonas, Lambert von Avignon, teilweise auch Erasmus von Rotterdam sind als Exegeten gefragt. Diese Ausrichtung der Bibliothek Koberers wird unterstrichen, wenn man feststellt, was fehlt oder zumindest nicht benutzt wurde: mit charakteristischen Ausnahmen (Erasmus, Luther) fehlen die sog. Flugschriften, auch die kleineren geistlichen Schriften, die in geringerer Anzahl in der Ratsbibliothek vertreten sind, blieben zumindest unbearbeitet[18]. Dem Einwand, ‚Tages‘-Schrifttum brauche nicht durchgearbeitet zu werden, läßt sich durch zwei Beobachtungen begegnen: einmal stammt dieser kleine Bestand von kleineren Schriften polemischen und erbaulichen Charakters aus den Jahren 1519—1523. Erst von 1525 sind wieder auf das Zeitgeschehen

[15] Vgl. oben S. 20, A. 13, und *Verf.* in: ARG 67, 1976, 98, A. 128.

[16] Die in der Bibliothek befindliche Schrift: „Uon Clarheit unnd ge = / /wüsse oder unbetrogliche/ /des worts gottes/ ..." (Froschauer: 1524 = *Finsler* 6 c) weist keine Einträge auf.

[17] „Bullinger, nicht Calvin. Zur Auslegung der neutestamentlichen Briefe durch Heinrich Bullinger". In: *NZZ* 6./7. 11. 1976, Nr. 261, S. 59.

[18] So etwa Caspar Adlers „Ain Sermon Darin zů al/ /len Eũagelische prediger ein freliche Ermanũg ist/Dz sy das/ /aller grôst heilthum/Dz lebẽdig/ /wort gotes frelich und kôck. / /... fürle/ /gñ ..." (4° 249/20) (*IA 67, Pegg 9,* Augsburg 1523), Ambrosius Blarers „Warhafft verantwortung ..." (4° 249/18) (*Moeller* Nr. 1), Stephan Kastenbaurs „Ain kôst-

bezogene Schriften erhalten, darunter die wichtigsten Bauernkriegsschriften der Wittenberger[19]. Zweitens fehlt auch Luthers Tagesschrifttum: Sendbriefe an Personen und Orte sind in der Bibliothek Koberers nicht vorhanden.

Umso deutlicher tritt sein Interesse an den gelehrten Auseinandersetzungen innerhalb des Humanismus, zwischen Humanismus und Reformation und an Luthers apologetischen Schriften hervor. Die Kontroverse zwischen Lee und Erasmus 1520 ist mit den Nrr. 42, 43 und 20, der Dialog zwischen Erasmus und Luther mit ‚De libero arbitrio‘ (Nr. 25) vertreten[20]. Die Auseinandersetzung um Luther und die Wittenberger ist mit Nr. 35 fast seit den Anfängen vertreten (Leipziger Disputation), es folgen 1521 Luthers Schriften gegen Latomus (Nr. 53) und Catharinus (Nr. 60), 1522 ‚Contra Henricum Regem‘ (Nr. 64), 1523 die Schrift Brießmanns gegen Schatzgeyr (Nr. 1) und des Jonas gegen Fabri (Nr. 32). Schriften der altgläubigen Luthergegner fehlen völlig, im Gegensatz zu den innerhumanistischen und humanistisch-reformatorischen Auseinandersetzungen, bei denen die Positionen beider Seiten gelesen wurden. Koberer schlägt sich hier also auf die Seite der Reformation[21]. Untersucht man die von Koberer bearbeiteten Lutherschriften genauer, indem man sie mit der gesamten Lutherpublikation des betreffenden Jahres und indem man Erscheinungsjahr des Erstdruckes und des von Koberer benutzten Drucks vergleicht, so stellt sich heraus, daß die von ihm angeschafften Lutherschriften sich erst 1520 zu häufen beginnen. Von den 1518 erschienenen Luthertiteln besaß Koberer zwei (44 und 43), von 1519 besaß er nur die schon erwähnte Ausgabe der Leipziger Disputation (35). 1520 zieht er dann in der Sammelausgabe von Cratander (49) Teile der

licher/gůtter/ /notwendiger Sermon vö Sterbē ...“ 1523 (4° 249/23) (*Kuczyński* 433), Caspar Guethels „Schuczrede ...“ 1522 (4° 249/3) und sein „Dialogus oder gespräch = //. bůchlein/von ainem rechtgeschaffen/ /Christenmenschen/ ...“ (1522) (4° 249/17) (*Pegg* 1301 und *Pegg* 1297), Hans Schwalbs „Beclagung eines Leyens ..“ 1521 (4° 249/22) (*Pegg* 3633) oder Jakob Strauß’ „Sermon In/ /der deutlich angezeygt ... die pfaffen Ee ...“ (1523) (4° 249/5) (*Pegg* 3769—71).

[19] Melanchthon Nr. 121 mit Einträgen; Luthers ‚Ermahnung zum Frieden‘ (4° 267/18, *Benzing* 2123 [Nürnberg: Jobst Gutknecht]) und ‚Wider die mordischen und reubischen Rotten ...‘ (4° 267/19, *Benzing* 2153 [Nürnberg: Friedrich Peypus]) sowie Polianders ‚Ein Urteil über das hart Büchlein ... Luthers ...“ (4° 249/9, *Pegg* 3402 [Nürnberg: Jobst Gutknecht]) mit Rhegius’ „Beschlußrede ... vom weltlichen Gewalt wider die Aufrührischen“, alle diese ohne Einträge.

[20] Luthers ‚De servo arbitrio‘ in einer Ausgabe von 1526, (Nürnberg: Johannes Petreius, *Benzing* 2204) nicht auf Einträge überprüft.

[21] Das wiederholt sich übrigens später im Abendmahlsstreit: Zürcher Schriften, außer der an Alber (Nr. 124), fehlen, dagegen finden sich Bugenhagens „Ain Sendt = / /brieff herrn Johan Bu = / /genhagen ... über ain/ /frag vom Sa/ /crament“ (1525) (4° 266/7), sein „Contra errorem de Sacramento corporis ...“ (8° 193/2), Luthers „Sermon von dem Sacrament des leibs und bluts“ (*Benzing* 2313 oder 2314) und sein „Vom abendmal Christi Bekendnis ... (1528) (*Benzing* 2503).

frühen Lutherschriften nach. Ab 1520 decken sich Erscheinungsjahr der ersten Drucke mit dem des Drucks, den Koberer benutzte, bis auf wenige Ausnahmen. Von den großen Reformationsschriften des Jahres 1520 fehlt die Adelsschrift, etwa auch der ‚Sermon von dem Wucher' und der ‚Von dem Bann', von 29 bei Benzing aufgeführten Titeln besaß Koberer 6[22]. 1521 erhöht sich diese Zahl auf 12 (von 31 bei Benzing genannten), 1522 besitzt er von 53 (wobei allerdings eine große Zahl von Einzelpredigten ist) 6 (zwei davon 1523 angeschafft), 1523 13 von 58 (zu den Einzelpredigten kommen in diesem Jahr Sendschreiben), wobei von den wichtigeren nur „Von weltlicher Obrigkeit" und die „Formula Missae" fehlt[23]. Von 35 Titeln Luthers des Jahres 1524 bearbeitete Koberer 7. Von den zwischen 1520 und 1524 erschienen Luthertiteln (insges. 206) besaß Koberer also nachweislich etwa ein Fünftel (44 = 21,35 %), weitere 18 sind ohne Eintrag.

Bei den Erasmusausgaben zeigt sich, daß der Einsatz der Lektüre Koberers nur geringfügig früher liegt: bis Ende 1519 besitzt Koberer zwar schon 9 Werke des Erasmus (Nrr. 9—17), oder solche, bei denen Erasmus als Herausgeber fungiert. Aber der erste Druck datiert erst von 1517 (Nr. 9), die Erasmusanschaffungen setzen eigentlich erst 1518 ein, also nur wenig früher als die Lutheranschaffungen, und, wenn man die zwei Luthertitel von 1518 berücksichtigt, sogar im gleichen Jahr. Koberer vollzieht also fast gleichzeitig mit seiner Wendung zu Erasmus die zu Luther, und — abweichend etwa von der späteren Abwendung von Zwingli — er hält sein Interesse an Erasmus durch auch nach 1525: von 1526—1533 datieren 17 Erasmustitel[24]. Diese Wendung zu Erasmus und Luther wird noch deutlicher, wenn man die Titel ansieht, die vor 1517 benutzt sind: sie sind in Anhang 3 zusammengestellt. Es sind überwiegend Klassiker, auch Kirchenväter, die meisten datieren aus der Studienzeit Koberers. Beide Gruppen wurden 1520 weitergeführt: 1520 eine Cyprianausgabe (18) und die Origenesausgabe von Ascensius Paris (102) sowie ein Kommentarwerk des Thomas von Aquin (105) angeschafft, 1521 folgen dann Tauler (104), der als Vertreter der Mystik einsam dasteht, 1522 Eusebius (26) und Marsilius von Padua (89), 1523 Gregor Nazanzenus (27), Hilarius (28) und vor allem Chrysostomos (5),

---

[22] 6 weitere Drucke von 1520 sind ohne Einträge, darunter — ein seltener Fall in dieser Bibliothek — Doubletten von „Warum des Papsts und seiner Jünger Bücher von D. Martin Luther verbrannt sind", wovon die eine Ausgabe ein Wittenberger Druck (*Benzing* 785), die zweite ein von *Benzing* nicht nachgewiesener ist: „Warvmb des babsts. vnd seiner Jügern/ /bucher von doctore Martino luther vorprantt sein./ /Las auch anzeigen wer do wil: warumb sie doctor lut/ /thers bucher verbrennet haben./ /(Am Ende:) Anno dnj. 15. 2. 0./ /".

[23] Die „Ordnung eines gemeinen Kastens" ist in einer Ausgabe (*Benzing* 1607) ohne Einträge vorhanden (4° 267/17). Das Poliander und Koberer gemeinsam von einem Unbekannten geschenkte Exemplar der „Formula Missae" blieb in Polianders Bibliothek (*Clemen* 1930, 165 [Nr. 9]).

[24] Ohne Nachprüfung auf Einträge.

schließlich 1524 der Johanneskommentar Cyrills von Alexandrien (6). Unter den antiken Schriftstellern sind es die Historiker Sueton etc. 1518 (12), die Homerepen 1522 und 1523 (29, 30), 1524 Josephus (34) und Diogenes (7).

5. Die Bibliothek Georg Koberers gibt deutlich seine Interessen wider: Ein gelehrter Mönch, dessen Aneignung des Erasmus — breitere humanistische Interessen fehlen[25] — kurz darauf von Luther überlagert, aber nicht verdrängt wurde. Der gelehrte Charakter der Bibliothek und das vorherrschende Interesse an Luther spiegelt sich auch in den Sprachen der Titel[26] und gebrochen auch in den Druckorten: Basel und Wittenberg herrschen vor, aus Basel kam die Erasmusproduktion, aus Wittenberg die frühreformatorische Literatur. Straßburg vertreibt beide Richtungen, Hagenau ist vor allem bedeutend durch die Melanchthonausgaben, das nahegelegene Nürnberg ist erst ab 1524 häufiger vertreten. Ohne Vergleich mit anderen gleichartigen Bibliotheken — Kirchenbibliotheken wie die von Schwabach und Isny haben einen anderen Charakter — wird man freilich diese Bibliothek oder ihren Besitzer nicht zu einem Typ erheben können. Die Mischung von Humanismus und Reformation freilich bleibt von Interesse: so sehr Erasmus vorbereitende Funktion zu haben scheint, die Erasmuslektüre geht darin nicht auf. In der Wendung zur Exegese der Heiligen Schrift münden wesentliche Tendenzen beider Richtungen in einem Ziel.

Anhang 1:
Teilkatalog, Erläuterungen und bibliographische Nachweise, Abkürzungsverzeichnis

Die Anordnung des Teilkatalogs erfolgte alphabetisch nach Autorennamen, innerhalb der Autorennummern chronologisch nach Erscheinungsjahr. Die Titel für 1525 sind nicht vollständig, da nur diejenigen aufgenommen wurden, die für die Auswertung ein Interesse haben. Da Koberer im Frühjahr 1525 nach Nürnberg zog, ist nicht sicher auszumachen, welche der Titel von 1525 er etwa noch in Würzburg bezogen haben könnte.

Die einzelnen Titelaufnahmen geben die Daten in folgender Ordnung: auf der ersten Zeile links steht die laufende Nummer, rechts das Format und die Nummer des Bandes der Ratsbibliothek Sommerhausen, hinter dem Schrägstrich die Beibandnummer nach dem Katalog von Veit-Hommel. Die zweite Zeile enthält die Autorennamen, der Autor der Vorrede erscheint in runden Klammern. Danach stehen rechts Druckort, Drucker und Erscheinungsjahr des Drucks, in eckigen Klammern bei erschlossenen Angaben.

[25] Vor allem in den zahlreich vorhandenen Huttendrucken ließ sich kein einziger Eintrag nachweisen.
[26] Vgl. Anhang 4, Tab. 1.

162

Die Wiedergabe des Titels erfolgte wie bei *Benzing* Luther, ohne Blattzählungen. Abkürzungen, wenn aufgelöst, stehen in runden Klammern. Auslassungen sind durch drei Punkte gekennzeichnet: ... Für liegendes oder stehendes Blättchen steht V̄. Ligatur æ und œ wurden beibehalten, ebenso die Abkürzungen mit que = ß, also qᵦ und cᵦ. Vollständige Titelaufnahme erfolgte immer dann, wenn eine genaue Wiedergabe im Druck nicht vorlag. War dies der Fall, so beschränkt sich die Wiedergabe auf die Teile des Titels, die eine Identifizierung möglich machen.

Die bibliographischen Nachweise sind auf meist einen einschlägigen Nachweis beschränkt. Wenn kein exakter Nachweis möglich war, steht die Angabe in runden Klammern.

Benzing (Nr.) = *Benzing, J.:* Lutherbibliographie. Verzeichnis der gedruckten Schriften Martin Luthers bis zu dessen Tod (Bibliotheca Bibliographica Aureliana X, XVI, XIX). Baden-Baden 1966.
Benzing Bibl. Hag. = *Benzing, J.:* Bibliographie Haguenovienne (Bibliotheca Bibliographica Aureliana 50). Baden-Baden 1973.
BMSTC (S.) = Short-title catalogue of books printed in the German-speaking countries and German books printed in other countries from 1455 to 1600 now in the British Museum. London 1962.
Finsler (Nr.) = *Finsler, G.:* Zwingli-Bibliographie. Verzeichnis der gedruckten Schriften von und über Ulrich Zwingli. Zürich 1897, ND Nieuwkoop 1964.
Freys-Barge = *Freys, E., Barge, H.:* Verzeichnis der gedruckten Schriften des Andreas Bodenstein von Karlstadt. ND Nieuwkoop 1965.
Geisenhof (Nr.) = *Geisenhof, G.:* Bibliotheca Bugenhagiana. Leipzig 1908, ND Nieuwkoop 1963.
Hartfelder = *Hartfelder, K.:* Philipp Melanchthon als Praeceptor Germaniae (Monumenta Germaniae Paedagogica 7). Berlin 1889.
IA = *Index Aureliensis.* Catalogus librorum sedecimo saeculo impressorum. Baden-Baden 1965 ff.
Panzer Annales (Bandnummer) = *Panzer, G. F.:* Annales typographici. I—XI. Nürnberg 1793—1803. ND Hildesheim 1963.
Panzer Annalen (Bandnummer) = *Panzer, G. F.:* Annalen der älteren deutschen Literatur ... Band 1.2. und Zusätze. Nürnberg, Leipzig 1788—1802, ND Hildesheim 1961.
Pegg (Nr.) = *Pegg, M. A.:* A Catalogue of German Reformation Pamphlets (1516—1546) in Libraries of Great Britain and Ireland (Bibliotheca Bibliographica Aureliana 45). Baden-Baden 1973.
Kuczyński (Nr.) = *Kuczyński, A.:* Thesaurus libellorum historiam reformationis illustrantium ... Leipzig 1870—1877. ND Nieuwkoop 1969.
Schmidt Rep. Str. (Bandnummer) = *Schmidt, Ch.:* Répertoire Bibliographique Strasbourgeois jusque vers 1530. Strasbourg 1893. ND Baden-Baden 1963.
Seebass (S.) = *Seebass, G.:* Bibliographia Osiandrica. Nieuwkoop 1971.
Staehelin (Nr.) = *Staehelin, E.:* Oekolampad-Bibliographie. Nieuwkoop ² 1963.
Vander Haeghen (série-Nr.) = *Vander Haeghen, F.:* Bibliotheca Erasmiana. Répertoire des œuvres d'Érasme. Gent 1893, ND Nieuwkoop 1972.

Mit besonderem Dank ist zu vermerken, daß die Erstellung des Katalogs in vertretbarer Zeit nur durch intensive Kooperation mit dem Teilprojekt Z 1 (Frau Dr. H. Hebenstreit, Herr Dr. H. J. Köhler) möglich war, die auf Anfrage binnen kürzester Frist Nachweise bereitstellten und die zu bibliographischen Hilfsmitteln großzügig Zugang gewährten.

Teilkatalog der Ratsbibliothek Sommerhausen/Main:
Die von Georg Koberer benutzten, zwischen 1517 und 1524 (1525) er-
schienenen Titel.

1   8° 186/2
Briesmann, Johannes (Luther, Martin)   [Straßburg: Johann Herwagen] Dezember
                                           1523
IOANNIS/ /BRIESMANNI AD CASPA=/ /ris Schatzgeyri Minoritæ plicas responsio,
/ /.../ /ITEM/ /M. Lutheri ad Briesmannum Epistola . . .
(Letzte Seite:) MENSE DECEMBRI. ANNO M. D. XXIII.
Benzing 1524

2   4° 236/1
Bugenhagen, Johannes (Luther, Martin)   Basel: Adam Petri August 1524
IOANNIS/ /BVGENHA/ /GII POMERANI IN LI=/ /BRVM PSALMORVM/ /IN-
TERPRETATIO,/ /. . .
(Letzte Seite:) BASILEAE, APVD ADAMVM/ /Petri, Mense Augusto Anni/ /M. D.
XXIIII.
Geisenhof 5; *Benzing* 1864

3   8° 166
Bugenhagen, Johannes   Basel: Adam Petri September 1524
IOAN/ /NIS BVGENHAGII/ /POMERANI ANNO/ /tationes . . ./ /In Deuteronomi-
um./ /In Samuelem prophetā,/ /id est duos libros Regū./ /. . .
(Am Schluß:) BASILEAE, APVD ADAMVM PE=/ /tri, Mense Septēbri Anno M. D.
XXIIII.
Geisenhof 33

4   4° 266/2
Bugenhagen, Johannes   Wittenberg: [s.t.] 1524
Von der Euāgelischen/ /Messz / was die Messz sey / wie/ /vnd durch wen / vnnd wa-
rumb/ /sy auffgesetzt sey. . . ./ /Anno. 1524./ /Eyn Ratschlag herr Johan Pommer Pfarrer zu/ /Wittenberg / wie man das Sakrament empfahē soll//under ayner / oder
bayder gestalt./ /Eyn Summa Christlicher Gerechtigkayt./ /Ordnung der Euangelischen
Messz /herr Johan/ /Pomer / auß dem Latein verteütscht./ /Wie man die / so zů der Ee
greiffent / einleytet vor/ /der Kirchē / durch herr Johan Pom̄er zů Wittenberg/ /Witten-
berg./ /
Geisenhof 36

5   4° 271
Chrysostomus, Johannes; (Oekolampad, Johannes)   Basel: Cratander März 1523
V̄ DIVI IO/ /ANNIS CHRYSOSTOMI/ /Psegmata quædam, nuper=/ /rime à Ioanne
Oecolam/ /padio in latinum pri=/ /mo uersa: . . .
(Am Schluß:) EX BASILEA, APVD ANDREAM CRATAN/ /DRVM, MENSE MAR-
TIO, ANNO M̄. D. XXIII./ /
Staehelin 75

164

6   2° 10

Cyrillus Alexandrinus   Basel: Cratander Februar 1524

DIVI CYRILLI PA/ /TRIARCHAE ALEXANDRINI,/ /IN EVANGELIVM IOANNIS COMMENTARIA, RVRSVM/ /exactius recognita. In quibus multa habentur adiecta, ultra eorū primā/ /æditionē, præsertim in quatuor libris intermediis, ad eosdē cōmen/ /tarios per Iudocum Clichtoueum theologū superadditis./ /. . . GEORGIO TRAPEZONTIO/ /INTERPRETE.

(f, 1v:) ANDREAS CRATANDER LECTORI S./ /. . . Basilea, ex officina nostra, VIII. Calend. Martij, Anno M̄. D. XXIIII.

Panzer Annales VI, S. 246, Nr. 550

Anstreichungen von Koberer, Deckelaufschrift von Koberer (Cyrillus alex/ /andrini); auch Eintragungen von anderer Hand.

7   4° 254

Diogenes, Laertius   Basel: Valentin Curio 1524

V̄ DIOGENIS/ /LAERTII CLARISSIMI HISTORICI/ /de uita, & moribus philosophorum libri decem,/ /nuper ad uetusti Græci codicis fidem accura/ /tissime castigati, idemaꝗ summa diligen/ /tia excusi, restitutis penè innumeris/ /locis, & uersibus, epigramma/ /tisꝗ, quæ desiderabantur,/ /Græce repositis, ijs = / /demꝗ Latine fa = / /ctis, cum in/ /dice in omnes libros utilissimo./ /BASILEAE IN AEDIBVS VALENTINI CVRIONIS AN./ /M. D. XXIIII./ /

Panzer Annales VI, S. 247, Nr. 560; *BMSTC* 244

8   4° 228/18

(Anon.)   s.l., s.a., s.t.

EPISTOLA DE/ /Peccato in spiritum sanctū,/ /Vuittembergæ edita./ /VVITTEMBERGAE./ /

(Datum der Epistola:) Wittenberg M. D. XXI Feria sexta ante Nativitatis dei genitricis.

Geisenhof 20

9   4° 232/1

Erasmus   Basel: Froben 1517

DE DVPLICI CO/ /PIA, VERBORVM, AC RERVM ERASMI RO/ /TERODAMI COMMENTARII./ /D De uerborū Copia Commentarius Primus./ /PERICVLOSAM ESSE COPIAE AFFE —/ /CTATIONEM CA. 1/ /

Vander Haeghen 1, S. 65

10   8° 163/1

Erasmus   Straßburg: Matthias Schurer [1518]

APOLOGIA/ /ERASMI ROTERODA = / /mi ad eximium virum Iacobum/ /Fabrum Stapulensem, cu = / /ius argumentū versa/ /pagella demon = / /strabit./ / ꞏiꞏ / /Ab Authore denuo recognitum./ /

(f. iiij:) ANNO M. D. XVII. Louanij Nonis Augusti.

(Am Schluß:) EX MVNIFICENTIA IMPERATO/ /RIS DIVI MAXIMILIANI/ /CAES. AUG./ /MATTHIAS SCHVRERI/ /

Schmidt Rep. Str. VIII, S. 69, Nr. 224

(*Vander Haeghen* 1, S. 9 weist nur eine 4°-Ausgabe von Theodor Martin, Louvain 1517 und eine 4°-Ausgabe von Froben Basel 1518, sowie eine 4°-Ausgabe von Martin, Louvain s.d. nach).

11 2° 108
Erasmus Basel: Froben 1518
V̄ IOANNES / /FROBENIVS STVDIOSIS./ /OMNIBVS S.D./ /Accipito candide lector ERASMI RO-/ /TERODAMI, prouerbiorum Chiliadas,/ /iam tertio (...) recognitas (...)/ /IN INCLYTA GERMANIAE/ /BASILEA./ /AN. M̄. D. XVIII./ /
Vander Haeghen 1, S. 2

12 2° 107
Erasmus Basel: Froben 1518
V̄ EX RECOGNITI/ /ONE DES ▷ ERAS/ /MI ROTERODAMI ▷/ /C. Suetonius Tranquillus./ /Dion Cassius Nicæus./ /Aelius Spartianus./ /Iulius Capitolinus./ /Aelius Lampidius./ /Vulcatius Gallicanus V.C./ /Trebellius Pollio./ /Flauius Vopiscus Syracusius./ /QUIBVS ADIVNCTI SVNT./ /Sex. Aurelius Victor./ /Eutropius./ /Paulus Diaconus./ /Ammianus Marcellinus./ /Pomponius Lætus Ro./ /Io. Bap. Egnatius Venetus./ /
(Am Schluß:) BASILEAE APVD IOANNEM FROBENIVM./ /MENSE IVNIO, ANNO/ /M̄. D. XVIII./ /
Vander Haeghen 2, S. 31

13 4° 232/3
Erasmus s.l., s.a., s.t.
V̄ QVERELA PA-/ /CIS VNDIQVE GENTIVM EIECTAE/ /PROFLIGATAE-QVE./ /V̄ AVTORE DES. ERASMO ROTE-/ /RODAMO./ /
Von *Veit-Hommel* Froben zugewiesen, doch *Vander Haeghen* 1, S. 166 weist keine 4°-Ausgabe für 1518 nach, dagegen eine solche für Cratander 1518 und für 1517 Dezember eine 4°-Ausgabe von Froben.

14 4° 232/4
Erasmus s.l., s.a., s.t.
Desiderij Eras=/ /mi. ad Reuerēdissimum Mo=/ /guntinensiū praesulē: atq̗/ /illustrissimū principem./ /epistola: nōnihil D./ /Martini Lutheri/ /negocium at=/ /tingens./ /
Vander Haeghen 1, S. 93 weist zwei 4°-Ausgaben s.d. gleichen Titels nach, weist die eine Peypus, Nürnberg, die andere Wittenberg? zu.
Die Erstausgabe in 4° 1519 Froben Basel: Epistola ad archiespisc. ac cardinalem Moguntinum: Ad Moguntinum praesulem epistola ...

15 8° 163
Erasmus Basel: Froben Oktober 1519
ENCHIRI-/ /dion militis Christiani, saluber-/ /rimis præceptis refertum, autore/ /Des. Erasmo Roterodamo./ /Cui accessit noua mireq̗ utilis/ /præfatio. Et Basilij in Esaiam cō / /mentariolus, eodem interprete./ /Cum alijs quorum Catalogum/ /pagellæ sequentis Elen/ /chus indicabit./ /
(Am Schluß:) BASILEAE APVD IOANNEM/ /FROBENIVM, MENSE OCTO-/ /BRE. AN. M̄. D. XIX./ /
Vander Haeghen 1, S. 79

16   4° 232/2
Erasmus   Basel: Froben 1519
IO ▷ FRO=/ /BENIVS LECTO-/ /RI S.D./ /HABES iterū Moriæ enco/ /miū, pro ca-
stigatissimo ca/ /stigatius, unà cū Listrij cōmen/ /tarijs, & alijs complusculis libel/ /lis,
non minus eruditis ß festi-/ /uis: quorum catalogum proxi-/ /ma mox indicabit pagella.
Bene uale./ /APVD INCLYTAM BA-/ /SILEAM
(*Vander Haeghen* 1, S. 122 weist für 1519 nur eine 4°-Ausgabe mit dem Titel Moriae enco-
mium declamatio ... mit ludus de morte Claudii Caes. c. not. B. Rhenani nach, sonst nur
für dieses Jahr Schurer und Badius.)

17   2° 62/1
Erasmus   Basel: Froben März 1519
DES. ERASMI RO/ /TERODAMI IN NOVVM TESTAMENTVM/ /ab eodem denuo
recognitum, Annotationes,/ /ingenti nuper accessione per autorem locupletatae./ /BASI-
LEAE ANNO M. D. XIX./ /
(Letzte Seite:) BASILEAE APVD IOANNEM/ /FROBENIVM MENSE/ /MARTIO.
M. D. XIX./ /
Vander Haeghen 2, S. 57

18   2° 8
Cyprian (Erasmus)   Basel: Froben Februar 1520
OPERA DIVI CAE/ /CILII CYPRIANI EPISCOPI CARTHAGI-/ /nensis, ab inumeris
mendis repurgata, adiectis/ /nonnullis libellis ex uetustissimis exemplari-/ /bus, quæ hac-
tenus habebantur, ac/ /semotis ijs, quæ falsò uidebantur/ /inscripta, unà cū annotatiun
/ /culis./ /Atqß hæc omnia uo/ /bis præstitit ingen/ /ti labore suo/ /ERASMVS RO/ /
TERODAMVS, uir iu/ / /uandis optimis studijs natus./ /APVD INCLYTAM BASILE-
AM EX/ /OFFICINA FROBENIANA./ / /
(Am Schluß, vor dem Index:) BASILEAE APVD IOANNEM FROBENIVM,/ /MENSE
FEBRVARIO. ANNO, M. D. XX./ /
Vander Haeghen 2, S. 23

19   4° 274/2
Erasmus   Basel: Froben 1520
APOLOGIA/ /ERASMI ROTERODAMI,/ /RE —/ /fellens quorūdam seditiosos cla-
mo-/ /res apud populum, qui uelut im-/ /pium insectabātur, quod uerte-/ /rit, In principio erat sermo, cū/ /filium dei dici sermonē eti/ / /am hoc loco, necqß nouū/ /sit in libris
sacris, neqß/ /rarum in libris ortho/ /doxorum, nec inusi/ /tatum, solonniter/ /Cultui ecclesiæ Christianæ, ac non/ /una de causa commodius etiam./ /BASILEAE APVD IO.
FRO/ / /BENIVM/ AN. M. D. XX./ /
Vander Haeghen 1, S. 12

20   4° 274/1
Erasmus   Basel: Froben 1520
ERASMI/ /ROTERODAMI RESPON-/ /sio ad annotatiões Eduardi Lei./ /APOLO-
GIA ERAS. de/ /In principio erat sermo./ /EDVARDI Lei annotationes in/ /Nouum Te-
stamētum Erasmi./ /EPISTOLAE aliquot illustriū uirorū, Lei temerariā loquacita/ /tem

tractantiū detestantiumqȝ/ /quorum cui quisqȝ scripserit,/ /proxima indicat pagella/ /EX INCLYTA BASILEA./ /
(Am Schluß:) BASILEAE, EX AEDIBVS IOANNIS FROB./ /X̄ĪĪ CALENDAS AVGV-STAS AN/ / /NO M̄D̄X̄X̄./ /
Vander Haeghen 1, S. 173

21   8° 172
Erasmus   Straßburg: Johannes Knobloch August
                                               1521
D Δ ERAS=/ /MI ROTERODA-/ /mi, uiri doctissimi, Para/ /bolarum seu Simi=/ /
lium Liber ele=/ /gantißimus./ /.../ /V̄/ /
(Am Schluß:) Argentinæ apud Ioannem Knoblouchum,/ /Anno à restituta salute. M. D.
XXI./ /quarto Calen. Septemb./ /
Schmidt Rep. Str. VII, S. 64, Nr. 216

22   8° 158
Erasmus   Straßburg: Johannes Knobloch August
                                               1522
(Novum testamentum latine) Titelblatt fehlt
(Letztes Blatt:) ARGENTORATI IOHANNES CNOBLO/ /CHVS EXCVDEBAT,
PRIDIE CA=/ /LENDAS SEPTEMBRES./ /ANNO M̄. D. XXII./ /
Schmidt Rep. Str. VII, S. 69 weist eine Mai-, keine Augustausgabe nach.
Vander Haeghen 2, S. 57 nur 1522.

23   2° 90
Erasmus   Basel: Froben 1523
V̄ TOMVS SECVN=/ /DVS CONTINENS PARAPHRASIM DESI-/ /DERII ERAS-
MI ROTERODAMI/ /In omneis epistolas apostolicas, summa cura recognitā, & ex ar-
chetypis & eruditorum animaduersione,/ /ita ut accuratius fieri uix potuerit. Cæ-/ /tera
cognosces lector, inuersa/ /pagina./ /IOAN. FROB./ /
(Am Schluß:) BASILEAE, AN M̄. D. XXIII/ /
Vander Haeghen 1, S. 146 f. weist eine Folioausgabe nur für 1522 nach, eine 8°-Ausgabe
für 1523.

24   8° 190/2
Erasmus   Basel: Froben September 1524
DE IMMENSA DEI MISE-/ /ricordia, Des. Erasmi Roteroda-/ /mi Concio. / VIRGI-
NIS ET MARTYRIS/ /comparatio, per eundem./ /Nunc primum & condita & ædita./ /
(Am Schluß:) BASILEAE APVD IO. FROB./ /MENSE SEPTEMB. ANNO/ /M. D.
XXIIII./ /
Vander Haeghen 1, S. 72 f.

25   8° 190/1
Erasmus   Basel: Froben September 1524
DE LIBERO ARBITRIO ΔIATRI-/ /BH, siue Collatio, Desiderij ERASMI Roterod./ /
Primum legito, deinde iudicabo./ /Basileæ apud Ioannem Frobenium, Anno/ /M. D.
xxiiii. Mense Septembri./ /

(Am Schluß:) BASILEAE APVD IOANN. FROB./ /MENSE SEPTEMB. AN./ /M. D.
XXIIII./ /
Vander Haeghen 1, S. 20

26   4° 245
Eusebius   Hagenau: Henri Gran Februar 1522
EVSEBIVS/ /DE Euangelica pręparatione, a Georgio/ /Trapezuntio e græco in latinum
tradu/ / /ctus . . .
Benzing Bibl. Hag., S. 43, Henri Gran Nr. 207

27   2° 85/1
Gregorius Nazanzenus (Petrus Mosellanus)   Basel: Froben 1523
DIVI GREGO/ /RII THEOLOGI EPISCOPI NA/ /zanzeni. De Theologia libri quinqɞ,
nu-/ /per è Græco sermone in Latinū./ /à Petro Mosellano Prote-/ /gense traducti./ /
IOAN. FROB./ /
(Am Schluß:) BASILEAE APVD IO. FRO/ /BENIVM. ANNO $\overline{M.\ D.\ XXIII.}$/ /
BMSTC 369

28   2° 117
Hilarius Pictavorum (Erasmus)   Basel: Froben Februar 1523
IO. FROBENIVS Pio/ /LECTORI S.D./ /DIVI Hilarij Pictauorū epi/ /scopi lucubratio-
nes per Erasmū/ /Roterodamum nō mediocribus/ /sudoribus emendatas, formulis/ /no-
stris, operaqɞ nostra, quantum licuit, ornauimus. Priorē æditio-/ /nem nō damnamus, sed
quid in-/ /tersit, ipse cognosces ex collatio-/ /ne, lector optime, simulqɞ uale-/ /bis. Catalogum reperies in proxima pagella./ /In officina Frobeniana apud/ /inclytam Basileam.
Anno. M. D./ /XXIII. mense Febr./ /
Vander Haeghen 2, S. 31

29   8° 133
Homer (Valla)   Köln: Hero Alopecius Juni 1522
HOME/ /RI POETAE CLARIS-/ /simi Ilias per Laurentium Val/ /lensem Romanū la-
/ /tina facta./ /CVM INDICE/ /(. . .) (f. 272:) COLONIAE APVD HERONEM/ /
ALOPE/ /CIVM./ /Mense Junio Anni XXII./ /
Panzer Annales VI S. 387, Nr. 364; *BMSTC* 413

30   8° 189
Homer (Raphael Volaterranus)   Köln: Eucharius Cervicornus Februar 1523
V̄ HOME/ /RI ODYSSEA, ME-/ /taphraste Raphaele Volater-/ /rano, quàm diligentis-
sime/ /excusa./ /CVM INDICE./ /Apud sanctam Vbiorum Agrip/ /pinam per Euchari-
um Cerui-/ /cornum./ /AN. $\overline{M.\ D.\ XXIII.}$/ /
(Am Schluß:) Coloniæ in ædibus Eucharij Ceruicorni. Impensa/ /& ære integerrimi bi-
bliopolæ Godefridi/ /Hittorpij. Mense Februario/ /
Panzer Annales VI, S. 388, Nr. 378; *BMSTC* 413

31   4° 271/1
Hus, Johannes   [Basel: Adam Petri 1520]
LIBER EGREGI/ /VS DE VNITATE ECCLESIAE,/ /Cuius autor periit in concilio/ /

169

Constantiensi./ /Tu, quæso, candide mi Lector, non quis, sed/ /quid dicatur, attende./ /
Pegg 1444

32   8° 172/1
Jonas, Justus (Luther, Martin)   [Straßburg: Johannes Herwagen] 1523
ADVERSVS/ /IOANNEM FABRVM CON=/ /stantiensem Vicarium ... defensio.
V̂/ /Item M. Lutheri ad eundem/ /Ionam Epistola./ /M. D. XXIII./ /
Benzing 1670

33   8° 171/1
Jonas, Justus   Nürnberg: Johann Petreius 1524
ANNOTA=/ /TIONES IVSTI IONAE,/ /IN ACTA APOSTO/ /LORVM./ /Norim-
bergæ apud Io. Petreium. Anno/ /M. D. XXIIII./ /
Panzer Annales VII, S. 467, Nr. 193

34   2° 6
Josephus, Flavius (Ruffinus)   Basel: Froben September 1524
FLAVII IOSEPHI, PATRIA HIEROSOLY —/ /mitani, religione Judæi, inter Græcos hi-
storiographos, cum/ /primis facundi, opera quædam RVFFINO presby/ /tero interprete,
in quibus post ultimam aliorum/ /æditionem, loca nec pauca, nec omnino le-/ /uis mo-
menti ex uetustissimorum co-/ /dicum collatione restituta/ /comperies lector./ /.../ /BA-
SILEAE APVD IO. FROBENIVM./ /ANNO M. D. XXIIII./ /MENSE SEPTEMBRI./ /
Panzer Annales VI, S. 243, Nr. 527

35   4° 228/6
Karlstadt, Andreas; Eck, Johannes;   [Erfurt: Matthes Maler 1519]
Luther, Martin
Disputatio/ /excellentium. D. doctorū Johannis Eccij, &/ /Andreę Carolostadij q̄ cepta
est Lipsie/ /XXVII. Iunij AN. M. D. XIX./ /Disputatio secunda. D. Doctorū Iohañis/ /
Eccij & Andreę Carolostadij q̄ cepit/ /XV. Iulij./ /Disputatio eiusdem. D. Iohannis Eccij
&/ /D. Martini Lutheri Augustiniani q̄/ /cepit. IIII. Iulij./ /
Freys-Barge 21—23; *BMSTC* 452; *Benzing* 407

36   8° 171/2
Knopken, Andreas (Bugenhagen, Johannes)   s.l., s.t., 1524
IN EPISTO/ /LAM AD ROMANOS ANDREAE/ /KNOPKEN COSTERINEN/ /sis
interpretatio, Rigæ apud Liuo=/ /nios prælecta, ubi is pastorem/ /agit ecclesiæ./ /NON
VETEREM ADHIBETO LE/ /ctor translationē, sed D. Erasmi quæ iam omni/ /um ferè
manibus gestatur, idcirco non cu/ /rauimus his adnotationibus ad=/ /dendam./ /
(Am Schluß:) EXCUDEBATUR/ /ANNO DOMINI/ /M. D. XXIIII./ /
Geisenhof 32

37   8° 186
Lambert, Franz (Luther, Martin)   [Straßburg: Johann Knobloch 1523]
CHRISTIA/ /NISSIMI DOC. MARTINI/ /Lutheri, & Annemundi Cocti .../ /Episto-
lae./ /EVANGELICI MINO = / /ritarum Regulam Commentarij, ... FRANCISCO
Lamberto Gallo/ /Theologo authore./ /
Vorrede Luthers datiert Wittenberg 1523.
Benzing 1596

38   8° 149
Lambert, Franz   Straßburg: Johann Herwagen August 1524
IN CAN = / /TICA CANTICO = / /rum Salomonis, libellum quidem sen/ /sibus altiss in
quo sublimia sacri/ /coniugij mysteria, quæ in Chri/ /sto & Ecclesia sunt, pertra/ /ctan-
tur, Francisci Lamb./ /Auenionensis Com/ /mentarij, VVittembergæ prælecti./ /
ARGENTORATI./ /An. M. D. XXIIII./ /
(Am Schluß:) ARGENTORATI APVD IO = / /HANNEM HERVAGIUM/ /MENSE
AVGVSTO/ /ANNO M. D. XXIIII./ /
BMSTC 103

39   8° 149/1
Lambert, Franz   [Straßburg: Johann Herwagen 1525 ?]
FRANCI/ /SCI LAMBERTI AVE = / /nionensis Theologi Commentarij de cau = / /sis
excæcationis multorū sæculorum, ac/ /ueritate denuo & nouißime Dei miseri = / /cordia
reuelata, deq̃ imagine Dei,/ /alijsq̃ nōnullis, insignissimis locis,/ /quorū intelligēcia, ad
cognitio/ /nem ueritatis, perplexis ac/ /pijs mentibus nō parū/ /luminis adseret./ /A calce
operis, titulorum capitum/ /totius libri indicem reperies./ /
Panzer Annales VI, S. 106, Nr. 690 (?), *BMSTC* 481 (1525?). Eine weitere 8°-Ausgabe
1525 Nürnberg: Petreius *BMSTC* 481.

40   8° 188
Lambert, Franz   [Wittenberg?], s.t. Mai 1524
FRAN-/ /CISCI LAMBERTI GAL/ /li Theologi, in Diui Lucæ/ /Euangelium com = / /
mentarij./ /Vuittembergae prælecti./ /
(Am Schluß:) Anno. M. D. XXIIII. Mense Maio./ /
Vorwort datiert: Wittenberg November 1523
Panzer Annales IX, S. 85, Nr. 169; *BMSTC* 120 (Apud I. Petreium: Norimbergae, 1524).

41   4° 274
Lee, Edward   Basel: Froben Mai 1520
V̄ ANNO/ /TATIONES EDOVAR/ /DI LEEI IN AN-/ /NOTATIONES/ /NOVI
TE-/ /STAMEN/ /TI DE/ /SI-/ /DERII/ /ERASMI./ /
(Am Schluß:) BASILEAE, EX AEDIBVS IOANNIS/ /FROBENII MENSE MAIO./ /
ANNO M̄. D. X̄X̄./ /
Vander Haeghen 3, S. 35

42   4° 274/3
Lee, Edward   Basel: Froben 1520
EPISTO = / /LAE ALIQUOT ERVDI/ /torum uirorum, ex qui-/ /bus perspicuum quā-

/ /ta sit Eduardi Lei/ /uirulentia./ /BASILEAE EX AEDI-/ /BVS IOANNIS FRO-/ /
BENII. An. M. D. XX./ /
Vander Haeghen 3, S. 19

43
(Luther, Martin)
Eyn deutsch Theologia. . . .
Benzing 160

4° 266
Wittenberg: [Rhau]-Grünenberg 1518

44
Luther, Martin
Die Sieben buß = / /psalm . . .
(Am Schluß:) Gedruckt tzu Leyptzk durch den vorsichtigen man/ /Jacobum Thanner
Nach Christ geburt Tausent/ /funffhundert vnd ym achtzehenden yare./ /
Benzing 76

4° 269
Leipzig: Jakob Thanner 1518

45
Luther, Martin
Tessaradecas/ /(con)solatoria . . .
Benzing 592

4° 228/4
Leipzig: Melchior Lotter 1520

46
Luther, Martin

Eyn Sermon von dem/ /newen Testamēt. . . .
Benzing 670

4° 255/3
Wittenberg: Johann [Rhau]-Grünenberg
1520

47
Luther, Martin
Von den guten/ /werckenn:/ /D. M. L./ /. . .
Benzing 633

4° 226/1
Wittenberg: Melchior Lotter d.J. 1520

48
Luther, Martin
DE CAPTI/ /VITATE BABY/ /LONICA . . .
Benzing 708

4° 259/1
[Basel: Adam Petri 1520]

49
Luther, Martin
Martini Luthers der wa/ /ren gŏttlichen schrifft Doctors . . . mancherley Bŭchlin/ /vnd
tractetlin. . . .
Benzing 7

4° 226
[Basel: Andreas Cratander] Mai 1520

50
Luther, Martin
Der sechs vñ dreys = / /sigist psalm Dauid/ /eynen Christlichen Menschen tzu/ /leren vñ

4° 267/5
Wittenberg: [Rhau-Grünenberg] 1521

172

trôsten widder die/ /Mütterey der bôßenn/ /vnnd freueln/ /Gleyß=/ /ner./ /Martinus
Luther./ /1521./ /
(Am Ende:) Gedruckt tzu Wittembergk/ /Montag nach/ /Laurentij./ /1521./ /
Benzing 961

51   4° 267
Luther, Martin   Wittenberg: [Melchior Lotter d.J. 1521]
Das Magnificat Vorteutschet/ /...
Benzing 855

52   4° 267/1
Luther, Martin   Wittenberg: [Rhau-Grünenberg 1521]
Von der Beicht ...
Benzing 947

53   4° 259/8
Luther, Martin   Wittenberg: [Melchior Lotter d.J.] 1521
RATIONIS LATOMIA=/ /næ ...
Benzing 944 oder 945

54   4° 267/2
Luther, Martin   [Augsburg: Grimm-Wirsung 1521]
Euangelium/ /Von den Zehen Aussetzigen ver=/ /teütscht ...
Benzing 988

55   4° 228/1
Luther, Martin   Wittenberg: [Melchior Lotter d.J. 1521]
DE VO/ /TIS MONASTICIS,/ /...
Benzing 1008

56   4° 228
Luther, Martin   [Wittenberg: Melchior Lotter d.J. 1521]
IVDICIVM MAR=/ /tini Lutheri de Votis, ...
Benzing 977

57   4° 255
Luther, Martin   [Augsburg: Melchior Ramminger] 1521
Ain sermon/ /Von der wirdigen em=/ /pfahung des hailigen waren leych/ /nams Chri-
sti/ ...
Benzing 875

58   4° 226/2
Luther, Martin   Wittenberg: [Melchior Lotter d.J.] 1521
Ein vnterricht der beycht=/ /kinder: ...
Benzing 834

59

Luther, Martin

(ENARRATIONES/ /EPISTOLARVM . . .)

Titelblatt fehlt

(Am Schluß:) VVittembergæ apud Johannem Grunenbergium/ /Septima MARCII./ /
Anno M. D./ /XXI./ /

Benzing 848 oder 849

4° 259/6

Wittenberg: [Rhau-]Grünenberg 1521

60

Luther, Martin

AD LIBRVM EXIMI MAGISTRI/ /NOSTRI MAGISTRI AM/ /BROSII CATHARI-
NI/ /. . . Responsio . . .

Benzing 880

4° 259/5

Wittenberg: [Melchior Lotter d.J.] April
1521

61

Luther, Martin

DE LIBER/ /TATE CHRISTIANA . . .

Benzing 761

4° 259

[Basel: Adam Petri] 1521

62

Luther, Martin

V̄ ASSERTIO/ /OMNIVM ARTICVLORVM M./ /LVTHERI, . . .

Benzing 781

4° 259/2

[Basel: Adam Petri] März 1521

63

Luther, Martin

V̄ MARTI/ /NI LVTHERI LVCV/ /BRATIONES IN PSAL-/ /MVM. XXI. . . .

Benzing 519

4° 228/5

Basel: Adam Petri 1522

64

Luther, Martin

CONTRA HENRICVM/ /REGEM . . .

Benzing 1225

4° 228/3

Wittenberg: [Rhau-Grünenberg] 1522

65

Luther, Martin

DE AB/ /ROGANDA MISSA/ /. . .

Benzing 997

4° 228/2

Wittenberg: [Melchior Lotter d.J.] Januar
1522

66

Luther, Martin

Uon beyder gestalt/ /des Sacraments . . .

Benzing 1158

4° 255/2

Wittenberg: [Rhau-Grünenberg] 1522

67
Luther, Martin
Von Eelichem leben + / / . . .
Benzing 1244

4° 226/3
[Nürnberg: Johann Stuchs] 1522

68
Luther, Martin; Melanchthon, Philipp
IVDICI/ /VM/ /D. Martini LVTHERI, de ERASMO/ /Roterodamo./ /PHILIPPI/ /
Melanchthonis de Erasmo,/ /& Luthero ELOGION./ /RATIO discendi, per eundem tra-
dita./ /Eiusdem, Quo iudicio Augustinus,/ /Ambrosius, Origenes, ac reliqui/ /DOCTO-
RES legendi sint./ /D. Martini LVTHERI ad Vuolfgangum/ /Fabritium CAPITONEM
theolo = / /gum, Epistola utilissima./ /
Benzing 1484, doch dort IVDICIVM/ / . . .

4° 259/9
[Straßburg: Johann Schott 1523]

69
Luther, Martin; Melanchthon, Philipp;
Karlstadt, Andreas
LVTHERI./ /MELANCH. CAROLSTADII &c./ /PROPOSITIONES, . . .
Benzing 59

8° 147
Basel: [Adam Petri] 1522

70
Luther, Martin
Das Jhesus Chri = / /stus eyn gebor = / /ner Jude sey/ / . . .
Benzing 1530

4° 226/4
Wittenberg: [Cranach u. Döring] 1523

71
Luther, Martin
Vrsach vnd/ /antwort. das Junck = / /frawen. Klôster. Gôtlich/ / verlassen mügen./ / . . .
Benzing 1565

4° 226/5
[Augsburg: Heinrich Steiner] 1523

72
Luther, Martin
Ain Sendbrieff D. Martini/ /Luthers / über die frag/ / /Ob auch yemandt / on/ /glaubñ
verstorben/ / /selig werden/ /müg./ / . . .
Benzing 1268, doch dort: on glaubñ.

4° 226/6
[Augsburg: Silvan Otmar] 1523

73
Luther, Martin
Das eyn Christliche/ /versamlũg odder ge = / /meyne: recht vñ ma = / /cht habe: alle lere
tzu/ /vrteylen: . . .
Benzing 1569

4° 226/7
Wittenberg: [Cranach u. Döring] 1523

74
Luther, Martin
Von Anbeten des / Sacraments . . .
Benzing 1582, doch dort: Uon . . .

4° 255/4
Wittenberg: [Rhau-Grünenberg] 1523

175

75
Luther, Martin
DE INSTI = / /TVENDIS MINISTRIS/ /...
Benzing 1688

4° 259/3
Wittenberg: [Cranach u. Döring 1523]

76
Luther, Martin
Von menschen lere/ /zu meyden./ /...
Benzing 1189

4° 269/12
Wittenberg: [Melchior Lotter d.J.] 1523

77
Luther, Martin
Epistel Sanct/ /Petri gepredigt/ / . . Vuittemberg + / /M + D + XXiij + / /
Benzing 1726, doch dort: Wittenberg

4° 269/2
Wittenberg: Nickel Schirlentz 1523

78
Luther, Martin
Von ordenung/ /gottis dienst ...
Benzing 1615

4° 269/4
Wittenberg: [Cranach u. Döring] 1523

79
Luther, Martin
Das siebēd Capitel/ /S. Pauli zu den/ /Chorinthern/ /Ausgelegt/ /durch/ /Martinum
Luther./ /Wittemberg./ /M. D. xxiij./ /
Benzing 1673 oder 1674

4° 269/1
Wittenberg: [Cranach u. Döring] 1523

80
Luther, Martin; Melanchthon, Philipp
DE LIBER/ /TATE CHRISTIANA . . ./ /ITEM/ /ORATIO/ /PHILIPPI MELANCH.
DE/ /Officio Sacerdotali . . ./ /Item/ /SCHOLIA/ /EIVSDEM IN DECALO/ /gum,
qui habetur Exo. xx./ /NOREMBERGAE, ANNO/ /M. D. XXIIII./ /
Benzing 764

8° 173/2
Nürnberg: [Johann Petreius] 1524

81
Luther, Martin
Deutsch/ /Auslegung des sie = / /ben vnd sechzigsten/ /Psalmen/ ...
Benzing 942

4° 267/6
Wittenberg: Melchior Lotter d.J. 1524

82
Luther, Martin
An die Radherrn/ /aller stedte ...
Benzing 1875

4° 269/6
Wittenberg: [Cranach u. Döring] 1524

83
Luther, Martin
Der hundert vnd/ /Sieben vnd zwen = / /tzigst psalm ausge = / /legt ...
Benzing 1949

4° 269/10
Wittenberg: [Cranach u. Döring] 1524

84   4° 269/9
Luther, Martin   [Nürnberg: Jobst Gutknecht 1524]
Ein Sermon vnd ein = / /gang in das Erst bůch Mosi/ /. . .
Benzing 1832

85   4° 269/8
Luther, Martin   [Nürnberg: Jobst Gutknecht] 1524
Eyn kurtze/ /vnterrichtūg/ war = / /auff Christus seine/ /Kirchen/ oder/ /Gemain
gė = / /bawet/ /hab./ /. . .
Benzing 2010

86   4° 269/3
Luther, Martin   [Augsburg: Simprecht Ruff] 11. 5. 1524
Dye ander Epi = / /stel S. Petri vnd ai = / /ne S. Judas ge = / /prediget . . .
Benzing 1844

87   4° 269/7
Luther, Martin   [Nürnberg: Hans Hergot] 1524
Das Eltern die/ /kinder zů der Ehe nicht zwingė/ /. . .
Benzing 1909

88   4° 245/1
Mantuanus, Baptista Carmelita   Straßburg: Matthias Schurer Dezember
                                        1515
BAPTISTAE MANTVANI/ /CARMELITAE DE PA/ /TIENTIA LI = / /BRI TRES/ /
cum sententiarū & dictionū indice. Quibus, cum/ /patientia ad fœlicitatem nos trahat, accessit./ /EIVSDEM DE VITA BEATA DIA/ /LOGVS SANCTISSIMVS./ /ET/ /
AVGVSTINI DATHI DE EA/ /DEM RE LIBELLVS./ /Patiens esto, & beatus efficie-
re./ /
(f. 1v:) Matthias Schurerius Selestatinus, Lectori S. D. . . . Argentorati. xiiij. Cal. De-
cembr./ /An. M. D. XV. X./ /
BMSTC weist eine 4°-Ausgabe Basel 1499 nach. Nicht bei *Panzer.* Von *Veit-Hommel* irrig
auf 1525 datiert.

89   2° 119
Marsilius   [Basel: Curio 1522]
V̄ OPVS INSIGNE CVI/ /TITVL FECIT AVTOR DEFENSOREM PACIS,/ /quod
quęstionem illam iam olim controuersam, De potestate PA/ /PAE ET IMPERATORIS
excussissime tractet, profuturū theolo/ /gis, Iureconsultis, in summa optimarū literarum
cultoribus/ /omnibus. Scriptum quidem ante annos Ducentos, ad/ /LVDOVICVM CAE-
SAREM ex illustrissima Bauariæ/ /ducum familia progenitum, at nunc in/ /lucem primum
æditum, per quàm castigate & diligenter. Quid/ /uero contineat/ index ostendit qui/ /
præfationem sequitur./ /
BMSTC 1522

90   8° 178/2
Melanchthon, Philipp   Hagenau: Thomas Anshelm August 1521
INTEGRAE/ /GRÆCÆ GRAM/ /MATICES INSTI/ /tutiones, à Philippo/ /Melanch-
thone con/ /scriptæ, atq̃ pluri/ /bus in locis/ /auctæ./ /IOHANNES SECERIVS/ /Lau-
chensis./ /Hac iter ad Musas, hic græca la/ /tinàq̃ disces./ /Aurea cui cordi, uirgula Mer
/ /curii est./ /
(Am Schluß:) Haganoæ. In ædibus Thomæ Anshelmi/ /Badensis. Anno M. D. XXI./ /
Mense Augusto./ /
Benzing Bibl. Hag. S. 61, Nr. 92; *Hartfelder* 26 (1520)

91   8° 221/2
Melanchthon, Philipp; (Luther)   Hagenau: Johannes Secer 1523
PHILIPPI/ /MELANCHTHO/ /NIS, ANNOTATIO/ /nes in Johannem, castigatiores
/ /quàm quæ antea inuulgatæ sunt./ /Vtpote in quibus multa, quæ de = / /sunt in alijs, ha-
bentur, unà cum/ /Epistola commendatitia M. Lu/ /theri, Indiceq̃ rerum memora/ /bili-
um quæ paßim in hoc Anno/ /tationum opere excutiuntur./ /Ex Fælicissima Hagenoa./ /
(Am Schluß:) Haganoæ, Ex Neacademia Johannis/ /Secerij Lauchensis. Salutis/ /anno
M. D. XXIII./ /
Benzing Bibl. Hag. S. 67, Nr. 11

92   8° 221/3
Melanchthon, Philipp   Basel: [Valentin Curio] Mai 1523
ANNO/ /TATIONES PHI = / /lippi Melanchthonis in/ /Euangeliũ Matthæi/ /iam re-
cens in/ /gratiam/ /studiosorum/ /editæ./ /Ṽ
(Am Ende der Vorrede des Druckers:) Basileæ
(Am Ende der Schrift:) EXCVSVM ANNO M. D. XXIII./ /MENSE MAIO./ /
BMSTC 609; *Hartfelder* 63

93   8° 221/1
Melanchthon, Philipp   s.l., s.t. Oktober 1523
THEO/ /LOGICAE   HYPOTY = / /POSES PHILIP./ /MELAN./ /AB   AVTORE
IAM/ /denuo summa &/ /castigatæ & locu = / /pletatæ./ /Ṽ
(Am Ende:) ANNO 1523 Mense Octobri
BMSTC 613 (M. Lotter d.J. 1522)

94   8° 156
Melanchthon, Philipp; (Luther)   Hagenau: Johannes Secer November 1523
IN OBSCV/ /RIORA ALIQVOT/ /CAPITA GENESEOS/ /PHIL. MELANC./ /AN-
NOTATIO/ /NES./ /Ex Fælicissima Haganoa, per/ /Johannem Secerium./ /
(Am Ende:) Haganoæ, Ex Neacademia Johan/ /nis Secerij Lauchensis, Anno/ /Salutis
M. D. XXIII. Men/ /se Nouembri./ /
Benzing Bibl. Hag. S. 67, Nr. 8

95   8° 156/1
Melanchthon, Philipp; (Luther)   Straßburg: Johannes Herwagen Januar
                                    1524
ANNO = / /TATIONES PHILIPPI/ /Melanchthonis in Epistolam Pauli/ /ad Romanos

unā. Et ad Corinthi/ /os duas, diligentiß recognitæ./ /ITEM PRAEFATIO/ /Methodica in Epistolam ad/ /Roma. Lutheri./ /CVM INDICE AD/ /calcem Libelli addito./ /ARGENTORATI./ /
(Am Ende:) ARGENTORATI APVD/ /IOHANNEM HERVA=/ /GIVM DECIMOOC=/ /TAVO KALENDAS/ /FEBRVARIAS/ / A N N O / /MD. XXIIII./ /
Benzing 1259

96   4° 266/5
Melanchthon, Philipp   Hagenau: [Thomas Anshelm] [1524?]
Unterschidt/ /zwischen weltlicher vnd Christ=/ /licher Fromkeyt./ /Philippus Melanchthon/ /Hagenaw./ /
Benzing Bibl. Hag. S. 64, Nr. 110

97   8° 180/7
Melanchthon, Philipp   [Wittenberg: Nickel Schirlentz? 1524]
V̄ EPI V̄/ /TOME RENO=/ /uatæ Ecclesiasticæ Do=/ /ctrinæ, ad illustris=/ /simum Prin=/ /cipem Hes/ /sorū./ /PHILIP. MELANCH./ /V̄
Panzer Annales IX, S. 138, Nr. 307; *Pegg* 3081; *Hartfelder* 78

98   4° 266/3
[Osiander, Andreas]   Nürnberg: Hieronymus Höltzel Oktober 1524
Grundt vnnd vrsach/ /auß der heiligen schrifft / wie vñ/ /warumb/ die Eerwirdigen herrē/ / /baider pfarkirchen S. Sebalt/ / /vñ sant Laurentzen Pröbst zu/ /Nürmberg / die mißpreüch/ /bey der heyligen Messz/ / /Jartåg / Geweychet Saltz/ uñ/ /Wasser/ ... abgestelt ... ha/ /ben./ /...
Seebass S. 15

99   4° 239/3
Oekolampad, Johannes   Augsburg: Grimm u. Wyrsung 1521
QVOD/ /NONSITONE/ /ROSA   CHRISTIA/ /NIS   CONFESSIO/ /PARADOXON/ /...
(Am Schluß vor Errataliste:) Excusum Augustæ Vindelico(rum) in Officina/ /Sigismundi Griñ Medici, & Marci/ /Wyrsung. xx. Aprilis. Anno/ /Dñi M. D. XXI./ /
Staehelin 38

100   8° 271/1
Oekolampad, Johannes   s.l., s.t., s.t.
QVOD EXPE=/ /DIAT EPISTOLÆ ET EVAN/ /Gelij lectionē in Missa, uerna/ /culo sermone plebi pro=/ /mulgari, Oecolampa/ /dij ad Hedionē/ /Episto/ /la./ /
Staehelin 66 (?); *Kuczyński,* Nr. 2063

101   8° 171/3
Oekolampad, Johannes   Basel: Andreas Cratander Juni 1524
IN EPISTO/ /LAM IOANNIS APOSTOLI/ /Catholicam primam ... demegoriæ ...
Staehelin 96

102   2° 27 — 2° 42

Origenes   [Paris:]   Ascensius,   Parvus,   Badius 1520—1522

ORIGENIS ADAMAN/ /tii Operum Tomi Duo Priores cum Tabulis &/ /Indice generali proxime sequentibus./ /Prelum / Ascēsianū/ /Vęnundantur cum reliquis Jo/ /anni Paruo: Jodoco Badio: et/ /Conrado Resch./ /
TERTIVS ET QVAR/ /tus Tomi Operum Origenis Adamantii, quorum Tertius/ /complectitur, post Apologiam explicanda./ /... V̄ QVARTVS TOMVS/ /Operum Origenis Adamantii: qui complectitur, folio/ /proximo signantius explicanda,/ /Vęnundatur cum reliquis Joan/ /ni Paruo: Jodoco Badio: et Con/ /rado Resch.
(Am Ende des 4. Bandes:) Finis Quartæ partis operum Origenis/ /Adamantii. In ædibus Ascensianis, Ad/ /Idus Jul. M. D. XXII./ /
(*Panzer Annales* VIII, S. 53, Nr. 1076 [1519])

103   8° 173

Savonarola, Hieronymus; (Luther)   [Straßburg: Johannes Herwagen 1524]
MEDITA/ /TIO PIA ET ERV = / /dita ...
Benzing 1723

104   2° 44

Tauler, Johannes   Basel: Adam Petri August 1521
Joannis Tau/ /leri des heiligē lerers/ /Predig/ fast frucht/ /bar zů eim recht/ /christlichen/ /leben./ /◖ Deren Predigen/ /gar nah hie in disem bůch des halb = / /teyls meer seind dañ in andern vorge/ /truckten bůcherē, die man sydhar mit/ /der hilff Gots funden hat / Der seyn/ /wort yetzt wider erweckt unnd aller/ /welt verkündt./ /Getruckt zů Basel/ /Anno M. D. XXI./ /
(Am Schluß:) ... gedruckt ... in ... Basel durch Adam Pe = / /tri / im Augstmonat / nach der Geburt unsers/ /erlôsers M. D. XXj. jar./ /
Panzer Annalen 2, S. 5, Nr. 1050

105   8° 167

Thomas von Aquin   Lyon: Jakob Myt August 1520
Diui Thome Aquina = / /tis Doct. angelici. ord. p̄di. enarratio luci/ /dissima in profundum atꝗ difficilē scti/ /Job (pro)phete librū vobis cedit clari/ /lectores vel nunc cāpestri reco = / /gnitiōe illustrior eiusꝗ lima/ /emaculatior Pollet enim/ /artificibus typis inter = / /scisis   lectionibus   et/ /marginalibus/ /annotamen/ /tis/ / + / /BENESCRIPSISTI THOMA/ /
(f. 149:) Explicit Imp̄ssuz Lugdu. impēsis ... Jacobi q. Francisci de Giōta ... in edibus Jacobi myt Calchographi. Anno edite mundo salutis millesimo qugētesimovigesimo ad nonas augusti.
Panzer Annales VII, S. 327, Nr. 424

106   4° 271/4

Wessel Gansfort; (Luther)   Basel: Adam Petri Januar 1523
FARRAGO/ /Rerū Theologicarū uberrima, multo, cꝗ in,/ /priore æditione, emendatior, doctissī/ /mo uiro VVESSELO autore./ /IN HOC LIBRO TRACTATVR. ... / /

180

(Am Schluß:) Basileæ, apud Adamum Petri, Anno/ /M. D. xxiij. Mense Januario./ /
Mit Vorrede Luthers: Vuittenbergæ 3. Calendas Augusti.
BMSTC 911; *Panzer Annales* VI, S. 239 Nr. 490; nicht bei *Benzing*

107   4° 265
Zwingli, Huldrych   Zürich: Froschauer [1523]
Uß Legen und gründ/ /der schluszreden oder/ /Articklē durch Huldrychen/ /Zuingli Zu-
rich uff den/ /xix. tag Jenners jm/ /M. D. xxiij. jar/ /Ußgangen./ /Dess walt Gott./ /
Christus Mathei am XI./ /.../ /
(Am Schluß:) Getruckt durch Christophorum Froscho/ /wer in der loblichen statt Zürich.
Finsler 14

108   4° 265/(1)
Zwingli, Huldrych   Zürich: Froschauer 1524
Von Gotlicher und mēsch/ /licher Grechtigkeit / wie die zemen sehind uñ standind/ /Ein
predge Huldrych Zuinglis an S. Joanns/ /Teuffers tag gethon im M. D. xxiij./ /jetz
widerūb getruckt im/ /M. D. xxiiii. jar./ /Christus Mathei xi./ /Kummend zů mir alle die
arbeitend und beladen/ /sind / und ich wil üch růw geben./ /
(Am Schluß:) Durch Christophorum Froschouer/ /jn der loblichen statt Zü = / /rich / getruckt./ /
Finsler 17 b; nicht bei *Veit-Hommel*

109   4° 265/2
Zwingli, Huldrych   Zürich: Froschauer [1524]
Der Hirt./ /Wie mā die waren Christli/ /chen hirtē / nū widruṁ die/ /valschen erkeñen /
ouch wie/ /mā sich mit inen halten sõl/ /le durch Huldrychē Zuin/ /gli beschriben jm M.
ccccc./ /und xxiiij. jar./ /Getruckt zů Zurich durch/ /Christophorum Fro = / /schouer./ /
Christus Matth. XI./ /...
Finsler 25 a

110   4° 265/3
Zwingli, Huldrych   [Basel:] s.t. 1524
Herr Ulrich Zwingli leerbiechlein/ /wie man die Knaben Christlich unterweysen/ /und
erziehen soll / mit kurtzer anzayge/ /aynes gantzen Christlichen lebens./ /M. D. xxiiij./ /
Finsler 20

111   4° 265/4
                                              Zürich: Froschauer 1524
[C]hristenlich Antwurt/ /Burgermeisters vnd Rad = / /tes zů Zürich / dem Hochwirdigen
etc. Herren/ /Hugen / Byschoffe zů Costantz / über die/ /underricht beyder articklen
der Bil/ /der vñ Messz inen zůgeschickt. Also in gõtlicher warhait/ /grundt/ das men =
/ /cklich ersehen/ /mag/ /was dauon vnder Christenem/ /volck billich sõlle ge = / /hal-
ten wer = / /den./ /MD DD XXIIIID/ /
(Am Schluß:) Getruckt zů Zürich durch Chri = / /stophorum Froschouer./ /
Datiert 18. 8. 1524
Finsler 31 a, doch vgl. 31 d

181

1525

112   8° 171

Billican, Theobald   Nürnberg: Johannes Petreius 1525

MICHEAS/ /PROPHETA, VNVS E DVO=/ /decim / cum scholijs THEOBALDI/ /
Billicani Ecclesiastæ Nordlin=/ /gacensis./ /Anno domini M. D./ /XXV./ /
(Am Schluß:) Norembergæ apud Ioann. Petreium excudebatur.
IA 4, S. 245

113   8° 216

Erasmus   Basel: Froben August 1525

LINGVA/ /PER DES. ERASMVM/ /Roterodamum,/ /OPVS nouum, & hisce tem-/ /
poribus aptissimum./ /CVM GRATIA ET/ /Priuilegio Cæsareo./ /
(Am Schluß:) BASILEAE APVD IO./ /Frobenium Mense Augusto/ /Anno M. D. XXV./ /
Vander Haeghen 1, S. 117

114   8° 218/2

Erasmus   Basel: Froben Februar 1525

IN PSAL/ /MVM QVARTVM CONCIO PER/ /Erasmum Rot. opus modo recens/ /&
natum & excusum./ /Basileæ apud Ioannem Frob. Anno/ /M. D. XXV./ /Cum priuilegio
Cæsareo./ /
(Am Schluß:) Basileæ apud Ioannem Frob Anno/ /M. D. XXV. MENSE FEBRVARIO./ /
Vander Haeghen 1, S. 162

115   8° 194

Lambert, Franz   Nürnberg: Johann Petreius 1525

IN AMOS/ /ABDIAM ET IONAM/ /prophetæ, Commentarij/ /Francisci Lamberti/ /
Auenionensis./ /Allegoriæ eiusdem/ /in Ionam./ /Norembergæ, per Io. Petreium./ /
Anno M. D. XXV./ /
Panzer Annales VII, S. 469, Nr. 214?

116   8° 194/1

Lambert, Franz   Straßburg: Johannes Herwagen 1525

FRANCI/ /SCI LAMBERTI AVENIO/ /nensis Commentarij, in/ /Micheam/ /Naum,
&/ /Abacuc./ /Argentorati apud Iohannem/ /Heruagium, anno/ /M̄. D̄. XXV̄./ /
BMSTC 481

117   4° 249/14

Luther, Martin   [Nürnberg: Friedrich Peypus 1525]

Erklerung wie/ /Carlstat sein ler vonn dem/ /hochwirdigen Sacra=/ /ment vnd andere
ach/ /tet vnnd geachtet haben will./ /
Benzing 2192

118   4° 267/21

Luther, Martin   [Nürnberg: Jobst Gutknecht] 1525

Von dem grewel der/ /Stilmesse/ ...
Benzing 2078

119   8° 131
Luther, Martin   Wittenberg: Hans Lufft 1525
Der Funffte/ /Psalm Dauid/ Wid = / /der die heuchler vnd/ /falsche Propheten./ /...
Benzing 533

120   8° 193
Luther, Martin   Hagenau: Johann Secer 1525
MARTINI/ /LVTHERI EPISTOLA/ /RVM FARRAGO . . .
Benzing 65

121   4° 266/6
Melanchthon, Philipp   [Nürnberg: Jobst Gutknecht] 1525
Ein schrifft Phi = / /lippi Melanchthon/ wi = / /der die Artickel der Pawerschafft./ /Ilia-
dos. 9./ .../ /1525/ /
Pegg 3126

122   4° 235
Oekolampad, Johannes   Basel: Andreas Cratander 1525
V̄ IN IESAIAM/ /PROPHETAM . . . Commentariorum . . .
Staehelin 109

123   8° 147/3
Zwingli, Huldrych   Zürich: Froschauer März 1525
V̄ DE VE/ /RA ET FALSA RELIGIONE,/ /...
Finsler 45 a

124   8° 147/2
Zwingli, Huldrych   Zürich: Froschauer März 1525
Ad Mat V̄/ /THAEVM ALBERVM RVTLIN/ /gensium . . .
Finsler 39

Druckerregister zum Teilkatalog Ratsbibliothek Sommerhausen

Die Namen der Drucker sind innerhalb der alphabetisch geordneten Druckorte
in der Reihenfolge der Nummern in *Benzing, J.:* Die Buchdrucker des 16. und
17. Jahrhunderts im deutschen Sprachgebiet. Wiesbaden 1963 (Beiträge zum
Buch- und Bibliothekswesen 12) geordnet. Diese Nummer ist in Klammern nach
dem (den) Namen des (der) Drucker(s) gegeben. Die Zahlen ohne Klammern
beziehen sich auf den vorliegenden Katalog.

Augsburg
Silvan *Otmar* (10)   72
Sigmund *Grimm* und Marx *Wirsung* (12)   54, 99
Simprecht *Ruff* (12)   86
Melchior *Ramminger* (14)   57

Heinrich *Steiner* (16)	71

Basel

Johann *Froben* (4)	9, 11, 12 15, 16, 17 18, 19, 20, 23, 24, 25, 27, 28, 34, 41, 42, 113, 114
Adam *Petri* (8)	2, 3, 31, 48, 61, 62, 63, 69, 104, 106
Andreas *Cratander* (11)	5, 6, 49, 101, 122
Valentin *Curio* (13)	7, 89, 92
s.t.	110

Erfurt

Matthes *Maler* (7)	35

Hagenau

Heinrich *Gran* (1)	26
Thomas *Anshelm* (2)	90, 96
Johann *Setzer (Secer)* (3)	91, 94, 120

Köln

Hero *Fuchs* = *Alopecius* (22)	29
Eucharius *Cervicornus* (14)	30

Leipzig

Melchior *Lotter* d.Ä. (3)	45
Jakob *Thanner* (5)	44

Lyon

Jakob *Myt*	105

Nürnberg

Hieronymus *Höltzel* (4)	98
Johann *Stuchs* (14)	67
Friedrich *Peypus* (15)	117
Jobst *Gutknecht* (16)	84, 85, 118, 121
Johann *Petreius* (19)	33, 80, 112, 115
Hans *Hergot* (20)	87

Paris

Ascensius	102

Straßburg

Johann *Knobloch* d.Ä. (7)	21, 22, 37
Johann *Schott* (8)	68
Matthias *Schürer* (11)	10, 88
Johann *Herwagen* (17)	1, 32, 38, 39, 95, 103, 116

184

Wittenberg

Johann *Rhau-Grunenberg* (4)	43, 46, 50, 52, 59, 64, 66, 74
Melchior *Lotter* d.J. (6)	47, 51, 53, 55, 56, 58, 60, 65, 76, 81, 93?
Nickel *Schirlentz* (7)	77, 97?
Lukas *Cranach* und	
Christian *Döring* (9)	70, 73, 75, 78, 79, 82, 83
Hans *Lufft* (10)	119
s.t.	4, 40

Zürich

Christoph *Froschauer* (2)	107, 108, 109, 111, 123, 124
s.l., s.t.	8, 13, 14, 36, 100, 115

Anhang 2:
Kommentarwerke aus Koberers Besitz in der Ratsbibliothek Sommerhausen (1518—1525)

Buch	Autor	Erscheinungsjahr	Nr. Katalog
Genesis	Melanchthon	1523	94
	Luther	1524	84
Deuter. Samuel Regum	Bugenhagen	1524	3
Hiob	Thomas	1520	105
Psalmen	Luther	1518	44
(36.)	Luther	1521	50
	Luther	1522	63
	Bugenhagen	1524	2
(127.)	Luther	1524	83
(67.)	Luther	1524	81
(4.)	Erasmus	1525	114
(5.)	Luther	1525	119
Cant. Cant.	Lambert	1524	38
Jesaja	Ökolampad	1525	122
Jona	Lambert	1525	115
Micha	Billican	1525	112
Micha Nahum Habakuk	Lambert	1525	116
NT	Erasmus	1519	17
NT (Evangelium und Epistel: Adventspostille)	Luther	1521	59
Matthäus	Melanchthon	1523	92
Lukas	Lambert	1524	40
Johannes	Melanchthon	1523	91
	Cyrill	1524	6

185

Buch	Autor	Erscheinungsjahr	Nr. Katalog
Acta	Jonas	1524	33
Apostol. Br.	Erasmus	1523	23
Römer	Knopken	1524	36
	Melanchthon	1524	95
Korinther	Melanchthon	1524	95
Kor. 1,7	Luther	1523	79
Petrus	Luther	1523	77
2. Petrus } Judas	Luther	1524	86

Anhang 3:
Titel aus der Ratsbibliothek mit Einträgen Koberers vor 1517

Eine Titelaufnahme erfolgte nicht, die vereinfachte Wiedergabe erfolgte nach dem handschriftlichen Katalog von H. Hommel. Geordnet wurde alphabetisch nach Autorennamen.

2°18, 2°85, 2°86	Ambrosius ... tripertitum opus tom. 1—3	1516
2°7/1	Annius, Joannes Antiquitatum variarum volumina. XVII ...1515	
2°60	Barbarus	1493/94
2°88, 2°112	Bonaventura	s. a.
2°109/1	Gellius	1500
2°60/3	Homer, Odyssee	1510
2°22	Horaz	1495
2°50	Justin	1497
2°12/1	Juvenal	1501
2°109/2	Macrobius	1500
2°12	Martial	1498
2°12/3	Ovid	1494
2°12/2	Persius	1499
2°109	Quintilian	1493
2°50/2	Sallust	1500
2°110	Suetonius Tranquillus cum Philippi Beroalsi et ... Sabellici Commentariis	1506
2°22/1	Tibull	1500

Anhang 4: Tabellen

Tabelle 1: Sprachen der im Teilkatalog verzeichneten Titel (1517—1524)

	insgesamt		Luther		Titel ohne Luther	
	absolut	%	absolut	%	absolut	%
Latein	73	66	16	36	57	85
Deutsch	38	34	28	64	10	15
insges.	111		44		67	

Tabelle 2: Anteile der Druckorte an den im Teilkatalog verzeichneten Titeln (1517—1524)		
	absolut	%
Basel	35	31,5
Wittenberg	30	27
Straßburg	12	9
Nürnberg	7	6
Augsburg	6	5,5
Hagenau	5	4,5
Zürich	4	3,5
Köln	2	
Leipzig	2	
Erfurt	1	
Lyon	1	
Paris	1	

Tabelle 3: Anteile der Drucker mit über zwei Drucken (1517—1524)		
	absolut	%
Froben	17	15
Lotter d. J.	11	10
Petri	10	9
Rhau-Grunenberg	8	7
Cranach & Döring	7	6
Herwagen	6	5,5
Froschauer	3	3,5
Cratander	4	3,5
Knobloch	3	2,7
Curio	3	2,7

Exkurs 4:
Zur Prosopographie der Würzburger Protestanten in der 2. Hälfte des 16. Jahrhunderts

Gliederung der Nrr.

A. 1. protestantisches Bekenntnis belegt in (Nachweis)
   2. um 1587 emigriert
   3. Teilnahme am Friedhofsbau, außer Handwerksarbeiten
   4. Bekenntnis zweifelhaft
   5. konvertiert
.B. Familie, Verwandtschaftsbeziehungen
   1.1 Vorfahren
   1.2 Kinder
   2.1 verheiratet mit
   2.2 Heiraten der Kinder
   2.3 weitere Verwandtschaftsbeziehungen
C. Emigration nach
D. Wirtschaftliche Tätigkeit, Amt als Beruf
E. Politisches Amt (städtisch)
F. Religiöses Verhalten
G. Sonstiges

Die wirtschaftliche Position wird in einer gesonderten Arbeit im Teilprojekt Z 2 erfaßt. Die Angaben in diesem Exkurs stellen Material bereit, das keinen Anspruch auf Vollständigkeit erheben kann, da 1. aufgrund der Natur der Quellen und der Quellenlage mit einer hohen Dunkelziffer gerechnet werden muß, 2. die Suche nach entlegenen Archivalien (besonders für Emigrationsorte) aus Gründen der Kosten-Nutzen-Relation unterbleiben mußte.

Siglen

Dkp — Würzburg Staatsarchiv Domkapitelsprotokolle

M — Würzburg Matrikelamt

ME — *Meyer-Erlach,* Nachsteuerbezahler

MH — *A. Mühlich, G. Hahn:* Chronik der Stadt Schweinfurt aus verschiedenen Handschriften zusammengetragen. Schweinfurt: 1817—1819

RB — Würzburg Stadtarchiv Ratsbuch

RP — Würzburg Stadtarchiv Ratsprotokolle

SoTBR — Pfarrarchiv Sommerhausen Tauf- und Bestattungsregister 1569—1603

StBHR — Würzburger Staatsarchiv M. S. q. 232 (Stammbuch Hieronymus Rueffer)

Stdbch — Würzburg Staatsarchiv Standbuch

W STaA — Würzburg Staatsarchiv

W StA — Würzburg Stadtarchiv

W UB — Würzburg Universitätsbibliothek Handschriften

TBK — Tagebuch Adam Kahl

Literatur

Bechthold — s. Literaturverzeichnis

Beck — H. Ch. Beck: Geschichten und Biographien. Schweinfurt: 1854

Bendel — Franz J. Bendel: Die Gefangennahme des Pfarrers zu Winterhausen, Mag. Vitus Treu, in Würzburg im Jahre 1585. In: Zeitschrift für bayerische KiG 14, 1939, 94—105

Buchinger — s. Literaturverzeichnis

Eubel — Konrad Eubel: Die in der Franziskaner-Minoritenkirche zu Würzburg Bestatteten aus dem Adels- und Bürgerstande. In: Archiv des historischen Vereins von Unterfranken und Aschaffenburg 27, 1884, 1—83

Giegler — Eugen Giegler: Die Gegenreformation des Fürstbischofs Julius Echter von Mespelbrunn und die Reichsstadt Schweinfurt. Diss. phil. (masch.) Tübingen: 1923

Mader — Felix Mader: Die Kunstdenkmäler von Unterfranken und Aschaffenburg XII: Stadt Würzburg (Die Kunstdenkmäler des Königreichs Bayern 3). München: 1915

Meyer-Erlach — Gg. Meyer-Erlach: Nachsteuerbezahler in Würzburg 1572—1700. In: Schriften des Bayerischen Landesvereins für Familienkunde 15, 1941, 3 ff.

Redelberger — R. Redelberger: Emigranten der Reformationszeit in Schweinfurt. In: Schweinfurter Heimatblätter 15, 1938, Nr. 3, 9—12

Sperl — August Sperl: Verzeichnis von Protestanten, die ihres Glaubens wegen unter Fürstbischof Julius aus dem Hochstift Würzburg vertrieben wurden (ca. 1585—1595). In: Familiengeschichtliche Blätter 20, 1922, 223 f.

Schubert — s. Literaturverzeichnis

Ullrich — Heinrich Ullrich: Zu- und Abwanderung in der Würzburger Bevölkerung des 16. und 17. Jahrhunderts (Schriften aus dem Rassepolitischen Amt ... Mainfrankens 9). Würzburg: 1939

1. *Amerbach*, N., Frau des Garkochs, Hans A.
   F   Empfängt 1585 Abendmahl vom Pfarrer von Sommerhausen (*Bendel* 96).
2. *Bach*, H.
   A 2.   Emigrierte nach Schweinfurt, erwarb dort Bürgerrecht (*Giegler* 21).
   C
3. *Dinner*, N., Frau des Konrad Dinner
   A 1.   Pfarrer von Winterhausen brachte ihr 1585 Abendmahl (*Bendel* 94 ff.).
   B 2.1 Dinner, Konrad, fürstbischöflicher Rat, Dr. (*Schubert* 1968, 287 ff.).
       2.3 Nichte des Johannes Burkhardt, des Reformators von Banz und Münsterschwarzach, dessen Bruder protestantischer Professor an der Universität Tübingen (*Schubert* 1968, 287 f.).
   G   Konrad Dinner 1591 Pate beim Sohn des Melchior Blaurock, Bürger von Sommerhausen (Sommerhausen Pfarrarchiv, Tauf- und Bestattungsregister 1569—1603, f. 85v).
4. *Ditwar*, Elias
   A 2.   Nach Kitzingen 1588 (*Schubert* 1968, 288, 306).
   C
   B 1.2 Sohn Bartholomäus Pfarrer in Kitzingen, Neffe Vikar am Stift Neumünster Würzburg (ebd., 288).
   D   Glasmaler.
5. *During*, Paulus
   A 3.   Wegen Friedhofsbau mit Bürgermeister Heinrich Wilhelm am 23. 1. 1584 auf die Kanzlei gefordert (*RP* 14, f. 60r).
     4.   Kein direkter Beleg.
   B 2.1 Anna Ramsbecken, Tochter des Steffan R., Heirat im Domstift. 1.2 Stoffel, Paulus (*RB* 223, f. 226r).
   D   Wirt ‚Zum Baumgarten‘ (*Dkp* 21, f. 264v).
6. *Eck*, Caspar
   A 2.   nach Kitzingen 1587 (*Bechthold* 1940, 95).
     4.   Bischof präsentiert als Ratsherr 1584 an seiner Stelle Dr. Johann Lachmann (*Dkp* 40, f. 239r).
   B 1.   Vater Caspar E. Bürgermeister 1563, 1577
         Mutter: Walpurgis E.: Grabstein auf ehemal. lutherischem Friedhof, gest. 1563 (*Bechthold* 1940, 95).
   B 2.3 Barbara Eck verheiratet 14. 1. 1566 mit Noah Koberer (*TBK* 28, Nr. 20).
   C
7. *Epler*, E.
   A 2.   nach Schweinfurt (*Giegler* 21).
   C

8. *Fennius,* Georg
   A 4. Sohn am 26. 6. 1587 in Winterhausen getauft (Winterhausen Kirchenbuch 1568—1633, f. 73).
   B 2.1 Margaretha Rebhöltzin (ebd.).
   G gewesener Bürger zu Würzburg (ebd.).

9. *Fieckeng,* Johann
   A 1. *Dkp* 33, f. 295v.
   E Ratskandidat 1577 (*Dkp* 33, f. 295v).
   G Frau bei Taufe Hieronymus Rueffers 1573 anwesend (*StBHR,* f. 8r)

10. *Friedrich,* Anna
   A 4. begraben auf Friedhof Kitzingen (oder Epitaph) (Würzburg ᵀ ᴃ Ms M. ch. f. 263, f. 371r).
   B 2.1 1. Reichard Munnbach, fürstbischöflich Würzburger Kanzleibeamter.
         2. Peter Heller (vgl. Nr. 21).
   C Kitzingen?
   G gest. 6. 2. 1581 (ebd.).

11. *Gelchsamer,* Jakob
   A 2. ca. 1585—1595 (*Sperl* 1922, 224).
         W StaA Geistlich Sachen 3069: Jacob Gelchsamer zu Kitzingen zeigt an, der Bischof habe ihn vor einem Jahr in Würzburg verhaften lassen.
   C wie A 2.
   G Gelchsamer, Johann Dr. iur. utr. und fürstbischöflicher Rat in Franziskanerkirche Würzburg bestattet, gest. 10. 7. 1600 (*Eubel* Nr. 97), dessen Ehefrau Maria Baldersteinin, gest. 27. 3. 1601 (ebd.).

12. *Geyss,* Adam *(Geyse)*
   A 3. *Schubert* 1971, 71, 74.
      2. 1595 Bürger von Rothenburg o. d. T. (ebd. 76, und *ME* Nr. 155).
   C (wie A 2.).
   G erbt Lutherausgabe aus Reumannscher Bibliothek (Stadtarchiv Kitzingen Testament Reumann); zahlt 588 fl Nachsteuer (*ME* Nr. 155).

13. *Gobel,* J. (= *ME* Nr. 60, 81?)
   A 2. nach Schweinfurt, erwarb Bürgerrecht (*Giegler* 21).
   C
   G Die Witwe Jakob Gobels zahlt 1587 120 fl Nachsteuer von 6000 fl (*ME* Nr. 81).

14. *Gottschalck,* Adam
   A 1. *Dkp* 29, f. 184v (1573).

15. *Gross,* Hans
   A 1. *RP* 14, f. 263r (1587).
   D Schenkamt (ebd.).
   F verweigert Konversion trotz mehrfacher Mahnung (ebd.).

16. *Haas,* H.
   A 2. nach Schweinfurt (*Giegler* 21).
   C

17. *Hagen,* Christoph
   A 4. *Bechthold* 1940, 90: bei Begräbnis sangen Schüler aus Kitzingen.
   D Fiskal (ebd.).

18. *Hagen,* Hieronymus
   A 1. *Dkp* 21, f. 218r (1565) redleins fhuerer: *Dkp* 33, f. 295v.
   B 2.2 Tochter Anna verh. 1590 mit Baltasar Rueffer jun. (*StBHR,* f. 39r), Magdalena, verheiratet mit Friedrich Rabe (*ME* Nr. 124 C [1592]).
      2.1 Anna geb. Rindermann aus Ebern (*Beck* 1854, 79).
   C   Schweinfurt (*StBHR,* f. 9v).
   D   fürstbischöfl. Oberster Sekretär (*W STaA* Stbch 796, f. 28r o. D.) *Dkp* 21, f. 100v—101r: seit 16 Jahren im Dienst des Stifts, auch auf Reichstagen und anderen Tagen.
   E   Obereinnehmer der Landschaft 1566 (*W STaA* G 12509, f. 103v), *Schubert* 1971, 71 f.; Ratskandidat 1577 (*Dkp* 33, f. 295v), 1582, 1583, 1584 (*RP* 14, f. 5r, 50v, 73r, 76v).
   F   *Dkp* 21, f. 218r: protegiert Glaubensgenossen und macht Proselyten.
   G   *Dkp* 21, f. 100v—101r (1565): hat viele Kinder und Schulden, soll eine Verehrung von 1500 fl bekommen (dafür hat er auf Lebenszeit zu dienen: *Dkp* 22, f. 154 (1566). Gest. 3. 12. 1596 in Schweinfurt (*StBHR,* f. 15r), (vgl. dagegen *Schubert* 1971, 72 A. 17). *ME* Nr. 146 (100 fl Nachsteuer).
19. *Hagen,* S.
   A 2. nach Schweinfurt, erwarb Bürgerrecht (*Giegler* 21).
   C
20. *Heberer,* Johann
   A 2. nach Schweinfurt (*Schoeffel,* Kirchenhoheit 351; *MH* 311: wegen Religionsre-
   C   formation Julius Echters; *Redelberger,* 12).
   B 2.1 1. 1591 Margarete Held, 2. 1611 Anna Maria Dampfing.
21. *Heller,* Peter
   A 1. *Dkp* 33, f. 295v (1577).
      3. im Auftrag des Unterrats wegen Friedhofsbau bei Bischof 17. 11. 1583 (*RP* 14, f. 54v), soll bei Erasmus Neustetter vorstellig werden (ebd. f. 56v).
   B 2.1 Anna Friedrich (Nr. 10).
   B 2.2 Tochter heiratet Leonhard Seyfridt (*Schubert* 1971, 78). Hans Georg (Kitzingen Stadtarchiv Codomann, Topographie 220b).
   D   Baumeister (Domkapitlischer) 1572: *Scharold* in AHU 4, 1, 1837, 33, *Dkp* 33, f. 158v, 1577; bis 1579 (*Dkp* 35, f. 207r, 124r); fürstlicher Rentmeister (UB Würzburg M. ch. f. 263, f. 370v).
   E   Oberrat 1584 (*W StA* Rechnungen 5487).
   G   1587 gestorben (*RB* 15, f. 58, [22. 11. ?: Würzburg UB M. ch. f. 263, f. 370v, doch vor 3.11.: *RP* 14, f. 392r]); hat Liegenschaftsbesitz in Meiningen (*Dkp* 39, f. 485r [1583]), besitzt Burg und Schloß Hag und einen Hof zu Rotendora (*Dkp* 13, f. 85v).
22. *Helmuth,* H.
   A 2. Nach Schweinfurt (*Giegler* 21).
   C
   B 2. Helmuth, Sebastian verheiratet mit Margarethe N. (Witwe 1580) (*RB* 11, f. 68r), Anna Helmuth verh. mit Philipp Merklein (ebd., f. 67r—68r [1580]); 1573 Bürgermeister (*Dkp* 29, f. 283r); 1577: Klage wegen monopolistischen Verhaltens, handelt mit Samt, Seide, Gewürz, Tuch, Fisch, verkauft überteuerte und verlegene Ware (*Dkp* 33, f. 160v); 1569 ein Sohn in der Dompfarrei getauft,

Pate: Fürstbischof Friedrich von Wirsberg (*M* 1562—1617, p. 33). Helmuth, Friedrich: 13. 1. 1603 in Würzburg gestorben, vornehmer Händler, Schöffe am Stadtgericht (*StBHR*, f. 135r); Vetter: Lorenz Henning (*Giegler* 32).

23. *Henning,* Lorenz
A 2.   Nach Schweinfurt 1588 (*MH* 318, *Giegler* 21).
C
B 1.2 Töchter: Margaretha Möhrin, Barbara Stahel (*Giegler* 44).
B 2.3 Vetter: Friedrich Helmuth (Nr. 22, B 2.).
E   als Gemeinsmann im Oberrat (*RP* 14, f. 54v, 58v [1583]).
D   Wirt zum Klingenberg (*RP* 14, f. 54v).
G   aus Suhl/Thüringen (*Elsa-Marie Moritz:* Die Bibliothek der freien Reichsstadt Schweinfurt (Veröffentlichungen des Hist. Ver.s und des Stadtarchivs Schweinfurt 6). Schweinfurt: 1959, 61).
       gest. 12. 6. 1592, stiftet 5000 fl (*MH* 318), Epitaph in Hospitalkirche Schweinfurt (ebd.).

24. *Herolt,* Hans
A 1.   *Dkp* 31, f. 104r (1575): bittet um Kirchneramt im Domstift, außer Verdacht der Religion wegen sei ihm nichts Unehrbares oder Fahrlässigkeit vorzuwerfen!
D   Buchbinder (ebd.).
G   Frau bei Taufe Hieronymus Rueffers 1573 (*StBHR*, f. 8r).

25. *Herzog,* Heinrich
A 2.   Nach Schweinfurt, erwarb Bürgerrecht (*Giegler* 21).
C   Abschiedsbrief 20. 6. 1587 (*W STaA* Reichsstadt Schweinfurt 384, f. 30v—31r) „Itzo umb vorhabende verbeserung Ihres nutzen willen sich an andere ort zu begeben begehren".
B 2.1 Catharina (ebd.).

26. *Hubner,* Anton
A 4.   da aus Meiningen und dort begraben wahrscheinlich.
B 2.1 Margarete Zollerin aus Sulzfeld (gest. 1563), verh. 2: N. N., sechs Kinder (Kitzingen Stadtarchiv Codomanns Topographie 220 b).
D   Dr. med., fürstbischöflicher Leibarzt (Würzburg UB M. ch. f. 263, f. 370v).
G   gest. 8. 9. 1580. Inschrift auf Friedhof Kitzingen, Frau anwesend bei Taufe Hieronymus Rueffers (*StBHR*, f. 8r).

27. *Hübner,* Sebastian
A 2.   Nach Schweinfurt mit Rueffer (*RP* 14, f. 381v [1588], *Giegler* 21,
C   *ME* Nr. 89: 1588).
D   wie Baltasar Rueffer (Wolle-, Zwilch-, Dörrfischhandel).
E   Ratskandidat 1582, 1583, 1584 (*RP* 14, f. 5r, 50v, 73r).
G   zahlt 240 fl Nachsteuer (*ME* Nr. 89).

28. *Koberer,* Noah
A 2.   Nach Sommerhausen (*SoTBR*, f. 151r).
C
B   Barbara Eck aus Würzburg in Dompfarrei 14. 1. 1566 (*TBK* 28, Nr. 20).
D   Kanzleibeamter (*Georg Furkel,* Sommerhausen in Wort und Bild, 1970², 41).
G.   gest. 15. 4. 1589 (wie A 2.); *ME* Nr. 69.

29. *Kol,* Veit
  A 3. Stiftet 10 fl zum Friedhof (*Schubert* 1971, 71).
  B 2.3 Helmuths Eidam (ebd.).
30. *Kollmann,* Peter
  A 2. Kitzingen?, dort 1595 zu Stadtmahlzeit eingeladen (*WUB* M. ch. f. 638/I, f. 377r).
    3. Stiftet 10 fl zum Friedhof (*Schubert* 1971, 71), im Auftrag des Rates wegen Friedhof zum Bischof (*RP* 14, f. 55v).
  B 2.3 Vetter Georg Reumanns (Kitzingen Stadtarchiv Reumann Testament 18).
  D   Apotheker (*Schubert* 1971, 71).
  E   Kandidat für Rat (*RP* 14, f. 50v); für Oberrat 1583 als Gemeinsmann (*RP* 14, f. 54v), (*Dkp* 39, f. 453r) macht Privilegierung durch Fbf. Friedrich von Wirsberg geltend (ebd.), nicht in Oberrat.
31. *Külwein,* Baltasar
  A 3. soll am 18. 11. 1583 bei Erasmus Neustetter wegen Friedhof vorstellig werden (*RP* 14, f. 56v).
    4. Bischof fordert Entsetzung als Pfleger der Marienkapelle (*RP* 14, f. 73r), doch *M* 1562—1617 (Dompfarrei), p. 383: gest. 12. 3. 1584, subsumiert ebd. 373 unter: christlich und Catholisch verschieden.
  B 1.1 Baltasar K., Wirt zum Klingenberg (*WSTaA* Stdbch 963, f. 27v, 1531).
    2.3 *RB* 233, f. 13r—v Geburtsbrief (1567) für Hieronymus und Philip K., Söhne Baltasar K. und Anna Weyer, Tochter Peter Weyers, die 1525 im Domstift kurz vor Fastnacht heirateten.
    1.2 Kilian (*RP* 14, f. 79r [1584], *ME* Nr. 63).
  D   handelt mit Fischen (*W STaA* Ms. Histor. Ver. MS f. 959 I [unfoliiert]) 1565, Fernhandel mit Nürnberg, Augsburg, Schweinfurt (ebd.), Hamburg, Leipzig (*W STaA* Stbch 964, f. 34r [1540]?).
32. *Lachmann,* N., Frau des Dr. Johann L., geb. Roßhaupter, Tochter des Erhart R., Obleischreiber (*RP* 14, f. 62v [1584])
  A 1. in Ehevertrag Klausel, daß sie trotz Mischehe nicht zur Konversion gezwungen werden dürfe (ebd.).
33. *Lehner,* Johann
  A 3. stiftet 10 fl (*Schubert* 1971, 71).
34. *Leypold,* Hans
  A 3. Vormund der Töchter stiftet 33 fl, 3 sh, 23 Pf 1585 (*Schubert* 1971, 73).
35. *Lindlein,* Georg/Konrad
  A 1. RP 14, f. 116v f.
  D   Spitalmeister im Bürgerspital (*RP* 14, f. 130r, 1586), auf Befehl des Fürstbischofs endgültig wegen CA-Bekenntnis entlassen 24. 1. 1586 (*RP* 14, f. 128v).
36. *Meier,* Neithart
  A 1. *Dkp* 34, f. 60v (1578).
    5. ?, da als Ratsvertreter auf Landtag 1603 (*Buchinger* 310).
  B 2.3 mit Lorenz Henning verschwägert (*Giegler* 45).
  E   Ratsherr 1587 (*RP* 14, f. 244v). Oberrat 1589, 1592 (*W StA* Rechnungen 5497, 5502).
  G   langjährig Diener des Dompropsts (*Dkp* 34, f. 60v, 1578).
37. *Merklein,* Philipp
  A 1. *Dkp* 29, f. 148v (1573); ebd. 39, f. 457v (1583).

2. *RB* 15, f. 8r, *RP* 14, f. 392r, vgl. auch ebd. f. 272v.

3. *RP* 14, f. 60r mit Bürgermeister Wilhelm auf Kanzlei gefordert (23. 1. 1584), *RP* 14, f. 60v von Rat zum Fürstbischof entsandt (24. 1. 1584); 4. 2. 1584 auf Kanzlei gefordert (ebd., f. 61v) und 11. 8. 1584 (ebd., f. 80v).

B 1.1 Vater: Martin M., gest. ca. 1545, Kanzleisekretär.

Mutter: Magdalena, geb. Seegler, Tochter des Jakob S., Bürger von Würzburg, verh. 2. Bastian Rueswurm, Händler, Bürger von Würzburg.

2.3 Schwester Anna verheiratet mit Philipp Külwein, gest. vor 16. 5. 1586 (B 1.1—2.3: *RB* 223, f. 182r Geburtsbrief 16. 5. 1586).

2.1 Anna Helmuth, 1564 in Dompfarrei (*M* 1562—1617, p. 285).

C Schweinfurt (*StBHR,* f. 132r), *Giegler* 21; *RB* 15, f. 8r (1587) nach *RP* 14, f. 272v reiste er im Juli 1587 nach Bad Kissingen, legt im September Rechnung des Seelhausbaus. *ME* Nr. 79 (200 fl).

D zahlt 200 fl Nachsteuer (*Schubert* 1971, 75).

E Bürgermeister 1576, 1584 (*RP* 14, f. 80v).

Pfleger des Hauses zum Gabler, Ehaltenhaus, Franzosenhaus, Seelhaus, Marienkapelle (*RB* 11, f. 67r f.), Bauamt (*RP* 14, f. 270v, 1587), Oberrat 1586 (*W StA* Rechnungen 5491).

F Rädelsführer beim Kirchhofbau (*Dkp* 39, f. 457v).

G setzt sich im Rat für den Stadtschreiber ein (vgl. oben S. 66), gest. in Schweinfurt (o. D.) (*StBHR,* f. 132r) nach *Beck* 60: 1593; Zeuge bei Geburtsbriefen der Söhne B. Rueffers (*RB* 223, f. 91v—92r [1579]), Konrad Müllers (ebd., f. 237r [1587]), Testament Nikolaus Diemers (*RP* 14, f. 110r).

38. *Morung,* Georg

A 1. *Dkp* 29, f. 184v (1573)

B 1.2 Christoph Möring (Pfarrarchiv Marktbreit Kirchenbuch 1564—1613, p. 89) (?)

D Goldschmied, Hofschultheiß (Kitzingen Stadtarchiv Testament Reumann)

39. *Müller,* Konrad

A 1. *RP* 14, f. 110r; *Dkp* 31, f. 160r

3. „Rädelsführer" *Dkp* 39, f. 457v, f. 454v; auf Kanzlei und zum Bischof gefordert: *RP* 14, f. 60r, 61v, 61v, 80v

B 1.2 *RB* 223, f. 237r Jörg-Ludwig, Konrad, Jörg-Christoph, Lorenz-Heinrich, Anna, Dorothea; Konrad Dr. iur. utr. (*StBHR,* f. 49v), verh. Cordula Rosina Stalman, T. ansbach. Kanzler.

2.1 Margarethe Gulmann (*RB* 223, f. 237r), *TBK* S. 55, Nr. 372: Guldmennin heiratet 22. 11. 1569; heiratet im Domstift, Tochter fbfl. Zahl- und Rentmeister (Würzburg UB M. ch. f. 263, 370r), gest. 1. 1. 1615.

C 1587/88 (*RP* 14, f. 392r; 1590 in Ansbach (*RP* 14, f. 537v; 1592 in Kitzingen (Ratsakten 1676)

D Oberschoßmeister (*RP* 14, f. 262r)

E Bürgermeister 1582 (*RP* 14, f. 19v, 1577 (*RP* 15, f. x)

Obereinnehmer 1566 (*W STaA* G 12509, f. 103v.), 1582 im Landtags-Ausschuß (*W STaA* Reichssachen 981), Kastenmeister (1580) (*RB* 13, f. 167v), Pfleger des Brückneralmosens, der Getreidestiftung der 8 Viertel (*W STaA* Ratsakten 1676). Im Oberrat (*Dkp* 43, f. 147r [1587]), 1607 Fürstlich-brandenburgischer Rat (Kitzingen Stadtarchiv Testament Reumann), Kammermeister, Hausvogt (Würzburg UB M. ch. f. 263, f. 370r), Oberrat 1584 (*W STA* Rechnungen 5487).

G   Hof in Reinhardsbrunn (*RP* 14, f. 27r); Zeuge bei Geburtsbrief der Söhne Baltasar Rueffers, Pate bei Konrad Rueffer (*RB* 223, f. 91v—92r). Vorwurf 1583, 18 Fuder Wein aus Julierspital unterschlagen zu haben (*RP* 14, f. 56) erst 17. 7. 1593 der städtischen Ämter quittiert (*RB* 11, f. 315, vgl. Ratsakten 1676).
Epitaph auf Kitzinger Friedhof (Würzburg UB M. ch. f. 263, f. 370r) danach geb. 1539, gest. 3. 6. 1610.

40. *Müssig,* Melchior
A 3.   stiftet 10 fl zum Friedhofsbau (*Schubert* 1971, 71)

41. *Neumeister,* N.
A 2.   Schweinfurt, erwarb Bürgerrecht (*Giegler* 21)

42. *Petzold,* Paul
A 2.   aus Würzburg vertrieben (*Sperl* 224) ca. 1585—1595
G   *W STaA* Geistl. Sachen 3069: hat seinen Hof zu Würzburg für 1800 fl verkauft, „unnd ob Ime wol der kauff nicht gehaltten worden, hab Ime doch vernachsteuern müssen". *ME* Nr. 145: 1594 (73 fl Nachsteuer)

43. *Plorock,* Peter
A 1.   *Dkp* 33, f. 295v (1577), *RP* 14, f. 281r (1587), *SoTBR,* f. 153r.
B 2.3 Melchior Plorock 1592 Bürgermeister von Sommerhausen, bei dessen Sohn Konrad Dinner, fstl. Würzburgischer Rat, Pate (1591) (*SoTBR,* f. 85r, 94v). *ME* Nr. 120: 1591 (40 fl Nachsteuer) und ebd. Nr. 158.
C   Sommerhausen (ebd. Nr. 152, *SoTBR,* f. 153r).
E   Viertelmeister Sand (*RP* 14, f. 281r (1587), 1582: ebd., f. 5r; Ratskandidat: 1582 *RP* 14, f. 5r; 1577: *Dkp* 33, f. 295v. 1582 im Landtagsausschuß wegen Reichs- und Türkensteuer (*W STaA* Reichssachen 981).
G   Witwe zahlt 1595 100 fl Nachsteuer (*ME* Nr. 152).

44. *Ranckner,* Georg *(Renckner)*
A 1.   *Dkp* 33, f. 295 (1577).
   5.   da 1587 in den Rat gesetzt (*Dkp* 43, f. 139v).
B 2.1 Ursula Dirläuffin (*Eubel* Nr. 85): 1. 12. 1573.
   2.   Barbara Burkartin (ebd.), (*TBK* S. 45, Nr. 227): von Ochsenfurt 5. 7. 1574.
E   Ratskandidat 1577 (*Dkp.* 33, f. 295v), 1582, 1583, 1584, (*RP* 14, f. 5r, 50r, 73r, 76v). 1587 in Unterrat (*Dkp* 43, f. 139v, 160r). Oberrat 1588 (*W StA* Rechnungen 5495).
G   bestattet in der Franziskanerkirche (*Eubel* Nr. 85).

45. *Raspe,* Kilian
A 2.   *Dkp* 43, f. 160r; *RB* 15, f. 8r: „ist hinweg gezogen, verdorben und im Elent gestorben".
B 2.1 1574 mit Barbara Mullerin (*TBK* S. 28, Nr. 15).
   2.3 *Dkp* 39, f. 335v verwandt mit Rochus Dillherr, Hans Weidenbusch (Vetter) (Schwager?).
C   „mit willen und erlaubnus" (*Dkp* 43, f. 160r, 1587).
D   Domkapitlischer Baumeister (1583: ehemalig) *Dkp* 39, f. 205v.
E   Rat 1578 durch Bischof ernannt (*Dkp* 34, f. 131v).

46. *Reumann,* Georg
A 1.   *RP* 14, f. 251v.
   3.   auf Kanzlei gefordert (*RP* 14, f. 61v).
B 1.   Vater: Matthäus, Mutter: Dorothee, geb. Pfister (*Beck* 1854, 65 ff.).

1.2 Anna, Dorothea, Anna Catrina, Anna Maria.

2.1 Barbara Weyer (Kitzingen Stadtarchiv Testament Reumann, *W UB* M. ch. f.
263, 308r), 4. 8. 1554 gest. 26. 11. 1606 (Kitzingen Stadtarchiv Codomanns Topographie 186b).

C   Kitzingen (wie oben 2.1) 1587.

D   Eisen- und Tuchhändler (*Beck* 1854, 65 ff.).

        Münzmeister, fürstbischöfl. Rat (ebd.).

        1552 Probierer der Münze Würzburg, 1560 England in Royal Mint (*Beck* 1854,
65 ff.).

E   1581, 1585 Oberrat (*W StA* Rechnungen 5480, 5489). 1573 vom Dkp. in Rat
(*Dkp* 29, f. 75), 1587 entsetzt (*RP* 14, f. 251), Pfleger des Bürgerspitals (*Schubert* 1971, 73). 1577 Obereinnehmer der Landschaft (*W STaA* Stbch 1006, f.
41r; *Beck* 1854, 65 ff.).

F   1578 Bürge für Präbendar Neithart Meyer, schwört bei Gott und den Heiligen
(*Dkp* 34, f. 118v), 1587 wegen Ungehorsam in Religions- und ‚Zivil'sachen des
Ratssitzes entsetzt (*RP* 14, f. 251v). „Christi Freund, des Papst feind" (wie B
2.1).

G   bei Hieronymus Rueffers Hochzeit anwesend 1595 (*StBHR, f. 10r*). gest.
28. 8. 1601 (Würzburg UB M. ch. f. 263, f. 307v). Zeuge bei Geburtsbriefen der
Kinder Rueffers (*RB* 223, f. 91v) und Konrad Müllers (ebd., f. 237r). Stiftet auf
Friedhof zu Kitzingen (*W UB* M. ch. f. 263, f. 367r ff.) Kapelle.

47. *Reumann,* Barbara, geb. Weyer

A 1.   Würzburg UB M. ch. f. 263, f. 308r.

B 1.1 Mutter geb. Pfister (Kitzingen Stadtarchiv Testament Reumann).

C   Kitzingen (wie Nr. 46).

G   gest. 26. 11. 1606 (*W UB* M. ch. f. 263, f. 308r).

48. *Roßhaupter,* Erhard

A 1.   *Schubert* 1968, 287.

B 1.2 N. vgl. Nr. 32.

D   Obleischreiber (ebd.).

49. *Rüdinger,* Jobst

A 2.   emigriert nach Schweinfurt, erwarb Bürgerrecht (*ME* Nr. 78, 136; *Giegler* 21).

C

B 1.1 Jobst Rüdinger, Bürger und Handelsmann, gest. 21. 4. 1569.

       Elisabeth R., geb. N., gest. 31. 7. 1582, beide in Franziskanerkirche bestattet
(*Eubel* Nr. 81) (?).

2.1 Barbara, geb. Helmuth (*Giegler* 43, *ME* Nr. 78).

E   Schweinfurt: Bürgermeister 1613, 1616, 1618, 1619 (*MH* 350, 354, 358, 360);
Spitalpfleger (*MH* 352).

50. *Rueffer,* Baltasar

A 1.   *StBHR,* f. 178r.

   3.   auf Kanzlei gefordert *RP* 14, f. 60r, 1584.

B 1.1 Vater: Baltasar R., geb. 1500 in Hammelburg, Ratsherr Fulda; Mutter: Margaretha Reb.

1.2 Baltasar R., Bürgermeister Schweinfurt 1606, 1613, 1620—1633 (*MH* 336, 350, 362 ff.), gest. 20. 8. 1635 (*MH* 461), Reichsvogt Schweinfurt (*Schubert* 1971, 71).

verheiratet mit 1. Anna Held, 2. Anna Hagen, Tochter des Hieronymus H. (Nr. 18) (*W STaA* Testament B.R.).

Baltasar, Antonius, Hieronymus, Conrad, Sabina (heiratet 17-jährig in Würzburg 1583), Anna, heiratet Philipp Schuler (*StBHR, RB* 223, f. 91v—92r).

2.1 Anna Kaltenhofer (*Beck* 1854, 75 ff.), Tochter des Pankraz K., Bürger des Rats, geb. 1546 in 2. Ehe, in 1. Ehe Barbara Fingerer, gest. 1566 (*StBHR*, f. 173r; *RB* 223, f. 91v—92r).

Hochzeit mit Anna Kaltenhofer in Dompfarrei (*RB* 223, f. 91v—92r; *TBK* S. 38, Nr. 139).

C   Schweinfurt *RP* 14, f. 381v, 1588 (*StBHR*, f. 178r) 1587: *ME* Nr. 77.

D   Fernhändler (Wolle, Zwilch, Dörrfisch (*RP* 14, f. 381v), doch auch in Kanzlei (*StBHR*, f. 177r—178r), hinterließ 300 000 Taler (*Redelberger* 11).

E   in Rat durch *Dkp* (*Dkp* 29, f. 148v) 1573, Bürgermeister 1578 (*RB* 15), Bürgermeister 1586 (*RP* 14, f. 120r), Oberrat 1582 (*W StA* Rechnungen 5484).

F   heiratet 1567 in Dompfarrei (*M* Dompfarrei 1562—1617, p. 294), läßt Sohn 1569 in Dompfarrei taufen (ebd. p. 32), Pate Philipp Merklein (Nr. 37). Kein ‚Disputator, ein eingezogener Mann‘ (*Dkp* 33, f. 295v), es soll ihm empfohlen werden, fleißig zur Kirche zu gehen (ebd.).

G   gest. 16. 5. 1599 (*StBHR*, f. 14r), geb. 7. 3. 1534 zu Fulda (ebd., f. 173r); stiftet 1000 fl für Schweinfurter Almosen (*Helmut Winter:* Der Rentenkauf in der Freien Reichsstadt Schweinfurt. In: Mainfränkisches Jahrbuch für Geschichte und Kunst 22, 1970, 125). Zahlt 400 fl Nachsteuer (*ME* Nr. 77).

51. *Rueffer*, Hans

A 1.   *M*

C   1587 (*ME* Nr. 80, 158).

B 2.1 N. Meier (*ME* Nr. 158).

E   Gemeinsmann in Oberrat (*Giegler* 30).

G   bei Hochzeit Hieronymus Rueffers 1595 anwesend (*StBHR*, f. 2v). Zahlt 40 fl Nachsteuer (*ME* Nr. 80).

52. *Rueffer*, Hieronymus

A 1.   *StBHR*, f. 9r.

   2.

B 2.1 Barbara Thrummerin, Tochter des fürstlich Bambergischen Rates Dr. iur. Johann Thr., 26. 8. 1595, geb. 13. 7. 1575 (*StBHR*, f. 8v).

  1.1 Baltasar R. (Nr. 50).

C   nach Schweinfurt 1591 (*StBHR*, f. 9r).

G   Hieronymus Hagen (ebd. 17r) sein Pate, ging 1581—85 in Hammelburg zur Schule (ebd., f. 8v), trat 1586 in Handlung des Vaters ein (ebd., f. 9r).

53. *Schneider*, Margarethe

A 1.   *RP* 14, f. 67v, 6. 3. 1584 wegen Zugehörigkeit zu CA aus dem Armenhaus in der Hörleinsgasse vertrieben, ins Haus zum Gabler eingewiesen.

54. *Schreier*, Hans

A 1.   *RP* 14, f. 296r (1587).

C   ebd.: Bischof macht Auflage von Emigration innerhalb von 8 Tagen.

E   Viertelmeister jenseits des Mains.

G   zahlt 1592 25 fl Nachsteuer (*ME* Nr. 130).

55. *Schwalb*, Simon

A 1.   *Dkp* 39, f. 453r (1583).

C   Kitzingen (*StBHR*, f. 136v, *W UB* M. ch. f. 638/I, f. 377r).

D   Kanzleibeamter 1583 (*Dkp* 39, f. 286v).

G   gest. 25. 4. 1605 in Kitzingen (*StBHR*, f. 136v).

E   Ratskandidat 1583, 1584 (*RP* 14, f. 50v, 73r, 76v).

56. *Stahel*, Wilhelm

A 2.   Schweinfurt, erwarb Bürgerrecht (*Giegler* 21).

B 1.1   Vater Martin Stahel (*Beck* 1854, 107), Pfortenschreiber des Würzburger Domkapitels (*StBHR*, f. 9v), der mit seiner 2. Frau (Heirat 1574 *TBK* S. 31, Nr. 61)
in Würzburger Franziskanerkirche begraben (*Eubel* Nr. 106), gest. 1605 (ebd.
und *StBHR*, f. 137r). Mutter: Anna Kaltenhofer, 1. Frau Martin Stahels, gest.
1572 (*TBK* S. 54, Nr. 349).

C   Schweinfurt, erwarb Bürgerrecht (*Giegler* 21).

E   Bürgermeister Schweinfurt 1622 (*MH* 366).

57. *Stoer*, M., L.

A 2.   *Giegler* 21; *Lienhart* (wie C).

C   *Lienhart:* Sommerhausen (*SoTBR*, f. 164r); *ME* Nr. 164: Witwe zahlt 1596 34 fl
Nachsteuer.

58. *Trauttmann*, Jost

A 1.   *Dkp* 44, f. 53 (1588).

D   Oberratsschreiber (*Dkp* 44, f. 152r).

F   weigert sich zu konvertieren, wird entlassen (*Dkp* 44, 73v).

G   verkauft Bruderhof (*Dkp* 44, f. 152v); *ME* Nr. 110: 1591 zahlt Peter Hümbler
42 fl Nachsteuer für seinen Vorfahren J. T.

59. *Weber*, Caspar

A 1.   *Dkp* 21, f. 281 (1565).

C   Sommerhausen (*SoTBR*, f. 152r).

D   Registrator zu Würzburg (*Dkp* 21, f. 218r [Kanzleibeamter] und *Georg Furkel*,
Sommerhausen in Wort und Bild 1970[2], 41), fürstlich-ansbachischer Bergmei-
ster (*SoTBR* [wie C]).

G   gest. 29. 4. 1590 (wie C), Pate bei Caspar Gross 29. 9. 1588 in Sommerhausen
(*SoTBR*, f. 82v).

60. *Weiss*, A.

A 2.   emigrierte nach Schweinfurt (*Giegler* 21).

C

61. *Wilhelm*, Heinrich

A 3.   als Bürgermeister von Bischof auf Kanzlei gefordert 1584 (*RP* 14, f. 60r, 61v,
80v).

   4.   da in A 3. nur als Bürgermeister und in Würzburg geblieben.

B 1.2   Heinrich, Baltasar (*ME* Nr. 156).

E   1565 in Rat (*Dkp* 21, f. 183r durch Domkapitel), in Oberrat 1573 (*Dkp* 29, f.
238r), 1582 in Landtagsausschuß wegen Reichs- und Türkensteuer (*W STaA*
Reichssachen 981), Bürgermeister 1584 (*RP* 14, f. 54r), Oberrat 1585, 1589,
1592 (*W StA* Rechnungen 5489, 5497, 5502).

F   stiftet Bemalung der Steinkanzel in Augustinerkonvent (*Mader* 140), vgl.: *ME* Nr. 158—160.

G   *Schubert* 1971, 71. *Mader* 620: baut Haus in Dettelbacher Gasse, 1593 fast vollendet.

      gest. 4./(14.?)7. 1596 (*StBHR,* f. 132v); doch 1595: *ME* Nr. 156.

62. *Wiltmeister,* Valentin

A 1. *RP* 14, f. 119v, *Dkp* 39, f. 457v.

E   Stadtschreiber *RP* 14, f. 130v.

F   bezeichnet die katholische Lehre als teuflisch, agitiert in Gerolzhofen, auf Befehl des Fürstbischofs entlassen (*RP* 14, f. 119v, 63r, 130v), ‚Rädelsführer‘ bei Friedhofbau (*Dkp* 39, f. 457v).

63. *Woltz,* Johann

A 1. *SoTBR,* f. 163r mit 164r: Frau zog wegen evangelischen Bekenntnisses von Würzburg nach Sommerhausen, Woltz, Johann publicus notarius ‚in der Frenckischen verfolgung‘ (Eintrag bricht ab, wohl sinngemäß wie bei Frau weiterzuführen).

B 1.2 Johann Konrad geb. 14. 8. 1588 Sommerhausen (ebd. 82r), Anna 9. 5. 1590, Pate Melchior Blaurocks Frau (ebd. f. 85r).

   2.1 Barbara, geb. N., gest. 17. 8. 1596 (ebd. f. 163r).

C   (wie A 1.) und *ME* Nr. 143: zahlt 28 fl von 1400 fl Nachsteuer.

D   Öffentlicher Notar (ebd. f. 164r).

G   gest. 20. 11. 1596 (ebd.).

64. *Ziegler,* Bastian

A 2. *Giegler* 21, vgl. aber *W STaA* Reichsstadt Schweinfurt 3814, f. 34v—35v, 24. 5. 1587 (Abschiedsbrief): „undt aber Itzo umb seiner verbeßerung willen von dannen anderer ort niderzuthun vorhaben und bedacht".

C   Schweinfurt (*ME* Nr. 65).

Anhang

Liste 1: Würzburger Protestanten mit direktem Beleg ihres konfessionellen Status als CA-Bekennende

Nr.	Name	Nr.	Name
1	Amerbach, N.	44	Ranckner, Georg
3	Dinner, N.	46	Reumann, Georg
9	Fieckeng, Johann	47	Reumann, Barbara,
14	Gottschalck, Adam		geb. Weyer
15	Gross, Hans	48	Roßhaupter, Erhard
18	Hagen, Hieronymus	50	Rueffer, Baltasar
21	Heller, Peter	51	Rueffer, Hans
24	Herolt, Hans	52	Rueffer, Hieronymus
32	Lachmann, N.	53	Schneider, Margarethe
35	Lindlein, Georg	54	Schreier, Hans
36	Meier, Neithart	55	Schwalb, Simon
37	Merklein, Philipp	58	Trauttmann, Jost
38	Morung, Georg	59	Weber, Caspar
39	Müller, Konrad	62	Wiltmeister, Valentin
43	Plorock, Peter	63	Woltz, Johann

Liste 2: Würzburger Protestanten, bei denen die Emigration aus religiösen Gründen belegt und die nicht schon in Liste 1

Nr.	Name
4	Ditwar, Elias
6	Eck, Caspar
11	Gelchsamer, Jakob
20	Heberer, Johann
42	Petzold, Paul
45	Raspe, Kilian

Liste 3: Würzburger Protestanten, die wahrscheinlich aus religiösen Gründen auswanderten und die nicht schon in Listen 1 und 2

Nr.	
2	Bach, H.
7	Epler, E.
13	Gobel, J.
16	Haas, J.
19	Hagen, S.
22	Helmuth, H.
23	Henning, Lorenz
25	Herzog, Heinrich
27	Hübner, Sebastian
28	Koberer, Noah
41	Neumeister, N.
49	Rüdinger, Jobst
56	Stahel, Wilhelm
57	Stoer, M.
57	Stoer, L.
60	Weiss, A.
64	Ziegler, B.

Liste 4: Würzburger Protestanten, die nur im Zusammenhang des Friedhofbaus genannt sind

Nr.	Name
5	During, Paul
12	Geyss, Adam (+ Emigration)
29	Kol, Veit
30	Kollmann, Peter (+ Emigration?)
33	Lehner, Johann
34	Leypold, Hans
40	Müssing, Melchior

Liste 5: Würzburger, deren protestantisches Bekenntnis durch Indiz wahrscheinlich

Nr.	Name
8	Fennius, Georg
10	Friedrich, Anna
17	Hagen, Christoph
26	Hubner, Anton

Liste 6: Würzburger Protestanten in städtischen und landschaftlichen Ämtern

Nr.	Name	Amt
5	During, Paul	Ratsherr
9	Fieckeng, Johann	Ratskandidat
21	Heller, Peter	Oberrat
27	Hübner, Sebastian	Ratskandidat
30	Kollmann, Peter	(Ratskandidat)
35	Lindlein, Georg	Bürgerspitalmeister
36	Meier, Neithart	Ratsherr
37	Merklein, Philipp	Bürgermeister
39	Müller, Konrad	Bürgermeister, Obereinnehmer
43	Plorock, Peter	Viertelmeister, Ratskandidat
44	Ranckner, Georg	Ratsherr
45	Raspe, Kilian	Ratsherr
46	Reumann, Georg	Ratsherr, Bürgerspitalpfleger, Obereinnehmer
50	Rueffer, Baltasar	Bürgermeister
51	Rueffer, Hans	Oberratsmann
54	Schreier, Hans	Viertelmeister
55	Schwalb, Simon	Ratskandidat
63	Wiltmeister, Valentin	Stadtschreiber

Liste 7: Würzburger Protestanten in fürstbischöflichen und domkapitlischen Ämtern

Nr.	Name	Amt
6	Eck, Caspar	Assessor am Oberrat
15	Gross, Hans	Schenkamt
17	Hagen, Christoph	Fiskal
18	Hagen, Hieronymus	fbfl. oberster Sekretär (Obereinnehmer)
21	Heller, Peter	Baumeister, Rentmeister (Oberrat)
26	Hubner, Anton	Leibarzt
46	Reumann, Georg	fbfl. Rat, Münzmeister
48	Roßhaupter, Erhard	Obleischreiber
50	Rueffer, Baltasar	Kanzlei
58	Trauttmann, Jost	Oberratsschreiber
59	Weber, Caspar	Registrator

Liste 8: Zielorte der Würzburger Emigranten

Nr.	Name	Nr.	Name
Schweinfurt		*Kitzingen*	
7	Epler, E.	4	Ditwar, Elias
13	Gobel, J.	6	Eck, Caspar
16	Haas, H.	10	Friedrich, Anna (?)
18	Hagen, Hieronymus	11	Gelchsamer, Jakob
19	Hagen, S.	39	Müller, Konrad
22	Helmuth, H.	46	Reumann, Georg, Barbara
23	Henning, Lorenz	55	Schwalb, Simon
25	Herzog, Heinrich		*Sommerhausen*
27	Hübner, Sebastian	28	Koberer, Noah
37	Merklein, Philipp	43	Plorock, Peter
41	Neumeister, N.	57	Stoer, L.
49	Rüdinger, Jobst	59	Weber, Caspar
50	Rueffer, Baltasar	63	Woltz, Johann
52	Rueffer, Hieronymus		*Winterhausen*
56	Stahel, Wilhelm	8	Fennius, Georg
57	Stoer, M., L. (?)		*Rothenburg o. d. T.*
60	Weiss, A.	12	Geyss, Adam
64	Ziegler, Bastian		

Exkurs 5:
Das Inventar der Bibliothek Georg Reumanns

1. Das 1598 ausgefertigte, 1606 geöffnete Testament Georg Reumanns[1] enthält außer dem Inventar des Besitzes dieses reichen Mannes ein Verzeichnis seiner Bibliothek. Die Titel sind mit Verfassernamen, oft ohne Vornamen, in Kurztiteln und mit Formatangabe verzeichnet. Aufgrund dieser knappen Angaben hat Erwin Freund das Verzeichnis im Anhang erstellt. Die Schwierigkeit bibliographischer Nachweise für die 2. Hälfte des 16. Jahrhunderts ist bekannt. Es ist daher und wegen der verkürzten Angaben des Inventars nicht möglich gewesen, die jeweils in der Bibliothek Reumanns befindliche Ausgabe zu identifizieren. Auch einige Autoren konnten in den biographischen Nachschlagewerken nicht nachgewiesen werden. Trotzdem scheint die Erschließung des Inventars gelungen. Für die aufgewandte Mühe und die Findigkeit sei Herrn Freund an dieser Stelle gedankt, ohne sie wäre der Versuch einer Auswertung in diesem Exkurs unmöglich gewesen.

[1] Kitzingen Stadtarchiv VII B 1 — Nr. 31.

2. Vor der Auswertung ist die Frage zu stellen, ob die Bibliothek aus einer Hand stammt, ob sich ererbte oder erworbene Teile aussondern lassen. Georg Reumann ist am 28. 8. 1601 gestorben[2]. Wir setzen das Jahr 1540 als Datum, ab dem er sinnvollerweise Bücher gekauft haben könnte. Man wird jedoch nicht einfach alles, was in einer ersten Ausgabe vor 1540 erschienen ist, einer zweiten oder weiteren Bibliothek zuweisen können, denn 1. kann Reumann ältere Ausgaben zugekauft haben, und dies würde gerade ein verstärktes Interesse bedeuten, 2. sind die Neuauflagen zu berücksichtigen, die, soweit eruierbar, im Verzeichnis angegeben sind. Sieht man sich die vor 1540 in erster Auflage erschienen Titel an, so erscheint es durchaus möglich, daß Reumann Bücher geerbt hat, wenn wir auch keine Anhaltspunkte haben, wer dieser (oder diese) Vorbesitzer gewesen sind. Es wäre zu denken einmal an die eigenen Vorfahren, aber auch an die Vorfahren seiner Frau Barbara, geb. Weyer, die aus einer begüterten Familie stammte. Die Vermutung der Übernahme älterer Bestände läßt sich so begründen: Einmal handelt es sich dabei, wie die Auswertung ergeben wird, nicht um Werke, die auf der zentralen Interessenlinie Reumanns lagen. Die antike und zeitgenössische deutschsprachige Literatur bildete in der Bibliothek einen höchstens peripheren Bestand[3]. Ferner sind zwei Flugschriften vor 1540 gedruckt[4]. Sodann scheiden auch einige lateinische Werke bei der sonst rein deutschsprachigen Bibliothek aus[5]. Singulär ist auch die Zwinglischrift[6].

Andererseits bilden die Titel, deren Erscheinungsjahr des Erstdrucks vor 1540 liegt, keinen in sich geschlossenen Bestand[7]. Die Übernahme von Fremdbeständen läßt sich freilich nicht mit den Duplikaten begründen: sie stammen aus der Zeit nach 1540[8].

3. Im Gegenteil gehörten die doppelt vorhandenen Titel zum Kern der Bibliothek: Dreimal vorhanden war Habermanns „Bethbüchlein", zweimal das „Bethbüchlein für allerlei Anliegen", das „Examen des Tridentinischen Konzils" des Martin Chemnitz, das „Bethbuch" des Andreas Musculus, Philipp Nicolais „Freudenspiegel" und Johann Spangenbergs Epistelauslegung. Der reichste Bestand in dieser mit 191 Titeln beachtlichen Bibliothek umfaßt Erbauungsbücher

[2] Vgl. oben Exkurs 4, Nr. 46.
[3] Nr. 1: Aesop; Nr. 51: Josephus; Nr. 85 Livius — dies sind die Autoren der für damalige Zeit völlig unterrepräsentierten antiken Literatur, wobei für Nr. 51 kein Erscheinungsjahr nachgewiesen ist; an deutschsprachiger Literatur finden sich 8 Titel, darunter ein Doppel von Brants Narrenschiff (Nr. 4, 30, 31, [46?], 80, 156, 172, 188).
[4] Nr. 17 mit nicht verzeichneten angebundenen Schriften und 45 (obwohl auch Nachweis einer Ausgabe 1592).
[5] Nr. 3, 44, 47. Die Titel aus dem Gebiet des Rechtslebens waren ebenfalls deutschsprachig: Reumann hatte also sicher keine fachmännische Ausbildung: Vgl. unten 4.
[6] Nr. 191.
[7] Vor 1540 erschienen in ersten Auflagen: 1, 3, 6, 8, 17, 29, 30, 32, 34, 44, 45, 46, 47, 51(?), 53—57 (Sebastian Franck), 85, 89—97, 99, 101—103, 105, 111 (Luther).
[8] Nr. 12/13; 18/19; (30/31); 36/37; (91/92); 94—98: (Katechismen); 115/117; 124—126; 128; 167/168.

(27,7 %), Bibeln und Auslegungen der Heiligen Schrift und Katechismen (40 %), Predigten und Postillen (10,5 %), sowie Werke zur kirchlichen Zeitgeschichte (5,7 %). Zählt man die Gesangbücher hinzu, so bestand die Bibliothek zu 85,4 % aus theologischer und Erbauungsliteratur. Luther ist der am häufigsten erscheinende Autor: Reumann besaß eine bis auf drei Bände komplette Lutherwerksausgabe[9], 6 Katechismusausgaben, 2 Ausgaben der Geistlichen Lieder[10], die Postille zweifach[11], sowie außer Einzelauslegungen biblischer Bücher einige polemische Schriften Luthers. Luther wurde als Ausleger und Erbauungsschriftsteller gelesen. Im engeren Sinne theologische Werke, d. h. solche systematischer Theologie und wissenschaftliche Kommentare finden sich in dieser Bibliothek eines Laien nicht, sieht man von Melanchthons Loci[12] und den in der Luther-Werkeausgabe enthaltenen ab.

Wir finden ferner die verbreitetsten Autoren der frühorthodoxen Frömmigkeitsliteratur[13]: Habermanns Gebetbuch[14], das „Bethbüchlein für allerlei gemein Anliegen"[15], Huberinus und Rhegius[16], Philipp Kegels ‚Geistliche Andachten'[17] und Martin Mollers Manual[18], schließlich das Gebetbuch des Andreas Musculus[19]. Geht man den Lebensläufen der Autoren der theologischen und Erbauungsschriften nach, so schlägt sich der Charakter der Frühorthodoxie in zwei geographischen Schwerpunkten nieder: Wittenberg und Württemberg[20], als sachlicher Verknüpfungspunkt erweist sich die Konkordienformel[21]. Im Erbauungsschrifttum der Reumannschen Bibliothek gibt es überhaupt nur drei nicht-

[9] Nr. 88.
[10] Nr. 94, 99.
[11] Nr. 103, 104.
[12] Nr. 118.
[13] Seit des früh verstorbenen Carl Johann Cosacks Satz aus seiner Königsberger Antrittsvorlesung (Cosack 1862, 3): „Sed literarum asceticarum historia prorsus deest", ist trotz der Untersuchungen von Cosack 1871, Althaus 1927, H. Beck 1883, Grosse 1900, Klein 1959 das Urteil der auf wenigen Spezialstudien aufbauenden Zusammenfassungen zur frühorthodoxen Erbauungsliteratur (Lau 1963, Moeller 1965) notwendigerweise das gleiche wie das Cosacks von 1862, bei der immer wieder betonten Bedeutung des Gegenstandes ein beschämendes Desiderat, das allein schon bibliographisch aufzuarbeiten (vgl. dazu die Arbeit von Gunther Franz 1973) mühsam ist. Über die Gebete Luthers jetzt Schulz 1976.
[14] Beck 1883, 1, 271; Althaus 1927, 9; Lau 1963, 114; Dedic 1938, 445 für Innerösterreich. Zur Vita Lau in RGG³ 3, 1959, 7.
[15] Althaus 1927, 51; Beck 1883, 1, 116.
[16] Franz wie oben 13.
[17] Lau 1963, 114; RGG³ 2, 1958, Sp. 1234; Beck 1883, 1, 209 f.; Althaus 1927, 135 ff.
[18] Beck 1883, 1, 258 ff., zur Vita RGG³ 4, 1960, 1089 (Lau).
[19] Lau 1963, 114; Althaus 1927, 98 ff.; Cosack 1871, 208; zur Vita RE 13, 1903, 577—581 (G. Kawerau).
[20] Wittenberg: Nrr. 5, 11—14, 38, 62, 75, 113—117, 124, 128, 141, 145, 146, 185, 190; Württemberg: 5, 64, 65, 70, 83, 133: bei letzteren vier sogar Württemberg und Wittenberg.
[21] Die Autoren stimmten, soweit ihre Haltung überhaupt in den Nachschlagewerken be-

lutherische Autoren: 2 katholische, den Mainzer Domprediger Johannes Wild (Ferus)[22] und Johann Fabri[23] und den Schwiegersohn Huldrych Zwinglis, Rudolf Gualter[24]. Innerhalb des lutherischen Protestantismus werden Parteien nicht so eindeutig ausgeschlossen.

Die Schwerpunkte der Erbauungsliteratur zeigen deutlich die durch diese wahrgenommene Funktion: sie diente für Hausandachten, in denen möglicherweise Bibel und Postillen[25] oder nach Luthers Anweisung der Katechismus die Wortverkündigung und Lehre des Geistlichen übernahmen. Daß es sich trotz konfessioneller Lehrausrichtung um eine ins Persönliche übersetzte Frömmigkeitspraxis handelt, darauf weisen sowohl die Vielzahl der Gebetbücher hin[26] als auch die Schriften für besondere Lebenslagen (Ehe[27], Krankheit und Tod[28] und Verfolgung[29]).

Im übrigen gab es offenbar diesen Typ der Erbauungsbibliothek auch andernorts und in weniger wohlhabenden Schichten. Eine im Stadtarchiv Bamberg aufgefundene[30] Liste im Jahr 1628 im Amt Thurndorf (Oberpfalz, Matthias *Simon:* Die evangelische Kirche [Historischer Atlas von Bayern D: Kirchliche Organisation Teil 1]. München: 1960, 610) konfiszierter Bücher weist dieselben Akzente, sogar z. T. dieselben Werke, auf: eine Vollbibel war jedoch nicht darunter, lediglich, oft vielbenutzte (‚zerissen‘), ‚Evangelienbücher‘ (insgesamt 10) und Neue Testamente (5), 9 Gesangbücher, 11 Gebetbücher ohne Autor, 5 Jesus Sirach deutsch, 7 Katechismen Luthers, und — was bei Reumann fehlte — 10 Lobwasserpsalter. An identischen Titeln finden sich in der Liste ferner: Habermann, Spangenbergs Hauspostille, die 12 Geistlichen Andachten Kegels, Nicolaus Hermanns ‚Evangelien gesangsweis‘ und das Gebetbuch des Andreas Musculus.

rührt wird, überwiegend der Konkordienformel zu, so 5, 11, 26, 36, 38, 64, 65, 83, 129, 163, 181, 186.

[22] Nr. 50, vgl. NDB 5, 1961, 101 f. *(H. Tüchle),* LThK² 10, 1965, 1123 *(E. Pax).*

[23] LThK² 3, 1959, 1334 *(H. Tüchle);* vgl. *Althaus* 1927, 78.

[24] Nr. 187, vgl. RE³ 7, 1899, 222—224 *(Emil Egli),* in 2. Ehe verheiratet mit Anna Blarer, der Tochter des Konstanzers Thomas Blarer.

[25] Bibelbesitz war keine Selbstverständlichkeit, vgl. unten; Reumann besaß mit den Postillen Luthers (Nr. 103), des Mathesius (115) und Johann Spangenbergs (170) einen grundlegenden Bestand, nach *Dedic* 1938, 453 f., war die Postille Spangenbergs jedenfalls in Innerösterreich (17. und 18. Jahrhundert) verbreiteter als die Luthers. Dazu kamen Nicolaus Hermanns ‚Sonntagsevangelien gesangsweis‘ (Nr. 67), die gerade für Protestanten in katholischen Territorien eine wichtige Ersatzfunktion anstelle des Gottesdienstes haben konnten, Spangenbergs Epistelauslegung (Nr. 167 und 168), Pancratius Katechismuspredigten (Nr. 134, *Beck* 1883, 1, 327 f.), sowie die Kinderpredigten (Nr. 79, vgl. *Althaus* 1927, 55).

[26] Nr. 11—13, 14—18/19, 49, 62, 63, 90, 124, 186.

[27] Nr. 25, 147, 166, 169.

[28] Nr. 20, 121, 132.

[29] Nr. 26, 108, 157, 181.

[30] Bamberg Stadtarchiv HV Rep 3/1186. Das Produkt ist nicht Bamberger Provenienz.

Die Bibliothek Reumanns enthält auch Werke zur kirchlichen Zeitgeschichte, jedoch außer einem Band „Türkischer und Muskowitischer Historien"[31] keine zur allgemeinen Zeitgeschichte. Kirchliche Zeitgeschichte heißt in diesem Fall Geschichte der Entstehung der Kirche Augsburger Konfession: angefangen vom Reichstagsausschreiben 1530[32] und einer Ausgabe der Confessio Augustana[33] über die Rechtfertigung der protestantischen Stände, warum das Tridentinum nicht besucht worden sei und die Chemnitzsche Auseinandersetzung mit dem Konzil[34], bis zum Kölner Streit[35] sind Höhepunkte der Geschichte des Luthertums dokumentiert, zudem liegt mit Sleidan[36] eine zusammenfassende Darstellung vor. Die bewußt konfessionelle Einstellung des Besitzers der Bibliothek zeigt sich auch in den polemischen Schriften überwiegend gegen die katholische Kirche[37]. Nur 3 Titel bei 16 antikatholischen richten sich nach Ausweis des Titels gegen den Calvinismus[38]. Insgesamt ist die Gruppe der polemischen Schriften mit 10 % nicht übermäßig stark, wenn man bedenkt, daß der Besitzer sich in unmittelbarer Konfrontation und dauernder Berührung mit der alten Kirche befand. Zudem ist die Kontroverse Utzinger-Scherer mit 5 (6) Titeln vertreten, allein ein Drittel der Polemica gegen die alte Kirche[39].

4. Eine letzte Gruppe bilden die Handbücher für die Praxis des Lebens. Dazu gehören die Ausgaben des Reichs- und römischen Rechts[40], sowie die Titel zum

[31] Nr. 180.
[32] Nr. 8.
[33] Nr. 6.
[34] Nr. 7 und Nr. 36/37: Martin Chemnitz (1522—1586), studierte in Frankfurt/Oder, Wittenberg und Königsberg. Obwohl dort fürstlicher Bibliothekar geworden, verließ er Königsberg wegen des osiandristischen Streits 1554 und las in der Wittenberger Artistenfakultät über Melanchthons Loci, ging dann nach Braunschweig, wo er mit Jakob Andreae an der Konkordie arbeitete. Polycarp Leyser gab posthum seine ‚Loci Theologici' heraus, Chemnitz' ‚Examen' wurde von Georg Nigrinus ins Deutsche übersetzt (vgl. Anhang Nr. 36). Dieses Beispiel macht an einem Punkt die Bedeutung des Zentrums Wittenberg deutlich und zeigt die Verbindungen der in der Reumannschen Bibliothek vorzufindenden Autoren untereinander. Vgl. auch unten Anhang N. Hermann — Mathesius.
[35] Nr. 9, 10.
[36] Nr. 165.
[37] Dazu sind folgende Nrr. zu zählen: 5, 24, (36), 64, 70, 76, 100, 108, 127, 129, 135, 158 und 159, als die einzigen Schriften der Gegenpartei!, 182—184.
[38] Nr. 65, 71, 83.
[39] Alexander Utzinger, Dekan zu Schmalkalden, unterschrieb die Konkordienformel 1580, lebte noch 1589(!) *(Jöcher* 4, 1751 [ND 1961], 1755). Die UB Würzburg führt auch eine Schrift Utzingers von 1590: „Wolverdiente und gebürliche Antwort auff das grobe bachantische ... Schandbuch Abraham Nagels von Gamünde ..." (Schmalkalden: 1590) Würzburg UB Rep. VI, 94. Vgl. außerdem die weiteren Utzingerschriften = unsere Nr. 182—184 in ebd. Rep. VI, 93, sowie ebd. den nicht in der Reumannbibliothek vorhandenen Titel: „Christlicher Sendbrieff an alle frommen Christen, die Itzo umb der evangelischen Warheit willen ... verfolget ... werden im Lande zu Francken." Schmalkalden: 1589. — Georg Scherer (1540—1605) SJ, Hof- und Domprediger in Wien: LThK² 9, 1964, 393 *(F. Loidl).*
[40] Nr. 40, 68, 130, 138, 139, 142, 143.

Prozeßrecht[41] sowie der nicht identifizierte Titel zum Vormundschaftsrecht[42]. Daß diese für einen Kaufmann wichtige Gruppe ausnahmslos auf Deutsch erscheint, ist ein sicherer Hinweis darauf, daß Reumann eine Universität nicht besucht hat.

In dieser Gruppe findet sich schließlich ein breiteres Spektrum von ‚Hausbüchern‘: Lexika, Hausapotheke und medizinische Werke, Formular- und Kochbücher, Münsters Cosmographie, eine Bauordnung, eine Gruppe also, die die Vielfalt der bürgerlichen Lebensbezüge deutlich macht[43].

5. Wir stellen die Ergebnisse zusammen: a. Die Reumannsche Bibliothek war konzentriert auf die Erbauungsliteratur und auf deren Substitutivfunktion für den Gottesdienst.

b. Sie war darin fast exklusiv konfessionell-lutherisch ausgerichtet. Diese Bibliothek zeigt keine konfessionellen Mischformen, die sich in der Praxis religiösen Verhaltens als notwendig erweisen mochten (vgl. oben Kap. 9), sondern war sowohl im überwiegend positiven Kernbestand (Erbauungsschriften) wie in den polemischen Werken eindeutig konfessionell geprägt.

c. Die Bibliothek war die eines Laien nicht nur im kirchlichen Sinne, sondern auch im Sinne eines Nichtakademikers. Daß Werke von frühen Humanisten (außer zwei frühen Erasmustiteln) und des Späthumanismus fehlten, ist bemerkenswert, da Würzburg ein Zentrum des Späthumanismus war[44]. Diese Schriften blieben dem lateinunkundigen Bürger fremd.

d. Die Bibliothek bezeugt jedoch ein an der Auslegung der Heiligen Schrift und Frömmigkeit ausgerichtetes Bildungsinteresse, ein Bedürfnis, die Probleme des religiösen und des täglichen Lebens literarisch reflektierend zu verarbeiten.

e. Schließlich, um Selbstverständliches hervorzuheben, dokumentiert sie die Verbreitung frühorthodoxer lutherischer Erbauungsliteratur auch in Würzburg und Franken[45].

---

[41] Nr. 21, 29, 32, 119.

[42] Nr. 136.

[43] Nr. 2, 33, 42, 43, 52, 56, 59, 82, 84, 123, 155, 164, 171, 175, 177.

[44] *Schubert* 1968 und oben S. 57.

[45] Neben Kirchen- und Schulbibliotheken, den Bücherverzeichnissen von Hochschullehrern wären vor allem Privatbibliotheken von Laien (vgl. *Robert Kolb:* Caspar Peucer's Library: Portrait of a Wittenberg Professor of the mid-sixteenth century [Sixteenth Century Bibliography 5]. St. Louis: 1976) zum Vergleich heranzuziehen, vgl. die Ausführungen über die Joachimsthaler Privatbibliotheken in *Heinrich Kramm:* Deutsche Bibliotheken unter dem Einfluß von Humanismus und Reformation. Ein Beitrag zur deutschen Bildungsgeschichte (Zentralblatt für Bibliothekswesen Beiheft 70). Leipzig: 1938, 118 f.

Anhang

Verzeichnis der Bibliothek des Georg Reumann und der Barbara Reumann, geb. Weyer

nach dem Inventar des Reumann-Weyerschen Testaments (Kitzingen Stadtarchiv)

bearbeitet von Erwin Freund.

Der Bestand der Reumannschen Bibliothek wurde alphabetisch nach Autoren geordnet und durchnumeriert; anonyme und amtliche Schriften sind nach dem ersten Wort des Titels eingereiht. Das Blatt des Reumann-Weyerschen Testaments, auf dem sich der jeweilige Titel findet, sowie das dort angegebene Format stehen rechts in Klammern. Nach dem Autorennamen (normalisiert) ist der Originaleintrag des Inventars zitiert. Bei einigen Verfassern — besonders denen von Erbauungsschriften — folgen Kurzdaten zur Lebensgeschichte, zusammengestellt von Rublack.

Wegen der knappen Angaben im Inventar konnten in den meisten Fällen die von Reumann besessenen Ausgaben nicht identifiziert werden; deshalb wurde für die bibliographischen Nachweise der einzelnen Titel in der Regel ein größerer Zeitraum, nach Möglichkeit vom ersten Druck bis zu Reumanns Todesjahr (1601) berücksichtigt. Ist eine Schrift mehrfach nachgewiesen, so bezieht sich der kursiv gedruckte bibliographische Fundort auf die mit ihrem Titel in das Verzeichnis aufgenommene Ausgabe. Konnte eine Schrift zwar nachgewiesen werden, aber nur in einem von der Angabe im Inventar abweichenden Format oder in einer Auflage nach 1601, so ist dies entsprechend gekennzeichnet.

Herrn Dr. Gunther Franz ist für freundliche Hinweise auf bibliographische Verzeichnisse herzlich zu danken.

Literatur

Althaus Paul Althaus, Forschungen zur Evangelischen Gebetsliteratur. Gütersloh 1927.

Beck Hermann Beck, Die Erbauungsliteratur der evangelischen Kirche Deutschlands von Dr. M. Luther bis Martin Moller. Erlangen 1883.

Benzing, Bibl. Hag. Josef Benzing, Bibliographie Haguenovienne. Bibliographie des ouvrages imprimés à Haguenau (Bas-Rhin) au XVIᵉ siècle (Bibliotheca Bibliographica Aureliana 50). Baden-Baden 1973.

Benzing, Drucker Josef Benzing, Die Buchdrucker des 16. und 17. Jahrhunderts im deutschen Sprachgebiet (Beiträge zum Buch- und Bibliothekswesen 12). Wiesbaden 1963.

Benzing, Luther Josef Benzing, Lutherbibliographie. Verzeichnis der gedruckten Schriften Martin Luthers bis zu dessen Tod (Bibliotheca Bibliographica Aureliana 10, 16, 19). Baden-Baden 1966.

BMC Short-title catalogue of books printed in the German-speaking countries and German books printed in other countries from 1455 to 1600 now in the British Museum. London 1962.

BMCG British Museum general catalogue of printed books. 1—51 (1965—66), 52—263 (1959—66).

Coing Helmut Coing (Hg.), Handbuch der Quellen und Literatur der neueren europäischen Privatrechtsgeschichte. Bd. I, München 1973.

DKL (1855) Philipp Wackernagel, Bibliographie zur Geschichte des deutschen Kirchenliedes im XVI. Jahrhundert. Frankfurt/M. 1855.

DKL (1864) Philipp Wackernagel, Das deutsche Kirchenlied von der ältesten Zeit bis zu Anfang des XVII. Jahrhunderts. Bd. I, Leipzig 1864. ND Hildesheim 1964. (S. 365—817: Ergänzungen zur Bibliographie von 1855).

Draud (1611) Georg Draud, Bibliotheca Librorum Germanicorum. Frankfurt/M. 1611.

Draud (^{2}1625) 2. Aufl. 1625.

Finsler Georg Finsler, Zwingli-Bibliographie. Zürich 1897. ND Nieuwkoop 1962, 1968.

Franz Gunther Franz, Huberinus — Rhegius — Holbein. Bibliographische und druckgeschichtliche Untersuchung der verbreitetsten Trost- und Erbauungsschriften des 16. Jahrhunderts (Bibliotheca Humanistica & Reformatorica 7). Nieuwkoop 1973.

Goedeke Karl Goedeke, Grundriß zur Geschichte der deutschen Dichtung aus den Quellen. Bd. I, Hannover 1859.

Göllner Carl Göllner, *TVRCICA.* Die europäischen Türkendrucke des XVI. Jahrhunderts. Bd. II: 1551—1600 (Bibliotheca Bibliographica Aureliana 23). Bucureşti — Baden-Baden 1968.

GW Gesamtkatalog der Wiegendrucke. Bd. I ff., Leipzig 1925 ff.

Hartfelder Karl Hartfelder, Philipp Melanchthon als Praeceptor Germaniae (Monumenta Germaniae Paedagogica 7). Berlin 1889.

Hohenemser Paul Hohenemser, Flugschriftensammlung Gustav Freytag. Frankfurt/M. 1925. ND Hildesheim 1966.

Index Aur. Index Aureliensis. Catalogus Librorum Sedecimo Saeculo Impressorum. Bd. I ff., Baden-Baden 1965 ff.

Jöcher Christian Gottlieb Jöcher, Allgemeines Gelehrten Lexicon. Bd. I ff., Leipzig 1750 ff. ND Hildesheim 1960 ff.

Kaczerowsky Klaus Kaczerowsky, Sebastian Franck. Bibliographie. Wiesbaden 1976.

Klein Luise Klein, Die Bereitung zum Sterben. Studien zu den frühen reformatorischen Sterbebüchern. Diss. theol. Göttingen 1958 (masch.).

Kuczyński Arnold Kuczyński, Thesaurus Libellorum Historiam Reformationis Illustrantium. Verzeichnis einer Sammlung von nahezu 3000 Flugschriften Luthers und seiner Zeitgenossen. Leipzig 1870—74. ND Nieuwkoop 1960. 1969.

LThK Lexikon für Theologie und Kirche. Bd. I ff., Freiburg ^{2}1957 ff.

Maltzahn Wendelin von Maltzahn, Deutscher Bücherschatz des 16. 17. und 18. bis um die Mitte des 19. Jahrhunderts. Jena 1875.

NA — NZ The National Union Catalog. Pre—1956 imprints. Bd. I ff., 1968 ff.

Pegg Michael A. Pegg, A catalogue of German reformation pamphlets (1516—1546) in libraries of Great Britain and Ireland (Bibliotheca Bibliographica Aureliana 45). Baden-Baden 1973.

Pegg, Bibl. Lind. Michael A. Pegg, Bibliotheca Lindesiana and other collections of German sixteenth-century pamphlets in libraries of Britain and France. (Bibliotheca Bibliographica Aureliana 66). Baden-Baden 1977.

RGG Die Religion in Geschichte und Gegenwart. Bd. I ff., Tübingen ^{3}1957 ff.

Schottenloher Karl Schottenloher, Bibliographie zur deutschen Geschichte im Zeitalter der Glaubensspaltung 1517—1585. Bd. I—VI, Stuttgart²1956—58. VII, Stuttgart 1966.

Seebass Gottfried Seebass, Bibliographia Osiandrica. Bibliographie der gedruckten Schriften Andreas Osianders d. Ä. (1496—1552). Nieuwkoop 1971.

Sehling Emil Sehling, Die evangelischen Kirchenordnungen des 16. Jahrhunderts. Bd. XI: Franken. Tübingen 1961.

Stalla Gerhard Stalla, Bibliographie der Ingolstädter Drucker des 16. Jahrhunderts. Lfg. 1—6 (Bibliotheca Bibliographica Aureliana 34.41.46.56.61.67) Baden-Baden 1971—76.

Stevenson Enrico Stevenson, Inventario dei libri stampati Palatino-Vaticani, edito per ordine die S. S. Leone XIII P. M. Bd. I 1—2; II 1—2, Roma 1886—91. Dazu: Index, bearb. v. Günter Richter. Nieuwkoop 1969.

Vander Haeghen Ferdinand Vander Haeghen, Bibliotheca Erasmiana. Répertoire des œuvres d'Erasme. Gent 1893. ND Nieuwkoop 1961. 1972.

Vilmar A.F.C.Vilmar, Johannes Mathesius. Lebensabriß, Charakterisierung, Literatur und Proben aus seinen Predigten. in: Pastoral-theologische Blätter 12 (1866) 217—277.

WATr D. Martin Luthers Werke. Kritische Gesamtausgabe. Tischreden. 6 Bde., Weimar 1912—21.

Zacher Julius Zacher, Die deutschen Sprichwörtersammlungen. Leipzig 1852.

1. Aesop: *Esopus Teütsch.* (f. 46 v. 2°)

Im 16. Jh. keine deutsche Folioausgabe nachweisbar. Deutsche Übersetzungen (von Heinrich Steinhöwel) des 15. Jhs. in 2°: *GWI* (1925) Nr. 352—363 (um 1477/78 bis um 1500).

Jöcher III (1751) 290 und *Vilmar* Nr. 44 (S. 262) nennen eine deutsche Aesop-Übersetzung von Johann Mathesius (s. u. Nr. 113—117), ohne bibliographischen Nachweis.

2. Albertus Magnus: *Weiber Geheimbnuß Alberti Magnj.* (f. 50 v. 8°)

Weiber geheymniß. Von Weibern und Geburten der Kinder, sampt ihren Artzneyen. Auch von tugenten etlicher fürnemer Kreuter. Und von krafft der edlen Gestein. Von art und natur etlicher Thier. Mit sampt einem bewerten Regiment für die Pestilentz. Jetzunder auffs newe mit sonderem fleiß durch einen der Artzney erfarnen gebessert und gemert. Darzu mit schönen Figuren gezieret.

Frankfurt/M. 1569: Christian Egenolff Erben. 8°.

Index Aur. 102.623 (1569), 632 (1572), 634 (1575), 636 (1579), 652 (1589), 657 (1592), 658 (1592).

3. Alexander (de Villa Dei): (f. 47 v. 4°)
partes doctrinales Alexandrj, Lateinisch.

103.421: Prima pars doctrinalis magistri Alexandri cum sententijs notabilibus & vocabulorum ...
(II:) Glosa notabilis secunde partis Alexādri cū interlinealib' text' eiusdē ...
(III—IV:) Tertia & quarta partes doctrinalis magistri Alexandri cū cōmento valde vtili.

Straßburg 1501: [Johann Grüninger ?]. 4°.

Zahlreiche Ausgaben: *Index Aur.* 103.409—570.

4. — *der alten weisen Exempel.* (f. 46 v. 2°)

Der Alten Weisenn exempel sprüch.

Straßburg 1545: Jakob Frölich. 2°.

BMC 908. vgl. a. O. 162, s. v. „Buch".

5. Andreae, Jacob: (f. 47 v. 4°)
Predigten D. Jacobj Andreae von den furnembsten spaltungen.

Jakob Andreae (1528—1590), immatrikuliert 1541 Tübingen, 1546 Diakon in Stuttgart, das er 1548 wegen des Interims verlassen muß, 1551 (1552?) Diakon an der Stiftskirche Stuttgart, 1553 Dr. theol., Stadtpfarrer, Superintendent in Göppingen, später General-superintendent, dann Propst, Professor, 1561 Kanzler der Universität Tübingen. Refor-miert Rothenburg ob der Tauber 1558, beteiligt sich am Kargschen Streit 1567/68, arbei-tet mit Martin Chemnitz und Nikolaus Selnecker zusammen an der Konkordienformel und geht zum orthodoxen Luthertum über. Gestorben 7. 1. 1590 in Tübingen. (RE³ 1, 1896, 501—505 *(Th. Kolde)*; NDB 1, 1953, 277 *(P. Meinhold)*; RGG³ 1, 1957, 366 *(R. Mül-ler-Streisand)*).

Drey und dreißig Predigen von den fürnembsten Spaltungen in der christlichen Religion, so sich zwischen den Bäpstischen, Lutherischen, Zwinglischen, Schwenckfeldern, und Widerteuffern halten. Gepredigt zu Eßlingen, durch Jacobum Andree.

Tübingen 1568: (Ulrich Morhart Witwe) 4 Bde. 4°.

Index Aur. 105.275 (1568), 303 (1576), 325 (1580), 378 (1589). 303, 325, 378: 5 Bde.

6. — *Augspurgische Confession Ao 1531. gedruckt.* (f. 50 r. 8°)

Confessio oder Bekantnus des Glaubēs etlicher Fürsten vñ Stedte vberantwort Keiserlicher Maiestat. Apologia diser Confession.

[Nürnberg] 1531: [Johann Petreius]. 8°.

Pegg 104.

7. — (f. 48 v. 4°)

außführung der ursachen, worumb Trientisch Concilium nicht besucht worden.

Stattliche Aussfürung der Vrsachen, darumben die Chur vnnd Fürsten, auch andere Sten-de der Augspurgischen Confession des Babst Pii IIII. aussgeschriben vermeint Concilium, so er gegen Trient angesetzt, nit besuchen khünden noch zu besuchen schuldig gewesen sind, Sonder dasselb als hochuerdechtig, auch zu gemeyner Christenlicher einigkeyt vndienstlich Anfangs zur Naumburg vnd volgends auff jüngst gehaltenem Wahl vnd Crö-nungs Tag zu Franckfurt in schrifften billich verwegert haben. Auss beuelch etlicher hoher Stende durch ire darzu verordnete Theologische vnd Politische Räth in ein Corpus ge-bracht.

o. O. 1564. 4°. (Mehrere Ausgaben).
Vgl. J. C. Bertram: Vom Verfasser der stattlichen Ausführung (Ludwig Gremp?). In:

211

J. C. Bertram, Litterarische Abhandlungen 4 (1783) 159—169.

Schottenloher 43 216 g.

8. — (f. 48 r. 4°)

außschreiben an die fürsten uf dem Reichstag Zu augspurg Ao 1530. mit andern dabey gebunden schrifften.

Römischer Kayserlicher Majestat ausschreiben an die Fürsten auff den ytzigen angesetzten Reichsstag zu Augspurg ym 1530. Jar.

o. O. u. J. [1530]. 4°.

Schottenloher 28 011.

9. — *Außschreiben Bischoff Gebharts von Cölln.* (f. 48 v. 4°)

Außschreiben Vnd Gründlicher vnd Warhaffter Bericht Unser Gebhardts, von Gottes Gnaden erwehlten Ertzbischoffs zu Cölln usw. Warumb wir uns mit Soldaten zu beschützung unserer Land, Leuht vnd eygenen Person, auch folgends in weitere Kriegsrüstung wider unsere Feind zubegeben genottränkt, auch auss was Christlichen vrsachen wir die freylassung der wahren Christlichen Religion Augspurgischer Confession verstattet und was uns in Ehelichen stand zu begeben bewegt, mit angeheffter aussführung dass damit von uns wider die gulden Bull, Religion frieden, Churfürstliche Brüderliche verein, Landeynigung vnnd andere gethane Gelübt nichts ungebührliches gehandlet.

Arnsberg 1583. 4°.

Schottenloher 30 898.

10. — (f. 54 v. 4° ungebunden)
Ausschreiben Pfaltzgn. Johan Casimirj den Herren Churfrn zu Cölln betr.

Außschreiben UNser Johann Casimirs Pfalzgraffen bey Rhein, Hertzogen in Bayern etc., warumb wir vns inn ietzige Kriegss Expedition zu rettung dess wider den Land und Religionsfrieden betrangten Fürsten, Herrn Gebharden, Ertzbischoffs zu Cölln etc., Auch schutz vnserer wahren Christlichen Religion Augspurgischer Confession vnd Teutscher Nation Freyheit wider dess Papsts einbrechende Tyranney, nottranglich begeben.

Neustadt a. d. Hardt 1583. 4°.

Schottenloher 30 899.

11. Habermann, (Johann) (Avenarius): *Habermans Bethbuch* (f. 47 r. 4°)

Habermann (Avenarius), Johann (1516—1590). Zwischen 1540 und 1542 zum Protestantismus übergetreten, seit 1542 Pastor in Elsterberg, Plauen (Kursachsen), zuletzt Falkenau bei Eger, 1571 Theologieprofessor in Jena, 1575 Professor in Wittenberg, 1576 Superintendent in Naumburg und Zeitz. Nahm an Verhandlungen über das Konkordienbuch teil, das er 1581 als kurfürstlicher Kommissar in Wittenberg vorlegte. (NDB 1, 1953, 467 *(Gustav Hamman)*; RGG³ 3, 1959, 7 *(Franz Lau)*; Beck 1, 271; *Althaus* 1927, 51; *Grosse* 1900, 106 f.

212

Zuerst erschienen Wittenberg 1567 u. d. T.: Christliche Gebett für allerley Noth und Stende der ganzen Christenheit, außgetheilet auf alle Tage in der Wochen zu sprechen, sampt gemeinen Dancksagungen, auch Morgen- und Abendsegen.

(Nicht mehr nachweisbar). *Beck* 270 ff., *Althaus* 119 ff.

Weitere Ausg. in 4°:

Christliche Gebet, auff die Tage, in der Wochen zu sprechen, sampt gemeinen Dancksagungen, auch Morgen vnnd Abendsegen. Gestellet, durch M. Johan. Auenarium, sonst Haberman, von Eger.

Leipzig 1572: Jakob Bärwald Erben.

Index Aur. 109.712 (1572), 714 (1574), 721 (1576), 730 (1579), 754 (1589), 758 (1590), 766 (1593), 771 (1597), 774 (1599).

12. Habermann, (Johann) (Avenarius):   (f. 47 r. 4°)
Psalterium Davidis, Item Habermans Bethbuch Zusammen gebunden.

A) Der Psalter. (übers. v.) M. Luther.

   Leipzig 1587: Hans Steinmann. 4°.

   BMC 100.

B) siehe oben Nr. 11.

13. Avenarius, Johann (Habermann):   (f. 53 r. 16°)
Gebethbüchlein Johannis Auenarij.

a) Christliche gebet auß Göttlicher Schrifft.

   Rostock 1586: Stephan Möllemann. 16°.

b) Christliche Gebet auff alle tage in der Wochen zu sprechen.

   Hamburg 1598: Theodosius Wolder. 16°.

   Index Aur. a) 109.746, b) 109.773.

14. Habermann, Johann (Avenarius):   (f. 53 r. 16°)
Daß Leben des Herrn Christi Johan Habermans.

8°: Vita Christi, das Leben und die gantze evangelische Historia von Jesu Christo, Gottes und Marie Son, unserm einigen Erlöser und Seligmacher. In schöne kunstreiche Figuren unnd kurtze Sprüche gefasset, sampt sehr nützlichen Gebetlein, für fromme Christen gestellet, durch Johann Haberman.

   (Prag) 1580: M. Peterle. *Index Aur.* 109.733.

4°: Die gantze Historia und geschicht vom Paßion, Leiden und sterben Jesu Christi, unsers heylands, nach beschreibung, aller vier Evangelisten: in achtzehen Predigten geteilet, und ausgelegt, durch Johannem Haberman.

   Leipzig 1585: Hans Steinmann. *Index Aur.* 109.744.

Vgl. *Beck 271.*

15. Baldhöver, Leonhard: (f. 54 v. 8° ungebunden)
Von der ewigen vorsehung Leonhard Baldhöuers.

16. Beger, Hartmann: *Biblische Historien Hartmann Begers.*   (f. 49 v. 8°)

17. (Beringer, Diepold):   (f. 48 r. 4°)
Sermon des Baurn Zu werth, und andern darzu gebundenen schrifften.

Ein sermon geprediget vom Pawren zu werdt, bey Nürnberg, am Suntag vor Faßnacht, von dem Freyen willen des menschen.

o. O. u. J. 4°.

Stevenson, ted. 3040, *Kuczyński* 2142, 2143 (beide 1524).

18. — *Bethbüchlein fur allerlej anligen.*   (f. 53 v. 16°)

19. — *Bethbüchlein In allerley anliegen.*   (f. 53 r. 16°)

Zuerst erschienen Leipzig 1543. 8°:

Ein Bethbüchlein, für allerley gemein anliegen, Einem jeden Christen sonderlich zu gebrauchen.

Beck 116. *Althaus* 51 f.

Vgl. *Frieder Schulz,* Die Gebete Luthers (Quellen und Forschungen zur Reformationsgeschichte 44) Gütersloh 1976.

Ausgaben in 16°:

(Erfurt 1556): [Gervasius Stürmer].
(Leipzig 1563: Hans Rambau).

Stevenson, ted. 431 u. 232.

20. von Beust, Joachim: *Sterbens kunst Joachim von Beust.*   (f. 53 v. 16°)

Joachim von Beust (1522—1597). Kursächsischer Rat, Professor in Wittenberg, an der Entwicklung eines evangelischen Eherechtes beteiligt (Tractatus de sponsaliis et matrimoniis ... 1585). Die Gedenkschrift auf Paul Eber (Wittenberg 1570) hebt dessen Verdienste im Kampf gegen die Flacianer hervor. (RE[3] 5, 1898, 121; 21, 1908, 869 *(E. Kawerau, Dove, Sehling);* NDB 2, 1955, 197 *(Herbert Schönebaum).*

Zunächst lateinisch erschienen u. d. T.:
Enchiridion de arte bene beateque moriendi.

Leipzig 1592. 1593. 1599, Frankfurt/M. 1595.

Deutsche Übersetzung von Johann Wittig: „Sterbenskunst".

Leipzig 1598. 8°(!).

Beck 299. *Klein* 148 f. (Nr. 11).

214

21. Beuther, Michael (Übers.):   (f. 48 r. 4°)
Practica In Peinlichen sachen Michaelis Beutherj.

(Dammhouder, Iost) — Praxis rerum Criminalium. Gründlicher Bericht und Anweisung, Welcher massen in Rechtfärtigung Peinlicher sachen, nach gemeynen beschribenen Rechten, vor und in Gerichten ordentlich zuhandeln ... Erstlich, Durch Herrn Josten Damhouder von Brüg, Rittern, der Rechten Doctorn, Kön. May. von Hispania Rath und Commissarj der Finantzj in Flandern, Latinisch beschriben. Jetzt aber, mit desselbigen vorwissen, in hoch Teutsche Sprach mit vleiß verwandelt ... Durch Michaelem Beüther von Carlstatt, der Rechten Doctorn. Mit Röm. Key. Mai. Freiheyt, in Acht Jaren nit nachzutrucken.

Frankfurt/M. 1565: Johann Wolff I. 4°.

Stevenson, ted. 941.

22. —   (f. 51 r. 8°)
Lay Bibel von den furnembsten historien alten unnd neüen Testaments.

Leien Bibel.

Straßburg 1540 u. 1542: Wendelin Rihel. 8°.

BMC 123.

23. — *Biblische Historien künstlich furgemahlet.*   (f. 50 v. 8°)

a) Biblia Veteris Testamenti & historie picturis effigiata. 1551.
b) Biblia Veteris Testamenti & historie picturis effigiata. 1554.
c) Biblia Veteris Testamenti & historie picturis effigiata. 1561.
d) Bibliorum vtriusque Testamenti icones. 1571.   alle 8°.

BMC 123.

24. [Bischoff, Melchior (?)]:   (f. 54 v. 8° ungebunden)
Ursach warumb ein augspurgischer Confessions verwandter nicht könne zur Papistischen Geuatterschafft stehen.

Melchior Bischoff (1547—1614). Studierte in Jena, 1565 Schulmeister in Rudolstadt, 1570 Diakon in Pößneck, dort 1573 in Visitation abgesetzt, da er die Wittenberger Theologie nicht annehmen wollte, danach Pastor in fränkischen Pfarreien, 1579 wieder in Pößneck, 1590 Hofprediger in Coburg, 1597 Superintendent in Eisfeld, 1599 Generalsuperintendent in Coburg. (*Jöcher* 1, 1750 (ND 1960), 1105; ADB 2, 1875, 675 *(Brückner).*

Grundt und ursach warumb ein wahrer Christ, der Augspurgischen Confession verwandt, nicht könne mit gutem Gewissen bey den Bäbstischen zu Gevattern stehen. Melchior Bischoff.

Helmstedt 1584: Jakob Lucius I. 4°(!).

Tübingen, Evangel. Stift. 16 an q 1764.

25. Bischoff, Melchior: (f. 54 r. 4° ungebunden)
Von einigkeit der Eheleüth, Melchior Bischoffs.

Von Einigkeit christlicher Eheleute. Eine Hochzeit-Predigt. Geschehen zu Coburgk, den 7. Februarij Anno 1592.

Coburg (1592): Valentin Kröner. 4°.

Index Aur. 119.652.

26. Bock, Michael: (f. 52 v. 16°)
Wurtzgärttlein fur die Krancken seeln Michaelis Bocks.

Michael Bock. Prediger zu Hagenau (Elsaß), Magister artium, unterschrieb 1580 die Konkordienformel. (Jöcher 1, 1750 (ND 1960), 1153).

8°: Würtzgärtlein, für die Krancken Seelen, ... Sampt einem tröstlichen Unterricht, wie sich ein mensch in der Zeit der Verfolgung trösten sol. Durch M. Michaelem Bock.

Nürnberg (1563): Leonhard Heußler.

Index Aur. 120.602—606 (*1563*—1565), 610 (1572), 613 (1576), 614 (1576), 618 (1581), 619 (1582), 623 (1587), 626 (1594), 629 (1599).

12°: a. O. 120.608 (1570), 612 (1574).

Zuerst erschienen Leipzig 1562. *Althaus* 106. Vgl. *Beck* 222.
Klein 149 f. (Nr. 13).

27. — *Bonnisch Gesangbüchlein.* (f. 53 r. 16°)

Gesangbüchlein Geistlicher Psalmen, Hymnen, lieder und gebet, Durch etliche diener der Kirchen zu Boñ, fleissig zusamē getragen ...

o. O. 1561. 12°(!).

DKL (1855) *823 (S. 314 f.).* 856 (S. 329) (1564. *12°*). 1007 (S. 423) (1589/90. *12°*).

28. — (f. 46 v. 2°)
Brandenburgische Kirchenordnung, Item Kinderpedigten

Originaldruck: Kirchen Ordnung, In meiner gnedigen herrn der Marggrauen zu Brandenburg Vnd eins Erbern Rats der Stat Nürmberg Oberkeyt und gepieten, wie man sich bayde mit der Leer vnd Ceremonien halten solle.

[Nürnberg] 1533: [Jobst Gutknecht]. 2°.

Seebass 20.1 (S. 53). Nachdrucke des 16. Jhs. in 2°:
a. O. 20.11 (S. 59): Nürnberg [1543?]: Christoph Gutknecht,
a. O. 20.14 (S. 61 f.): Leipzig 1552: Wolf Günther,
a. O. 20.15 (S. 62): Nürnberg 1556: Gabriel Heyn,
a. O. 20.16 (S. 62): Nürnberg 1564: Christoph Heußler,
a. O. 20.17—19 (S. 63): Hof 1591: Matthäus Pfeilschmidt,
a. O. 20.20 (S. 64): Nürnberg 1592: Katharina Gerlach Erben.

Vgl. *Sehling* XI (1961) 140—205.
Kinderpedigten: s. u. Nr. 79.

29. (Brant, Sebastian): *Laienspiegel* (f. 46 r. 2°)

Layen Spiegel. Von rechtmäßigen ordnungen in burgerlichen und peinlichen regimenten.

Augsburg 1509: Johann Otmar. 2°.

Index Aur. 123.674.

30. Brant, Sebastian: *das Narrenschiff Sebastian Branndts.* (f. 48 r. 4°)

Doctor Brants Narrenschiff, ... M.CCCCC.VI. Nüt on vrsach, ...

Basel 1506: Io. Bergmann de Olpe. 4°.
Index Aur. 123.668 (1506), 670 (1507), 675 (1509), 680 (1512).

Das klein Narren schiff. ... Straßburg 1540: Jakob Cammerlander. 4°.

Index Aur. 123.717.

(Der Narren Spiegel.) Das groß Narrenschiff, ...

Index Aur. 123.722 (1545), 730 (1549), 742 (1564). 4°.

31. (Brant, Sebastian): *Narrenschiff.* (f. 50 r. 8°)

Das Narrenschiff. Alle ständt der Welt betreffend, wie man sich inn allen Händeln weißlich haltenn soll, ...

Frankfurt/M. 1553: Hermann Gülfferich. 8°.

Index Aur. 123.733 (1553), 736 (1555), 739 (1560), 743 (1566).

Welt Spiegel oder Narren Schiff, ...

Basel 1574: Sebastian Henricpetri. 8°.

Index Aur. 123.750.

32. Brant, Sebastian: (f. 46 r. 2°)
Richterlich Clagspiegel Sebastian Branndts.

Der Richterlich Clagspiegel. Ein nutzbarlicher begriff: wie man setzen vnd formiren sol nach ordenung der rechten ein yede clag, antwort vñ vsszesprechene vrteylē, gezogē vss geistlichē vñ weltlichen rechtē, ... Durch Sebastianum Brandt wider durchsichtiget, vnnd zum teyl gebessert.

Straßburg 1516: Matthias Hupfuff. 2°.

Index Aur. 123.688 (1516), 693 (1518), 700 (1521), 704 (1529), 708 (1533), 709 (1533), 712 (1536), 715 (1538), 718 (1542), 735 (1553).

33. Braunschweig, Hieronimus: (f. 52 r. 8°)
Hauß apotheckh Hieronimj Braunschweigs

Thesaurus pauperum. Einn fürtreffliche Haußapoteck.

Frankfurt/M. 1570 und 1598: Christian Egenolff Erben. 8°.

BMC 149.

34. Brentius (Brenz, Johannes): (f. 50 r. 8°)
Der Prediger Salomon außgelegt durch Brentium

Der Prediger Solomo mit hoch gegrunter auß heiliger götlicher geschrifft, außlegung durch D. Johann Brentzen Prediger zu Schwebischen Hall.

Hagenau 1528: Johann Setzer. 8°.

Index Aur. 124.315 (1528), 316 (1528), 322 (1529), 355 (1533), 501 (1553), 606 (1560).

Benzing, Bibl. Hag. 79 (Nr. 78).

35. Bucer, Martin (Butzer): (f. 54 r. 4° ungebunden)
Handlung zuuergleichung der Religion Martinj Buccerj.

Alle Handlungen und Schrifften, zu vergleichung der Religion durch die Key. Mai., Churfürsten . . . und Stände . . . auff . . . Reichstag zu Regenspurg, verhandlet 1541. zusammengetragen, . . .

Straßburg 1542: Wendelin Rihel. 4°.

Index Aur. 126.334.

36. Chemnitz, (Martin): *Examen Chemnitij.* (f. 45 v. 2°)

Martin Chemnitz (1522—1586). Ging in Wittenberg und Magdeburg zur Schule, studierte 1543 in Frankfurt/Oder, 1545 in Wittenberg (Mathematik, Theologie), 1547 nach Königsberg infolge des Interims, dann wieder private Studien unter Melanchthon in Wittenberg, 1550 fürstlicher Bibkliothekar in Königsberg, von dort flüchtete er 1554 vor dem Osiandrischen Streit nach Wittenberg und las über Melanchthons Loci in der Artistenfakultät. 1554 ordiniert durch Bugenhagen. Wurde Koadjutor des Superintendenten, 1567 Superintendent in Braunschweig. 1568 Dr. theol. Rostock. Arbeitete mit Jakob Andreae und Nikolaus Selnecker an der Konkordienformel. 1584 Amtsniederlegung infolge von Krankheit. Polycarp Leyser gab seine Loci Theologici heraus. Georg Nigrinus übersetzte sein „Examen" ins Deutsche. Das „Examen" legte die Schriftwidrigkeit der römischen Lehre dar, die Römische Kirche sei vom alten katholischen Glauben abgefallen. (RE[3] 3, 1897, 802 *(Johannes Kunze)*; NDB 3, 1957, 201—202 *(Ernst Wolf)*; RGG[3] 1, 1957, 1647 *(Franz Lau).*

Chemnicius, Martinus: Examinis Concilii Tridentini opus integrum; quatuor partes, in quibus praecipuorum capitum totius doctrinae Papisticae firma et solida refutatio tum ex sacrae scripturae fontibus tum ex orthodoxorum Patrum consensu collecta est: uno volumine complectens.

Frankfurt/M. 1574: Peter Fabricius. 2°. Andere Ausg.: 1578. 1585.

Deutsche Übersetzung: Chemnicius, Martinus: Examen, das ist Erörterung Dess Trientischen Concilij in Latein beschrieben vnd in vier Theil verfasst, darinn eine starcke vollkommene Widerlegung der fürnemmen Häuptpuncten der gantzen Papistischen Lehre, auss dem Grundt der H. Schrifft vnd in ein Buch verfasst ist.
Auss dem Latein verteutschet durch Georgium Nigrinum.

Frankfurt/M. 1576 (1577): Georg Rab. 2°.

Schottenloher 43 218 b und e.

37. — *Examen des Tridentinischen Concilij.*   (f. 45 v. 2°)

Chemnitz? (siehe oben Nr. 36).

38. Chytraeus, David: (f. 48 v. 4°)
außlegung der offenbahrung Johannis, Dauidis Chytræj.

David Chytraeus (Kochhafe) (1531—1600). 1539 als Stiftler an der Universität Tübingen, 1544 als Magister artium nach Wittenberg zu Melanchthon, dann nach Heidelberg, 1547 nach Tübingen, 1548 nach Wittenberg. Las dort über Melanchthons Loci und Rhetorik und Astronomie. 1550 an das Pädagogium in Rostock für Katechese und humanistische Studien, 1561 Dr. theol. 1571: Die ‚Historia der Augsburgischen Konfession‘ als erster Versuch kritischer Geschichtsschreibung über ein Ereignis der Reformationsgeschichte. Kirchenordnungen in Mecklenburg, in der Steiermark. Gestaltete Rostock zum Vorort der lutherischen Orthodoxie. (NBD 3, 1957, 254 (*Ernst Wolf*); RGG³ 1, 1957, 1823 (*G. Loesche, H. Liebing*); RE³ 4, 1898, 115).

Auslegung der offenbarung Johannis, darin viel artickel christlicher lehr, . . .

Rostock 1572: Siebenburger. (ohne Angabe des Formats).

NC 0421931 (Bd. 109).

39. Chytraeus, David: (f. 47 v. 4°)
Augspurgische Confession durch dauid Chytraeum zusammen verfast.
a) Historia der Augspurgischen Confession; wie sie erstlich berathschlagt, verfasset und Keiser Carolo V. übergeben ist, sampt andern Religionshandlungen, so sich dabey auff dem Reichstag zu Augspurg anno 1530 zugetragen.

Rostock 1576: Jakob Lucius. 4°.

b) Ausführlicher Bericht der Augsburger Confession . . . (weiter wie a)

Eisleben: Henning Grosse I (Leipzig) 1599: Bartholomäus Hörnig. 4°.

Schottenloher 34 508 und 34 517.

40. — *Codex Justinianj Teütsch.*   (f. 53 v. 2° ungebunden)

CODEX IVSTINIANI. Das ist Großbuch der Rechtlichen satzungen . . .

Ingolstadt 1566: Alexander II und Samuel Weissenhorn. 2°.

Stalla 498. Vgl. *Coing* I 160 ff.

41. — *Concordien Buch.*   (f. 45 v. 2°)

Concordia. Christliche Widerholete einmütige Bekentnus nachbenanter Churfürsten, Fürsten vnd Stende Augspurgischer Confession.

Dresden 1580: Matthes Stöckel d. Ä. und Gimel Bergen I. 2°.
Andere Ausg.: Tübingen 1580: Georg Gruppenbach.
Heidelberg 1582: Johann Spiess.

Schottenloher 39 217.

42. Dasypodius, (Petrus): *Dictionarium Dasypodij.* (f. 49 v. 8°)

Dictionarium latinogermanicum et germanicolatinum.

Straßburg [1596]: Theodosius Rihel. 8°.

BMC 236.

43. — *Dictionarium Sex Linguarum.* (f. 53 r. 16°)

Dictionaria allg.: *Draud* (1611) 415 f. u. (²1625) 563 f., 693—695.

Vgl. Albert Labarre, Bibliographie du Dictionarium d'Ambrogio Calepino (1502—1779). (Bibliotheca Bibliographica Aureliana 26) Baden-Baden 1957.

44. (Aelius) Donatus: *Donatus Minor* (f. 47 v. 4°)

Donatus minor. [Speyer 1490?: J. & C. Hist]. 4°.
Zahlreiche weitere Ausgaben.

BMC 251 f.

45. Eckstein, Utz: . (f. 49 r. 8°)
Reichstag der Baurn zu Fridtberg Im Richtthal utz Ecksteiners.

Rychsztag. DEr Edlen vnd Pauren. bricht vnd klag, z Fridberg ghandlet auff dem Rychß-tag.

o. O. u. J. [1526?]. 8°.

Kuczyński 657.

Gleicher Titel: *BMC* 261: [Zürich 1525: Christoph Froschauer d. Ä.]. 8°.

BMC a. O. außerdem:

Reichstag oder Versamlung der Bawren gehalten zu Fridberg im Rychthal.

o. O. 1592. 8°.

46. Erasmus von Rotterdam: *Lob der thorheit Erasmj Roterodamj.* (f. 48 v. 4°)

Das Theur und Künstlich Büchlein Morie Encomion, das ist, Ein Lob der Thorhait, von Erasmo Roterodamo, verdeutscht durch Sebastianum Francken.

[Ulm um 1537].

Tübingen, UB: Gf 338 a. 4°.

Weitere Ausg.: Mainz 1520: Johann Schöffer. 4°.

Vander Haeghen 1re sér. 123.

47. Erasmus von Rotterdam: (f. 52 v. 16°)
Nouum Testamentum Erasmj Roterodamj.

Zahlreiche Ausg. in 16° von 1522 (Basel: Pamphilus Gengenbach) bis 1599 (Lyon: A. de Harsy).

Vander Haeghen 2ᵉ sér. 57—64.

48. Ewich, Johann: (f. 51 r. 8°)
Berichtbüchlein von erkantnuß deß willens und gnaden Gottes D. Johann Ewigs

Berichtbüchlein, Von erkendtnis des willen und der genaden Gottes. Item von den Zeichen und Früchtē der waren erkendtnis, sampt viel anderer guter Lehre, zum theil aus Frantzösischer sprach auff Deudsch gestelt, zum theil new darzu gethan, unnd alles fleissig gebessert und gemehret. Durch D. Johañ Ewich.

o. O. 1563. 8°.

Stevenson, ted. 1186.

49. Fabri, Johann: (f. 52 v. 16°)
Gebet auß dem Augustino D. Johann Fabri.

Johannes Fabri (1504—1558). Geboren in Heilbronn, trat in Wimpfen dem Dominikanerorden bei (1520). Domprediger von Augsburg, nach 1534 Studien in Köln und Freiburg i. Br. (bis 1544). Predigte in Wimpfen. 1539 Stadtprediger in Colmar, 1544 Prior in Schlettstadt, seit 1557 wieder Domprediger in Augsburg. 1552 Dr. theol. Ingolstadt unter Canisius. (LThK² 3, 1959, 1334 *(H. Tüchle);* RE³ 5, 1898, 717 *(Wagenmann); Althaus* 1927, 78.).

Zuerst erschienen 1549. Ausg. letzter Hand (5. Aufl.):

Vil Schöner andechtiger vnd Christenlicher Gebet, zu trost vnnd heyl den Gelaubigen, Auß heyliger Schrifft, vnd auß dem H. Augustino zusamen getragen . . . Durch D. Johann Fabri vonn Heylbrun, Thumprediger zu Augspurg . . .

Köln 1558: Maternus Cholinus.

Althaus 78 ff.

50. Ferus, Johann (Wild): (f. 47 r. 4°)
Predigten uber erste Epistel Johannis, Johanis Ferj Predigers zu Mainz.

Johannes Wild (Ferus) (1495—1554). Studierte wahrscheinlich in Heidelberg, 1515 Franziskaner, 1523—28 lehrte er im Tübinger Konvent die artes, 1528 Lektor in Mainz und Domprediger dort. Dogmatisch-kirchlich korrekt, beklagt er Mißstände der Kurie, und zeichnete sich durch Friedensliebe und Milde aus. Die meisten seiner Schriften kamen auf den Index. (NDB 5, 1961, 101 f. *(H. Tüchle);* LThK²10, 1965, 1123 *(E. Pax).*

In Sancti Jesu Christi Evangelium sec. Joannem et ejusdem apostoli epistulam primam enarrationes.

Mainz 1550. Paris 1553, 1577 u. ö. Lyon 1553—1559. Leuven 1562.

LThK X (1965) 1123.

Vgl. *Draud* (²1625) 225. *BMC* 915. *Althaus* 80.

51. (Flavius) Josephus: *Josephus.*   (f. 45 v. 2°)

BMC 463.

52. Franck, Ludwig: *Teütsch formular Ludwig Franckhen.*   (f. 48 r. 4°)

Formularien allg.: *Draud* (1611) 352 f. u. (²1625) 457 f.

53. Franck, Sebastian: *Chronica Sebastianj Francken.*   (f. 46 v. 2°)

Sebastian Franck (1499—1542 (43?). Besuchte die Lateinschule in Nördlingen, 1515 in Ingolstadt, 1517 in Heidelberg immatrikuliert, dort im Dominikanerkolleg zusammen mit
Bucer und Frecht. 1526 evangelischer Frühmesser in Büchenbach bei Schwabach, 1527
Prädikant in Güstenfelden bei Nürnberg. Er legte sein Amt nieder und ging nach Straßburg, dort 1531 ausgewiesen, 1532 Seifensieder in Esslingen, 1533 in Ulm, 1534 Bürgerrecht, 1535 Druckerei, ausgewiesen 1539, ging nach Basel. (RGG³ 2, 1958, 1012 f.
(W. Zeller); NDB 5, 1961, 320—321 *(R. Stupperich).*

Chronica, zeytbuch vnd geschycht bibel von anbegyn biß inn diß gegenwertig M.D.xxxj.
jar. Dariñ beide Gottes vnd der welt lauff, hendel, art, wort, werck, thun, lassen, kriegen,
wesen, vnd leben ersehen vnd begriffen wirt. Mit vil wunderbarlichen gedechtnißwürdigē
worten vnd thattē, . . . Durch Sebastianum Frācken von Wörd, vormals in teutscher zun-
gen nie gehört noch gelesen.

Anno M.D.XXXI. 2°.

Kaczerowsky, A *38* — 54 (*1531*, 1536, 1543, 1550/51, 1555, 1565, 1585).

54. Franck, (Sebastian): *Chronica Germaniæ eiusdem Franckhen.*   (f. 46 v. 2°)

GERMANIAE CHRONICON. Von des gantzen Teutschlands, aller Teutschen völker
herkoⁿen, Namen, Händeln, Guten vnd bösen Thaten, Reden, Räthen, Kriegen, Sigen,
Niderlagen, Stifftungen, Veränderungen der Sitze, . . . fürgestelt. Durch Sebastian Francken, von Wörd. 2°.

Kaczerowsky, A *134* — 140 (*1538*, 1539).

55. Franck, Sebastian: *Die Gülden Arch Sebastianj Francken.*   (f. 45 v. 2°)

Die Guldin Arch darein der kern vnnd die besten hauptsprüch, der Heyligen schrifft, alten
Lerer vnd Väter der kirchen, Auch der erleuchten Heyden vñ Philosophen, für vñ vber die
gmein stell der schrifft . . . zusamē tragē, durch Sebastian Francken von Werd. Mit einem
Register alles jnnhalts. M.D.XXXVIII. 2°.

Kaczerowsky, A *121* — 125 (*1538*, 1539, 1557, 1569).

56. Franck, (Sebastian): *daß weltbuch Francken.*   (f. 45 v. 2°)

WEltbuch: spiegel vñ bildtniß des gantzen erdbodens von Sebastiano Franco Wördensi in
vier bücher, nemlich in Asiam, Aphricam, Europam, vnd Americam, gestelt vnd abteilt,
Auch aller dariñ begrifner Länder, nation, prouintzē, vnd Inseln, gelegenheit, grösse, weite, gewächß, eygentschafft, . . . auß vilen weitleüffigen büchern in ein handtbuch eingeleibt

vnd verfaßt, vormals dergleichen, in Teütsch nie außgangen ... ANNO. M.D.XXXIIII. 2°.

Kaczerowsky, A *74* — 80 (*1534*, 1542, 1567).

57. Franck, Sebastian: *Wunderreden Sebastiani Franckhen.* (f. 48 v. 4°)

PAradoxa ducenta octoginta, das ist, CCLXXX. Wunderred vnd gleichsam Räterschafft, auß der H. Schrifft, ... Item aller in Got Philosophierenden Christē, rechte, götliche Philosophei, vn̄ Teütsche Theologei, ... außgefürt, vnd an den tag geben, Durch Sebastianū Francken, von Wörd. ...

Kaczerowsky, A *102 (1534).* 103 (1535). 105 (1542).

58. Frey, Hermann Heinrich: (f. 52 r. 8°)
Von armen Latzaro unnd Reichen Mann Hermannj Heinrichen Freyen Pfarrers zu Schweinfurth.

Herrn Heinrichs Predigt von dem reichen Mann vnnd armen Lazaro.

Schmalkalden 1595. 4° (!).

Draud (1611) 179.

59. Fronsperger, Leonhard: (f. 53 v. 2° ungebunden)
Bawordnung Leonhard Fronspergers.

Bauw Ordnung.

Frankfurt/M. 1564: Georg Rab & Weigand Han Erben. 2°.

BMC 324.

60. Gediccus, Simon (Gedicke): (f. 49 r. 4°)
Gulden Cleinod Simonis Gediccj.

Simon Gedicke (1551—1631). Hofprediger in Halle (nach 1572), unterrichtete Johann Sigismund von Kurbrandenburg (geb. 1572), 1631 als Superintendent von Merseburg gestorben. (*Cosack* 1871, 66, 225; RE^{3}18, 1906, 332).

Gülden Kleinod für betrübte Hertzen, Oder Trostbüchlein. Durch Simonem Gediccum.

Eisleben, 1601. 4°.

Tübingen, Evangel. Stift q 1690.

Weitere Ausg.: Leipzig 1601. 4°. *Beck* 252.

61. — *Geistliche Lieder zu wittenberg gedruckt.* (f. 53 r. 16°)

Geistliche Lieder D. Martin Lutheri vnd anderer Geistlicher Männer.

Wittenberg: Samuel Selfisch o. J. [1596 oder später]. 16°.

Draud (²1625) 186.

s. u. Nr. 99 (Luther).

62. Gesner, (Salomon):   (f. 52 v. 16°)
Geistliche betrachtung des Psalters Gesnerj.

Salomon Gesner (1559—1605). Besuchte Schulen u. a. in Breslau und Straßburg (1576 Wilhelmitanum), 1583 Magister der Philosophie in Straßburg. Danach Erzieher des Bischofs von Fünfkirchen Andreas Dudith. 1584 Rektor in Bunzlau, 1589 Rektor in Stettin. Nahm 1591 die Konkordienformel an. 1592 Professor am Gymnasium Stralsund und Adjunkt des Pastors. 1593 Professor der Theologie in Wittenberg, Dr. theol., 1595 Hofprediger an der Wittenberger Schloßkirche. Kollege Leysers. (ADB 9, 1879, 121—122 *(Schimmelpfennig)*; RE³ 8, 1900, 998 *(Johannes Kunze)*.

D. Salomonis Gesneri Betrachtung deß Psalters.

Wittenberg 1599. 8° (!).

Draud (²1625) 346.

63. Albrecht Gros: (f. 52 v. 8°)
Collectanea Geistlicher gebeth Albrecht Grosen von Trockets.

= (?) Albrecht Gros (Drucker) Rothenburg o. d. T. *Benzing, Drucker* 372.

64. Heerbrand, Jacob   (f. 54 v. 8° ungebunden)
Außklopfung des Jesuiten Scherers Betlermantel D. Jacobi Heerbrandj.

Jakob Heerbrand (1521—1600). War, nach Schulbesuch in Ulm, Schüler Melanchthons und Luthers in Wittenberg 1538—1543. 1543 Diakon in Tübingen, 1548 des Amtes enthoben, 1550 Dr. theol. und Superintendent in Herrenberg, unterzeichnete 1551 die Confessio Virtembergica und nahm 1552/53 an Verhandlungen über den Osiandrischen Streit teil. 1556 reformierte er die Markgrafschaft Baden-Durlach und wurde 1557 Professor der Theologie in Tübingen, 1561 Superattendent des Tübinger Stifts. 1590, nach Jakob Andreaes Tod, Kanzler, herzoglicher Rat und Propst der Stiftskriche. (NDB 8, 1969, 194 f. *(Heinrich Fausel)*; RGG³ 3, 1959, 113 *(W. Maurer)*.

Außklopffung des von Jörg Scherern zusammen geflickten Lutherischen Bettlersmantels.

Tübingen 1588: Georg Gruppenbach. 8°.

BMC 386.

65. Heilbronner, Jacob: (f. 49 r. 4°)
Bericht von den Fragstückhen der gemein In der Pfaltz ufgetrungen Jacobj Heilbronners.

Jakob Heilbronner (1548—1618). Sohn eines Pfarrers, besuchte das Pädagogium in Stuttgart und die Klosterschulen Alpirsbach und Maulbronn. Studierte Theologie in Tübingen, dort Dr. theol. 1577. Seit 1573 Pfarrer in Wien, Mähren und Niederösterreich, wurde er 1575 Hofprediger in Zweibrücken. 1580 mußte er als Verfechter der Konkordienformel weichen und wurde Superintendent in Bensheim, 1581 Superintendent in Amberg, von dort 1585 vertrieben. Hofprediger des Pfalzgrafen Philipp Ludwig in Neuburg von 1588—1615, 1616—18 Abt und Generalsuperintendent in Bebenhausen/Württemberg. Er verfaßte Streitschriften gegen Reformierte und Jesuiten und blieb streng orthodox im Sinne der Konkordienformel. (NDB 8, 1969, 258 *(Georg Biundo)*; RGG³ 3, 1959, 146 *(Biundo)*.

D. Jacob Heylbrunners Vnterricht von den fünff Haupt, und zwantzig Fragstücken, welche durch die calvinische Visitatores den Christlichen Gemeinden in der Churfürstlichen Pfaltz auffgedrungen worden.

Lauingen 1595. 4°.

Draud (²1625) 81.

66. Herman, Nicolaus: (f. 52 r. 8°)
Historia von der Sinflut Nicolaj Hermannj.

Nikolaus Herman (um 1480—1561). 1518 Kantor und Lehrer an der Lateinschule in Joachimsthal, schloß sich früh der lutherischen Lehre an (Brief an Luther vom 6. 11. 1524) und wirkte mit Johannes Mathesius zusammen. (NDB 8, 1969, 628 *(A. Elschenbroich)*; RGG³ 3, 1959, 240 *(M. Doerne).*

Die Vorreden datieren von 1560; frühest nachweisbare Ausgabe:
Die Historien von der Sindflut, Joseph, Mose, Helia, Elisa, vnd der Susanna, sampt etlichen Historien aus den Euangelisten, Auch etliche Psalmen und geistliche Lieder, zu lesen vnd zu singen in Reyme gefasset, Für Christliche Hausveter und jre Kinder, Durch Nicolaum Herman im Joachimsthal. Mit einer Vorrede M. Johannis Matthesij . . .

Wittenberg 1562: (Georg Rhau Erben). 8°.

DKL (1855) 841 (S. 323 f.). Weitere Ausg.: a. O. 843—845 (S. 325) (1563). 883 (S. 340) (1566).
Stevenson, ted. 328 u. 1529. *BMC* 398: Wittenberg 1596: Matthäus Welack Witwe. 8°.

67. Herman, Nicolaus: (f. 51 v. 8°)
Sontags Euangelia Gesangsweiß Nicolaj Hermannj.

Erstausgabe: Die Sontags Euangelia vber das gantze Jar, In Gesenge verfasset, Für die Kinder vnd Christlichen Haußveter, Durch Nicolaum Herman im Joachimsthal . . .

Wittenberg 1560: Georg Rhau Erben. 8°.

DKL (1855), 788 (S. 303 ff.). Weitere Ausg.: a. O. 789 (S. 305 f.): Nürnberg [1560]: (Valentin Geißler). 790 (S. 306) u. *DKL* (1864) 120 (S. 448 ff.): (Wittenberg) [1560?]: (Anton Schöne). 882 (S. 340): Wittenberg 1566. 962 (S. 396 f.) u. *DKL* (1864) 225 (S. 514): (Lauingen) 1580: Leonhard Reinmichel. 965—967 (S. 399): Leipzig 1581: (Johann Beyer). 1045 (S. 348): Nürnberg 1597: Valentin Fuhrmann. *Stevenson,* ted. 327. 1528. 1582.
Vgl. Die Sonntags-Evangelia. Von Nicolaus Herman (1561). Hg. v. *Rudolf Wolkan* (Bibliothek deutscher Schriftsteller aus Böhmen 2) 1895.

68. Hermonopulus (?):   (f. 46 v. 2°)
Handtbuch Keißerlicher Rechten, Hermonopulj.

69. Horst, Jacob: (f. 47 v. 4°)
Das fünffte biß uf dz Zehende Buch des dritten theils von den geheimnussen der Natur Jacobj Horstij.

Jakob Horst (1537—1600). Studierte in Frankfurt/Oder, 1562 Dr. med. Danach Stadtarzt in Sagan, Schweidnitz und Iglau. 1580 Medicus ordinarius der niederösterreichischen Landstände, 1584 Professor der Medizin in Helmstedt. Verfaßte „Predicationes medicorum pias" (*Jöcher* 2, 1750 [ND 1961], 1717).

Das Fünffte (-Zehende) Buch von den wunderbarlichen geheimnissen der Natur.

Leipzig 1588: Hans Steinmann Erben. 4°.

BMC 417. (S. u. Nr. 82.).

70. Huber, Samuel: (f. 49 r. 4°)
Erclerung deß abentheüerlichen Teüffel außtreibend zu Heidingsfeldt, Samuelis Huebers.

Samuel Huber (1547—1624). Geboren in Burgdorf bei Bern verließ er die Berner Kirche, da er zum Luthertum neigte. 1586 trat er im Mömpelgarder Gespräch gegen die reformierte Prädestinationslehre auf. Wurde Diaconus in Derendingen und 1593 Professor der Theologie in Wittenberg, doch nach zwei Jahren wegen Streitsucht aus Kursachsen ausgewiesen. Er vertrat einen Gnadenuniversalismus, der weit über die Konkordienformel hinausging und geriet in Gegensatz zu Leyser. Nach Wanderjahren durch ganz Deutschland erhielt er 1611 ein Forschungsstipendium von Herzog Friedrich Ulrich von Wolfenbüttel. (NDB 9, 1972, 698 f. *(Franz Lau)*; RGG³ 3, 1959, 463 *(Franz Lau)*.

Erklärung des grossen Abentheurs, Welches die Würtzburgische Jesuiter, ob und mit einer Legion Teuffeln, in einem besessnen Schmidknecht ... getriben. Durch Samuel Hubern.

Tübingen 1590.

Tübingen, UB: Gh 121. 4°.

71. Tossanus, Daniel (oder Huber, Samuel. siehe Anm.): (f. 54 v. 4° ungeb.)
Von der Caluinischen Schwindelgeist Danielis Tossani.

Wahrscheinlich bei RW ungenaue Aufnahme einer Schrift Samuel Hubers gegen Tossanus:

D. Sam. Hubers Bericht von der Caluinischen Predicanten Schwindelgeist, vnnd dem gerechten Gericht Gottes vber diese Sect, fürnemlich wider Danielem Tossanum gestellt.

Tübingen 1592. 4°.

Draud (1611) 186.

72. Huberinus, Caspar: *Jesus Syrach Caspari Huberinj.* (f. 46 r. 2°)

Caspar Huberinus (1500—1553). Studierte in Wittenberg (1522). 1525 nach Augsburg, stellte sich im Abendmahlsstreit auf Luthers Seite. Obwohl er kein Amt bekleidete, wurde er 1528 zur Berner Disputation gesandt, ebenso 1535 nach Wittenberg. Erst 1535 Diakon und ab 1542 Pfarrer. Brenz berief ihn 1544 nach Öhringen, dort verteidigte er das Interim, nach kurzer Rückkehr nach Augsburg (1551), seit 1552 wieder in Öhringen. (NDB 9, 1972, 700 *[Gunther Franz]*).

Frühester Druck: (Nürnberg 29. Juli) 1553: (Joahnn Daubmann). 2°:
Spiegel der Hauszucht, Ihesus Syrach genant, ...

Franz (1973) *196 — 203* (Nr. *23.1* —23.18) (*1553* — 1588).

226

73. Huberinus, Caspar: (f. 49 v. 8°)
Vom Zorn unnd der güete Gottes Casparj Huberinj, sampt noch zweyen dabey gebundenen Büchlein.

Vom Zornn vnd der Gütte Gottes. Caspar Huberinus. 1529.

(Augsburg) 1529: (Philipp Ulhart). 8°.

Franz (1973) 69 (Nr. 1.1);

angedruckt ist seit 1529 (Augsburg: Philipp Ulhart): „Wie man den Sterbenden trösten und ihm zusprechen soll."

Vgl. *Franz* (1973) passim, bes. 69—77 (Nr. 1.1—1.23) (1529—1573).

74. Hundörffer, Andreas: *Promptuarium Andreæ Hundörffers.* (f. 46 r. 2°)

75. Irenaeus, Christoph: (f. 49 v. 8°)
Contrafeth und Spiegel des Menschen Christophorj Iringij (!). ·

Christoph Irenäus (1522—1595). Studierte seit 1544 in Wittenberg, 1549 Magister. 1545—47 Rektor in Bernburg und Aschersleben, 1552 ordiniert und Diakonat in Wittenberg, 1559 Archidiakon, 1562 Pfarrer in Eisleben. Vertrat den Flatianismus. 1566 Hofprediger in Coburg, 1570 Superintendent in Neustadt an der Orla, 1571 Flucht nach Weimar. Danach in Mansfeld, 1579—82 in Buchenbach/Jagst, wo er gegen die Konkordienformel kämpfte. Danach bis 1585 in Niederösterreich, 1569 zurück nach Buchenbach. (NDB 10, 1974, 178 *(Helmar Junghans)*; RGG³ 3, 1959, 892 *(R. Jauernig).*

Christ. Irenæi Contrafet vnd Spiegel deß Menschen, mit seinen eigentlichen Farben auß Gottes Wort aufgestriechen, sampt dem Trostspiegel.

Oberursel 1582: [Nikolaus Henricus]. 8°.

Draud (²1625) 277. *Beck* 304.

76. — *Jesuiter Spiegel.* (f. 54 v. 8° ungebunden)

Jesuiter Spiegel.

o. O. 1595.

Tübingen, UB: Gh 673. 8°.

77. Johannes (Evangelist): (f. 47 r. 4°)
Euangelium Johannis verteütscht, mit etzlichen andren darbey gebundenen schrifften.

Euangeliū Joannis verdeütsch: darinnen angezeygt wirt: wie allain durch gottes wort: das Christus ist: der mensch got oder gotes kindt: vnnd selig werde. Fur die einfeltigen vngelerten.

o. O. u. J. 4°.

Kuczyński 1126.

= *Pegg* 186 [Nürnberg 1522: Jobst Gutknecht].

78. Kegel, Philipp: *Geistliche andacht Philippi Kegelij.* (f. 48 v. 4°)

Philipp Kegel. Geboren zu Heckstadt in Mansfeld, Prinzenerzieher in Lüneburg, ab 1611 als Privatmann in Lübeck. Nähere Nachrichten fehlen (*Beck* 1, 209 f.; *Althaus* 1927, 135 ff.)

Zwölff Geistliche Andachten, Darinnen gar schöne trostreiche Gebet begriffen, ... Jetzo von newem vbersehen, ...

Leipzig 1596 (ohne Angabe des Formats).

Neubearbeitung des „Betbuchs" (zuerst Hamburg 1592).
Althaus 136, 139 f. Vgl. *Beck* 210.
NK 0069481, 82, 86 (Bd. 291) (alle nach 1601).

79. — *Brandenburgische Kirchenordnung. Item Kinderpredigten.* (f. 46 v. 2°)

Eine Sammlung von Kinderpredigten ist an die brandenb.-nürnberg. Kirchenordnung angedruckt.

Seebass 21.1.1 u. 2 (S. 67) (zu 20.1): [Nürnberg] 1533: Johann Petreius. 21.17 (S. 80) (zu 20.11): Nürnberg [1543?]: Christoph Gutknecht. 21.19 (S. 80) (zu 20.14). 21.21 (S. 83) (zu 20.15). 21.25 (S. 84) (zu 20.16). 21.33—35 (S. 87 f.) (zu 20.17—19). 21.36 (S. 88) (zu 20.20).
Sehling XI 206—283. Kirchenordnung: s. o. Nr. 28.

80. Kirchhof, Hans Wilhelm: (f. 49 v. 8°)
Wend Unmuth Hannß Wilhelm Kirchhoffs.

Hans Wilhelm Kirchhoff (1525—um 1603). Landsknecht und Söldner in verschiedenen Diensten (Kursachsen, Hessen, Bamberg, Braunschweig). 1554 verheiratet, studierte in Marburg. Siedelte 1555 nach Kassel über und erhielt 1583 die Stelle eines Burggrafen zu Spangenberg. (ADB 16, 1882, 8 *[H. Oesterley]*).

Wendunmuth. Darinnen fünff hundert unnd fünfftzig höflicher, zuchtiger und lustiger Historien. Schimpffreden unnd Gleichnissen, begriffen, Gezogen auß etlichen alten Scribenten unnd Facetijs, Heinrici Bebelij, gekrönten Poeten, sampt etlichen andern new ergangnen und warhafftgen Geschichten, Durch Hans Wilhelm Kirchhof. Jetzunder auffs neuw wider gebessert, unnd mit schönen Figuren, sampt einem nutzlichen Register, gezieret.

Frankfurt/M.: (Johann Feyerabend) 1581: (Johann Spieß). 8°.

Stevenson, ted. 601.

81. — *Ein alt geschriben Kluckhbuch.* (f. 46 v. 2°)

82. Lemnius, Levinus: *Oculta naturæ miracula, Leuinj Lemnij.* (f. 47 v. 4°)

Levini Lemnii Occulta naturæ miracula. Von den wunderbarlichen Geheimnissen der Natur ...
Aus dem Latein in die Deutsche sprache, ... gebracht, Durch Jacobum Horscht, der Artzney Doctorn. Cum Privilegio.

(Leipzig o. J. [1572]: Hans Steinmann). 4°.

Stevenson, ted. 1134. Andere Ausg. a. O. 743: Leipzig 1575: Hans Steinmann. (S. o. Nr. 69.).

83. Leyser, Polycarp: (f. 52 r. 8°)
Caluinismus M. Lutherj. Polycarpi Leiserj.

Polycarp Leyser (1552—1610). Geboren in Winnenden/Württemberg, Neffe Jakob Andeæs, 1577—1587, dann wieder 1593 Professor der Theologie in Wittenberg, 1587—1593 Koadjutor und Superintendent in Braunschweig, 1594 erster Hofprediger in Dresden, warb in Sachsen für die Konkordienformel. Gab die „Loci Thelogici" des Martin Chemnitz 1591, sowie dessen unvollendete „Harmonia evangelica" (1593) heraus, letztere von ihm und Johann Gerhard weitergeführt, ebenso das „Iudicium de controversiis quibusdam superiori tempore circa quosdam Augustanae confessionis articulos" (1594). Seine „Dreyfache Erklärung des Catechismi Lutheri" (Dresden 1602) wendet sich in der Vorrede gegen Calvinisten und Papisten und weist auf die tägliche Buße eines evangelischen Christen hin. (ADB 18, 1883, 523—525 (Pünger); NDB 3, 1957, 202 (Artikel „Chemnitz" *Ernst Wolf*); vgl. auch RE³ 3, 1897 802; RGG³ 4, 1960, 340 f. (*Franz Lau*).

Calvinismus, Das ist: Ein Erklerung des Christlichen Catechismi Martini Lutheri, In acht Predigten also gefasset ... durch Polycarpum Leysern.

Leipzig 1596.

Tübingen, UB: Gi 1717. 8°.

84. — *Liederbüchlein der Jungen gesellen und Jungfrawen.* (f. 52 v. 8°)

a) Lieder Büchlin, Zwey hunderdt und LVII. allerhandt schöner außerlesener, Weltlicher Lieder, allen jungen Gesellen und züchtigen Jungfrawen zum newen Jar in truck verfertigt. Auffs newe gemehrt, mit vilen schönen Liedern, die in andern Liederbüchern nit gefunden werden.

Köln o. J. [1586—1598]: Heinrich Nettesheim. 8°.

Stevenson, ted. 863.

b) Lieder Büchlein, Darin Begriffen sind zwey hundert und sechtzig, Allerhandt schöner Weltlichen Lieder, Allen jungen Gesellen und züchtigen Jungfrauwen zum newen Jar, in Druck verfertiget. Auffs new gemehret mit vil schönen Liedern, die in den andern zuvor außgegangenen Drücken, nicht gefunden werden. Frölich in Ehren, Sol niemand wehren.

Frankfurt/M. 1580: (Nikolaus Basse). 8°.

Stevenson, ted. 864.

85. T. Livius: *Titus Livius Teütsch.* (f. 45 v. 2°)

Romische Historie vss Liuio gezogen. (Übers. v.) B. Schöferlin u. J. Wittig.

Mainz 1505: Johann Schöffer. 2°.

Weitere Ausg. in 2°: 1507, 1514, 1530, 1551, 1557, 1568, 1574, 1581, 1590, 1596.

BMC 521.

86. Hl. Ludwig von Aquila (?):   (f. 48 r. 4°)
Gerichts Proceß, Item Gastmahl von der Complexion S. Lodouici de Aquila.

87. — *Lustgertlein der Seelen.*   (f. 50 v. 8°)

Der „Hortulus animae, Lustgärtlein der Seelen" war ursprünglich ein weitverbreitetes katholisches Erbauungsbuch; *Oldenbourg* weist 103 verschiedene Editionen 1498—1523 nach (lat., dt., niederdt., tschech.).

Anknüpfend daran hat der Wittenberger Drucker Georg Rhau 1547 einen „Hortulus" lutherisch-protestantischen Inhalts zusammengestellt.

Erstausgabe: Georg Rhau, Hortulus animae, Lustgärtlein der Seelen.

Wittenberg 1547. 8°. (*Beck* 68 ff.).

Zahlreiche weitere Ausg. im 16. Jh. (vgl. *Draud* [²1625] 385).

88. Luther, Martin: (f. 45 v. 2°)
Neün Tomi der schrifften Lutherij, darunter Siben Ihenisches unnd Zween Wittenbergischen drucks, unnd mangelt der Erste, Neündt unnd Zwölffte theil.

Wittenberger Ausgabe: 12 Bde. (1539—1559) 2°:
Der erste (-zwelffte) Teil der Bücher M. Luth.

Jenaer Ausgabe: 8 Bde. (1555—1558) 2°:
Der erste (-achte) Theil aller Bücher vnd Schrifften M. Lutheri.

BMC 534. *RGG* IV 521.

Bestand RW demnach: Bd. II—VIII der Jenaer Ausg.
                     Bd. X—XI der Wittenberger Ausg.

Eike Wolgast, Die Wittenberger Luther-Ausgabe. Zur Überlieferungsgeschichte der Werke Luthers im 16. Jh., Nieuwkoop 1971.

89. Luther, Martin: (f. 47 r. 4°)
Außlegung deß Vatter unsers D. Lutherj Ao 1517 gepredigt, mit andren mehr Kuertzen schrifften.

Ausslegunge des hayligen vatter vnsers: für die ainfeltigen layen ... Item ain kurtze nutzliche außlegung des Vatter vnsers, ...

(Augsburg 13.7. 1520 [1521]: Silvan Otmar). 4°.

Benzing, Luther 260—276 (1518—*1520/21*).

90. Luther, Martin: (f. 50 v. 8°)
Betbüchlein mit dem Passional D. Lutherj.

Ein betbüchlin, mit eym Calender vnd Passional, ...

(Wittenberg 1529: Hans Lufft). 8°.

Benzing, Luther 1296 (1529), 1297 (1530), 1299 (1538), 1300 (1539), 1302 (1542), 1303 (1542), 1305 (1543), 1306 (1545).

91. Luther, Martin: (f. 46 r. 2°)
Teütsche Biblia Lutherj Ao 1534. Zu wittenberg gedruckt, In Zweien Tomis.

Erste Wittenberger Vollbibel. Vgl. Lutherbibel, Hg. v. H. Volz, Bd. I (1972) S. 92* ff.

92. Luther, Martin: *Die gantze Bibel Lutheri In Zwentheil.* (f. 45 v. 2°)

Zu den Ausgaben 1534—1545 vgl. Lutherbibel, Hg. v. H. Volz, Bd. I (1972) S. 92*—113*.

93. (Luther, Martin): (f. 50 r. 8°)
Cathalogus aller schrifften unnd Bücher Lutherj von Ao 1518 biß uff 1533. sampt andern dabey gebundenen Büchern.

Catalogus oder Register aller Bücher vnd schrifften, D. Mart. Luth. durch jn ausgelassen, vom jar. M.D.XVIII. bis jns. XXXIII. Mit einer Vorrhede.

Wittenberg (1533: Hans Lufft). 8°.

Benzing, Luther 3072, 3073 (1533).

94. Luther, Martin (f. 52 r. 8°)
Catechismus Item geistliches gesangbuch D. Lutherj.

A) Deudsch Catechismus. Mart. Luth.

(Erfurht 1529: Konrad Treffer). 8°.

Benzing, Luther 2549—2553 (1529), 2555—2563 (1530—35), 2565—2569 (1538—43), 2583—2584 e (1542—45).

B) Geystliche gesangk Buchleyn.

Wittenberg 1524: [Joseph Klug]. 8°.

Benzing, Luther 3539 (1524), 3540 (1525).

95. Luther, Martin: (f. 51 v. 8°)
Der klein Cathechismus D. Lutherj sampt noch andern Zweyen dartzu gebundenen Büchlein.

Der Kleine Catechismus, Für die gemeyne Pfarherr vnd Prediger. Mart. Luther.

Marburg 1529: [Franz Rhode]. 8°.

Benzing, Luther 2593, 2594 (um 1530), 2595—2597 (1529), 2600—2622 (1531—um 1545), 2624 (1539).

96. Luther, Martin: (f. 52 r. 8°)
Der klein Catechismus Lutherj mit grosen Litera gedruckt.

97. Luther, Martin: (f. 53 v. 16°)
Zway Exemplar des Kleinen Cathechismj Lutherj.

98. Luther, Martin: *Kleine Cathechißmus Lutherj.* (f. 53 r. 16°)

99. Luther, Martin: *Geistliche Lieder D. Lutherj.* (f. 52 r. 8°)

Geistliche lieder auffs new gebessert zu Wittenberg D. Mar. Luth.

(Erfurt) 1531: (Andreas Rauscher). 8°.

Benzing, Luther 3545 (1529), *3546—3565 (1531*—1546), 3591—3593 (1543, 1544, 1545)
vgl. a. O. S. 441.
Ausg. nach 1546 in 8°: *DKL* (1855) ab 585 (S. 233) passim.

100. Luther, Martin: (f. 50 v. 8°)
Haupt articul des Christlichen glaubens wider den Bapst D. Lutherj.

DIE Heubtartikel des Christlichen Glaubens, Wider den Bapst, vnd der Hellen Pforten zu
erhalten. Sampt andern dreien seer nützlichen Büchlin, Welcher Namen oder Titel am folgenden Blat angezeigt sind. Mar. Luth. Wit.

[Wittenberg] 1543: [Peter Seitz]. 8°.

Benzing, Luther 21—25 (*1543*, 1544, 1545).

101. Luther, Martin: (f. 50 v. 8°)
*Jesus Syrach verteütscht, durch D. Luthern, Item Ecclesiastes von D. Luthern außgelegt In
einem tomo.*

A) Jesus Syrach. M. Luther.

 Wittenberg 1533: Georg Rhau. 8°.

 BMC 107.

B) Ecclesiastes, odder prediger Salomo, ausgelegt durch D. M. Luth. aus dem latin, ver-
 deudschet durch Justum Ionam.

 (Wittenberg 1. 5. 1533: Georg Rhau). 8°.

 Benzing, Luther 2983—2984 (*1533*, 1538).

102. Luther, Martin: (f. 47 v. 4°)
*Ordnung des Gottesdiensts In der Gemein D. Lutherj mit andern vielen darzu gebundenen
schrifften.*

Von ordenung gottis dienst yñ der gemeyne. Doctor Martin Lutther.

Wittenberg 1523: [Cranach u. Döring]. 4°.

Benzing, Luther 1615—1624 (1523).

103. Luther, Martin: *Postilla Lutherj.* (f. 45 v. 2°)

Postill oder Auszlegung der Episteln vnd Euangelien, durchs gantz jar. geteylt in zwey
teyl.

(Straßburg 25. 3. 1527: Wolfang Köpfel). 2°.

232

Benzing, Luther 1128—1133 (1527—1544).

104. Luther, Martin: *postilla Lutherj Ao 1545. gedruckht.*   (f. 46 v. 2°)

Nicht bei *Benzing.*

105. Luther, Martin: (f. 47 r. 4°)
Sermon von der Zerstörung Jerusalem Lutherj, sambt andren vil kleinen darzu gebundenen Büchlein.

*EYN SER*mon von der zerstörung Jerusalem. Das teutsch landt auch also zerstört werd, so es die zeyt seiner heymsuchung nicht erkent.

Wittenberg 1525: [Nickel Schirlentz]. 4°.

Benzing, Luther 2053—2060, 2062—2063 (1525).

106. Luther, Martin: (f. 51 v. 8°)
Sprüch aus der heiligen schrifft. D. Lutherj.

Spruchsammlungen aus der Bibel bei: *Draud* (1611) 29 f. u. (²1625) 391.

107. Luther, Martin: *Tischreden D. Lutherj.*   (f. 45 v. 2°)

Martin Luther, Tischreden oder Colloquia, so er in vielen Jahren gegen gelahrten Leuten, fremden Gästen und seinen Tischgesellen geführet. Nach den Hauptstücken unserer christlichen Lehre zusammen getragen (von Johannes Aurifaber).

Eisleben 1566: Urban Gaubisch. (²1567, ³1569). 2°.

Schottenloher 14 022. *WATr* I—VI (1912—1921).

108. Luther, Martin: (f. 47 r. 4°)
Underricht wider die Tyrannen D. M. Lutherj.

Ein trostliche vnterricht D. Martin Luthers, wie man sich gegen den Tyrannen, so Christum vnd sein wort verfolgen hallten soll . . .

[Nürnberg 1531: Johann Stuchs]. 4°.

Benzing, Luther 2966—2967 (1531).

109. Luther, Martin: (f. 54 v. 4° ungebunden)
Verlegung des Alcorans D. Martini Lutherj.

Verlegung des Alcoran Bruder Richardi, Prediger Ordens. Anno. 1530. Verdeudscht durch D. Mar. Lu.

Wittenberg 1542: (Hans Lufft). 4°.

Benzing, Luther 3404—3405 (1542).

110. Luther, Martin: (f. 54 v. 4° ungebunden)
Von den Juden unnd Ihren lügen M. Lutherj.

Von den Jüden vnd jren Lügen. D. M. Luth.

Wittenberg 1543: Hans Lufft. 4°.

Benzing, Luther 3424—3425 (1543).

111. Luther, Martin: (f. 50 r. 8°)
Der Zwey unnd Zwainzigst Psalm dauids außgelegt durch D. Lutherum.

Der zway vñ zwayntzigest psalm Dauids von dem leyden Christi. . . .

[Augsburg] (März 1525): [Simprecht Ruff]. 8°.

Benzing, Luther 528—531 (1525).

112. Manlius, (Johannes): (f. 51 r. 8°)
Loci Communes Manlij In Zweyen tomis.

Locorum communium collectanea: a J. Manlio per multos annos, pleraque tum ex lectionibus D. P. Melanchthonis, tum ex aliorum doctissimorum virorū relationibus excerpta . . .

2 Bde. Basel 1563. 8°; 2 Bde. Frankfurt/M. 1568. 8°.

BMCG 151, 786.

113. Mathesius, Johann: (f. 46 r. 2°)
Historia Jesu Christi Johannis Mathesij.

Johann Mathesius (1504—1565). Besuchte 1521 in Nürnberg die Schule, 1523—25 Studium an der Universität Ingolstadt, danach Hauslehrer in München. 1526 mit Lutherschriften bekannt geworden, studierte er 1529 und 1530, sowie später 1540—42 in Wittenberg.
1532 Rektor in Joachimsthal, dort 1541 Diakon, ab 1545 Pastor. Erster Lutherbiograph
und Reformator Joachimsthals (Beck 1, 118; RE[3] 12, 1903, 425—428 (G. Loesche);
RGG[3] 4, 1960, 808 (H. Volz).

Erstausgabe: Historia vnd Lehr, vom Leben, Sterben, Aufferstehung, Himelfart, vom Sit-
zen zur Gerechten hand Gottes deß Vatters, vnd vom jüngsten Gericht vnsers Herrn vnd
Heilands Jesu Christi. Durch den alten Herrn M. Johann Mathesium, seligen in Joachimsthal gepredigt, vnd für seinem Christlichen ende verfertiget.

Nürnberg 1568. 2°.

Weitere Ausg. u. d. T.: Historia Vnsers lieben Herren vnd Heylandes JEsu CHristi, Gottes
vnd Marien Son, . . .
Nürnberg 1572 und 1585. 2°.

Vilmar 24 (S. 251 f.).

114. Mathesius, (Johann): *Jesu Syrachs predigten Mathesij.* (f. 46 r. 2°)

Erstausgabe: Syrach Mathesij Das ist, Christliche, Lehrhaffte, Trostreiche vnd lustige Erklerung vnd Außlegung des schönen Haußbuchs, so der weyse Mann Syrach zusammen
gebracht vnd geschrieben. . . . Durch den Alten Herrn M. Johannem Mathesium, weyland
Pfarrern in S. Joachimsthal. . . .

234

Leipzig 1586: Johann Beyer. 2°.

Weitere Ausg.: Leipzig 1589 und 1598. 2°.

Vilmar 32 (S. 254 ff.).

115. Mathesius, (Johann): *Postilla Mathesij.* (f. 46 r. 2°)

Erstausgabe: Postilla. Das ist, Außlegung der Sontags vnd fürnembsten Fest-Euangelien vber das gantze Jar. Durch M. Johan Mathesium, Pfarrer im Joachimsthal.

(Nürnberg) 1565. 2°.

Weitere Ausg.: (Nürnberg) 1579: (Katharina Gerlach & Johann vom Berg Erben). 2°.

Vilmar 16 (S. 246 f.).

116. Mathesius, Johann: (f. 47 v. 4°)
Predigten von der Sündtflut Johan Mathesij.

Erstausgabe: Diluvium, das ist, Historia von der Sündflut, dadurch Gott der Herr zum schrecklichen exempel seines zorns wider die sünde, zu Noah zeiten, die erste vnbußfertige Welt erseufft, ... gepredigt in S. Joachims Thal, anno 57. vnd 58. Durch den Ehrwirdigen Herrn, M. Johann Mathesium den eltern, Pfarrer daselbsten. ...

Nürnberg 1587: (Katharina Gerlach). 4°.

Weitere Ausg.: Leipzig 1587 und 1597. 4°.

Vilmar 35 (S. 258 ff.).

117. Mathesius, (Johann): *Sarepta oder BergPredigten Mathesij.* (f. 46 r. 2°)

Erstausgabe: Sarepta Oder Bergpostill Sampt der Jochimßthalischen Kurtzen Chroniken. Johann Mathesij. Psalm CXLVIII. Berg vnd Thal lobet den Herrn.

Nürnberg 1562. 2°.

Weitere Ausg. u. d. T.: Sarepta oder Bergpostill, darinn von allerley Bergkwerck vnd Metallen was jhr Eigenschafft vnd Natur guter Bericht gegeben wird, mit tröstlicher Erklärung aller Sprüch, so in heil. Schrifft von Metall reden. Sampt der Joachimsthalischen Kurtzen Chronicken. Auff ein newes mit fleiß vbersehen.

Nürnberg 1564, 1571, 1578, 1585, 1587. 2°.

Vilmar 9 (S. 241 f.).

118. Melanchthon, Philipp: (f. 50 r. 8°)
Loci Communes Philippi Melanchtonis verteütscht.

Loci cōmunes, das ist die furnemesten Artikel Christlicher lere. (Übers. v.) J. Jonas.

Wittenberg 1539: Peter Seitz. 8°.

Pegg, Bibl. Lind. 1636 (= *BMCG* 157, 381).
Hartfelder nennt unter Nr. 52 eine Übers. v. Spalatin. o. O. u. J. [1521/22].

119. Meurer, Noe: (f. 53 v. 2° ungebunden)
Cammergerichts Proceß Noe Meurers Anno 1567. gedruckt.

Cammergerichts Ordnung vnd Process ... auss vieler erfarner Gelehrter meinung, und auch gestellten Producten, verteutscht, zusammentragen, und in diese Ordnung gebracht.

Frankfrut/M. *1566* und *1571*: Georg Rab, Sigmund Feyerabend & Weigand Han Erben. 2°.

BMC 621.

120. Mocnius, Justus: (f. 52 v. 8°)
Vom Exorcismo bey der Tauff Justj Mocnij unnd anderer.

(ohne Verfasser)

Bericht vom Exorcismo bey der Tauff, auff Anordnung des Ministerij der alten Stadt Magdeburg zusammen gedruckt, 1590. 8°.

Draud (²1625) 148.

121. Moller, Martin: (f. 51 r. 8°)
Manuall Christlich Zuleben Martinj Mollerj.

Martin Moller (Moeller) (1547—1606). Nach Schulbesuch in Wittenberg 1566 auf das Gymnasium in Goerlitz. Ohne Universitätsstudium wurde er 1568 in Löwenberg/Schlesien Kantor; 1572 Pfarrer in Kesselsdorf, Löwenberg und Sprottau, ab 1600 Pastor primarius in Goerlitz St. Petri. Der „theologus pacificus et practicus" war melanchthonischer Theologe, und wurde von Salomo Gesner als Kryptocalvinist bekämpft. (*Grosse* 1900, 99 f.; *Beck* 1, 258 ff.; RGG³ 4, 1960, 1089 *[Franz Lau]*).

Manuale de praeparatione ad mortem. Heylsame und sehr nützliche Betrachtung, wie ein Mensch Christlich leben, vnd Seliglich sterben sol.

Görlitz 1593: Johann Rambau. 8°.

Beck 262 f. *Althaus* 134. *DKL* (1864) 341 (S. 589 f.) (1596). *Klein* 167 (Nr. 74) (1593/1594).

122. (Müller, Georg):   (f. 54 r. 4° ungebunden)
Gegenbericht der augspurgischen Hendel D. Georg Müllers.

Der Herren Pfleger vnd Geheimen Räth des heyligen Reichsstatt Augspurg, Warhaffter gegenbericht, der Augspurgischen Händel vnd gegründte Widertreybung D. Georg Müllers nechstuerschinen 1586. Jars in Truckh aussgestreweten Famos gedichts.

Augsburg 1587: Valentin Schönig. 4°.

BMCG 8, 437.

123. Münster, (Sebastian): *Cosmographia Munsterj.*   (f. 45 v. 2°)

Cosmographia. Bschreibüg aller Lender.

Basel 1544: Heinrich Petri. 2°.

236

1545, 1556, 1564, 1578, 1588, 1592, 1598 (alle Basel)
Lateinisch: Basel 1550, 1554, 1572.

BMC 632 f.

124. Musculus, Andreas: *Bethbuch Andreæ Musculi.* (f. 48 v. 4°)

Andreas Musculus (1514—1581). Ging in Schneeberg/Sachsen, wo sein Vater Mitglied des Rates war, auf die Lateinschule, 1531 in Leipzig immatrikuliert, 1534 Baccalaureus, danach Privatlehrer in Amberg. Studierte ab 1538 in Wittenberg, dort 1539 Magister, 1541 in Frankfurt/Oder Theologe an der Universität und an der Franziskanerkirche. Bekämpfte Melanchthon und Calvin, verfaßte Teufelsbücher. (*Cosack* 1871, 208; RE³ 13, 1903, 577—581 *[G. Kawerau]*; *Althaus* 1927, 98 ff.).

Betbüchlein, sehr schön und nützlich, sampt christlicher vnterrichtung der alten heil. Lehrer vom Gebet. . . .

Frankfurt/O. 1579. 4°.
(Erstausgabe Frankfurt/O. 1559).

Beck 245. *Althaus* 98 ff. *BMCG* 167, 535 (Leipzig 1569. 4°).

125. Musculus, Andreas: *Betbüchlein Andreæ Musculj.* (f. 52 r. 8°)

Betbüchlein.

Leipzig 1572: Hans Steinmann. 8°.

BMC 638. *Beck* 245 (Leipzig 1569 und 1576).

126. Musculus, Andreas: *Gebetbüchlein Andreæ Musculj.* (f. 52 v. 16°)

Betbüchlein.

Leipzig 1572: Hans Steinmann. 16°. (Weitere Ausg. Hamburg 1598. 16°).

BMCG 167, 536.

127. Myon, Eutychius (Wolfgang Musculus): (f. 50 v. 8°)
Papstischer Wetterhan Eutichij Myonis.

Papistischer Wetterhan, in acht vnderschidliche gespräch, . . . was das Bapstthumb sey, vnd wie sich ein Christ gegen demselben nach Gottes wort verhalten soll. Im Jar 1549. Durch Eutychium Myonem Lateinisch gestelt, vnd meniglich so der Lateinischen sprach vnerfaren, inn Teutsch . . .

o. O. 1585 und 1592. 8°.

NM 0904577, 78 (Bd. 402).

128. Nicolai, Philipp: (f. 48 v. 4°)
Zwey Exemplaria Frewdenspiegels des ewigen Lebens D. Phippi Nicolaj.

Philipp Nicolai (1556—1608). Geboren in Waldeck, immatrikuliert 1575 in Erfurt, 1576 in Wittenberg. Wurde 1583 Pfarrer in Herdecke/Westfalen, danach Hauslehrer bei Lutheranern in Köln. 1587 Diakon im Waldeckischen, bekämpfte seit 1580 die Calvinisten und Kryptocalvinisten. 1594 Dr. theol. in Wittenberg, 1596 Prediger in Unna/Westfalen, 1601 Hauptpastor an St. Katharinen in Hamburg. (RE³ 14, 1904, 28—32 *[Victor Schultze]*).

Erstausgabe: Frewden Spiegel deß ewigen Lebens. Das ist: Gründtliche Beschreibung deß herrlichen Wesens im ewigen Leben . . . Durch PHILIPPVM NICOLAI, der H. Schrifft D. vnd Dienern am Wort Gottes zu Vnna in Westphalen.

Frankfurt/M. 1599: Johann Spieß. 4°.

Faksimiledruck Soest 1963.

129. Nigrinus, Georg (Schwarz):   (f. 48 v. 4°)
von der rechten alten Catholischen kirchen Georgij Nigerinj.

Georg Nigrinus (Schwarz) (1530[1540?]—1602). Wollte 1547 in Würzburg Mönch werden, statt dessen Besuch des Gymnasiums Schweinfurt, das er infolge des Interims 1549 verließ. Ging nach Joachimsthal (Mathesius), nach einem Aufenthalt 1550 in Buchau/ Schlesien als Lehrer Korrektor in Nürnberg, 1553 in München, studierte 1555 in Marburg. Wurde Pfarrer zu Homburg auf der Ohm, in Giessen und Superintendent der Grafschaft Nidda, übersetzte das „Examen" des Chemnitz ins Deutsche, polemisierte besonders gegen die Jesuiten. (RE³ 3, 1897, 802 (Art. ‚Chemnitz‘ von *Johannes Kunze*); *Goedecke* 1, 399; ADB 23, 1886, 695—698 *(Adolf Link)*.

a) Georgij Nigrini Bericht, von der rechten Catholischen vnd Christlichen Kirchen, wider die neuwe, spitzfindige disputationes etlicher Papisten, und sonderlich D. Johan. Pistorij Nidani. 1591. 4°.

b) Georg. Nigrini Antwort auff das vnnütze Gewäsch Jacobi Rabi, von der rechten alten Catholischen Kirchen. 1575. 4°.

Draud (²1625) 242. Goedecke *I 400 (Nr. 18 u. 28).*

130. — Nouellæ Constitutiones Teütsch.   (f. 54 r. 2° ungebunden)

BMC 746. *NC* 0713782 ff. (Bd. 123) (keine deutsche Ausg.) *Coing* I 162 ff.

131. — *Nürmbergische Reformation.*   (f. 46 v. 2°)

Der Stat Nürmberg verneute Reformation.

Nürnberg 1564: Valentin Geißler. 2°.

BMC 656.

132. Ortlin, Johann: (f. 51 v. 8°)
Trostbüchlein fur die Krancken M. Johann Örttelß.

Johann Oertel (1542—1603). Pfarrer in Thüringen, zuletzt 1592 Superintendent in Zeitz. Türkengebete bei *Cosack* 1871, 191 f. (*Jöcher* 3, 1751 [ND 1961], 1035).

M. Johann Ortlins Trostbüchlein für die Krancken, sonderlich aber lägerhafftige Christen, denen in jhren langwirigen Siechtagen verlanget, daß ihnen Gott der HERR, nicht entweder gnädiglich wider auffhilfft, oder sie von dieser Welt abfordert.

Leipzig 1586: Henning Groß. 8°.

Draud (²1625) 250. *Klein* 172 (Nr. 88).

133. Osiander, Lucas: (f. 50 v. 8°)
Erinnerung an die Euangelische gemein In Franckreich. d. Lucæ Osiandri.

Lucas Osiander d. Ä. (1534—1604). Studierte in Königsberg und Tübingen (1553). Trat 1555 als Diaconus in Göppingen in den württembergischen Kirchendienst, 1557 Pfarrer und Superintendent in Blaubeuren, 1562 Superintendent in St. Leonhard in Stuttgart, 1564 Dr. theol. Tübingen, 1567 Hofprediger und Konsistorialrat in Stuttgart unter Herzog Friedrich 1593 als Stiftsprediger zurückversetzt, 1596 Prälat von Adelberg, dort entsetzt und des Landes verwiesen, da er den Herzog angriff, da er die Juden favorisiere. Nach kurzer Zeit als Oberprediger in Esslingen kehrte er nach Württemberg zurück. Heiratete die Schwester der Frau Jakob Andreæs, die Witwe des Vaters von Polycarp Leyser. Verfaßte u. a. ein Choralbuch und eine Paraphrase der lateinischen Bibel, sowie ein kirchengeschichtliches Kompendium. (RE³ 14, 1904, 509—512).

Christliche unnd treuhertzige Erinnerung an die Evangelischen Gemeinen in Frankreich und Niederlanden. Von Lucas Osiander.

o. O. 1580. Andere Ausg.: [Tübingen] 1580.

Tübingen, UB: Gi 78. 8° und Gf 1048. 8° angeb.

134. Pancratius, Andreas: (f. 47 r. 4°)
Cathechismi Predigten In Zweyen tomis, M. Andreæ pangratij.

Andreas Pancratius (1531—1576). Geboren in Wunsiedel, Prediger in Amberg und Superintendent in Hof (dort gestorben). (*Jöcher* 3, 1751 [ND 1961] 1220; RE³ 14, 1904, 361 (Art. Olevian von Ney); RE³ 15, 1904, 671 [Art. ‚Geschichte der christlichen Predigt‘ von Schian]).

Christliche Catechismipredigten. Durch Andream Pancratium. (Hg.) durch Salomonem Codomannum. T. 2, 4, 5.

Frankfurt/M. 1605—1607 (!): Johann Spieß. 4°.

Tübingen, Evangel. Stift q 1743.

135. Pandochaeus, Johann (Wirth): (f. 54 v. 8° ungebunden)
Spiegel des ganntzen Papstumbs Johann Pandochæj.

Johann Pandochaeus (Wirth) (1550—1612). 1572 Pfarrer in Thüringen, 1590 Pastor primarius in Nordhausen, von dort ausgewandert, da des Calvinismus bezichtigt, 1600 Superintendent in Sangershausen und Dr. thol. 1600 nach Jena. Gestorben 1622? (*Jöcher* 5, 1816, [ND 1961], 1486 f.; *Zedler* 26, 1740, 529 f.).

Drei christl. Jubelpredigten, darin das Pabstthum mit seinen rechten Farben abgemalet wird.

Leipzig 1618 (!). 4° (!).

Jöcher, Suppl. 5 (1816) 1486.

136. — *patrocinium pupillorum Teütsch.* (f. 53 v. 2° ungebunden)

137. Paulus (Apostel): (f. 51 r. 8°)
Item Sprüch auß allen Episteln des heyligen Paulj.

Ausz allen Episteln S. Pauls etlich d' gemainestensprich vñ leergezogen.

[Augsburg 1523?: Heinrich Steiner]. 8°.

Pegg 187.

138. — *Peinliche Halßgerichts ordnung Carolj Quinti.* (f. 46 v. 2°)

Des allerdurchleuchtigsten grossmechtigsten vnüberwindtlichsten Keyser Karls des fünfften vnnd des heyligen Römischen Reichs peinlich gerichts ordnung, auff den Reichsstägen
zu Augsspurgk inn jaren dreissig vnd zwey vnd dreissig gehalten, auffgericht vnd beschlossen.

Mainz 1533: Ivo Schöffer. 2°. (auch 1534. 1535. 1543)

Schottenloher 36 379.

Andere Ausg.: Peinlich Halßgericht.

Frankfurt/M. 1575: Nikolaus Basse.

BMC 347.

Verzeichnis der div. Ausgaben bei J. Kohler, Die Carolina . . . (1900 ff.)

Schottenloher 36 386.

139. Perneder, (Andreas): *Institutiones Perneders.* (f. 46 v. 2°)

Andreas Perneder. Rechtsgelehrter, übersetzte die Institutionen ins Deutsche, verfaßte ju-
ristische Kommentare. (*Jöcher* 3, 1751, [ND 1961], 1397).

Erstausgabe: Institutiones Auszug vñ anzaigung etlicher geschriben Kaiserlichen vnnd deß
heiligen Reichs rechte . . . Durch . . . Andreas Perneder . . .

Ingolstadt 1544: Alexander I Weissenhorn. 2°.

Stalla 168.

Weitere Aufl.: [2]1544 (*Stalla* 169). [3]1545 (192). [4]1546 und 1549 (218, 263). Drucke von
Alexander II und Samuel Weissenhorn: 1550/51 (287). 1556 (330). 1560/61 (375). 1563
(431). 1564 (458). 1567 (545). Ab 1571 (667) (Alexander Weissenhorn III) mit anderen
Schriften Perneders zusammengedruckt.

140. Petrarca, Francesco: *Trostbuch Francisci petrarch.* (f. 46 v. 2°)

Trostspiegel in Glück und Unglück, Francisci Petrarchæ . . .

Frankfurt/M. 1596: Christian Egenolff Erben. 2°.

BMCG 188, 43.

240

141. Pfeffinger, Johann: *Trostbüchlein Johann Pfeffingers.* (f. 51 v. 8°)

Johann Pfeffinger (1493—1573). Geboren in Wasserburg am Inn, besuchte ab 1499 die Lateinschule in Annaberg, 1515 Akoluth, 1518 Subdiakon in Salzburg, bald darauf Diakon. Zunächst 1519 in Saalfelden im Pinzgau, ab 1521 Stiftsprediger in Passau, von wo er 1523 nach Wittenberg floh, dort 1524 immatrikuliert. 1527—1530 Geistlicher in Sonnenwalde. 1539 bei Einführung der Reformation in Leipzig, 1540 Superintendent dort, 1543 Dr. theol., 1544 Professor der Theologie. Nahm gegen das Interim Stellung. (RE³ 15, 1904, 252—254 *[Georg Müller]*).

Trostbüchlein aus Gottes Wort. (Von) Johan. Pfeffinger.

Leipzig 1564.

Tübingen UB: Gi 1683. 8°.

Weitere Ausg. in 8°: Leipzig und Hamburg 1551. Leipzig 1552. 1559. 1601. Schmalkalden 1587.

Beck 104. *Klein* 173 f. (Nr. 92).

142. — *Policey Ordnung Carolj Quintj.* (f. 53 v. 2° ungebunden)

Abschied des Reichs Tags zu Augspurg. Sampt Romischer Keyserlicher Majestät Ordenung unnd Reformation guter polizey ym Heyligen Romischen Reich.

1530. 2°.

Schottenloher 28 022.

143. — (f. 53 v. 2° ungebunden)
Policey Ordnung Ao 1577 uffgehaltenem Deputationstag zu Franckfurtt uffgericht.

Der Römischen Keyserlichen Maiestat reformirte vnd gebesserte Policey Ordnung zu berfürderung gemeines guten bürgerlichen wesen und nutzen auff Anno MDLXXVII zu Franckfort gehaltenem Reichs Deputation tag verfast vnd auffgericht.

Mainz 1578: Franz Behem. 2°.

Schottenloher 27 883 a.

144. Pollio, Lucas: *Predig vom Jungstentag, Lucæ Pollionis.* (f. 52 r. 8°)

Lucas Pollio (1536—1583). Studierte in Frankfurt/Oder und Wittenberg unter Melanchthon. 1562 Lehrer am St. Elisabeth-Gymnasium in Breslau. 1565 Leipzig Magister. 1565 Diakon an der Elisabethkirche in Breslau, ab 1567 Pastor der Maria-Magdalenenkirche in Breslau. (*Jöcher* 3, 1751 [ND 1961], 1666; ADB 26, 1888, 394 f. *[Weigelt]*).

Vom jüngsten Gericht, zehen Fastenpredigten, anno 1580.

Leipzig 1602 (!) (ohne Angabe des Formats).

NP 0463955 (Bd. 464).

145. Pollio, Lucas: (f. 51 v. 8°)
Tractat vom ewig Leben der Kinder Gottes Lucæ Pollionis.

241

Erstausgabe: Vom Ewigen Leben der Kinder Gottes. Sieben Predigten, zu S. Maria Magdalena inn Bresslaw gethan. Lucas Pollio.

Breslau 1582 (auch 1584): (Johann Scharffenberg).

NP 0463953, 54 (Bd. 464).

Andere Ausg.: Leipzig 1585. 8°. *BMC* 955 (Kriegsverlust).

146. Pomarius, Johannes (Baumgarten):   (f. 53 r. 16°)
Bornstein oder Augstein Johannis Pommarij.

Johannes Pomarius (Baumgarten). Studierte in Wittenberg, und hörte Luther und Melanchthon, dort Magister artium. Danach Schuldienst in Magdeburg, Ende des 16. Jahrhunderts Pfarrer in Jevern. Pastor in Magdeburg St. Petri. (*Jöcher* 4, 1751 [ND 1961], 1674).

Ioan. Pomarij Beschreibung deß köstlichen Agtsteins oder Börnsteins mit seinem Vrsprung, Natur, Farben, Art, Eigenschafft, Krafft vnd Wirckung, auch seiner Geistlichen, Allegorischen vnd geheimen Bedeutung.

Magdeburg 1587. 12° (!).

Draud (²1625) 25.

147. (Pomarius, Johannes?):   (f. 53 r. 16°)
Christlich Braut Ehrn Crentzlein.

Christlicher Breute Breutgam unnd Eheleute, Braut und Ehe Crentzlein M. Johannes Pomarius.

(Magdeburg: Johann Francke 1583: Wilhelm Ross). 12° (!).

Stevenson, ted. 930. Vgl. *Beck* 253.

148. — *Aller Propheten nach Ebreischer sprach verteütschung.*   (f. 52 v. 16°)

149. — *Reichs Abschied Ao 1566 zu Augspurg.*   (f. 53 v. 2° ungebunden)

Abschiedt der keyserlichen Maiestatt vnd Stendt auff dem Reichstage zu Augspurg auffgericht. [30. Mai 1566].

Mainz 1566: Franz Behem. 2°.

BMC 350.

150. Rhegius, Urban: (f. 51 r. 8°)
Erclerung der articul deß Geistlichen glaubens Urbanj Regij. sampt etzlichen beygebundenen schrifften.

Die zwölff artickel vnsers Christlichē glaubens.
Augsburg 1523: Sigmund Grimm. 8°.

BMC 738.

151. Rhegius, Urban: (f. 50 r. 8°)

Erclerung etzlicher lauffiger Puncten D. Urbanj Rhegij, mit andern noch mer darzu gebunde-
nen Büchlein.

Ain kurtze erklärung etlicher leüffiger puncten.

Augsburg 1523 und 1524: [Sigmund Grimm]. 8°.

BMC 737.

Nrn. 150 und 151 zusammen gedruckt:
Eyn erklerung der zwelff Artickel Christlichs glaubens, vnd der leuffigsten puncten alles
christlichen lebens, mit antzeig, wo sie in der heyligen geschrifft gegründet, . . .

o. O. 1525. 8°.

Beck 74.

152. Rhegius, Urban: (f. 51 r. 8°)
Seelen artzney fur die gesunden und krancken Urbanj Regij.

Frühester Druck: Seelenn ärtzney für gesund vnd krancken zu disen gefärlichen zeyten,
durch Vrbanum Rhegium. . . .

Augsburg 1529: Alexander Weissenhorn. 8°.

Franz (1973) *97*—107 (Nr. *3.1*—3.33) (*1529*—1591). 118—123 (Nr. 4.1—4.12) (1536—
1571). Vgl. *Beck* 72 f.

152 a. Rhegius, Urban: *Ein Büchlein Urbanj Regij ohne titul.* (f. 51 r. 8°)

153. Roden, Ludwig: (f. 48 r. 4°)
Leichpredigt Zu Sangershausen Ludouici Roden.

154. Romhen, Nicolaus: (f. 54 r. 4° ungebunden)
Bußpredigt von der Dürrung Nicolaj Romhen, Anno 1590.

155. Rumpolt, Marx: *Kochbuch Marxen Runpels.* (f. 46 v. 2°)

Ein new Kochbuch . . . Auch ist darinnen zu vernemmen, wie man herrliche grosse Pan-
cketen, sampt gemeinen Gastereyen, ordentlich anrichten und bestellen soll, . . . Durch M.
Marxen Rumpolt, Churf. Meintzischen Mundtkoch. Mit . . . Sampt einem gründtlichen Bericht, wie man alle Wein vor allen zufällen bewaren, . . .

Frankfurt/M.: Marx Rumpolt & Sigmund Feyerabend 1581: (Johann Feyerabend). 2°.

Stevenson, ted. 1025.

156. Sachs, Hans: (f. 46 r. 2°)
Hanns Sachßen Comœdien und Tragedien zu vier Tomis.

Sehr Herrliche vnd warhaffte Gedicht. 5 Bde. (!).

Nürnberg 1558—1579: Christoph & Leonhard Heußler. 2°.

BMC 766.

Ursprünglich in 3 Bänden, dann auf 5 erweitert.
Bde. I—III und V auch: *Stevenson,* ted. 3231—34.

157. Sarcerius, Erasmus: *Creützbüchlein Erasmj Sarcerij.*   (f. 53 v. 16°)

Erasmus Sarcer (1501—1559). Studierte in Leipzig ab 1522, ab 1524 in Wittenberg. 1528 Lehrer in Lübeck, 1530 in Rostock, dazwischen in Wien und Graz. Rektor in Siegen, 1548/49 wegen des Interims entlassen, 1549 Pastor in Leipzig. Starb in Magdeburg. Sein Kreuzbüchlein mit Vorwort von Melanchthon. (*Beck* 1, 127; RE³ 17, 1906, 482—486 *[G. Kawerau]*).

Creutzbüchlein. Darinn vrsach vermeldet, warum die reine lere des Euangelij, vnd alle fromme Christen, on Creutz nicht sein mögen, . . . durch Erasmum Sarcerium . . . (Vorwort von Melanchthon).

(Nürnberg) 1554: (Valentin Geißler). 8° (!)

Stevenson, ted. 3224.

Weitere Ausg.: Leipzig 1549. 8°, Wittenberg 1549. 8°. *Beck* 127.

158. Scherer, Georg: (f. 54 r. 4° ungebunden)
Georg Scherers Antwortten D. Martinj Alexandrj Utzingers Warnung vor der Jesuiter Practicen.

Georg Scherer (1540—1605). Seit 1559 Jesuit. 1590—94 Rektor des Wiener Kollegiums Kanzel-, Hof- und Domprediger in Wien, wirkte auch in Nieder- und Oberösterreich. (LThK² 9, 1964, 393 *[F. Loidl]*).

Georgen Scherers Antwort, auff die zwey vnuerschämpte vnd Ehrenschmähende Famos, Schandt vnd Lästercharten, M. Alexanders Utzingers eines Predicanten zu Schmalkalden: Newlich wider den Herren IVLIVM, Bischoffen zu Würtzburg, vnd Hertzogen zu Francken . . . außgeworffen.

Ingolstadt 1589: David Sartorius. 4°.

Maltzahn I 398 (= *Stalla* 1637).

159. Scherer, Georg: (f. 54 r. 4° ungebunden)
Fragstückh von strittigen Articuln Georgen Scherers.

Christliche Fragstuck, Sampt jhren Antworten, von dreyen strittigen Articuln. . . . Durch Georgium Scherer Societatis IESV Theologum.

Ingolstadt 1587: David Sartorius. 4°.

Stalla 1585.

160. Scheuffle, Matthias: (f. 49 r. 4°)
Disputatio de discrimine Utriusque testamenti Mathiæ Scheüfflej, cum alijs disputationibus.

161. Schröder, Johann: (f. 52 r. 8°)
Biblische Summarien M. Johan Schrötterj.

M. Joh. Schröders Biblische Summarien nach dem A.B.C.

Schweinfurt 1605 (!). 8°.

Draud (²1625) 67.

162. Schweiglin, Jeremias: (f. 53 r. 16°)
Handtbüchlein vom abentmahl Hieremiæ Schweiz(!)lins.
Handbüchlein, Vom Abenmal deß HErrn, vnd wie man sich darzu bereiten soll . . .

1598. 12° (!).

(Entstanden in den 70er Jahren; 2., vermehrte Aufl. 1580, abgedruckt 1598). *Beck* 331. *Althaus* 132.

163. Scultetus, Marcus: *Wahrer Christen Creuz Marcj Scultetj.* (f. 52 r. 8°)

Marcus Scultetus. Magister Artium. Diakon in Quedlinburg, unterschrieb 1579 (!) die Konkordienformel (Jöcher 4, 1751 [ND 1961], 454).

a) M. Marci Sculteti wahrer Christen Creutz, allen betrübten Christen zu Vnterricht vnd Trost beschrieben.

Wittenberg o. J., Leipzig o. J. 8°.

b) Marci Sculteti Bericht von dem wahren Christen Creutz, in diesen beschwerlichen Zeiten.

Zerbst 1592. 8°.

Draud (²1625) 416 f. Vgl. *Beck* 296 f.

164. Meister Sebastian, ksl. Koch: (f. 48 v. 4°)
Koch und Kellermeisterej Meister Sebastian kaiserlichen kochs.

H. Sebastiani Koch vnnd Kellermeisterey, darauß man alle Heimligkeit deß Kochens zu lernen hat von allen Speisen, wie man sie bereyten soll, sampt eines jeden Essens Wirckung vnnd Natur, zu Auffenthaltung der Gesundheit. Auch wie man guten Wein, Bier vnnd Essig ziehen, vnnd von allerley Kräutern zur Gesundheit bereyten soll.

Frankfurt 1581. 4°.

Draud (1611) 425. (²1625) 613.

165. Sleidan, (Johann): *Sleidanus.* (f. 45 v. 2°)

Titel fehlt, wahrscheinlich jedoch:
De statu religionis et reipublicae Carolo quinto Caesare commentarij.

Straßburg 1555: Wendelin Rihel Erben. 2°.

Deutsche Übersetzungen:
a) Warhafftige Beschreibung Geistlicher unnd Wellttlicher sachen, under dem großmechtigen Keyser Carolo dem fünfften verloffen. (Übers. v.) Heinrich Pantaleon.

Basel 1556. 2°.

b) Johannis Sleidani Warhafftige Beschreibung allerley fürnemer Händel, so sich in Glaubens vnd anderen Weltlichen sachen bei Regierung Keyser Carls des Fünfften mehrerntheyls in Teutscher Nation zugetragen . . . (übers. v.) Michael Beuther.

Frankfurt/M. 1564: David Zöpfel Erben. 2°.

Schottenloher 28 354 a. 28 354 b. 34171.

166. Spangenberg, (Cyriacus): *Ehespiegel Spangenbergeri.*   (f. 46 r. 2°)

Cyriacus Spangenberg (1528—1604) RE³18, 1906, 567—572 (G. Kawerau).

Ehespiegel: Das ist, Alles was vom heyligen Ehestande, nützliches, nötiges, und tröstliches mag gesagt werden. In Sibentzig Brautpredigten: zusammen verfasset. Durch M. Cyriacum Spangenberg, im Thal Manßfeldt.

Straßburg 1561: Samuel Emmel. 2°. (auch Eisleben 1562: Urban Gaubisch).

Stevenson, ted. 1841. 1840.

167. Spangenberg, (Johann):   (f. 49 v. 8°)
außlegung der Epistel vom aduent biß uf Ostern Spangenbergij Anno 1553.

Johann Spangenberg (1484—1550). Studierte ab 1508/09 in Erfurt, dort 1511 Baccalaureus. 1521 (?) Lehrer an der Lateinschule in Stolberg und Mittagsprediger dort. 1524 (34?) nach Nordhausen als Pfarrer berufen. 1546 in Eisleben (*Beck* 1, 98—104; RE³18, 1906, 563—567 *[G. Kawerau]*).

Außlegunge der Episteln und Euangelien auff alle Sontag und fürnembsten Fest durchs gantze Jar. Für die jungen Christen Knaben und Megdlein in Fragstück verfasset Durch Spangenberg.

Nürnberg 1554 (!).

Tübingen, Kathol.-Theol. Seminar Po 3. 202.

168. (Spangenberg, Johann):   (f. 49 v. 8°)
Noch ein Exemplar derselben außlegung Ao 1555 gedruckht.

Epistolae, per totum annum dominicis diebus in Ecclesia legi solitae per Quaestiones explicatae. Autore Joanne Spangenbergio.

Frankfurt/M. 1555.

Tübingen, UB: Gi 2641. 8°.

169. Spangenberg, Johann: (f. 50 v. 8°)
Ehelicher Ordens Spiegel Johannis Spangenbergij.

Spangenbergs Ehelichen Ordens Spiegel.

Wittenberg: Samuel Selfisch o. J. 8°.

Draud (²1625) 126.

246

170. Spangenberg, Johann: *Postilla Johann Spangenbergers.* (f. 51 v. 8°)

Postilla Deudsch . . . Vom Aduent bis auff Ostern. Durch Ioan. Spangenberg . . . Mit einer Vorrhede D. Martini Luthers.

Wittenberg 1543: (Georg Rhau). 8°.

Benzing, Luther 3418 (1543). 3420 (1543). 3422 (1544). *BMC* 118: Frankfurt/M. 1548: Hermann Gülfferich. 8°.

171. Spindler, Nicolaus: (f. 51 v. 8°)
artzney Experiment Nicolaj Spindlers.

Nikolaus Spindler. Mediziner. (Jöcher 4, 1751 [ND 1961], 741).

Experiment: Gewisse, rechte, und bewärte erfahrung allerhand Artzney, . . . durch . . . Nicolaum Spindlern probiert . . . Sampt einer eigentlichen Contrafeyhung unnd Beschreibung aller Kreuter . . .

Frankfurt/M. 1566: (Georg Rab, Sigmund Feyerabend & Weigand Han Erben). 8°.

Stevenson, ted. 661. 1936 (Duplikat).

172. — *Sprichwörtter, Teütsch und anderer Sprachen, Bienenkorb.* (f. 50 r. 8°)

Nicht bei *Zacher.* Vgl. *Draud* (²1625) 695.

173. Stiber, Thomas: *Trostbüchlein M. Thomæ Stibers.* (f. 53 r. 16°)

Trostbüchlein.

Nürnberg o. J. [1570—1597]: Leonhard Heußler. 12° (!).

Beck 158.

174. Taurer, (Ambrosius): (f. 51 v. 8°)
Grundtsuppen der welt Taurerj.

Von der Grundsuppen der Welt. Wie man sich in diese letzte grewliche, allerergeste Zeit schicken vnd rechtschaffene Frucht der Busse Thun soll, hochnotwendigster Bericht. . . .

(Eisleben) 1594: (Urban Gaubisch). 8°.

Beck 300.

175. — (f. 53 v. 2° ungebunden)
Teütsch Formular Ao 1566. Zu Franckfurth gedruckt.

Formular Allerlei Schreibenn, als Instrument, Sendbrieff . . .

Frankfurt/M. 1549 (!): Christian Egenolff. 2°.

BMC 311. (s. o. Nr. 52).

176. — *Teütsche Meß wie sie Zu Augspurg gehalten würdt.* (f. 53 r. 16°)

177. — *Teütsche Rethorica Ao 1492 gedruckt.*   (f. 54 r. 2° ungebunden)

178. Thilo, Heinrich: *Daß Neue Jhar Heinrici Tilonis.*   (f. 53 r. 16°)

M. Henrici Thilonis frölich vnd glückselig Newjahr, mit außtheilung des Namens deß lieben Jesulein.

Leipzig 1580 und 1590. 16°.

Draud (²1625) 285.

179. Triander, Johann: (f. 47 v. 4°)
Außlegung des Himels lauff Johan Triandri, mit andern darzu gebundenen schrifften.

180. [Giovio, Paolo?]:   (f. 46 r. 2°)
Türckische unnd Muscowiterische Historien.

H. PAVLI IOVII. Von der Türckischen Keyseren härkommen, aufgang, vnnd Regiment mit sampt allen Historien vnnd namhafftigen geschichten, so sich von jrem ersten Keyser Ottomano, biß auff den letsten Solyman zu: disen vnseren Zeyten allethalben zugetragen. Demnach von der statt Rom letsten eroberung, durch Keysers Caroli des Fünfften kriegsvolck, vnder Bapst Clementen dem sibenden, Anno 1527. beschehen. Vnd zu letst von der Moscouiteren art vnd eigenschafft, auch von jrer landen natur vnd gelegenheit, sampt jrer Religion, gesatz, vnd kriegsrüstung . . . durch D. Heinrich Pantaleon . . . verteütscht, . . .

Basel 1564: Heinrich Petri & Peter Perna. 2°.

Göllner II 1051.

181. Utzinger, Alexander: (f. 53 r. 16°)
Creüzbüchlein Alexander Utzingers.

Alexander Utzinger. Magister der Philosophie und Dekan zu Schmalkalden. Unterschrieb 1580 die Konkordienformel. Lebte noch 1589. (*Jöcher* 4, 1751 [ND 1961], 1755).

M. Alex. Vzingeri Creutzbüchlein.

Leipzig 1587. 12° (!).

Draud (²1625) 416.

182. Utzinger, Alexander: (f. 54 r. 4° ungebunden)
Defension schrifft M. Alexander Utzingers.

Alex. Vtzingeri hochverursachte vnnd genotdrengte Gegenantwort vnnd Defensionsschrifft, wider die unverschämbten, Ehrenschmähende Famoß, Schand vnnd Lästerkarten Georg Scherers, deß vnrühigen Jesuiters zu Wien.

Schmalkalden 1589. 4°.

Draud (1611) 189.

183. Utzinger, Alexander: (f. 48 r. 4°)
Erinnerung vom abfall In Franckhen M. Alexandri Utzingers.

248

M. Alexand. Vtzingeri Erinnerung von dem grossen Abfall vnd geringer Beständigkeit in der Fränckischen Verfolgung, sampt Erörterung vier Fragen, auff die Vermeydung deß Babstthumbs, vnd den Abfall gerichtet.

Schmalkalden 1588. 4°.

Draud (²1625) 20.

184. Utzinger, (Alexander):   (f. 54 r. 4° ungebunden)
Vom losen Betlersmantel des usingers.

Vom schlimmen losen Bettlers Mantel, des Wienischen Scherers, zu Würtz Burgk newlich, als ein hochmeisterlich Wunderkleid, nachgeflickt und ausgesprenget: Ein kurtzer Bericht, gedriefacht.

Schmalkalden 1588: Michael Schmuck. 4°.

Hohenemser 3780.

185. Vogel, Matthäus: (f. 45 v. 2°)
Schatz Cammer Göttlicher Schrifft Matthei Vogels.

Matthäus Vogel (1519—?). Studierte 1534 in Wittenberg, danach Lehrer in Nürnberg. Nach einem Studium der Theologie in Wittenberg, 1544—47 in Lauffen bei Nürnberg, 1548 Diakon an der Jakobskirche in Nürnberg. Wegen Widerstands gegen das Interim 1549 vertrieben. Ging nach Preussen, dort Pastorat in Welau, 1554 Domprediger in Königsberg, 1557 Professor der Theologie in Königsberg, das er 1566 wegen des Osiandrischen Streits verließ. 1568 in Hornberg (Württemberg), 1569 Spezialsuperintendent und Stadtpfarrer in Göppingen, 1580 württembergischer Rat und Abt zu Alpirsbach (*Jöcher* 4, 1751 [ND 1961], 1691).

Schatzkammer Heiliger Göttlicher schrifft. Durch Mattheum Vogeln.

1—7. Tübingen 1581—91.
Tübingen, UB: Gf 243. Fol.

Weiteres Exemplar (in 1 Bd.): Tübingen 1588: Gf 243 a. Fol.

Vgl. *Beck* 333.

186. Walther, Georg: *Bethbüchlein Georgij Waltherj.*   (f. 52 v. 16°)

Georg Walther. Magister der Philosophie, Prediger in Halle/Sachsen. Unterzeichnete 1580 die Konkordienformel (Jöcher 4. 1751 [ND 1961], 1800).

a) Betbüchlein für Betrübte, Kranke, angefochtene Menschen.

Leipzig 1570. 8° (!). Nürnberg 1573. 8° (!). Leipzig 1569 (ohne Angabe des Formats).

Beck 282 (= *Draud* (²1625) 167). *Althaus* 128.

b) Christliche Gottselige Gebete trost vnd hülff von Gott zu bitten in aller trübsal, auch wie man jm für alle Wohlthat leibs vnd der Seele danken soll ...

Frankfurt/M. 1579. gr.8° (!).

Beck 284 (Vgl. *Stevenson,* ted. 292; dort 4° (!).

187. Walther, Rudolph: (f. 49 v. 8°)
Argumenta Biblicum Carminibus comprehensa Rudolpi Gualterj Lateinisch unnd Teütsch.

Rudolf Gualther (Walther) (1519—1586). 1528 Besuch der Schule in Kappel unter Bullinger, 1537 Aufenthalt in England, 1538—41 Studium in Basel, Straßburg, Lausanne und Marburg. Nahm am Regensburger Religionsgespräch 1541 teil. Danach Geistlicher am Großmünster in Zürich und 1542 Nachfolger Leo Juds an St. Peter, Zürich. Heiratete 1541 die Tochter Zwinglis Regula, 1565 die Tochter des Thomas Blarer, Anna. (RE³ 7, 1899, 222—224 *[Emil Egli]*).

Argumentorum in Sacra Biblia carminibus comprehensorum tomus prior (II). Erste (ander) Theil der Summarien in Reimen verfaßt durch B. Waldis.

2 Bde., Frankfurt/M. 1556: Weigand Han. 8°.

BMC 905.

188. Ludwig Warduman von Bonelia (?): (f. 49 r. 4°)
Raise Herrn Ludouicj Wardumans von Bonelia.

189. Wickner, Abdias: (f. 49 r. 4°)
Predigt von der weißsagung des Leidens Sterbens des herrn Christi Abdiæ Wicknerj.

Abdias Wickner (gest. 1564). Magister der Philosophie, Rektor in Rothenburg ob der Tauber, Mathematiker. (Jöcher 4, 1751 [ND 1961], 1942).

190. Zader, Jacob: (f. 52 r. 8°)
Die Schöne Sommerzeit des ewigen lebens Jacobj Zaderj.

Jakob Zader (?). Studierte Theologie in Wittenberg (1604). Ging um 1608 nach Zeitz. (Jöcher 4, 1751 [ND 1961], 2136).

Winter = Spiegell des zeitlichen, und Sommer = Spiegel des ewigen Lebens.

(ohne bibliogr. Angaben)

Jöcher IV (1751) 2136.

191. Zwingli, Ulrich: (f. 47 v. 4°)
Huldericj ZWinglij Predigten von Clarheit des worts Gottes

Von Clarheit vnnd gewüsse oder vnbetrogliche des worts gottes, võ Huldrychen Zuingli gethon vnd beschriben zu Zürich jm M.D. XXII. jar.

(Zürich [6. Sept. 1522]). 4°.

Weitere Ausg. in 4°: o. O. 1522 (= *Kuczyński* 2887).
Zürich 1523: (Christoph Froschauer d. Ä.).

Finsler 6 a—d (S. 7 f.). Vgl. *BMC* 940.

Exkurs 6:
Zur Entwicklung des Klerus im Bistum Würzburg 1520—1564

Tabelle 1: Weihezahlen im Bistum Würzburg 1520—1564
Quelle: *Wegele* 1889, 87 f.

| | absolut | | Index, Basis = 1520—24[1] | | Veränderung gegenüber vorig. Ztr.[1] | |
	Säkular-klerus	Regular-klerus	Säkular	Regular	Säkular	Regular
1520—24	222	158	100	100	—	—
1525—29	32	30	14,5	19	−85,5	−81
1530—34	25	38	11	24	−12	+26,5
1535—39	33	54	15	34	+32	+42
1540—44	56	108	22	68,5	+69,5	+100
1545—49	66	61	39,5	38,5	+18	−43,5
1550—54	62	114	28	72	−6	+87
1555—59	51	115	23	73	−18	+1
1560—64	100	86	45	54,5	+96	−25

[1] Indexziffern und Veränderungen in % gegenüber dem Vorzeitraum sind ab- bzw. aufgerundet.

Markant ist der abrupte Abfall nach dem 1. Jahrfünft der 20er Jahre. An den Indexziffern wird die raschere Erholung des Regularklerus deutlich. Gegenüber dem relativ stetigen Aufstieg des Säkularklerus, der nur im Jahrzehnt des Markgräflerkrieges noch einmal auf ein niedrigeres Niveau fällt, fluktuiert die Ziffer des Regularklerus stärker. Dabei sind die Veränderungen des Säkular- gegenüber dem Regularklerus ab 1545 invers. Tabelle 2 verdeutlicht, daß zwar die Indexziffer für den Gesamtklerus steiler steigt als die niedrigen absoluten Zahlen erkennen lassen, daß diese Steigerung jedoch dem Regularklerus zu verdanken ist. Der „Normalverteilung" zwischen Säkular- und Regularklerus (60 : 40 1520—24) nähert sich erst der Endzeitraum 1560—64 wieder.

Tabelle 2: Anteile der Säularkleriker und Regularkleriker nach den Weihezahlen im Bistum Würzburg 1520—64
Quelle: wie Tabelle 1

	Gesamtklerus	Index 1520—24 = 100	davon S in %	davon R in %
1520—24	380	100	58,5	41,5
1525—29	62	16,5	51,5	48,5
1530—34	63	16,5	39,5	60,5
1535—39	87	23	38	62
1540—44	164	43	34	66
1545—49	127	33,5	52	48
1550—54	176	46,5	35	65
1555—59	166	43,5	30,5	69,5
1560—64	186	49	54	46

Zu erinnern ist, daß es sich bei den Zahlen nur um die Zugänge handelt, also Schlüsse auf die Gesamtzahlen des Klerus nicht erlaubt sind. Die Fluktuation um 1550 ließe sich durch das Interim erklären, präzisere Erklärungen müßten die Entwicklung der Orden heranziehen.

Vergleichszahlen lassen sich für Bamberg und bedingt für Eichstätt heranziehen.

Tabelle 3: Weihezahlen für das Bistum Bamberg 1525—58 (59)[1]
Quelle: *Zeissner* 1975, 290 f.

	Neupriester insgesamt	davon: Weltklerus aus Bamberg	aus 3 Klöstern	Sonst.
1525—29	17	9	4	4
1530—34	27	14	4	3
1535—39	32	16	9	7
1540—44	60	31	13	16
1545—49	93	53	23	17
1550—54	105	58	16	31
1555—58(59)[1]	60	45	9	6

[1] Die bei *Zeissner* gegebenen Zahlen reichen nur bis 1558. Die Zahl für 1559 wurde aus den Zahlen für 1555—58 extrapoliert.

Tabelle 4: Zahlen der Primizen in der Diözese Eichstätt 1505—1549[1]
Quelle: *Johann Baptist Götz:* Die Primizianten des Bistums Eichstätt aus den Jahren
1493—1577 (RST 63). Münster: 1934, 105

	Primizianten absolut	Index 1505—09 = 100	Index 1520—24 = 100
1505—09	95	—	—
1520—24	112	118	—
1525—29	(12)	12,5	10,7
1530—34	17	18	15,17
1545—49	27	28,5	24,1

[1] Die Zahlenreihe a. a. O. ist unvollständig, so daß es nicht möglich war, für alle Jahrfünfte
zu extrapolieren. Die addiert für 1529/30 angegebene Zahl 5 wurde im Verhältnis 2 : 3
aufgeteilt, da die Jahre nach 1530 eine Zahl um 3 aufweisen; für 1549/50 wurden die Zahlen aus der jeweiligen Jahrfünftzahlenreihe extrapoliert.

Tabelle 5: Indexreihe für Neupriester Bamberg, Würzburg, Eichstätt 1525—1559[1]
Quellen: wie Tab. 1, 3, 4

	Bamberg	*Würzburg*	*Eichstätt*
1525—29	100	100	100
1530—34	+159	+101	+142
1535—39	+188	+140	—
1540—44	+353	+264	—
1545—49	+547	−205	+225
1550—54	+617	+284	—
1555—59	−353	−268	—

[1] Basis 1525—29, da erst für diesen Zeitraum Bamberger Zahlen vorliegen. Die Indices für
Würzburg und Eichstätt wurden umgestellt.

Tabelle 6: Anteile der Säkular- und Regularkleriker an den Weihezahlen im Bistum Bam-
berg
Veränderungen gegenüber vorigem Zeitraum in %
Quellen: wie Tab. 1 und 3

	Anteile an der Gesamtweihezahl		Veränderungen gegenüber vorigem Zeitraum in %	
	Säkularkleriker	Regularkleriker	Säkularkleriker	Regularkleriker
1525—29	69	31	—	—
1530—34	78	23	+66,6	0
1535—39	64	36	+14,28	+125[1]
1540—44	70,5	29,5	+93,75	+44,44
1545—49	70	30	+70,96	+76,92
1550—54	78	22	+ 5,66	−30,43
1555—59	88	12	−19,64	−62,5

[1] Für diese abnorme Steigerung ist die kleine Zahl verantwortlich: 1530—34: 4; 1535—39:
9. Vgl. oben Tab. 3.

Der Vergleich macht deutlich, daß in allen Diözesen Frankens nach dem Abfall um 1525 eine Steigerung von niedrigem Niveau aus eintrat. Dabei liegen Würzburg und Bamberg zunächst auf gleichem Niveau, Bamberg weist jedoch im Zeitraum 1545—54 wesentlich höhere absolute Zahlen auf, während die absolute Zahl der Geweihten in Würzburg auf das Niveau der Bamberger Zahlen für den Vorzeitraum (1550—54) steigt, sinkt Bamberg auf das Würzburgs ab (vgl. Tabellen 1 und 3). Auch die Primizzahlen für Eichstätt halten im Zuwachs mit den Würzburgern Schritt. Dagegen sind die Zuwächse für Bamberg stetig höher als die der beiden anderen fränkischen Diözesen. Abweichend sind auch die Bamberger Verteilungsquoten zwischen Säkular- und Regularklerus: schon die absoluten Zahlen sind dort für den Säkularklerus höher als die des Regularklerus (in bezug auf die Priesterweihen, die anderen Zugänge zu den Konventen werden nicht erfaßt), auch die Fluktuationen sind verschieden. Es ist jedoch zu berücksichtigen, daß in der Bamberger Statistik nur drei Konvente erfaßt wurden, eine gewisse Dunkelziffer mag sich unter „Sonstige" verbergen.

So bleibt als übereinstimmendes Ergebnis aller drei Diözesen hervorzuheben, daß der Priesternachwuchs sich nach dem Abfall um 1525 stetig, wenn auch für die drei Diözesen in unterschiedlichen Wachstumsraten, hob. Über die Rekrutierung ist damit jedoch nichts ausgesagt.

Materialien zum Bamberger Protestantismus am Ende des 16. Jahrhunderts

Tabelle 1: Erwachsene „Personen"[1], Ehepaare, Verwitwete, Lutheraner in der Pfarrei St. Martin in Bamberg 1596[2]
Quelle: Bamberg Ordinariatsarchiv (Nr.) 439 „Adventsopferkollektenliste"

Quartier	Personen	M	M+F	Witwer	Witwen	L+L	C+L	L+C	WrL	WnL
Under Kramen	58	30	22	1	5	2	9	–	–	2
Zinckenwörth vor	55	20	24	4	7	5	7	1	4	2
Zinckenwörth uber	184	130	38	2	14	4	11	3	–	3
Langgasse	84	36	32	7	9	6	10	1	3	1
Kesslergasse	67	30	26	3	8	5	5(6)[3]	1	1	5
Am Markt	55	30	22	1	2	7	2	3	1	1
Vor St. Martin	110	68	36	–	6	5	12	1	–	–
Fischmarkt	111	66	36	2	7	5	12	–	1	2
Hinter St. Martin	131	102	14	1	14	3	4	–	1	1
Frauengasse	90	68	14	1	7	2	5	–	–	–
Fleischgasse	48	28	14	–	6	2	5	–	–	1
Innerhalb Seesbrücke	54	30	22	1	1	1	6	3	–	–
Kliebersgasse	49	32	8	–	9	–	4	–	–	1
In Weyth/Vogelgasse	41	32	8	–	1	1	3	–	–	–
Jenshalb Seessbrücke	296	260	22	3	11	5[4]	4	2	1	2
Froschgrube/Steinweg	103	88	10	1	4	3	2	–	1	–
St. Gangolf	388	332	24	2	30	8	–	4	1	–
Wunderburg	94	82	–	2	10	–	–	–	1	–
	2010	1473	372	31	151	63	101	19	14	21

[1] Personen sind die in der Liste namentlich aufgeführten Personen sowie die am Schluß jeder Namensliste der Quartiere summierten Ehepartner, bei rein katholischen Ehen steht nur der Name des Mannes (= M), bei Mischehen und rein lutherischen Ehen ist die Frau ohne Namen, jedoch mit „uxor" bezeichnet (M+F), Witwer sind mit „viduus", Witwen mit „vidua" bezeichnet (Wr) (Wn). L = lutherisch, L+L = rein lutherische Ehepaare, C+L = männlicher Ehepartner katholisch, weiblicher lutherisch, L+C = männlicher Ehepartner lutherisch, weiblicher katholisch, WrL = lutherischer Witwer, WnL = lutherische Witwe.

[2] Die Zahlen sind überprüft.

[3] Ein Name mit dem Zusatz „uxor", möglicherweise wurde die Bezeichnung L vergessen.

[4] Eine männliche Person, bezeichnet mit L (= lutherisch), jedoch ohne den Zusatz uxor.

Tabelle 2: Erwachsene Personen, männliche und weibliche Lutheraner absolut und prozentual.
Quelle: wie Tabelle 1.

Rang L		1 Pers.	2 LM	3 LF	4 L	5 %L von 1	6 abger. aufger.	7 %Anteil an allen L	8 Fr v. L	9 M v. L
5	Under Kramen	58	2(4)	13	15	25,86	26	5	87	13
1	Zinckenwörth vor	55	10	14	24	43,63	44	8	58	42
10	Zinckenwörth uber	184	7	18	25	13,58	14	9	72	28
4	Langgasse	84	10	17	27	32,14	32	9	63	37
3	Kesslergasse	67	15	7	22	32,83	33	8	32	68
2	Am Markt	55	11	10	21	38,18	38	7	48	52
7	Vor St. Martin	110	6	17	23	20,9	21	8	74	26
6	Fischmarkt	111	6	19	25	22,52	23	8	76	24
14	Hinter St. Martin	131	4	8	12	9,16	9	4	67	33
13	Frauengasse	90	2	8	10	11,11	11	3	80	20
9	Fleischgasse	48	2	7	9	18,75	19	3	78	22
8	Innerhalb Seesbrücke	54	4	7	11	20,37	20	4	64	36
11	Kliebersgasse	49	0	6	6	12,14	12	2	100	—
12	In Weyth/Vogelgasse	41	1	4	5	12,19	12	2	80	20
17	Jenshalb Seessbrücke	269	8	10	18	6,08	6	6	56	44
15	Froschgrube/Steinweg	103	5	5	10	9,7	8	3	50	50
16	St. Gangolf	388	13	12	25	6,44	6	9	48	52
18	Wunderburg	94	—	—	—	0	0	0	—	—
		2018	106	182	288	14,27	14		63	37

Tabelle 3: Quartiere der Pfarrei St. Martin in Bamberg nach der Höhe des prozentualen Anteils der Lutheraner.

1. Zinkenwörth vor	44	10. Zinkenwörth über	14
2. Markt	38	11. Kliebersgasse	12
3. Keßlergasse	33	12. In der Weythen	12
4. Langgasse	32	13. Frauengasse	11
5. Unterm Kramen	26	14. Hinter St. Martin	9
6. Fischmarkt	23	15. Froschgrube	8
7. Vor St. Martin	21	16. St. Gangolf	6
8. Innerhalb Seesbrücke	20	17. Jenseits Seesbrücke	6
9. Fleischgasse	19	18. Wunderburg	0

Liste 4:

Anteil der Mischehen und der rein lutherischen Ehen an allen Ehen (= 897)	20,72 %
Anteil der rein lutherischen Ehen an allen Ehen	7,01 %
Anteil der Mischehen mit weiblichem lutherischem Partner	11,25 %
Anteil der Mischehen mit männlichem lutherischem Partner	2,11 %
Anteil der Verwitweten an ‚Personen'	9,05 %
Anteil der Witwen an Verwitweten	82,96 %
Anteil der lutherischen Witwen an Witwen	13,9 %
Anteil der lutherischen Witwer an Witwern	2,2 %

257

Liste 5: Quartierbezeichnungen nach der Adventsopferkollektenliste

1. Undern kramen unnd bey den vieraimern
2. Zinckhenwerth vor dem Brukhle, Lemblesgäßlein unnd Newegaßen
3. Zinckenwerth uber das Bruckhlein hinuber
4. Langgassenn
5. Keßlersgaßen unnd hinderm Lochhauß
6. Am Marckh
7. Vor S. Martin unnd hinder der Schießhutten/Rosen Geßlein
8. Uffm Fischmarckh unnd In der Awe(n)
9. Hinder S. Martin. Im Abtswerth/Esels Gassen unnd uffm Graben
10. Frawe(n)gaßen
11. Fleischgassen
12. Innerhalb der Seeßbruckhen
13. Kliebers Gassen
14. Inn Weythen/Inn der Fogelgassen
15. Jenßhalb der Seeßbruckhen an der Linckhen hand der Sigengaßen hinaus/An der Rechten hannd der Sigen gaßen hinaus
16. Inn der Froshgruben/Am Steinweg
17. In der Munitheten bey S. Gangolff/In der Lausach/Uffm HuntsPuel/Im EckhelSehe
18. Wunderburg

Siglen

ADB	— Allgemeine Deutsche Biographie, 1875—1912
AHUA	— Archiv des Historischen Vereins für Unterfranken und Aschaffenburg (Bandzahl)
ARC	— Acta Reformationis Catholicae . . ., 1959 ff.
ARG	— Archiv für Reformationsgeschichte
CR	— Corpus Reformatorum
Dkp	— (Würzburg Staatsarchiv) Domkapitelsprotokolle
HZ	— Historische Zeitschrift
KiG	— Kirchengeschichte
ldf	— (Würzburg Staatsarchiv) libri diversarum formarum
LThK	— Lexikon für Theologie und Kirche, 2. Auflage, 1957—1968
MGSLK	— Mitteilungen der Gesellschaft für Salzburger Landeskunde
NBD	— Nuntiaturberichte aus Deutschland
ND	— Neudruck
NDB	— Neue Deutsche Biographie, 1953 ff.
N.F.	— Neue Folge
QGWT	— Quellen zur Geschichte der Wiedertäufer
RE	— Realencyclopädie für protestantische Theologie und Kirche, 3. Auflage, 1896—1913
RGG	— Die Religion in Geschichte und Gegenwart, 3. Auflage, 1957—1965
RP	— (Würzburg Stadtarchiv) Ratsprotokoll
RST	— Reformationsgeschichtliche Studien und Texte
RTA JR	— Deutsche Reichstagsakten. Jüngere Reihe (Bandzahl)
Stdbch	— (Würzburg Staatsarchiv) Standbuch
SVRG	— Schriften des Vereins für Reformationsgeschichte
UB HS	— (Würzburg) Universitätsbibliothek Handschriften
UKB	— (Tschackert) Urkundenbuch
WA	— Martin Luther. Werke. Weimarer Ausgabe. Kritische Gesamtausgabe. Weimar 1883 ff.
WAB	— Martin Luther. Werke. Weimarer Ausgabe. Briefwechsel. 1930 ff.
WDGBll	— Würzburger Diözesangeschichtsblätter
ZwüLaG	— Zeitschrift für württembergische Landesgeschichte

Verzeichnis der gedruckten Quellen und der Literatur

Wilhelm *Abel:* Massenarmut und Hungerkrisen im vorindustriellen Deutschland (Kleine Vandenhoeck-Reihe 352—354). Göttingen: *1972.*

Josef F. *Abert:* Die Wahlkapitulationen der Würzburger Bischöfe bis zum Ende des 17. Jahrhunderts. In: AHUA 46, *1904,* 27—186.

Rudolf *Ackermann:* Religiöse Duldung. In: *Steitz 1962,* 45—55.

Franz *Allweyer:* Der Einfluß der Reformation auf das württembergische Armenwesen (diss. phil. Erlangen 1929). Erlangen: *1929.*

Paul *Althaus:* Zur Charakteristik der evangelischen Gebetsliteratur im Reformationsjahrhundert. Leipzig: *1914.*

Paul *Althaus:* Forschungen zur Evangelischen Gebetsliteratur. Gütersloh: *1927.*

August *Amrhein:* Reihenfolge der Mitglieder des adeligen Domstiftes zu Würzburg, St. Kilians-Brüder genannt, von seiner Gründung bis zur Säkularisierung 742—1803. In: AHUA 33, *1890,* 1—380.

August *Amrhein:* Die Würzburger Zivilgerichte erster Instanz. 1. Teil. In: AHUA 56, *1914,* 73—211.

August *Amrhein:* Reformationsgeschichtliche Mitteilungen aus dem Bistum Würzburg 1517—1573 (RST 41/42). Münster: *1923.*

Johannes *Apel:* Defensio Johannis Apelli ad Episcopum Herbipolensem pro suo Coniugio. — Praefixa Martini Lutheri Epistola ad Crotum — de eadem defensione. *1524.*

Konrad *Arneth:* Obere Pfarre und Kaulberg. Studien zur Entwicklung der Stadt Bamberg. In: Bericht des Historischen Vereins Bamberg 92, *1953,* 162—271.

Klaus *Arnold:* Johannes Trithemius (1462—1516) (Quellen und Forschungen zur Geschichte des Bistums und Hochstifts Würzburg 23). Würzburg: *1971* (= Arnold 1).

Klaus *Arnold:* Johannes Trithemius. In: Fränkische Lebensbilder 5, *1973,* 45—63 (= Arnold 1973 (1)).

Klaus *Arnold:* Johannes Trithemius De Laude Scriptorum (Mainfränkische Hefte 60, 1973). Würzburg: *1973* (= Arnold 1973 (2)).

Klaus *Arnold:* Johannes Trithemius und Bamberg: Oratio ad clerum Bambergensem. In: Bericht des Historischen Vereins Bamberg 107, *1971,* 161—189 (= Arnold 2).

Siegfried *Bachmann:* Die Landstände des Hochstifts Bamberg. In: Berichte des Historischen Vereins Bamberg 98, *1962,* 1—337.

Johannes *Baier:* Geschichte der beiden Karmeliterklöster mit besonderer Berücksichtigung des ehemaligen Reuerinnenklosters in Würzburg. Würzburg: *1902.*

Gustav *Bauch:* Die Universität Erfurt im Zeitalter des Frühhumanismus. Breslau: *1904.*

Bernward *Bauer:* 750 Jahre Franziskaner-Minoriten in Würzburg. In: *Sehi 1972,* 59—147.

Günther *Bauer:* Anfänge täuferischer Gemeindebildungen in Franken (Einzelarbeiten aus der Kirchengeschichte Bayerns 43). Nürnberg: *1966.*

Lothar *Bauer:* Die Bamberger Weihbischöfe Johann Schöner und Friedrich Förner. Beiträge zur Gegenreformation in Bamberg. In: Bericht des Historischen Vereins Bamberg 101, *1965,* 305—528.

Franz Ludwig *Baumann:* Quellen zur Geschichte des Bauernkrieges aus Rothenburg ob der Tauber (Bibl. d. lit. Vereins 139). Tübingen: *1878.*

Peter *Baumgart:* Zur Reichs- und Ligapolitik Fürstbischofs Julius Echter am Vorabend des Dreißigjährigen Krieges. In: *Merzbacher* Gedenkschrift *1973,* 37—62.

Arthur *Bechthold:* Aus dem alten Würzburg. Beiträge zur Kulturgeschichte der Stadt Würzburg. Würzburg: *1940.*

Hermann *Beck:* Die religiöse Volksliteratur der evangelischen Kirche Deutschlands in einem Abriß ihrer Geschichte (Zimmers Handbibliothek der praktischen Theologie 10). Gotha: *1891.*

Hermann *Beck:* Die Erbauungsliteratur der evangelischen Kirche Deutschland von Dr. M. Luther bis Martin Moller. Erlangen: *1883.*

Hermann *Becker:* Der Speyerer Reichstag von 1570. Ein Beitrag zur Geschichte des 16. Jahrhunderts. Diss. phil. Mainz 1969. Mainz: *1969.*

Franz J. *Bendel:* Die Würzburger Diözesanmatrikel aus der Mitte des 15. Jahrhunderts. In: WDGBll 2, *1934,* I-XXX, 1—46.

Franz J. *Bendel:* Die Gefangennahme des Pfarrers zu Winterhausen, Mag. Vitus Treu, in Würzburg im Jahre 1585. In: Zeitschrift für bayerische Kirchengeschichte 14, *1939,* 94—105.

Josef *Benzing:* Die Buchdrucker des 16. und 17. Jahrhunderts im deutschen Sprachgebiet (Beiträge zum Buch- und Bibliothekswesen 12). Wiesbaden: *1963.*

Josef *Benzing:* Lutherbibliographie. Verzeichnis der gedruckten Schriften Martin Luthers bis zu dessen Tod (Bibliotheca Bibliographica Aureliana 10, 16, 19). Baden-Baden: *1966.*

Josef *Benzing:* Die Frühdrucke der Hofbibliothek Aschaffenburg bis zum Jahre 1550 (Veröffentlichungen des Geschichts- und Kunstvereins Aschaffenburg 11). Aschaffenburg: *1968.*

Josef *Benzing:* Bibliographie Haguenovienne (Bibliotheca Bibliographica Aureliana 50). Baden-Baden: *1973.*

Georg *Berbig:* Die erste kursächsische Visitation im Ortsland Franken. In: ARG 12, *1906,* 336—402.

Andreas *Bigelmair:* Das Konzil von Trient und das Bistum Würzburg. In: *Schreiber 1951,* 39—91.

Joachim *Birkner:* Das Bistum Freising in den ersten Jahren der Reformation. In: Frisinga 2, *1925,* 3—17.

Joachim *Birkner:* Augustinus Marius, Weihbischof von Freising, Basel und Würzburg (1485—1543). Ein Lebensbild (RST 54). Münster: *1930.*

Peter *Blickle:* Die Revolution von 1525. München, Wien: *1975.*

Ingomar *Bog:* Über Arme und Armenfürsorge in Oberdeutschland und in der Eidgenossenschaft im 15. und 16. Jahrhundert. In: Jahrbuch für Fränkische Landesforschung 34/35, *1975,* 983—1001.

Eduard *Böcking:* Drei Abhandlungen über reformationsgeschichtliche Schriften. Leipzig; *1858.*

Eduard *Böcking* (Hg.): Ulrich von Hutten Schriften. Band 1 und 5. Leipzig: *1859* und *1861.*

Hans *Bösch:* (Ratsbibliothek Sommerhausen). In: Zentralblatt für Bibliothekswesen 12, *1895,* 186 f.

Wilhelm *Borth:* Die Luthersache (Causa Lutheri) 1517—1524 (Historische Studien 414). Lübeck, Hamburg: *1970.*

Gustav *Bossert:* Paul Speratus, seine Herkunft und sein Familienname. In: Blätter für württembergische Kirchengeschichte 1, *1886,* 29—31, 35—39.

Gustav *Bossert:* Briefe zur Geschichte der Reformation in Franken. In: Theologische Studien aus Württemberg 9, *1888,* 79—80.

Gustav *Bossert:* Noch etwas über Paul Speratus. In: Württembergische Vierteljahreshefte N. F. 30, *1921,* 193—201.

Gustav *Bossert* (Hg.): Quellen zur Geschichte der Wiedertäufer 1: Herzogtum Württemberg. Leipzig: *1930.*

Vitus *Brander:* Studien zur Rechtsgeschichte des Juliusspitals in Würzburg. In: WDGBll 21, *1959,* 137—156.

C. *Braun:* Geschichte der Heranbildung des Klerus in der Diöcese Wirzburg seit ihrer Gründung bis zur Gegenwart. 2 Bände. Würzburg: *1889, 1897.*

Walter M. *Brod:* Mainfränkische Kalender aus vier Jahrhunderten, Inkunabel- und Wappenkalender. Würzburg: *1952.*

Anton Philipp *Brück:* Stadt und Erzstift Mainz im Schmalkaldischen Krieg. In: Hessisches Jahrbuch für Landesgeschichte 4, *1954,* 155—185.

Anton Philipp *Brück:* Pfalzgraf Reichart von Simmern als Kandidat für den Mainzer Erzstuhl 1555. In: Blätter für pfälzische Kirchengeschichte und religiöse Volkskunde 21, *1956,* 2—11.

Anton Philipp *Brück:* Der Mainzer Regierungswechsel im Jahre 1582. In: Mainzer Almanach *1957,* 116—144.

Anton Philipp *Brück:* Die Mainzer Domprediger des 16. Jahrhunderts. In: Hessisches Jahrbuch für Landesgeschjchte 10, *1960,* 132—148.

Anton Philipp *Brück:* Die Mainzer Dompfarrer des 16. Jahrhunderts. In: Archiv für mittelrheinische Kirchengeschichte 12, *1960,* 148 ff.

Anton Philipp *Brück:* Die Nuntien Vergerio und van den Vorst in Würzburg (1535—1536). In: WDGBll 26, *1964,* 290—295.

Anton Philipp *Brück:* Kardinal Albrecht von Brandenburg, Kurfürst und Erzbischof von Mainz. In: Fritz *Reuter* (Hg.): Der Reichstag zu Worms von 1521. Reichspolitik und Luthersache. Worms: *1971,* 257—270.

Anton Philipp *Brück:* Johann Adam von Bicken, Erzbischof und Kurfürst von Mainz 1601—1604. In: Archiv für mittelrheinische Kirchengeschichte 23, *1971,* 147—187.

Anton Philipp *Brück:* Geschichte der Stadt Mainz. Teil 5: Mainz vom Verlust der Stadtfreiheit bis zum Ende des Dreißigjährigen Krieges (1462—1648). Düsseldorf: *1972.*

Johann Nepomuk *Buchinger:* Julius Echter von Mespelbrunn, Bischof von Würzburg und Herzog von Franken. Würzburg: *1843.*

Franz Xaver *Buchner:* Quellen und Forschungen zur Eichstätter Diözesangeschichte (Reformatorische Strömungen). In: Pastoralblatt des Bistums Eichstätt 21, *1919,* 73—75.

Franz Xaver *Buchner:* Das Bistum Eichstätt und das Konzil von Trient. In: *Schreiber 1951,* 93—117.

Franz Bernhard von *Bucholtz:* Geschichte der Regierung Ferdinands des Ersten. IX: Urkunden (Einleitung Berthold Sutter). ND Graz: *1968.*

Lawrence *Buck,* J. W. *Zophy:* The Social History of the Reformation. Columbus: *1972.*

Christian *Bürckstümmer:* Geschichte der Reformation und Gegenreformation in der ehemaligen freien Reichsstadt Dinkelsbühl (1524—1648) (SVRG 115/116, 119/120). Leipzig: *1914/1915.*

Benno von *Bundschuh:* Die Stellung Würzburgs zur christlichen Einigung 1538. In: WDGBll 27, *1965,* 12—28.

Helene *Burger:* Nürnberger Totengeläutbücher 3: St. Sebald 1517—1572 (Freie Schriftenfolge der Gesellschaft für Familienforschung in Franken 19). Neustadt/Aisch: *1972.*

Joannis *Calvini* opera (hg. v. Wilhelm Baum, Eduard Cunitz, Eduard Reuss) Band 17: Epistolae 8. Braunschweig: *1877.*

Benedikt *Caspar:* Das Erzbistum Trier im Zeitalter der Glaubensspaltung bis zur Verkündigung des Tridentinums in Trier im Jahre 1569 (RST 90). Münster: *1966.*

Anton *Chroust* (Hg.): Die Chroniken der Stadt Bamberg. 2 Bde. (Veröff. der Gesellschaft f. fränkische Gesch. 1.1, 1.2). Leipzig: *1907, 1910.*

Claus-Peter *Clasen:* Anabaptism. A Social History 1525—1618. Switzerland, Austria, Moravia, South and Central Germany. Ithaca, London: *1972.*

Otto *Clemen:* Ein Brief Johann Polianders an Mosellan (1522). In: Neue Jahrbücher f. Pädagogik 3 (= Neue Jahrbücher für das klassische Altertum, Geschichte und deutsche Literatur und für Pädagogik 6, 1900, Teil 2), *1900,* 395—400.

Otto *Clemen:* Reformationsgeschichtliches aus drei Sammelbänden der Königsberger Stadtbibliothek. In: Zeitschrift für Kirchengeschichte 49, NF 12, *1930,* 159—188.

Victor *Conzemius:* Jakob III von Eltz, Erzbischof von Trier (1567—1581). Ein Kurfürst im Zeitalter der Gegenreformation (Veröff. des Instituts für Europäische Geschichte Mainz, Abt. für Abendländische Religionsgeschichte 12). Wiesbaden: *1956.*

Carl Johann *Cosack:* Paulus Speratus, Leben und Lieder. Braunschweig: *1861.*

Carl Johann *Cosack:* Literarum asceticarum, quae reperiuntur inter evangelicos germanos. Regiomonti: *1862.*

Carl Johann *Cosack:* Zur Geschichte der evangelischen ascetischen Literatur in Deutschland. Basel, Ludwigsburg: *1871.*

William J. *Courtenay:* Token Coinage and the Administration of Poor Relief during the Late Middle Ages. In: Journal of Interdisciplinary History 3, *1972/73,* 275—295.

Martin *Cronthal:* Die Stadt Würzburg im Bauernkriege (hg. von Michael Wieland). Würzburg: *1887.*

Franz Paul *Datterer:* Des Cardinals und Erzbischofs von Salzburg Matthäus Lang Verhalten zur Reformation (Von Beginn seiner Regierung 1519 bis zu den Bauernkriegen 1525). (Diss. phil. Erlangen). Freising: *1890.*

Natalie Zemon *Davis:* Poor Relief, Humanism, and Heresy. In: Society and Culture in Early Modern France. London: *1975,* 17—64.

Adalbert *Deckert:* Das ehemalige Karmelitenkloster zu Bamberg in der Au. In: Bericht des Historischen Vereins . . . Bamberg 91, *1952,* 1—351.

Paul *Dedic:* Verbreitung und Vernichtung evangelischen Schrifttums in Innerösterreich im Zeitalter der Reformation und Gegenreformation. In: Zeitschrift für KiG 57, *1938,* 433—458.

Ignaz Philipp *Dengel* (Hg.): Nuntius Biglia 1566 (Juni) — 1569 (Dezember) etc. (NBD 2/6). Wien: *1939.*

Ignaz *Denzinger:* Geschichte des Clarissenklosters zu St. Agnes in Würzburg. In: AHUA 13, *1855,* 1—110.

Josef *Deutsch:* Kilian Leib, Prior von Rebdorf. Ein Lebensbild aus dem Zeitalter der deutschen Reformation (RST 15/16). Münster: *1910.*

A. G. *Dickens:* The German Nation and Martin Luther. London: *1974.*

Karl *Dinklage:* Fünfzehn Jahrhunderte Münnerstädter Geschichte. Münnerstadt: *1935.*

263

Volker *Dotterweich*, Walther Peter *Fuchs* (Hgg.): Leopold von Ranke: Vorlesungseinleitungen (Aus Werk und Nachlaß 4). München, Wien: *1975.*

dtv-Lexikon der Antike. Religion, Mythologie. 2 Bde. München: *1970.*

Erwin *Dümig:* Die Ratsprotokolle der Stadt Würzburg im 17. Jahrhundert (1600—1700) als Rechtsquelle (diss. jur. Würzburg 1974). Würzburg: *1974.*

Alastair *Duke:* The Face of Popular Religious Dissent in the Low Countries 1520—1530. In: The Journal of Ecclesiastical History 26, *1975,* 41—67.

Karl *Eder:* Glaubensspaltung und Landstände in Österreich ob der Enns 1525—1602. (Studien zur Reformationsgeschichte Oberösterreichs 2). Linz: *1936.*

Sigismund Justus *Ehrhardt:* Historische Erzählung von dem Betragen derer Hochwürdigsten des Heil. Römischen Reichs Fürsten und Bischöffe zu Würtzburg gegen die Evangelisch-Lutherische Religion. Erstes Stück, zweyte und vermehrte Auflage. Halle: *1763.*

Stephan *Ehses*, Aloys *Meister* (Hgg.): Die Kölner Nuntiatur, 1. Hälfte: Bononi in Köln (NBD 1585—1604) (Quellen und Forschungen aus dem Gebiete der Geschichte 4). Paderborn: *1895.*

Rudolf *Endres:* Probleme des Bauernkrieges im Hochstift Bamberg. In: Jahrbuch für Fränkische Landesforschung 31, *1971,* 91—138.

Rudolf *Endres:* Das Armenproblem im Zeitalter des Absolutismus. In: Jahrbuch für Fränkische Landesforschung 34/35, *1975,* 1003—1020.

Rudolf *Endres:* Zünfte und Unterschichten als Elemente der Instabilität in den Städten. In: HZ Beiheft 4 (N.F.) *1975,* 151—170.

Josef *Engel* (Hg.): Die Entstehung des neuzeitlichen Europa (Handbuch der europäischen Geschichte, hg. von Theodor Schieder Bd. 3). Stuttgart: *1971.*

Wilhelm *Engel:* Magister Lorenz Fries (1491—1550) (Mainfränkische Hefte 11). Würzburg: *1951.*

David *Erdmann:* Johann Poliander. In: RE³ 15, *1904,* 525—528.

Alexander *Erhard:* Geschichte der Stadt Passau. 2 Bde. Passau: *1862, 1864.*

Otto *Erhard:* Johann Schwanhäuser, der Reformator Bambergs. In: Beiträge zur bayerischen KiG 3, *1897,* 1—23, 55—74.

Otto *Erhard:* Die Reformation der Kirche in Bamberg unter Bischof Weigand 1522—1556. Erlangen: *1898.*

L. *Feuchtwanger:* Geschichte der sozialen Politik und des Armenwesens im Zeitalter der Reformation. In: Jahrbuch für Gesetzgebung, Verwaltung und Volkswirtschaft NF 32, *1908,* 1423—1460 (1. Teil), Heft 4, 168—204 (2. Teil).

Paul A. *Fideler:* Christian Humanism and Poor Law Reform in Early Tudor England. In: Societas 4, (4), *1974,* 269—285.

Georg *Finsler:* Zwingli-Bibliographie. Verzeichnis der gedruckten Schriften von und über Ulrich Zwingli. Zürich: *1897.* ND Nieuwkoop: *1964.*

Erhard *Florey:* Bischöfe, Ketzer, Emigranten. Der Protestantismus im Lande Salzburg von seinen Anfängen bis zur Gegenwart. Graz, Wien, Köln: *1967.*

Hildegunde *Flurschütz:* Die Verwaltung des Hochstifts Würzburg unter Franz Ludwig von Erthal 1779—1795 (diss. phil. Würzburg 1943). (Veröffentlichungen der Gesellschaft für Fränkische Geschichte IX, 19). Würzburg: *1965.*

Carl Eduard *Förstemann:* Album Academiae Vitebergensis ab A. Ch. 1502 usque ad A. 1602. Band 1. Leipzig: *1841.* ND Tübingen: *1962.*

Carl Eduard *Förstemann:* Neues Urkundenbuch zur Geschichte der evangelischen Kirchen-Reformation. Band 1. Hamburg: *1842.*

Günther *Franz:* Quellen zur Geschichte des Bauernkriegs (Ausgewählte Quellen zur Deutschen Geschichte der Neuzeit 2). Darmstadt: *1963.*

Günther *Franz:* Der deutsche Bauernkrieg. Darmstadt: *1975*[10] (*1962*[6]).

August *Franzen:* Die Kelchbewegung am Niederrhein im 16. Jahrhundert. Ein Beitrag zum Problem der Konfessionsbildung im Reformationszeitalter (KLK 13). Münster: *1955.*

Theobald *Freudenberger:* Der Würzburger Domprediger Dr. Johann Reyss. Ein Beitrag zur Geschichte der Seelsorge im Bistum Würzburg am Vorabend der Reformation (KLK 11). Münster: *1954.*

Theobald *Freudenberger:* Das Ringen um das Würzburger Reformstatut über das Lebensalter der Bewerber um Domvikarpfründen. In: WDGBll 26, *1964,* 197—282.

Theobald *Freudenberger:* Der Würzburger Domprediger Pater Andreas Sigifridus OSA. In: Scientia Augustiniana. Festschrift für Adular Zumkeller. Würzburg: *1975,* 641—685.

Ernst *Freys,* Hermann *Barge:* Verzeichnis der gedruckten Schriften des Andreas Bodenstein von Karlstadt. Nieuwkoop: *1965.*

Walter *Friedensburg* (Hg.): Nuntiatur des Morone 1536—1538. (NBD I, 2). Tübingen: *1892.*

Walter *Friedensburg:* Urkundenbuch der Universität Wittenberg 1. Magdeburg: *1926.*

Lorenz *Fries:* Die Geschichte des Bauern-Krieges in Ostfranken. Hg. v. August Schäffler, Theodor Henner. 2 Bände. Würzburg: *1876, 1883.*

Lorenz *Fries:* Historie, Nahmen, Geschlecht, Thaten, gantz Leben und Sterben der gewesenen Bischoffen zu Wirtzburg und Herzoge zu Franken. In: *Ludewig 1773.*

Hugo *Fröhlich:* Spuren der reformatorischen Bewegung in Kurtrier. In: Monatshefte für Mittelrheinische KiG 27, *1933,* 225—232; 28, *1934,* 127—128.

Hugo *Fröhlich:* Der Kurstaat Trier und die evangelische Volksbewegung des 16. Jahrhunderts. In: 400 Jahre. Kaspar Olevian 1559 und die Evangelische Gemeinde 1959. Simmern: *1959,* 27—38.

Hugo *Fröhlich:* Die Trierer Exulanten des 16. Jahrhunderts. In: Monatshefte für Evangelische KiG des Rheinlands 8, *1959,* 209—255.

Ulrike *Frommberger-Weber:* Spätgotische Buchmalerei in den Städten Speyer, Worms und Heidelberg (1440—1510). In: Zeitschrift für die Geschichte des Oberrheins 121 (NF 82), *1973,* 35—145.

Georg *Geisenhof:* Bibliotheca Bugenhagiana. Leipzig: *1908.* ND Nieuwkoop: *1963.*

Eugen *Giegler:* Die Gegenreformation des Fürstbischofs Julius Echter von Mespelbrunn und die Reichsstadt Schweinfurt. Diss. phil. (masch.) Tübingen: *1923.*

Karl *Gillert* (Hg.): Der Briefwechsel des Conradus Mutianus (Geschichtsquellen der Provinz Sachsen 18). Halle: *1890.*

Carlo *Ginzburg:* Il nicodemismo. Simulazione e dissimulazione religiosa nell' Europa del' 500 (Bibl. di cultura storica 107). Turin: *1970.*

J. F. G. *Goeters:* Der Trierer Reformationsversuch von 1559. In: 400 Jahre. Caspar Olevian 1559 und die Evangelische Gemeinde Trier 1959. Simmern: *1959,* 5—26.

Helmut *Goetz* (Hg.): Nuntiatur Delfinos etc. (1554—1559) (NBD 1/17). Tübingen: *1970.*

Johann Baptist *Götz:* Die religiöse Bewegung in der Oberpfalz von 1520—1560 (Erläuterungen und Ergänzungen zu Janssens Geschichte des deutschen Volkes 10, 1/2). Freiburg: *1914.*

Johann Baptist *Götz:* Die Primizianten des Bistums Eichstätt aus den Jahren 1493—1577. Ein Beitrag zur Geschichte des deutschen Klerus in der Reformationszeit (RST 63). Münster: *1934.*

Melchior *Goldast:* Politische Reichs Händel Das ist Allerhand gemeine Acten / Regimentssachen etc. Auß der Bibliotheck deß Edlen / Ehrenvesten und Hochgelehrten Herrn Melchior Goldast ... Frankfurt/M.: *1614.*

Pierre *Goubert:* L'Ancien Régime. Tome 1: La Société (Collection U). Paris: *1969².*

Joseph *Greving:* Johann Ecks Pfarrbuch für U. L. Frau in Ingolstadt. Ein Beitrag zur Kenntnis der pfarrkirchlichen Verhältnisse im 16. Jahrhundert (RST 4/5). Münster: *1908.*

Harold J. *Grimm:* Luther's Contribution to Sixteenth Century Organization of Poor-Relief. In: ARG 61, *1971,* 222—234.

Heinrich *Grimm:* Die Buchführer des deutschen Kulturbereichs und ihre Niederlassungsorte 1490—ca. 1550. In: Archiv für die Geschichte des Buchwesens 7, *1967,* Sp. 1153—1772.

Ignaz *Gropp:* Collectio novissima scriptorum et rerum Wirceburgensium a saeculo XVI., XVII., et XVIII. hactenus gestarum I. Frankfurt, Leipzig: *1741.*

Ignatius *Gropp:* Wirtzburgische Chronik, Deren letzeren Zeiten, Oder ordentliche Erzehlung deren Geschichten, Begebenheit= und Denckwürdigkeit ... 1. Teil 1500—1642. Würzburg: *1754.*

Erich von *Guttenberg,* Alfred *Wendehorst:* Das Bistum Bamberg. Die Pfarreiorganisation (Germania Sacra II, 1, 2). Berlin: *1966.*

Jean Pierre *Gutton:* La société et les pauvres. L'exemple de la généralité de Lyon. Paris: *1969.*

Jean Pierre *Gutton:* La société et les pauvres en Europe (XVIᵉ-XVIIIᵉ siècles). Paris: *1974.*

Basil *Hall:* The Reformation City. In: Bulletin of the John Rylands Library 54, *1971/72,* 103—148.

Karl *Hartfelder:* Philipp Melanchthon als Praeceptor Germaniae (Monumenta Germaniae Paedagogica 7). Berlin: *1889.*

Fritz *Hartung:* Geschichte des fränkischen Kreises. Darstellung und Akten. (Veröffentlichungen der Gesellschaft für fränkische Geschichte II/1). 1. Leipzig: *1910.*

Hans *Haussherr:* Wirtschaftsgeschichte der Neuzeit vom Ende des 14. bis zur Höhe des 19. Jahrhunderts. Köln, Graz: *1960³.*

J. *Haussleiter:* Ein Wort Luthers an Leonhard Päminger zu Passau. In: Beiträge zur bayerischen KiG 4, *1898,* 124—128.

Paul *Haustein:* Wirtschaftliche Lage und soziale Bewegungen im Kurfürstentum Trier während des Jahres 1525. In: Trierisches Archiv 12, *1908,* 46—64; 13, *1908,* 35—50.

Willibald *Hauthaler:* Cardinal Matthäus Lang und die religiös-sociale Bewegung seiner Zeit (1517—1540). In: MGSLK 35, *1895,* 149—201; 36, *1896,* 317—402.

R. *Heberle:* Art. Soziale Bewegungen. In: Wilhelm *Bernsdorf:* Wörterbuch der Soziologie 3 (Fischertb. 6133). Frankfurt/Main: *1972,* 715—717.

Philipp *Heffner* (Hg.): Sammlung der hochfürstlich-wirzburgischen Landesverordnungen, welche in geist- und weltlichen Justiz-, Landgerichts-, Kriminal-, Polizey-, Cammerar-, Jagd-, Forst- und andern Sachen von einigen Jahrhunderten bis daher verfasset, und durch offentlichen Druck verkündet worden sind. Band 1—3. Würzburg: *1776* ff.

266

Karl *Hegel* (Hg.): Die Chroniken der deutschen Städte vom 14. bis ins 16. Jahrhundert. Band 18: Die Chroniken der mittelrheinischen Städte: Mainz. 2 Bde. Leipzig: *1882*.

Franz *Heidingsfelder:* Die Zustände im Hochstift Eichstätt am Ausgang des Mittelalters und die Ursache des Bauernkrieges (Würzburger Studien zur Geschichte des Mittelalters und der Neuzeit 3). Leipzig: *1911*.

Joseph *Heller:* Reformationsgeschichte des ehemaligen Bisthums Bamberg. Bamberg: *1825*.

Fritz *Herrmann:* Die evangelische Bewegung zu Mainz im Reformationszeitalter. Mainz: *1907*.

J. *Hersam:* Fundation und Dotation des Juliusspitals. In: *Hessdörfer 1917*, 153—162.

Clemens Valentin *Hessdörfer* (Hg.): Julius Echter von Mespelbrunn, Fürstbischof von Würzburg und Herzog von Franken (1573—1617). Eine Festschrift. Würzburg: *1917*.

Martin *Hettiger:* Julius als Vater der Armen. In: *Hessdörfer 1917*, 190—223.

Max *Heuwieser:* Ruprecht von Mosham, Domdekan von Passau. In: Riezler-Festschrift. Beiträge zur bayerischen Geschichte (hrsg. von Karl Alexander von Müller). Gotha: *1913*, 115—192.

Hans Joachim *Hillerbrand:* Christendom Divided. The Protestant Reformation. New York, London: *1971*.

Franz Xaver *Himmelstein:* Synodicon Herbipolense. Geschichte und Statuten der im Bisthum Würzburg gehaltenen Concilien und Diözesansynoden. Würzburg: *1855*.

Irmgard *Höss:* Georg Spalatin. Weimar: *1956*.

Hanns Hubert *Hofmann:* Der Adel in Franken. In: Deutscher Adel 1430—1555, Büdinger Vorträge 1963. Hrsg. v. Hellmuth Rössler (Schriften zur Problematik der deutschen Führungsschichten in der Neuzeit 1). Darmstadt: *1965*, 95—126.

Michel *Hofmann:* Kleine Bamberger Heimatkunde und Stadtgeschichte. Bamberg: *1956*.

Hermann *Hoffmann:* Würzburger Polizeisätze. Gebote und Ordnungen des Mittelalters 1125—1495 (Veröffentlichungen der Gesellschaft für fränkische Geschichte X/5). Würzburg: *1955*.

H. *Holstein:* Johannes Sinapius, ein deutscher Humanist (1505—1561) (19. Jahresbericht über das Kgl. Gymnasium in Wilhelmshaven. Ostern 1901). Wilhelmshaven: *1901*.

Hildebrecht *Hommel:* Symbola 1: Kleine Schriften zur Literatur- und Kulturgeschichte der Antike. Hg. v. Burkhard Gladigow (Collectanea 5). Hildesheim, New York: *1976*.

Hildebrecht *Hommel:* Der Würzburger Athenäus-Codex aus Reuchlins Besitz. In: Neue Heidelberger Jahrbücher *1938*, 88—104. Wiederabgedr. in: *Hommel 1976*, 411—428.

Wilhelm *Hotzelt:* Veit II. von Würtzburg, Fürstbischof von Bamberg 1561—1577 (Studien und Darstellungen aus dem Gebiete der Geschichte 9, 3/4). Freiburg i. Br.: *1919*.

Franz *Huter* (Hg.): Alpenländer mit Südtirol (Handbuch der historischen Stätten Österreichs 2). Stuttgart: *1966*.

Index Aureliensis. Catalogus librorum sedecimo saeculo impressorum. Baden-Baden: *1965* ff.

Helmut *Jäger:* Die mainfränkische Kulturlandschaft zur Echter-Zeit. In: Merzbacher *1973*, 7—33.

Otto *Jung:* Dr. Michael Beuther aus Karlstadt. Ein Geschichtsschreiber des 16. Jahrhunderts (1522—1587) (Mainfränkische Hefte 27). Würzburg: *1957*.

S. *Kadner:* Drei Aktenstücke zur Geschichte der Gegenreformation in Unterfranken. In: Beiträge zur bayerischen KiG 6, *1900*, 270—273.

Paul *Kalkoff:* W. Capito im Dienste Erzbischof Albrechts von Mainz. Quellen und Forschungen zu den entscheidenden Jahren der Reformation (1519—1523). (Neue Studien zur Geschichte der Theologie und der Kirche 1). Berlin: *1907.*

Paul *Kalkoff:* Die Vollziehung der Bulle „Exsurge". In: Zeitschrift für KiG 39, (N.F. 2), *1921,* 41 ff.

Hermann *Kellenbenz:* Zur Sozialstruktur der rheinischen Bischofsstädte in der frühen Neuzeit. In: Franz *Petri* (Hg.): Bischofs- und Kathedralstädte des Mittelalters und der frühen Neuzeit. (Städteforschung, Veröffentlichungen des Instituts für vergleichende Städtegeschichte in Münster, Reihe A, Band 1). Köln, Wien: *1976,* 118—145.

Gottfried *Kentenich:* Die Entstehung der bürgerlichen Selbstverwaltung in Trier im Mittelalter. In: Trierisches Archiv 11, *1907,* 56—70.

Gottfried *Kentenich:* Geschichte der Stadt Trier von ihrer Gründung bis zur Gegenwart. Trier: *1915.*

Wilfried *Keplinger:* Eine unveröffentlichte Chronik über die Regierung Erzbischof Wolfdietrichs. In: MGSLK 95, *1955,* 67—91.

Dietrich *Kerler:* Nachträgliches über den Würzburger Weibischof Johannes Pettendorfer. In: Beiträge zur bayerischen KiG 6, *1900,* 89—91.

Erich *Keyser,* Heinz *Stoob:* Bayerisches Städtebuch, Teil 2 (Deutsches Städtebuch 5). Stuttgart, Berlin, Köln, Mainz: *1974.*

Rudolf *Kink:* Geschichte der kaiserlichen Universität zu Wien. Bd. 1, 2. Teil. Wien: *1854.*

Johannes *Kist:* Das Bamberger Domkapitel von 1399 bis 1556 (Historisch-Diplomatische Forschungen 7). Weimar: *1943.*

Johannes *Kist:* Zur Lebensgeschichte des Würzburger Weihbischofs Johann Pettendorfer (1512—1525). In: WDGBll 13, *1951,* 159.

Johannes *Kist:* Die Matrikel der Geistlichkeit des Bistums Bamberg 1400—1556 (Veröffentlichungen der Gesellschaft für fränkische Geschichte 4. Reihe, 7). Würzburg: *1965.*

J. B. *Kissling:* Lorenz Truchseß von Pommersfelden (1473—1543), Domdechant von Mainz. Ein Zeit- und Lebensbild aus der Frühzeit der Kirchenspaltung. In: Der Katholik 3. F. 33, *1906,* 1—27, 93—124, 167—201.

James M. *Kittelson:* Wolfgang Capito. From Humanist to Reformer (Studies in Medieval and Reformation Thought 17). Leiden: *1975.*

Herbert *Klein:* Salzburg und seine Landstände von den Anfängen bis 1861. In: 100 Jahre selbständiges Land Salzburg. Festschrift des Salzburger Landtages zur Landesfeier am 15. Mai 1961. Salzburg: *1961,* 124—147. Auch in: Beiträge zur Siedlungs-, Verfassungs- und Wirtschaftsgeschichte von Salzburg. Gesammelte Aufsätze von Herbert *Klein.* Festschrift zum 65. Geburtstag von Herbert *Klein* (MGSLK Ergänzungsband 5, *1965,* 115—136).

Herbert *Knittler:* Städte und Märkte (Herrschaftsstruktur und Ständebildung. Beiträge zur Typologie der österreichischen Länder aus ihren mittelalterlichen Grundlagen 2). München: *1973.*

Gustav C. *Knod:* Deutsche Studenten in Bologna (1289—1562). Biographischer Index zu den Acta nationis Germanicae universitatis Bononiensis. Berlin: *1899.*

Karl *Köchl:* Die Bauernkriege im Erzstift Salzburg in den Jahren 1525 und 1526. In: MGSLK 47, *1907,* I—VI, 1—117.

Karl *Köchl:* Bauernunruhen und Gegenreformation im salzburgischen Gebirge 1564/65. In: MGSLK 50, *1910,* 107—156.

Hans-Joachim *König:* Paul Speratus von Rötlen. In: Ellwanger Jahrbuch 18, *1958—1959,* 80—88.

Hans-Joachim *König:* Aus dem Leben des Schwaben Paul Speratus. In: Blätter für württembergische KiG 62, *1962,* 7—63, Teil 2: ibid. 63, *1963,* 104—138.

Hans-Joachim *König:* Der Lebensweg des evangelischen Bischofs Paul Speratus (1484 bis 1551). In: Alt-Dinkelsbühl, Mitteilungen aus der Geschichte Dinkelsbühls und seiner Umgebung (Beilage der Fränkischen Landeszeitung) 43, Nr. 1, *1963,* 22—39(1).

Hans-Joachim *König:* Paul Speratus. Reformator, Organisator des Kirchenwesens in Ostpreußen, evangelischer Bischof von Pomesanien (1484—1551). In: Lebensbilder aus Schwaben und Franken 9, *1963,* 18—39(2).

Theodor *Kolde:* Art.: Haner, Johann. In: RE³ 7, *1899,* 400.

Theodor *Kolde:* Ein evangelisch gewordener Weihbischof von Würzburg. In: Beiträge zur bayerischen KiG 3, *1897,* 49 f.

Theodor *Kolde:* P. Speratus und J. Poliander als Domprediger in Würzburg. In: Beiträge zur bayerischen KiG 6, *1900,* 49—75.

Andreas *Kraus:* Gestalten und Bildungskräfte des fränkischen Humanismus. In: *Spindler 1971,* 557—580.

L. H. *Krick:* Das ehemalige Domstift Passau und die ehemaligen Kollegiatstifte des Bistums Passau. Passau: *1922.*

Christian *Krollmann:* Die Bibliothek des M. Johannes Poliander. In: C. *Krollmann,* Geschichte der Stadtbibliothek zu Königsberg. Königsberg: *1929,* 5—20 u. Anh. 1—66.

Christian *Krollmann:* Neues von Johannes Poliander. In: Mitteilungen d. Vereins f. d. Geschichte von Ost- und Westpreußen 1, *1926—27,* 20—32.

Arnold *Kuczyński:* Thesaurus libellorum historiam reformationis illustrantium . . . Leipzig: *1870—1877.* ND Nieuwkoop: *1969.*

Hermann *Lange:* Apel, Johann. In: NDB 1, *1953,* 322.

Franz *Lau:* Der Bauernkrieg und das angebliche Ende der lutherischen Reformation als spontaner Volsbewegung. In: Luther-Jahrbuch 26, *1959,* 109—134. Wiederabgedruckt in: Walther *Hubatsch* (Hg.): Wirkungen der deutschen Reformation bis 1555 (Wege der Forschung 202). Darmstadt: *1967,* 68—100.

Franz *Lau:* La vie religieuse dans les pays protestants de langue allemande à la fin du 16ᵉ siècle. In: Colloque d'histoire religieuse (Lyon, octobre 1963). Grenoble: *1963,* 101—120.

Adolf *Laube,* Hans Werner *Seiffert:* Flugschriften der Bauernkriegszeit. Berlin: *1975.*

Wolfgang *Laufer:* Die Sozialstruktur der Stadt Trier in der frühen Neuzeit (Rheinisches Archiv 86). (Diss. phil. Saarbrücken 1972). Bonn: *1973.*

Richard Laufner: Triers Ringen um die Stadtherrschaft vom Anfang des 12. Jahrhunderts bis zum ausgehenden 16. Jahrhundert. In: Trier — ein Zentrum abendländischer Kultur. Rhein. Verein für Denkmalpflege und Heimatschutz, Jahrgang *1952,* 151—174.

Richard *Laufner:* Der Trierer Reformationsversuch vor 400 Jahren. In: Trierisches Jahrbuch 11, *1960,* 18—41.

Heinrich *Leier:* Reformation und Gegenreformation im Hochstifte Würzburg unter Fürstbischof Melchior Zobel von Guttenberg 1544—1558. In: Theologisch-Praktische Monatsschrift 13, *1903,* 399—409, 502—511.

Hans *Liermann:* Handbuch des Stiftungsrechts. I.: Geschichte des Stiftungsrechts. Tübingen: *1963.*

Hans *Liermann:* Reformatorisches Stiftungsrecht in den fränkischen Kirchenordnungen des 16. Jahrhunderts. In: Vierhundertfünfzig Jahre lutherische Reformation 1517—1967. Festschrift für Franz Lau zum 60. Geburtstag. Göttingen: *1967,* 172—180.

Hans *Liermann:* Protestant Endowment Law in the Franconian Church Ordinances. In: *Buck-Zophy 1972,* 340—354.

Johannes *Looshorn:* Die Geschichte des Bistums Bamberg. Band 4—6, München: *1900, 1903, 1906.*

Johann *Loserth:* Zur Geschichte der Wiedertäufer in Salzburg. In: MGSLK 52, *1912,* 35—60.

Johann Peter *Ludewig:* Geschicht-Schreiber von dem Bischoffthum Wirtzburg. Frankfurt: *1773.*

W. *Lueken:* Speratus. In: RGG³ 6, *1962,* 241.

J. C. *Lünig:* Teutsches Reichsarchiv (= DRA), 24 Teile, *1710—1722.*

Heinrich *Lutz:* Bayern und der Laienkelch 1548—1556. In: Quellen und Forschungen aus italienischen Archiven und Bibliotheken 34, *1954,* 203—235.

Josua *Maaler:* Die Teütsch sprach. Dictionarium Germanicolatinum novum. ND Hildesheim: *1971.*

Felix *Mader:* Die Kunstdenkmäler von Unterfranken und Aschaffenburg 12: Stadt Würzburg (Die Kunstdenkmäler des Königreichs Bayern 3). München: *1915.*

Isolde *Maierhöfer:* Sebastian von Rotenhan (1478—1532). In: Fränkische Lebensbilder 1, *1967,* 113-140.

Franz *Martin:* Beiträge zur Geschichte Erzbischof Wolfdietrichs von Raitenau. In: MGSLK 51, *1911,* 209—336.

Josef *Marx:* Caspar Olevian oder der Calvinismus in Trier im Jahre 1559. Ein Beitrag zur Geschichte der Reformation in Deutschland. Mainz, Kirchheim: *1846.*

Michael *Mayr:* Cardinal Commendones Kloster- und Kirchenvisitation von 1569 in den Diözesen Passau und Salzburg. In: Studien und Mitteilungen aus dem Benedictiner- und dem Cistercienser-Orden 14, 1. Heft, *1893,* 385—398, 567—589.

Josef Karl *Mayr:* Geschichte der salzburgischen Zentralbehörden von der Mitte des 13. bis ans Ende des 16. Jahrhunderts. 2. Teil.. In: MGSLK 65, *1925,* 1—72.

K. *Mayr-Deisinger:* Wolf Dietrich von Raittenau, Erzbischof von Salzburg, 1587—1612. München: *1886.*

Grete *Mecenseffy:* Geschichte des Protestantismus in Österreich. Graz, Köln: *1956.*

Grete *Mecenseffy* (Hg.): Quellen zur Geschichte der Täufer 13: Österreich, 2. Teil (Quellen und Forschungen zur Reformationsgeschichte 41). Gütersloh: *1972.*

Peter *Meinhold:* Poliander (Gramann od. Graumann), Johann. In: LThK² 8, *1963,* 588—589.

Thomas *Memminger:* Würzburgs Straßen und Bauten. Ein Beitrag zur Heimatkunde. Würzburg: *1923².*

G. J. *Mentink:* Armenzorg en armoede in de archivalische bronnen in de Noordeligke Nederlanden 1531—1854. In: Tijdschrift voor Geschiedenis 88, *1975,* 551—561.

Sebastian *Merkle:* Würzburg im Zeitalter der Aufklärung. In: Archiv für Kulturgeschichte 11, *1914,* 166—195.

Friedrich *Merzbacher:* Zur Rechtsgeschichte und Volkskunde der Würzburger Kiliansverehrung. In: WDGBll 14/15, *1952/1953,* 27—56.

Friedrich *Merzbacher:* Johann Apels dialektische Methode der Rechtswissenschaft. Eine Station in der Entwicklung des juristischen Unterrichts. In: Zeitschrift der Savigny-Stiftung für Rechtsgeschichte, rom. Abt. 75, *1958,* 364—374.

Friedrich *Merzbacher:* Bischof und Stadt in der Mainzer Geschichte. In: Archiv für mittelrheinische KiG 14, *1962,* 31—43.

Friedrich *Merzbacher:* Julius Echter von Mespelbrunn als Gesetzgeber. In: *Merzbacher,* Gedenkschrift, *1973,* 65—124.

Friedrich *Merzbacher:* Julius Echter und seine Zeit. Gedenkschrift aus Anlaß des 400. Jahrestages der Wahl . . . zum Fürstbischof. Würzburg: *1973.*

Friedrich *Merzbacher:* Der Würzburger Generalvikar und Domdekan Johann von Guttenberg (1520—1538). In: WDGBll 35/36, *1974,* 87—121.

F. Hermann *Meyer:* Würzburger Befreiungen für Buchdrucker, 1481—1548. In: Archiv für Geschichte des Deutschen Buchhandels 15, *1892,* 4—10.

A. *Mitterwieser:* Zur Geschichte des Wöllriederhofes und der übrigen Leprosen- oder Sondersiechenhäuser Würzburgs. In: AHUA 52, *1910,* 77—98.

Bernd *Moeller* (Hg.): Bauernkriegs-Studien (SVRG 189). Gütersloh: *1975.*

Bernd *Moeller:* Das religiöse Leben im deutschen Sprachgebiet am Ende des 15. und am Ende des 16. Jahrhunderts. In: 12ᵉ Congrès International des sciences historiques, Wien 1965: Rapports 3: Commissions. Wien: *1965,* 129—151.

Hansgeorg *Molitor:* Kirchliche Reformversuche der Kurfürsten und Erzbischöfe von Trier im Zeitalter der Gegenreformation (Veröffentlichungen des Instituts für Europäische Geschichte Mainz 43). Wiesbaden: *1967.*

Karl *Müller:* Kirchengeschichte. II, 2. Tübingen: *1919.*

Wolfgang *Müller:* Die Maßnahmen des Rates auf dem Gebiet der offenen Wohlfahrtspflege in den Oberrheinischen Stadtrechten des 16. und beginnenden 17. Jahrhunderts. Ein Beitrag zur rechtlichen Volkskunde des Oberrheins (diss. jur. Heidelberg). *1963.*

Carl *Muther:* Fischer, Friedrich. In: ADB 7, *1878,* 63—65.

Theodor *Muther:* Aus dem Universitäts- und Gelehrtenleben im Zeitalter der Reformation. Erlangen: *1866.*

Eberhard *Naujoks:* Ulms Sozialpolitik im 16. Jahrhundert. In: Ulm und Oberschwaben 33, *1953,* 88—98.

Wilhelm *Nelle:* Schlüssel zum evangelischen Gesangbuch für Rheinland und Westfalen. Gütersloh: *1927³,* 155.

Theodor *Neuhofer:* Gabriel von Eyb, Fürstbischof von Eichstätt 1455—1535. Eichstätt: *1934.*

Wilhelm *Neukam:* Immunitäten und Civitas in Bamberg (1007—1440). In: Bericht des Historischen Vereins . . . Bamberg 78, *1925,* 189—369.

Julius *Ney:* Die Reformation in Trier 1559 und ihre Unterdrückung (SVRG 88/89). Halle: *1906/1907.*

Gustav *Nick:* Zur Mainzer Geschichte im 16. Jahrhundert. In: Quartalblätter des Historischen Vereins für das Großherzogtum Hessen N.F. 2, *1900,* 272—273.

Joseph *Oswald:* Die tridentinische Reform in Altbaiern (Salzburg, Freising, Regensburg, Passau). In: *Schreiber 1951,* 1—37.

Georg Wolfgang *Panzer:* Annalen der älteren deutschen Literatur . . . Band 1.2. und Zusätze. Nürnberg, Leipzig: *1788—1802.* ND Hildesheim: *1961.*

Georg Wolfgang *Panzer:* Annales typographici. Bände 1—11. Nürnberg: *1793—1803.* ND Hildesheim: *1963.*

271

Hans *Patze,* Walter *Schlesinger* (Hgg.): Geschichte Thüringens Bd. 3. Köln, Graz: *1967.*

Michael A. *Pegg:* A Catalogue of German Reformation Pamphlets (1516—1546) in Libraries of Great Britain and Ireland (Bibliotheca Bibliographica Aureliana 45). Baden-Baden: *1973.*

Ludwig *Petry:* Evangelische Regungen in Mainz vom 16.—18. Jh. In: Karl *Trabant,* H. *Mathes* (Hgg.): 150 Jahre evangelische Gemeinde Mainz. Mainz: *1952,* 11—15.

Gerhard *Pfeiffer:* Quellen zur Nürnberger Reformationsgeschichte von der Duldung liturgischer Änderungen bis zur Ausübung des Kirchenregiments durch den Rat (Juni 1524—Juni 1525) (Einzelarbeiten aus der KiG Bayerns 45). Nürnberg: *1968.*

Georg *Pfeilschifter* (Hg.): Acta Reformationis Catholicae Ecclesiam Germaniae Concernentia: Die Reformverhandlungen des deutschen Episcopats von 1520 bis 1570. Regensburg: 1, *1959;* 2, *1960;* 3, *1968;* 4, 2, *1971;* 5, *1973;* 6, *1974.*

Götz Freiherr von *Pölnitz:* Julius Echter von Mespelbrunn, Fürstbischof von Würzburg und Herzog von Franken (1573—1617) (Schriftenreihe zur bayerischen Landesgeschichte 17). München: *1934.*

Götz Freiherr von *Pölnitz:* Der Bamberger Fürstbischof J. Ph. v. Gebsattel und die deutsche Gegenreformation (1599—1609). In: Historisches Jahrbuch 50, *1930,* 47—69.

Vita Joannis *Poliandri:* De Johanne Poliandro. In: De primis sacrorum reformatoribus in Prussia Programma III, quo Sacra Paschalia. Academia Albertina Regiomont., *1824,* 4—23.

J. V. *Pollet:* Julius Pflug Correspondance 1. Leiden: *1969.*

Theodor *Pressel:* Paul Speratus (Leben und Schriften der Väter und Begründer der lutherischen Kirche 8). Elberfeld: *1862.*

Hubert *Pruckner:* Die lateinischen Urkunden des Passauer Stadtarchivs. In: Ostbairische Grenzmarken. Passauer Jahrbuch für Geschichte, Kunst und Volkskunst 10, *1968,* 201—228.

Heribert *Raab:* Die oberdeutschen Hochstifte zwischen Habsburg und Wittelsbach in der frühen Neuzeit. In: Blätter für deutsche Landesgeschichte 109, *1973,* 69—101.

Horst *Rabe:* Der Augsburger Religionsfriede und das Reichskammergericht 1555—1600. In: *Ders.,* H. G. *Molitor,* H.-Chr. *Rublack* (Hgg.): Festgabe für Ernst Walter Zeeden (RST Supplementband 2). Münster: *1976,* 260—280.

Ludovicus *Rabus:* Historien der Heyligen Außerwölten Gottes Zeugen, Bekennern und Martyrern. 7. Theil. Straßburg *1557.*

Bernhard *Raupach:* Evangelisches Oesterreich, das ist historische Nachricht von den vornehmsten Schicksahlen der evangelisch-lutherischen Kirchen in dem Ertz-Herzogthum Oesterreich. Hamburg: *1732—41.*

Robert *Reichenberger:* Wolfgang von Salm, Bischof von Passau (1540—1555). Ein Beitrag zur Geschichte des 16. Jahrhunderts (Studien und Darstellungen aus dem Gebiete der Geschichte 2, 1). Freiburg i. Br.: *1902.*

H. *Reimer:* Die Einwirkungen der Reformation auf Coblenz im 16. Jahrhundert. In: Monatshefte für Rheinische KiG 5, *1911,* 267—287.

Alwin *Reindl:* Die vier Immunitäten des Domkapitels zu Bamberg. In: Bericht des Historischen Vereins ... Bamberg 105, *1969,* 213—509.

F. N. *Reininger:* Die Archidiakone, Offiziale und Generalvikare des Bistums Würzburg. In: AHUA 28, *1885,* 1—265.

Ernst *Reiter:* Martin von Schaumberg. Fürstbischof von Eichstätt (1560—1590) und die Trienter Reform (RST 91/92). Münster: *1965.*

272

Georg *Reitz:* Luthertum und Wiedertäufertum in Koblenz im 16. Jahrhundert. In: Pastor Bonus 42, *1931,* 202—211.

Ludwig J. *Rhesa:* De primis, quos dicunt sacrorum reformatoribus in Prussia. 2. Vita Pauli Sperati. Regiomonti: *1823.*

Ludwig J. *Rhesa:* Vita Joannis Poliandri. Regiomonti: *1824.*

Karl *Ried:* Moritz von Hutten. Fürstbischof von Eichstätt (1539—1557) und die Glaubensspaltung (RST 43/44). Münster: *1925.*

Klaus *Rischar:* Das Leben und Sterben der Wiedertäufer in Salzburg und Süddeutschland. In: MGSLK 108, *1968,* 197—207.

Klaus *Rischar:* The Martyrdom of the Salzburg Anabaptists in 1527. In: The Mennonite Quarterly Review 43, *1969,* 322—327.

Burkhard *Roberg* (Hg.): Die Kölner Nuntiatur II/3: Nuntius Ottavio Murto Frangipani (1592 Juli—1593 Dezember). München, Paderborn, Wien: *1971.*

Hans *Rössler:* Geschichte und Strukturen der evangelischen Bewegung im Bistum Freising 1520—1571 (Einzelarbeiten aus der KiG Bayerns 42). Nürnberg: *1966.*

Rost: Ueber Beguinen, insbesondere im ehemaligen Fürstenthum Würzburg. In: AHUA 9, *1846,* 81—145.

Friedrich Wilhelm Ehrenfried *Rostius:* Memoria Joannis Poliandri repraesentata. Programm Leipzig Thomasschule. Leipzig: *1808.*

Hans-Christoph *Rublack:* Die Einführung der Reformation in Konstanz (QFRG 40). Gütersloh: *1971.*

Hans-Christoph *Rublack:* Die Stadt Würzburg im Bauernkrieg. In: ARG 67, *1976,* 76—100.

Hans-Christoph *Rublack:* Die Berichte des Würzburger Gesandten Dr. Nikolaus Geys vom Bauernkrieg in Württemberg und Oberschwaben. In: ZwüLaG *1975* (1978), 125—141.

Hans-Christoph *Rublack:* Landesherrliche Stadtordnungen und städtische Gravamina der Stadt Würzburg im 16. Jahrhundert. In: WDGBll 39, *1977,* 123—138.

Willi *Rüger:* Mittelalterliches Almosenwesen. Die Almosenordnungen der Reichsstadt Nürnberg (Nürnberger Beiträge zu den Wirtschafts- und Sozialwissenschaften 31). Nürnberg: *1932.*

(Gottfried *Kentenich*), Friedrich *Rudolph* (Hgg.): Quellen zur Rechts- und Wirtschaftsgeschichte der rheinischen Städte: Kurtrierische Städte 1: Trier. Mit einer Einleitung von Gottfried Kentenich (Publikationen der Gesellschaft für Rheinische Geschichtskunde 29). Bonn: *1915.*

Ludwig *Rumpl:* Die Gegenreformation in Obernberg am Inn, Passau und einigen anderen Orten des Fürstbistums Passau. In: Ostbairische Grenzmarken. Passauer Jahrbuch für Geschichte, Kunst und Volkskunst 6, *1962,* 133—149.

Julius *Sax:* Die Bischöfe und Reichsfürsten von Eichstätt 745—1806. 2 Bde. Landshut: *1884—85.*

Julius *Sax:* Geschichte des Hochstifts und der Stadt Freising, neubearbeitet von Joseph Bleicher. Eichstätt: *1927.*

Carl Gottfried *Scharold:* Dr. Martin Luthers Reformation in nächster Beziehung auf das damalige Bisthum Würzburg. Bd. 1. Würzburg: *1824.*

Carl Gottfried *Scharold:* Beiträge zur Geschichte des Bauernkrieges. In: AHUA 5, Heft 3, *1839,* 30—58, 156—161.

Heinz *Scheible:* Reform, Reformation, Revolution. Grundsätze zu Beurteilung von Flugschriften. In: ARG 65, *1974,* 108—134.

Johann Georg *Schelhorn:* De religionis evangelicae in provincia Salisburgensi ortu proges-
su et fatis commentatio historico ecclesiastica. Lipsiae: *1732.*

Karl *Schellhass* (Hg.): Die süddeutsche Nuntiatur des Grafen Bartholomäus von Portia
1573—1576 (NBD III, 3—5). Berlin: *1896, 1903, 1909.*

Karl *Schellhass:* Der Dominikaner Felician Ninguarda und die Gegenreformation in Süddeutschland und Österreich 1560—1583. 2 (Bibliothek des Deutschen Historischen Instituts in Rom 18). Rom, Regensburg: *1939.*

Maurus *Schellhorn:* Die Petersfrauen. Geschichte des ehemaligen Frauenkonventes bei
St. Peter in Salzburg (c. 1130—1583). In: MGSLK 65, *1925,* 113—208.

Johannes *Schenk:* Die Spitalordnungen. In: *Hessdörfer 1917,* 163—189.

Hans *Scherpner:* Theorie der Fürsorge. Göttingen: *1962.*

Heinz *Schilling:* Aufstandsbewegungen in der stadtbürgerlichen Gesellschaft des alten Rei-
ches. Die Vorgeschichte des Münsterer Täuferreichs, 1525—1534. In: H.-U. *Wehler*
(Hg.): Der deutsche Bauernkrieg 1524—1526 (Geschichte und Gesellschaft Sonderheft 1). Göttingen: *1975,* 193—238.

Heinz *Schilling:* Bürgerkämpfe in Aachen zu Beginn des 17. Jahrhunderts. In: Zeitschrift
für historische Forschung 1, *1974,* 175—231.

Bernhard *Schimmelpfennig:* Bamberg im Mittelalter. Siedelgebiete und Bevölkerung bis
1370 (Historische Studien 391). Lübeck, Hamburg: *1964.*

Walter *Schlesinger,* Hans *Patze* (Hgg.): Geschichte Thüringens. 3. Köln, Graz: *1967.*

Gustav Klemens *Schmelzeisen* (Hg.): Quellen zur Neueren Privatrechtsgeschichte
Deutschlands II, 1, 2. Köln, Graz: *1968, 1969.*

Josef *Schmid:* Des Cardinals und Erzbischofs von Salzburg Matthäus Lang Verhalten zur
Reformation. In: Jahrbuch der Gesellschaft für die Geschichte des Protestantismus in
Österreich 19, *1898,* 171—205; 20, *1899,* 28—50, 154—184; 21, *1900,* 1—41,
138—158; 22, *1900,* 113—147.

Joseph *Schmidlin:* Die kirchlichen Zustände in Deutschland vor dem Dreißigjährigen
Krieg nach den bischöflichen Diözesanberichten an den Heiligen Stuhl. 2. Teil: Bayern
(Erläuterungen und Ergänzungen zu Janssen 7, 3, 4). Freiburg i. Br.: *1910.*

Joseph *Schmidlin:* Die Diözesan-Relation des Fürstbischofs von Würzburg, Julius Echter,
nach Rom (1590). In: WDGBll 7, *1940,* 24—31.

Aloys *Schmidt:* Der Trierer Kurfürst Richard von Greiffenklau und die Auswirkung des
Wormser Edikts in Kurtrier. In: *Reuter 1971,* 271—296.

Charles *Schmidt:* Répertoire Bibliographique Strasbourgeois jusque vers 1530. Strasbourg:
1893. ND Baden-Baden: 1963.

Jakob *Schmidt:* Die katholische Restauration in den ehemaligen Kurmainzer Herrschaften
Königstein und Rieneck (Erläuterungen und Ergänzungen zu Janssen 3,1). Freiburg i. Br.: *1902.*

Martin *Schmidt:* Reformatorische Bewegung 1517—1555. In: *Steitz 1962,* 26—44.

Ulrich *Schmidt:* Ulrich Burchardi. Ein Gedenkblatt zur Reformation in der Diözese Bamberg. In: Festgabe Alois Knöpfler zum 70. Geburtstag. Freiburg i. Br.: *1917.*

Rudolf *Schmitt:* Die Reformation im Bistum Bamberg 1522—1556. Diss. phil. (masch.) Erlangen: *1953.*

Simon *Schoeffel:* Die Kirchenhoheit der Reichsstadt Schweinfurt (Quellen und Forschungen zur bayerischen KiG 3). Leipzig: *1918.*

Karl *Schornbaum:* Das älteste Ehebuch der Pfarrei Sankt Sebald in Nürnberg 1524—1563.
Nürnberg: *1949.*

274

Karl *Schornbaum:* Zum Aufenthalt Johannes Polianders und Schwanhausers in Nürnberg. In: Beiträge zur bayerischen KiG 6, *1900,* 216—228.

Karl *Schornbaum:* Zur Lebensgeschichte des Würzburger Weihbischofs Johannes Pettendorfer. In: Beiträge zur bayerischen KiG 31, *1925,* 61—62.

Karl *Schornbaum* (Hg.): Quellen zur Geschichte der Wiedertäufer 2: Markgraftum Brandenburg (Bayern I. Abt.). (QFRG 16). Leipzig: *1934.*

Karl *Schornbaum* (Hg.): Quellen zur Geschichte der Täufer 5: Reichsstädte: Regensburg, Kaufbeuren, Rothenburg, Nördlingen, Schweinfurt, Weißenburg (Bayern, 2. Abt.) (QFRG 23). Gütersloh: *1951.*

Wolfgang *Schornbaum:* Reformationsgeschichte von Unterfranken. Nördlingen: *1880.*

Karl *Schottenloher:* Die Buchdruckertätigkeit Georg Erlingers in Bamberg von 1522—1541 (1543) (Sammlung Bibliothekswissenschaftlicher Arbeiten 21). Leipzig: *1907.*

Karl *Schottenloher:* Bamberg und die Packschen Händel. In: Berichte des Histor. Vereins Bamberg 65, *1907,* 125—158.

Karl *Schottenloher:* Die Entwicklung der Buchdruckerkunst in Franken bis 1530. Würzburg: *1910.*

Karl *Schottenloher:* Beiträge zur Geschichte der Reformationsbewegung im Fürstbistum Würzburg 1526—1527. In: Zeitschrift für bayerische Landesgeschichte 12, *1940,* 163—172.

Georg *Schreiber* (Hg.): Das Weltkonzil von Trient. Sein Werden und Wirken. 2 Bde. Freiburg i. Br.: *1951.*

Heinrich *Schrohe:* Die Stadt Mainz unter kurfürstlicher Verwaltung (1462—1792) (Beiträge zur Geschichte der Stadt Mainz 5). Mainz: *1920.*

Ernst *Schubert:* Die Landstände des Hochstifts Würzburg (Veröffentlichungen der Gesellschaft für Fränkische Geschichte Reihe 9, 22). Würzburg: *1967.*

Ernst *Schubert:* Gegenreformationen in Franken. In: Jahrbuch für Fränkische Landesforschung 28, *1968,* 275—307. Wiederabgedruckt in: *Zeeden 1975.* 222—269.

Ernst *Schubert:* Julius Echter von Mespelbrunn. In: Fränkische Lebensbilder 3, *1969,* 158—193.

Ernst *Schubert:* Protestantisches Bürgertum in Würzburg am Vorabend der Gegenreformation. In: Zeitschrift für bayerische KiG 40, *1971,* 69—82.

Knut *Schulz:* Ministerialität und Bürgertum in Trier. Untersuchungen zur rechtlichen und sozialen Gliederung der Trierer Bürgerschaft vom ausgehenden 11. bis zum Ende des 14. Jahrhunderts (Rheinisches Archiv 66). (Diss. phil. Berlin 1966.) Bonn: *1968.*

Winfried *Schulze:* „Reformation oder Frühbürgerliche Revolution". Überlegungen zum Modellfall einer Forschungskontroverse. In: Jahrbuch für die Geschichte Mittel- und Ostdeutschlands 22, *1973,* 253—269.

Wilhelm Eberhard *Schwarz* (Hg.): Die Nuntiatur-Korrespondenz Kaspar Groppers (Quellen und Forschungen aus dem Gebiete der Geschichte 5). Paderborn: *1898.*

Joseph *Schweizer* (Hg.): Die Nuntiatur am Kaiserhofe: Antonio Puteo in Prag 1587—1589 (NBD II, 2. Hälfte, = Quellen und Forschungen aus dem Gebiete der Geschichte 14). Paderborn: *1912.*

Joseph *Schweizer* (Hg.): Die Nuntiatur am Kaiserhofe: Die Nuntien in Prag: Alfonso Visconte 1589—1591, Camillo Caetano 1591—1592 (NBD II, 3. Band, = Quellen und Forschungen aus dem Gebiete der Geschichte 18). Paderborn: *1919.*

Thomas S. *Sea:* Schwäbischer Bund und Bauernkrieg: Bestrafung und Pazifikation. In: H.-U. *Wehler* (Hg.): Der deutsche Bauernkrieg 1524—1526 (Geschichte und Gesellschaft Sonderheft 1). Göttingen: *1975,* 129—167.

Franz *Seberich:* Der topographische Gehalt der älteren Würzburger Stadtansichten. In: Mainfränkisches Jahrbuch für Geschichte und Kunst 7 (= AHUA 78), *1955,* 189—235.

Gottfried *Seebass,* Gerhard *Müller* (Hg.): Andreas Osiander d. Ä. Gesamtausgabe Bd. 1. Gütersloh: *1975.*

Gottfried *Seebass:* Bauernkrieg und Täufertum in Franken. In: Zeitschrift für KiG 85 (4. F. 23), *1974,* 284—300.

Gottfried *Seebass:* Der Nürnberger Rat und das Religionsgespräch vom März 1525. In: Jahrbuch für Fränkische Landesforschung 34/35, *1974/75,* 467—499.

Gottfried *Seebass:* Bibliographica Osiandrica. Nieuwkoop: *1971.*

Meinrad *Sehi* OFM (Hg.): Im Dienst an der Gemeinde. 750 Jahre Franziskaner-Minoriten in Würzburg, 1221—1971. Würzburg: *1972.*

Emil *Sehling:* Die evangelischen Kirchenordnungen des 16. Jahrhunderts XI / 1 : Bayern: Franken. Tübingen: *1961.*

Josef *Seubert:* Untersuchungen zur Geschichte der Reformation in der ehemaligen freien Reichsstadt Dinkelsbühl (Historische Studien 420). Lübeck: *1970.*

Short-Title Catalogue of Books Printed in the German-speaking Countries and German Books Printed in Other Countries. From 1455 to 1600 now in the British Museum. London: *1962.*

Matthias *Simon:* Art. Haner, Johann. In: RGG[3], *1959,* 66.

Matthias *Simon:* Evangelische Kirchengeschichte Bayerns. Nürnberg: *1952*[2]. (*1942*[1]: München 2 Bde.)

Matthias *Simon:* Nürnbergisches Pfarrerbuch (Einzelarbeiten aus der KiG Bayerns 41). Nürnberg: *1965.*

Karl *Sittler:* Bischof und Bürgerschaft in der Stadt Passau vom 13. Jahrhundert bis zum Laudum Bavaricum 1535 (Diss. jur. Erlangen). Passau: *1937.*

Franz *von Soden,* J. K. F. *Knaake* (Hg.): Christoph Scheurls Briefbuch. Ein Beitrag zur Geschichte der Reformation und ihrer Zeit. 2 Bde. Potsdam: *1867/72.* ND Aalen: *1972.*

H. *Soly:* Economische ontwikkeling en sociale politiek in Europa tijdens de overgang van middeleeuwen naar nieuwe tijden. In: Tijdschrift voor Geschiedenis 88, *1975,* 584—597.

Cyriakus *Spangenberg:* Adels-Spiegel. Historischer ausführlicher Bericht was Adel sey und heisse, woher er komme, wie mancherlei er sey und was denselben ziere und erhalte, auch hingegen verstelle und schwäche, Ander Teil. Schmalkalden: *1594.*

Hans Eugen *Specker:* Die Reformtätigkeit der Würzburger Fürstbischöfe Friedrich von Wirsberg (1558—1563) und Julius Echter von Mespelbrunn (1573—1617). In: WDGBll 27, *1965,* 29—125.

Hans Eugen *Specker:* Nachtridentinische Visitationen im Bistum Würzburg als Quelle für die katholische Reform. In: E. W. *Zeeden* (Hg.): Gegenreformation, *1973,* 175—189.

Hans Eugen *Specker:* Die Kanzleiordnung Fürstbischof Julius Echters von 1574. Ein Beitrag zur Verwaltungsgeschichte des Hochstifts Würzburg. In: WDGBll 35/36, *1974,* 275—314.

August *Sperl:* Verzeichnis von Protestanten, die ihres Glaubens wegen unter Fürstbischof Julius aus dem Hochstift Würzburg vertrieben wurden (ca. 1585—1595). In: Familiengeschichtliche Blätter 20, *1922,* 223 f.

Herbert *Spindler* (Hg.): Handbuch der bayerischen Geschichte III/1. München: *1971.*

Friedrich *Spitta:* Zur Lebensgeschichte Joh. Polianders. In: Zeitschrift für KiG 29, *1908,* 389—395.

Ernst *Staehelin:* Oekolampad-Bibliographie. Nieuwkoop: *1963*[2].

Helmuth *Stahleder* (Hg.): Hochstift Freising (Freising, Ismaning, Burgrain) (Historischer Atlas von Bayern, Teil Altbayern 33). München: *1974.*

J. B. *Stamminger:* Franconia Sacra. Geschichte und Beschreibung des Bistums Würzburg (1). Die Pfarrei zu St. Burkard in Würzburg. Würzburg: *1889.*

Josef *Steinruck:* Johann Baptist Fickler. Ein Laie im Dienste der Gegenreformation (RST 89). Münster: *1965.*

Heinrich *Steitz:* Die reformatorische Bewegung im mittelrheinischen Raum. In: Ebernburg-Hefte 5, *1971,* 134—145 (Blätter für Pfälzische Kirchengeschichte und Religiöse Volkskunde 39, 1972).

Heinrich *Steitz* (Hg.): Das Evangelische Mainz. Sonderdruck aus dem Festbuch „Wir lieben die Brüder" aus Anlaß der 95. Hauptversammlung des Gustav Adolf Werkes der Evangelischen Kirche in Deutschland … 1962 … Frankfurt/Main: *1962.*

Beate *Stierle:* Capito als Humanist (Quellen und Forschungen zur Reformationsgeschichte 42). (Diss. theol. Göttingen 1972). Gütersloh: *1974.*

Roderich *Stintzing:* Geschichte der Deutschen Rechtswissenschaft 1. München, Leipzig: *1884.*

Friedrich *Stöhlker:* Die Kartause Buxheim (1. und 2. Folge). Buxheim: *1974, 1975.*

Wilhelm *Störmer:* Obrigkeit und evangelische Bewegung. Ein Kapitel fränkischer Landes- und Kirchengeschichte. In: WDGBll 33, *1971,* 113—128.

Wilhelm *Stolze:* Der Deutsche Bauernkrieg. Halle: *1907.*

Heinrich *Straub:* Ein reformationsgeschichtliches Dokument. In: Bericht des Historischen Vereins … Bamberg 97, *1961,* 169—172.

Karl *Sudhoff:* Caspar Olevianus und Zacharias Ursinus (Leben und ausgewählte Schriften der Väter der reformierten Kirche 8). Elbersfeld: *1857.*

J. G. *Suttner:* Apostaten des 16. Jahrhunderts. In: Pastoralblatt des Bisthums Eichstätt 15, *1868,* 123—130.

Alfred *Tausendpfund:* Der Beitritt des Hochstifts Würzburg zum Schwäbischen Bund. In: WDGBll 37/38, *1975,* 411—438.

Leonhard *Theobald:* Die Reformationsgeschichte der Reichsstadt Regensburg. 2 Bde. (Einzelarbeiten aus der KiG Bayerns 19). München und Nürnberg: *1936, 1951.*

Rudolf Freiherr von *Thüngen:* Der Bauernkrieg unter Conrad III. Bischof von Würzburg. Würzburg: *1926.*

Franz Xaver *Thurnhofer:* Bernhard Adelmann von Adelmannsfelden, Humanist und Luthers Freund (1457—1523) (Erläuterungen zu Janssen 2, 1). Freiburg i. Br.: *1900.*

Karl *Trüdinger:* Stadt und Kirche im spätmittelalterlichen Würzburg. Stuttgart: *1977.*

Paul *Tschackert:* Speratus' Leben bis 1524. Gang der kirchengeschichtlichen Ereignisse im Ordenslande von 1523—1525. Religionsgespräch zu Rastenburg, 29. und 30. Dec. 1531. Lebensausgang des Bischofs Speratus. Herzog Albrecht als kirchengeschichtliche Persönlichkeit. In: *Ders.:* Urkundenbuch: *1890.*

Paul *Tschackert:* Urkundenbuch zur Reformationsgeschichte des Herzogtums Preußen (Publikationen aus den k. preuß. Staatsarchiven 43—45). Leipzig: *1890.*

Paul *Tschackert:* Paul Speratus von Rötlen, evangelischer Bischof von Pomesanien in Marienwerder (SVRG 8). Halle: *1891.*

Paul *Tschackert:* Herzog Albrecht von Preußen als reformatorische Persönlichkeit (SVRG 45). Halle: *1894.*

Paul *Tschackert:* Paul Speratus. In: RE³ 18, *1906,* 625—631.

Ph. Emil *Ullrich:* Die Kartause Engelgarten in Würzburg. In: AHUA 40, *1898,* 1—72; 41, *1899,* 71—156.

Ferdinand *Vander Haeghen:* Bibliotheca Erasmiana. Répertoire des œuvres d'Erasme. Gent: *1893.* ND Nieuwkoop: *1972.*

Andreas Ludwig *Veit:* Kirche und Kirchenreform in der Erzdiözese Mainz im Zeitalter der Glaubensspaltung und der beginnenden tridentinischen Reformation (1517—1618) (Erläuterungen und Ergänzungen zu Janssens Geschichte des deutschen Volkes 10, 3). Freiburg: *1920.*

Adam *Wandruszka* (Hg.): Nuntius Commendone 1560 (Dezember)—1562 (März) (NBD 1560—1572) (NBD II/2). Graz, Köln: *1953.*

Paul *Wappler:* Die Täuferbewegung in Thüringen von 1526—1584 (Beiträge zur neueren Geschichte Thüringens 2). Jena: *1913.*

Franz Xaver von *Wegele:* Konrad III. von Thüngen, Fürstbischof von Wirzburg (1519—1540). In: ADB 16, *1882,* 632—634.

Franz Xaver von *Wegele:* Geschichte der Universität Würzburg. 1. Teil: Geschichte, Würzburg: *1882.* 2. Teil: Urkundenbuch, Würzburg: *1882.* ND Aalen: *1969.*

Hildegard *Weiss:* Stadt- und Landkreis Bamberg (Historischer Atlas von Bayern, Teil Franken, Reihe I, Heft 21). München: *1974.*

Ludwig *Weiss:* Pfründenverleihungen im Nordosten des Bistums Würzburg in der ersten Hälfte des 16. Jahrhunderts (Auszüge aus dem 1945 verbrannten liber collationum I). In: WDGBll 26, *1964,* 227—254.

Thomas *Welzenbach:* Geschichte der Buchdruckerkunst im ehemaligen Herzogthume Franken und in benachbarten Städten. In: AHUA 14, Heft 2, *1858,* 117—258.

Alfred *Wendehorst:* Das Bistum Würzburg. Ein Überblick von den Anfängen bis zur Säkularisation. In: Freiburger Diözesanarchiv 68 (3 F. 18), *1966,* 9—93.

Alfred *Wendehorst:* Art. Friedrich von Wirsberg. In: NDB 5, *1961,* 598 f.

Alfred *Wendehorst:* Die Juliusspitalpfarrei und ihre Bedeutung für die Gegenreformation. In: *Merzbacher,* Gedenkschrift, *1973,* 349—373.

Alfred *Wendehorst:* Kanoniker und Vikare des Stifts Neumünster in der Würzburger Weihematrikel. In: WDGBll 32, *1970,* 35—81.

Hans *Westermayer:* Die Brandenburgisch-Nürnbergische Kirchenvisitation und Kirchenordnung 1528—1533. Erlangen: *1894.*

Hans *Widmann:* Zwei Beiträge zur Salzburgischen Geschichte. In: Programm des k. k. Staatsgymnasiums in Salzburg 1896—97, *1897,* 1—28.

Hans *Widmann:* Geschichte Salzburgs (Allgemeine Staatengeschichte 3. Abt.: Deutsche Landesgeschichten 9). Band 2 und 3. Gotha: *1909, 1914.*

Hans *Widmann:* Die Regierung des geistlichen Staates Salzburg im 16. Jahrhundert. In: Deutsche Geschichtsblätter 15, *1913,* 1—23.

Franz *Wieacker:* Privatrechtsgeschichte der Neuzeit. *1967²*.

Hans *Wiedemann:* Die Wiedertäufergemeinde in Passau 1527—1535. In: Ostbairische Grenzmarken. Passauer Jahrbuch für Geschichte, Kunst und Volkskunst 6, *1962,* 262—276.

Karl *Wild:* Stadt und Wirtschaft in den Bistümern Würzburg und Bamberg (Heidelberger Abhandlungen zur mittleren und neueren Geschichte 15). Heidelberg: *1906.*

Georg Andreas *Will:* Nürnbergisches Gelehrten-Lexicon, 4 Bde., Nürnberg, Altdorf: *1755—1758.*

Otto *Winckelmann:* Die Armenordnungen von Nürnberg (1522), Kitzingen (1523), Regensburg (1523) und Ypern (1525). In: ARG 10, *1912/13,* 242—280; 11, *1914,* 1—18.

W. *Wiswedel:* Bilder und Führergestalten aus dem Täufertum. Band 2. Kassel: *1930.*

Rainer *Wohlfeil:* Der Speyerer Reichstag von 1526. In: Blätter für pfälzische Kirchengeschichte und religiöse Volkskunde 43, *1976,* 5—20.

Adolf *Wrede* (Bearb.): Deutsche Reichtagsakten unter Kaiser Karl V. Gotha: *1905,* = RTA JR 4.

Ernst *Wülcker,* Hans *Virck* (Hg.): Des Kursächsischen Rathes Hans von der Planitz Berichte aus dem Reichsregiment in Nürnberg 1521—23. Leipzig: *1899.*

Johannes Hugo *Wyttenbach,* Michael F. J. *Müller:* Gesta Treverorum von den Anfängen bis 1794. 3 Bde. Trier: *(1836—1839).*

Johannes Hugo *Wyttenbach:* Vollständiges Statutenbuch der Stadt Trier aus dem 16. Jahrhundert. In: Treviris 3, *1836,* Nr. 5—37.

G. *Zagel:* Die Gegenreformation im Bistum Bamberg unter Fürstbischof Neithard von Thüngen 1591—98. Bayreuth: *1900.*

Judas Thaddäus *Zauner:* Chronik von Salzburg. Salzburg: *1796—1826.* (Teil 7 = Neue Chronik von Salzburg. 1. Teil: Salzburg: *1813).*

Zedler: Grosses Vollständiges Universal-Lexikon aller Wissenschaften und Künste. 68 Bde. Halle, Leipzig: *1732—1754.* ND Graz: *1962—1964.*

Ernst Walter *Zeeden:* La vie religieuse dans les pays catholiques de la langue germanique à la fin du 16ᵉ siècle. In: Colloque d'histoire religieuse (Lyon, octobre 1963). Grenoble: *1963,* 63—84.

Ernst Walter *Zeeden:* Die Entstehung der Konfessionen. München, Wien: *1964.*

Ernst Walter *Zeeden:* Das Zeitalter der Gegenreformation. Freiburg i. Br.: *1967.*

Ernst Walter *Zeeden:* Deutsche Kultur in der frühen Neuzeit (Handbuch der Kulturgeschichte 1. Abteilung). Frankfurt: *1968.*

Ernst Walter *Zeeden:* Das Zeitalter der Glaubenskämpfe (1555—1658). In: Bruno *Gebhardt:* Handbuch der deutschen Geschichte (hg. v. Herbert Grundmann), 2, 9. Auflage Stuttgart: *1970,* 119—239.

Ernst Walter *Zeeden:* Gegenreformation (Wege der Forschung 311). Darmstadt: *1973.*

Ernst Walter *Zeeden:* Grundlagen und Wege der Konfessionsbildung in Deutschland im Zeitalter der Glaubenskämpfe. In: HZ 185, *1958,* 249—299. Wiederabgedruckt in *Ders.:* Gegenreformation, *1973,* 85—134.

Sebastian *Zeissner:* Rudolf II. von Scherenberg, Fürstbischof von Würzburg 1466—1495. Würzburg: *1952²* .

Werner *Zeissner:* Altkirchliche Kräfte in Bamberg unter Bischof Weigand von Redwitz (1522—1556) (Historischer Verein für die Pflege der Geschichte des ehemaligen Fürstbistums Bamberg. Beiheft 6). Bamberg: *1975.*

Joseph *Zeller:* Paul Speratus von Rötlen, seine Herkunft, sein Studiengang und seine Tätigkeit bis 1522. In: Württembergische Vierteljahreshefte N. F. 16, *1907,* 327—358.

Joseph *Zeller:* Nachlese zu Paul Speratus. In: Württembergische Vierteljahreshefte
    N. F. 18, *1909,* 180—185.

Joseph *Zeller:* Neues über Paulus Speratus. In: Württembergische Vierteljahreshefte
    N. F. 23, *1914,* 97—119.

F. V. *Zillner:* Geschichte der Stadt Salzburg, 2. Buch: Zeitgeschichte bis zum Ausgang des
    18. Jahrhunderts. 2 Bände. Salzburg: *1890.*

Personen- und Ortsregister

Nicht aufgenommen sind Personen- und Ortsnamen der Listen des Exkurses 3: Anhänge 1—4, der Listen 1—8 des Exkurses 4 im Anhang, des Verzeichnisses der Bibliothek des Georg Reumann (Anhang zu Exkurs 5) und die topographischen Bezeichnungen aus Exkurs 7.

Personen

Müller, Balthasar 40
Müller, Dorothea 194
Müller, Jörg 41
Müller, Jörg-Christoph 194
Müller, Jörg-Ludwig 194
Müller, Konrad d. Ä. 52 ff., 60 ff., 67 f., 70, 140, 194, 196
Müller, Konrad d. J. 194
Müller, Lorenz-Heinrich 194
Müller, Matthis 40 f.
Müllner 82
Münster, Sebastian 207
Müssig, Melchior 195
Muller, Barbara 195
Munnbach, Reichard 190
Musculus, Andreas 203 ff.
Mutian 22

Nespitzer, Georg 39
Neumeister, N. 195
Neustetter, Erasmus 57, 62, 191, 193
Neydecker, Georg 88 f.
Neydecker, Johann 86
Neydecker, Paul 82 f.
Nicolai, Philipp 203
Nigrinus, Georg 206
Ninguarda 114
Nützel, Wolfgang 21

Ökolampad, Johannes 157 ff.
Offenbuchen, Martinus 43
Olevian, Caspar 96 ff., 103 f.
Olevian, Friedrich 104, 125
Origenes 161
Osiander, Andreas 21, 27, 81
Ott, Eucharius 81

Päminger, Leonhard 118
Päminger, Sophonias 118
Paltz, Johann von 9
Pancratius, Andreas 205
Paul von Worms 53, 137
Pauridel, David 86
Petreius, Johannes 160
Petri, Adam 40
Pettendorfer, Johann 17, 19, 42
Petzold, Paul 195

Peypus, Friedrich 80, 160
Pfeffinger, Johann 117
Pfeil, Hans 102
Pfister, Caspar 26
Pfister, geb. (Mutter der Barbara Reumann) 196
Pflug, Julius 18, 22, 29
Philipp von Freising, Fürstbischof 119
Piesport, Johannes 104
Pirchaymer, Leonhard → Pirkhaymer
Pirckheimer, Charitas 14
Pirckheimer, Willibald 25
Pirkhaymer, Leonhard 119
Planitz, Hans von 22, 24, 28 f., 31, 43, 111 f.
Plorock, Melchior 195
Plorock, Peter 67, 195
Poliander, Johannes → Gramann
Praun, Felix 115
Puteo 114, 127

Rabe, Friedrich 191
Raitenau, Wolf Dietrich von 114 ff.
Raminger, Jörg 43
Ramsbeck, Johann 52
Ramsbecken, Anna 189
Ramsbecken, Steffan 189
Ranckner, Georg → Renckner
Ranninger, Wolf → Raminger, Jörg
Raspe, Kilian 68, 73, 195
Reb, Margaretha 196
Rebhöltzin, Margaretha 190
Redwitz, Friedrich von 26
Redwitz, Weigand von 79 ff.
Reiser, Georg 39
Renata (Ferrara) 57
Renckner, Georg 52, 195
Retsch, Hans 41
Reuchlin, Johannes 105
Reumann, Anna 196
Reumann, Anna Cathrina 196
Reumann, Anna Maria 196
Reumann, Anthoni 44
Reumann, Barbara, geb. Weyer 70, 73, 196, 203
Reumann, Dorothea 196
Reumann, Dorothee, geb. Pfister 195

Orte

Spätmittelalter und Frühe Neuzeit

Tübinger Beiträge zur Geschichtsforschung

Herausgegeben von Josef Engel und
Ernst Walter Zeeden

Bereits erschienen:

Band 1 Karl Trüdinger
Stadt und Kirche
im spätmittelalterlichen Würzburg
1978, 193 S., Ln., ISBN 3-12-911540-4

Band 2 Josef Nolte, Hella Tompert, Christof Windhorst (Hrsg.)
Kontinuität und Umbruch.
Theologie und Frömmigkeit in Flugschriften und Kleinliteratur an der
Wende vom 15. zum 16. Jahrhundert
1978, 338 S., Ln., ISBN 3-12-911510-2

Band 3 Paul Münch
Zucht und Ordnung.
Reformierte Kirchenverfassungen im 16. und 17. Jahrhundert
(Nassau-Dillenburg, Kurpfalz, Hessen-Kassel)
1978, 232 S., Ln., ISBN 3-12-911530-7

Band 4 Hans-Christoph Rublack
Gescheiterte Reformation.
Frühreformatorische und protestantische Bewegungen in süd- und
westdeutschen geistlichen Residenzen
1978, ca. 290 S., Ln., ISBN 3-12-911560-9

Band 5 Jürgen Bücking
Michael Gaismair: Reformer — Sozialrebell — Revolutionär.
Seine Rolle im Tiroler „Bauernkrieg" (1525/32)
1978, 189 S., Ln., ISBN 3-12-911520-X

Band 6 Dieter Stievermann
Städtewesen in Südwestfalen.
Die Städte des Märkischen Sauerlandes im späten Mittelalter und in
der frühen Neuzeit
1978, 262 S., Ln., ISBN 3-12-911580-3

In der Reihe sind geplant:

Band 7 Erdmann Weyrauch
Konfessionelle Krise und soziale Stabilität.
Das Interim in Straßburg (1548—1562)
1978, ca. 320 S., Ln., ISBN 3-12-911550-1

Band 8   Hans-Georg Hofacker
         Die schwäbischen Reichslandvogteien im späten Mittelalter
         1978, ca. 350 S., Ln., ISBN 3-12-911570-6

Band 9   Kleine Schriften 1, hrsg. von Josef Engel
         1978, ca. 500 S., Ln., ISBN 3-12-911620-6

Band 10 Dieter Demandt, Hans-Christoph Rublack
         Stadt und Kirche in Kitzingen.
         Studien zu Spätmittelalter und Reformation
         1978, ca. 300 S., Ln., ISBN 3-12-911590-0

Band 11 Ingrid Bátori, Erdmann Weyrauch
         Die bürgerliche Elite der Stadt Kitzingen.
         Studien zur Sozial- und Wirtschaftsgeschichte einer landesherrlichen
         Stadt im 16. Jahrhundert
         1978, ca. 500 S., Ln., ISBN 3-12-911610-9

Stand: Frühjahr 1978
Bitte fordern Sie unser Verlagsverzeichnis an

Klett-Cotta